INTRODUCTION À LA PSYCHOLOGIE SOCIALE

David G. Myers

ADAPTÉ PAR
Patrick Bolland
Collège Montmorency

COLLECTION
DU RÉTIAIRE

DIRECTEUR DE COLLECTION
François Cauchy
Collège Montmorency

Chenelière/McGraw-Hill
MONTRÉAL • TORONTO

Introduction à la psychologie sociale

Traduction de: Exploring Social Psychology,
© 1994 McGraw-Hill, Inc.

© 1997 Les Éditions de la Chenelière inc.

Éditeur: Michel Poulin
Coordination: Lucie Robidas
Traduction: Marie-Claude Désorcy
Révision linguistique et correction d'épreuves: Marthe Therrien
Conception graphique: Le groupe Flexidée Ltée
Couverture: Norman Lavoie
Photo de la couverture: Maurice Lafontaine
Infographie: Rive-Sud Typo Service inc.

L'Éditeur tient à remercier Julien Cloutier (NABI) pour sa collaboration dans l'élaboration de la page couverture.

Données de catalogage avant publication (Canada)

Myers, David G.

Introduction à la psychologie sociale

(Collection du Rétiaire)
Traduction de: Exploring social psychology.
Comprend des réf. bibliogr. et un index.
Pour les étudiants du niveau collégial.

ISBN 2-89461-095-5

1. Psychologie sociale 2. Influence sociale. 3. Relations humaines. I. Titre. II. Collection

HM251.M94214 1997   302   C96-941373-4

Chenelière/McGraw-Hill
7001, boul. Saint-Laurent
Montréal (Québec)
Canada H2S 3E3
Téléphone: (514) 273-1066
Télécopieur: (514) 276-0324
Courrier électronique: chene@dlcmcgrawhill.ca

ISBN 2-89461-095-5

Dépôt légal: 2e trimestre 1997
Bibliothèque nationale du Québec
Bibliothèque nationale du Canada

Imprimé et relié au Canada par Imprimerie Transcontinental inc.
Division Interglobe

2   3   4   5   01   00   99   98

Dans cet ouvrage, le masculin a été utilisé dans le but d'alléger le texte. La lectrice et le lecteur verront à interpréter selon le contexte.

Notes biographiques

L'auteur

David G. Myers est professeur de psychologie à Hope College au Michigan. Communicateur de grand talent, ses articles ont paru dans plus d'une vingtaine de périodiques différents et il a écrit (seul ou en équipe) une dizaine d'ouvrages dont le plus récent est *The Pursuit of Happiness: Who Is Happy - and Why* (Williams Morrow, 1992).

David G. Myers est un chercheur très actif en psychologie sociale. Il a publié plus d'une vingtaine d'articles scientifiques et a siégé sur le comité éditorial du *Journal of Experimental Social Psychology* et du *Journal of Personality and Social Psychology.*

L'adaptateur

Patrick Bolland détient un Master's Degree en psychologie sociale de l'université de Syracuse aux États-Unis. Il enseigne la psychologie au Collège Montmorency depuis 1989. Auparavant, il a enseigné en Afrique de l'est, à l'Université Concordia ainsi qu'au collège Dawson. Actuellement, il étudie la psychosociologie clinique à Paris.

Préface
Un livre pour apprendre

Le livre que vous avez entre les mains fait partie de la collection du Rétiaire. Celle-ci est dédiée au soutien des apprentissages des élèves inscrits en sciences humaines au collégial. Le rétiaire était un gladiateur romain armé d'un trident et d'un filet. Ce filet illustre bien l'idée de cohérence sur laquelle s'appuie la collection. Le réseau de mailles qui le constitue fait référence aux relations qui existent entre les différentes étapes du programme de formation, entre les objectifs qui le jalonnent et, par le fait même, entre les ouvrages dont est composée la collection. Ce large filet évoque aussi les connexions que tout apprenant se doit de faire entre ce qu'il connaît déjà et ce qu'il souhaite apprendre.

Le rétiaire, émergeant des sources latines de notre civilisation occidentale, nous semblait être le candidat idéal pour défendre l'idée d'une collection consacrée à l'apprentissage des sciences humaines au collégial.

La collection du Rétiaire a, en effet, comme principal objectif de soutenir la mise en œuvre du programme des sciences humaines du réseau collégial. Ses volumes, pour se développer, s'appuient donc sur le projet de formation proposé par le programme, tel qu'il est traduit par chacun des cours qui le composent.

Nous avons conçu pour cette collection des ouvrages qui, en plus de présenter des notions de façon organisée, veulent vous aider à apprendre. Ce manuel va donc plus loin que la simple description d'un contenu de cours, il se présente comme un véritable outil d'apprentissage.

Mais – faut-il le mentionner? – personne n'apprend passivement. Aucun outil, si performant soit-il, ne peut assurer à lui seul l'apprentissage chez celui qui l'utilise. L'enseignement est la responsabilité du professeur; l'apprentissage est de votre ressort. Vous a-t-on, cependant, déjà enseigné à apprendre?

C'est dernièrement que l'école a commencé à se préoccuper de soutenir le processus d'apprentissage chez l'étudiant. En effet, pendant longtemps, on a demandé aux étudiants de prouver qu'ils avaient appris (par des travaux, des examens, etc.), sans qu'on ait jamais pensé à leur enseigner à apprendre. Dans cette préface, nous vous proposons quelques techniques simples qui, si vous faites l'effort de les appliquer, devraient maximiser les bénéfices que vous retirerez de vos études en ce qui a trait tant à l'acquisition des connaissances et des habiletés qu'au plaisir d'apprendre.

●Pourquoi étudier?

Plusieurs répondront à cette question: «Pour réussir les examens.» Comme si le but de l'école était de nous faire réussir des examens! Étudier nous permet d'apprendre et apprendre nous permet de franchir des étapes, nous ouvre de nouveaux horizons. Apprendre nous aide à devenir ce que nous désirons être. L'école favorise la réalisation de ce quelqu'un en nous qui ne demande qu'à devenir. C'est là l'essence même du processus de développement des apprentissages.

Évidemment, si on ne vous a toujours demandé que de répéter une information apprise par cœur, de combler des espaces vides ou de cocher le bon choix de réponse, il est possible que l'étude (et même l'école) ait perdu son sens pour vous.

Nous y voilà, le «sens». Nous ne pouvons y échapper, il faut que les choses aient du sens pour être vraiment apprises, intégrées. Il faut que votre activité même d'étudiant ait du sens pour être efficace. L'individu qui donne un sens à ses activités est motivé. En effet, la motivation trouve sa source dans le fait que nous cherchons à assouvir des besoins; pour cela, nous devons atteindre des objectifs. Vous devez donc toujours savoir quel objectif vous voulez atteindre en poursuivant des études (savoir quelle est la personne que vous désirez devenir en étudiant) afin de donner un sens – votre sens – à l'étude. Ainsi, Les programmes collégiaux seront de plus en plus construits à partir de «cibles de formation» que sont les compétences, ce qui devrait leur donner plus de cohérence.

●La réussite motive

La réussite est une des principales sources de motivation. Comme le souligne Richard L. Côté[1]:

1. *Le succès augmente la valeur des activités intellectuelles associées à l'apprentissage visé.*
2. *Le succès augmente le niveau d'aspiration, l'échec le diminue.*
3. *Le niveau d'aspiration tend à suivre le niveau de rendement.*
4. *La probabilité d'augmentation du niveau d'aspiration est reliée à l'augmentation des chances de succès.*

V

---

1. R. L. Côté, *Psychologie de l'apprentissage et enseignement*, Montréal, Gaëtan Morin Éditeur, 1987.

En deux mots, la motivation aide à réussir et la réussite favorise la motivation. La réussite augmente aussi le niveau d'aspiration, qui, lui, correspond aux objectifs que nous estimons réaliste de pouvoir atteindre.

Mais comment réussir? En travaillant, il n'y a pas d'autre recette. Il y a toutefois des façons de travailler plus efficaces que d'autres. Nous vous en suggérons ici quelques-unes. Elles sont placées non en fonction de leur importance, mais de leur ordre chronologique.

1. Chassez les démons

Combien d'heures d'«étude» avez-vous gaspillées à faire n'importe quoi sauf étudier? à penser à tout autre chose qu'à ce qui devrait vous préoccuper? à vous trouver «poche», à ronchonner contre l'école, le prof, le livre, la matière et que sais-je encore? Toutes les pensées qui ne sont pas reliées à votre sujet d'étude et qui encombrent votre esprit pendant votre travail sont autant de litres d'«essence cognitive» perdus. C'est pour cela, entre autres, que certains réussissent moins bien que d'autres tout en ayant «étudié» beaucoup plus longtemps.

Ne vous empêchez pas de rêvasser, c'est un des plaisirs de la vie, mais ne le faites pas en même temps que vous étudiez. Débarrassez-vous aussi de tous ces jugements de valeur négatifs sur vous ou sur l'univers entier et qui vous assaillent lorsque vous faites face à un sujet difficile. Pestez contre tout ce que vous voudrez, mais arrêtez d'étudier pour le faire et reprenez votre étude une fois que vous vous serez bien défoulé.

2. Trouvez votre lieu

Cela peut sembler secondaire, mais il est important que vous vous trouviez, dans la mesure du possible, un endroit bien à vous pour étudier, et seulement pour étudier. L'idée, c'est de faire en sorte que l'état d'esprit favorable à la concentration que vous aurez développé en «chassant les démons» s'instaure automatiquement lorsque vous vous installez pour étudier. Évidemment, si l'état d'esprit associé à l'étude est un sentiment de dégoût ou de dépit, il s'enclenchera pareillement dès que vous aurez pris place à cet endroit où vous faites cette si horrible chose qu'est l'étude. C'est pourquoi il est important de développer un état d'esprit positif avant de l'associer à un lieu. C'est pourquoi, aussi, votre lit est un mauvais endroit pour étudier. L'état d'esprit qui y est associé est probablement plus près du sommeil que de la concentration active.

3. Découpez le saucisson en tranches

Vous le savez sûrement déjà: il est plus efficace d'étudier un peu tous les jours que d'essayer de tout assimiler en un coup la veille de l'examen. Vous le savez mais vous continuez de tout remettre au lendemain jusqu'à la dernière minute. Pourquoi? Parce qu'il y a tant de choses plus agréables à faire que d'étudier et parce que vous vous êtes toujours débrouillé pour passer en étudiant à la dernière minute. Mais si vous voulez faire plus que vous «débrouiller pour passer», l'étude régulière est beaucoup plus efficace. Quant aux autres choses agréables, profitez-en au maximum, la vie est faite pour ça, mais réservez-vous une courte période quotidienne pour étudier dans le lieu que vous aurez choisi après avoir chassé vos démons. Ainsi, l'étude deviendra probablement pour vous l'une des choses agréables de la vie.

4. Surtout, ne dormez pas!

Gardez votre esprit en éveil, non seulement pour lire (c'est bien là l'activité la plus simple parmi toutes celles qui sont liées à l'étude), mais aussi pour traiter l'information. Certains lisent les textes qu'on leur demande de lire: les mots ont défilé devant leurs yeux, ils les ont même presque tous compris. Ils ont fait ce qu'on leur avait demandé de faire, et pourtant ils n'ont rien appris.

Pour apprendre, vous devez relier les nouvelles informations à celles que vous possédez déjà. Prenons une image. Supposons une toile d'araignée tridimensionnelle (ou un filet de rétiaire...) qui va dans tous les sens. Chaque point de jonction est un savoir que vous maîtrisez bien. Pour qu'un nouveau savoir soit appris, il doit s'insérer dans cette toile d'araignée. Il sera ainsi en relation avec les autres renseignements qui l'entourent et son introduction modifiera inévitablement la forme de la toile. Votre «structure cognitive» sera changée.

Pour être en mesure de faire cela, vous devez analyser ce que vous lisez. Dans un premier temps, il peut être utile de surligner ce que vous identifiez comme étant les mots clés du texte. Mais attention! si vous surlignez tout, cela ne vous avancera guère. Vous n'aurez pas repéré les mots clés, vous n'aurez que surligné les phrases importantes. Or les phrases qui ne sont pas importantes ont probablement déjà été éliminées du livre par l'éditeur. La grammaire, la syntaxe et le vocabulaire sont des outils qui servent à transmettre des idées de façon intelligible. Une fois les idées cernées, beaucoup d'éléments nécessaires à leur transmission deviennent superflus. Reprenons les deux dernières phrases:

La grammaire, la syntaxe et le vocabulaire sont des outils qui servent à transmettre des idées de façon intelligible. Une fois les idées cernées, beaucoup d'éléments nécessaires à leur transmission deviennent superflus.

On peut considérer les mots surlignés comme des mots clés. Mettons-les bout à bout: grammaire, syntaxe, vocabulaire, outils, idées, intelligible, idées cernées, éléments, superflus. Cela ne veut rien dire. Les phrases complètes nous font comprendre les liens entre les concepts, mais les concepts de notre structure cognitive n'ont pas besoin de phrases pour exister.

5. Barbouillez ce livre, il est à vous!

Écrivez dans les marges. Résumez chacun des paragraphes en une phrase ou deux de votre cru. Pourquoi cette obstination des professeurs à vous faire écrire en vos propres mots alors que le livre est déjà bien écrit? Ce n'est pas pour faire de vous un auteur, c'est pour vous obliger à utiliser votre structure cognitive (ce que vous savez déjà) afin d'analyser le sens d'un nouvel apprentissage. Si vous n'êtes pas capable de résumer un paragraphe après l'avoir lu, c'est que vous n'avez pas bien intégré son contenu. Relisez-le et, s'il y a lieu, repérez ce que vous n'arrivez pas à comprendre. Notez la question et posez-la au professeur au prochain

cours. S'il ne comprend pas lui non plus, téléphonez d'urgence à l'éditeur, car vous venez de trouver une «coquille»...

Vous pouvez aussi utiliser les marges du livre pour essayer de fabriquer des réseaux des concepts. Les réseaux de concepts illustrent la structure cognitive que vous vous serez construite. Ils illustrent d'une façon simple les liens représentent entre les différents éléments de contenu abordés. Si c'était vous donc, qui deviez illustrer le contenu à l'aide d'un réseau, comment le feriez-vous? Tentez l'expérience et comparez votre résultat avec celui d'autres étudiants. Les différences sont souvent fort éclairantes quand on cherche à les comprendre. Encore une fois, si vous n'arrivez pas à interpréter les différences entre les deux réseaux, parlez-en à votre prof, il vous présentera peut-être le sien...

6. Jouez au professeur

Tentez de donner un cours (intéressant) à quelqu'un d'autre à propos de ce que vous venez de lire. Tous les enseignants vous le diront, la meilleure façon d'apprendre, c'est d'enseigner. La personne à qui vous enseignez vous posera peut-être des questions auxquelles vous n'aviez pas pensé, elle mettra peut-être le doigt sur un lien obscur entre deux idées. Enseigner est un exercice qui permet de mesurer l'ampleur de notre ignorance...

Vous pouvez aussi imaginer l'examen que vous aurez à passer. Essayez d'inventer les questions que vous posera le professeur et (évidemment) répondez-y. C'est un exercice qui peut fort bien être fait à deux personnes ou plus[2]. Si vous avez fait des réseaux, ils vous aideront sans doute beaucoup lors de cet exercice.

7. Essayez la SQL2R

La SQL2R[3] est une bonne vieille méthode d'étude qui a fait ses preuves. Il s'agit de Survoler, Questionner, Lire, Réciter et Revoir.

Lorsque vous *survolez* un chapitre, vous le parcourez rapidement en lisant les titres et sous-titres, les résumés, les questions, les légendes des figures, tout ce qui attire l'attention. Survoler vous donne un avant-goût du texte en vous proposant une idée générale de ce que vous lirez. *Questionner*, c'est essayer d'identifier les interrogations que suscite en vous ce premier contact; il serait d'ailleurs intéressant de les noter afin de vérifier à la fin de votre lecture si vous y avez répondu. C'est justement pour favoriser une telle démarche que plusieurs des sujets traités dans ce livre sont abordés sous forme de questions.

Lire, c'est traiter l'information comme nous vous recommandions de le faire précédemment. *Réciter*, c'est jouer au professeur, conformément au point 6. Le dernier R renvoie à la *révision*. Il s'agit de survoler encore une fois les points majeurs du texte en insistant sur ceux qui vous ont posé le plus de difficultés.

---

2. Vous pourriez peut-être faire un «party d'étude»...
3. Aussi connue sous le nom de SQ3R (Survoler, questionner, relire, réciter et réviser).

L'important, c'est d'aimer

Au fond, le plus important dans l'étude, c'est d'aimer ce que l'on fait, aimer apprendre, découvrir, être fier d'avoir compris, être stimulé par un nouveau domaine de connaissances à apprivoiser et, surtout, se faire confiance. Il faut que votre réussite scolaire ait assez de prix à vos yeux pour que vous soyez fier de celle-ci quand elle correspond à vos attentes et fouetté dans votre orgueil quand elle n'y correspond pas.

Cela, aucun truc, aucun livre, aucune technique ne peut vous le donner. Il n'en tient qu'à vous de prendre la décision, l'engagement qui s'impose. Les techniques dont nous venons de parler peuvent cependant vous aider si vous avez choisi de faire de vos études une activité qui compte vraiment pour vous.

Sur ce, je vous souhaite une agréable lecture. Je suis persuadé que ce livre saura, par sa facture même, vous aider à apprécier l'étude et l'apprentissage.

François Cauchy
Directeur de collection

Avant-propos

Ce livre, j'ai rêvé en secret de l'écrire. En effet, j'estime depuis longtemps que tous les manuels de psychologie (y compris ceux que j'ai écrits) ont le même défaut: les chapitres sont trop longs. Peu de gens sont capables de lire d'une traite un chapitre de 40 pages sans que leur vision se brouille et que leur concentration diminue. Alors, me suis-je dit, pourquoi ne pas diviser la matière en portions digestibles, en 40 chapitres de 15 pages plutôt qu'en 15 chapitres de 40 pages? Les étudiants pourraient ainsi lire tout un chapitre sans interruption et fermer leur livre, avec la satisfaction du devoir accompli.

Alors, quand Chris Rogers, l'éditeur des manuels de psychologie chez McGraw-Hill, me proposa de condenser les 600 pages et les 15 chapitres de mon ouvrage *Psychologie sociale* en une trentaine de modules succincts de 10 pages, je me suis écrié *Eurêka!* J'avais enfin trouvé un éditeur prêt à bousculer les conventions et à présenter la matière sous une forme parfaitement adaptée à la capacité de concentration et d'absorption des étudiants. Le choix de donner à *Introduction à la psychologie sociale* une présentation allégée et économique permettait par ailleurs aux professeurs de proposer d'autres lectures adaptées à leur enseignement.

Comme l'indiquent les titres des modules, j'ai innové aussi en adoptant le style de l'essai pour traiter de la psychologie sociale. J'ai écrit chaque module en gardant à l'esprit l'aphorisme de Boileau: «Ce que l'on conçoit bien s'énonce clairement.» Dans mon ouvrage initial, et à plus forte raison dans celui-ci, je me suis efforcé d'employer un langage qui soit à la fois rigoureusement scientifique et agréablement familier; j'ai tenté d'exposer des faits tout en ouvrant des pistes de réflexion. Je voulais aborder la psychologie sociale à la façon d'un journaliste d'enquête, c'est-à-dire en résumant les phénomènes sociaux importants, en montrant comment les psychologues sociaux les découvrent et les expliquent et en méditant sur leurs effets sur l'être humain.

Je me propose de donner aux lecteurs une vue d'ensemble de la psychologie sociale en la définissant comme l'étude scientifique de la manière dont les êtres humains *pensent* aux autres, *influencent* les autres et *entrent en relation* les uns avec les autres. Je mets aussi l'accent sur les éléments qui inscrivent la psychologie sociale dans la tradition intellectuelle des arts libéraux. La fréquentation des grandes œuvres de la littérature, de la philosophie et de la science élargit nos horizons intellectuels et nous libère des contraintes du présent. L'étude de la psychologie sociale a un rôle à jouer dans cette formation générale, et l'inverse est aussi vrai. Beaucoup de cégépiens inscrits à un cours de psychologie sociale ne se dirigent pas vers une carrière en psychologie. En m'attachant à des questions d'intérêt universel comme les croyances et les illusions, l'indépendance et l'interdépendance, l'amour et la haine, j'ai cherché à informer et à interpeller tous les étudiants et, à travers eux, tous les êtres humains qui liront ce livre.

David G. Myers

●Note de l'adapteur

Bien que la psychologie sociale soit «universelle», il fallait tout de même, en préparant cette version française, adapter le contenu de ce livre pour le rendre plus proche des intérêts des lecteurs francophones. Pour réaliser cette tâche, en plus de modifier certains exemples tout le long du texte principal, nous avons choisi d'ajouter, à la fin de chaque module, une section intitulée *Exercices et questions* invitant le lecteur à poursuivre sa réflexion en examinant des questions connexes au sujet principal du module. Le lecteur pourra ainsi s'arrêter sur des exemples réels, des mises en situation ou des descriptions de recherches québecoises ou canadiennes qui lui feront voir d'une part toute la pertinence de la psychologie sociale dans l'analyse de nos vies et, d'autre part, toute la diversité des intérêts de nos chercheurs en psychologie sociale.

Nous espérons que vous aurez beaucoup de plaisir à lire ce livre et surtout, qu'il pourra vous aider à mieux comprendre la grande diversité des attitudes et des comportements que vous aurez l'occasion d'observer dans votre vie et ainsi mieux évoluer dans notre monde en perpétuelle transformation.

Bonne lecture,

Patrick Bolland

XI

Table des matières

Les relations sociales

Références pour l'exploitation de la psychologie sociale

Références à l'édition française

Index des auteurs

Index des sujets

Sources

INTRODUCTION À LA PSYCHOLOGIE SOCIALE

La pratique de la psychologie sociale

Nos vies sont reliées par mille fils invisibles, a dit le romancier américain Herman Melville, auteur de *Moby Dick*. La psychologie sociale (l'étude scientifique des relations humaines) a pour objectif de mettre en évidence ces fils. À cette fin, elle pose des questions, des questions que vous vous posez peut-être vous-même:

ℰ Que *pensent* les gens les uns des autres et comment pensent-ils? Dans quelle mesure l'idée que nous nous faisons de nous-mêmes, de nos amis et des étrangers est-elle réaliste? Dans quelle mesure nos actions reflètent-elles nos pensées?

ℰ Comment et jusqu'à quel point les gens *s'influencent-ils* les uns les autres? Quelle est la solidité des fils invisibles qui nous lient? Sommes-nous de purs produits de nos rôles sexuels? de nos groupements? de nos cultures? Comment pouvons-nous résister à la pression sociale, ou même influencer la majorité?

ℰ Qu'est-ce qui détermine notre façon d'*entrer en relation* les uns avec les autres? Qu'est-ce qui pousse les gens tantôt à la méchanceté et tantôt à l'altruisme? Qu'est-ce qui attise le conflit social? Comment pouvons-nous desserrer les poings pour ouvrir les bras? Autrement dit, comment transformer l'agression en compassion?

Toutes ces questions ont un point commun: elles portent sur notre façon de nous percevoir et de nous influencer les uns les autres. Tel est, précisément, l'objet d'étude de la psychologie sociale. Les psychologues sociaux tentent de répondre aux questions propres à leur domaine au moyen de la méthode scientifique. Ils étudient les attitudes et les croyances, la soumission et l'indépendance, l'amour et la haine. En d'autres termes, la **psychologie sociale** est *l'étude scientifique de la manière dont les êtres humains pensent aux autres, influencent les autres et entrent en relation les uns avec les autres.*

Contrairement aux autres disciplines scientifiques, la psychologie sociale compte 5,5 milliards de praticiens amateurs. Bien peu d'entre nous ont tâté de la physique nucléaire, cependant nous constituons tous autant que nous sommes le matériau même de la psychologie sociale. En observant les gens, nous nous formons des idées à propos de la manière dont les êtres humains se perçoivent, s'influencent et se côtoient. Les psychologues sociaux professionnels en font autant. Seulement, ils ont des méthodes plus laborieuses que le commun des mortels. Ainsi, ils créent expérimentalement des sociodrames afin d'en déceler les causes et les effets.

Vous acquerrez l'essentiel de vos connaissances sur les méthodes de recherche en psychologie sociale en lisant les modules subséquents. Pour l'instant, allons dans les coulisses et jetons un coup d'œil sur la façon dont on pratique la psychologie sociale. Croyez-moi, cet aperçu sera suffisant pour vous faire apprécier les découvertes dont il sera question plus loin.

La recherche en psychologie sociale prend diverses formes. Elle peut s'effectuer en laboratoire (en situation contrôlée) ou **sur le terrain** (dans le contexte de situations courantes). De même, ses méthodes varient. Ainsi, les chercheurs procèdent à des études **corrélationnelles** (consistant à vérifier si deux facteurs sont par nature associés) ou à des études expérimentales (visant à modifier un certain facteur pour observer ses effets sur un autre facteur). Si vous voulez faire une lecture critique des comptes rendus vulgarisés de la recherche psychologique, il vous sera utile de comprendre la différence existant entre la recherche corrélationnelle et la recherche expérimentale.

Pour faire ressortir les avantages et les inconvénients de la méthode corrélationnelle et de la méthode expérimentale, je vous poserai une question concrète: les études postsecondaires représentent-elles un bon investissement financier? Vous avez certainement entendu vanter les avantages économiques que procurent les études collégiales et universitaires. Cette affirmation n'est-elle qu'un simple discours publicitaire? Comment pourrions-nous mesurer objectivement les effets des études postsecondaires sur le revenu d'un individu durant toute sa vie?

La recherche corrélationnelle: repérer les associations entre les facteurs

Premièrement, nous pourrions nous demander s'il existe une relation (ou, plus précisément, une *corrélation*) entre le niveau d'instruction et le revenu. Il semble que les études postsecondaires constituent un bon investissement financier, et que les diplômés des collèges et des universités gagnent en moyenne plus que les personnes possédant le seul diplôme d'études secondaires.

Pouvons-nous tenir pour acquis que les études postsecondaires sont garantes de la réussite économique?

Avant de répondre oui, regardons-y de plus près. Nous savons sans l'ombre d'un doute que les études postsecondaires sont corrélées avec des revenus supérieurs à la moyenne. Mais est-ce que cela signifie que l'éducation engendre nécessairement des revenus élevés? Peut-être existe-t-il des facteurs autres que l'éducation qui pourraient expliquer la corrélation entre le niveau d'instruction et le niveau de revenu. (Nous appelons ces facteurs des *variables*, car ils varient d'une personne à l'autre.) Qu'en est-il du statut social de la famille? Des capacités intellectuelles et de la volonté de réussite? Ces facteurs ne seraient-ils pas plus élevés, au départ, chez ceux qui fréquentent l'université? Il se pourrait que la prospérité découle d'une quelconque combinaison de ces variables et non pas du diplôme universitaire. Il se pourrait aussi que les revenus soient corrélés avec le niveau d'instruction parce que les bien nantis ont les moyens d'aller à l'université.

Corrélation ou causalité?

La question de la corrélation entre les revenus et le niveau d'instruction nous amène à traiter du piège le plus difficile à éviter pour les psychologues sociaux, qu'ils soient amateurs ou professionnels. Lorsque deux facteurs comme l'instruction et les revenus sont associés, il est terriblement tentant de conclure que l'un cause l'autre.

Prenons deux autres exemples pour illustrer la question de la corrélation et de la causalité en psychologie. Admettons qu'une certaine méthode d'éducation soit corrélée avec les traits de personnalité des enfants qui en font l'objet. Qu'est-ce que cela nous indique? Si les parents qui utilisent fréquemment les châtiments corporels, voire la violence, ont souvent des enfants turbulents, que faut-il en conclure? Comme dans toute corrélation, trois explications sont ici possibles (figure 1.1). La première correspond à l'effet des parents sur l'enfant ($x \longrightarrow y$). C'est peut-être parce que les parents qui recourent au châtiment corporel donnent l'exemple de l'agressivité qu'ils sont plus susceptibles d'avoir des enfants agressifs. Deuxièmement, la solidité des données qui attestent l'influence que les enfants ont sur leurs parents ($x \longleftarrow y$) risque de vous surprendre (Bell et Chapman, 1986)[1]. Il se pourrait que les enfants turbulents poussent leurs parents exaspérés à les punir. Troisièmement, comme le montre la figure 1.1, la méthode d'éducation adoptée par les parents et les caractéristiques des parents et celles de l'enfant ont peut-être la même source (z). Il pourrait s'agir des gènes que les parents et l'enfant ont en commun ou des émissions et films violents qu'ils regardent à la télévision. Peut-être aussi que toutes ces variables interviennent simultanément.

Considérons une autre corrélation vérifiée, celle qui existe entre l'estime de soi et la réussite scolaire. En général, les enfants qui ont une forte estime de soi ont du succès à l'école. (Comme toute corrélation, celle-ci peut se lire en sens inverse:

---

1. Tout au long de l'ouvrage, les références seront composées des noms des auteurs (dans ce cas-ci, Bell et Chapman) et de l'année de publication de l'étude (1986). Si une étude compte plus de deux auteurs, seul le nom du premier apparaîtra, suivi de l'abréviation «et coll.» (qui signifie «et collaborateurs»). Une bibliographie complète apparaîtra à la fin du livre, à la page 337.

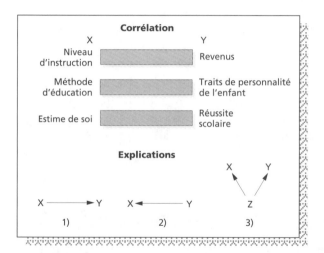

Figure 1.1

Toute corrélation entre deux variables donne lieu à trois explications possibles qui peuvent s'appliquer isolément ou de façon combinée.

les enfants qui réussissent bien à l'école ont une forte estime de soi.) Selon vous, pourquoi en est-il ainsi?

Certaines personnes croient qu'une image de soi favorable contribue à la réussite. Le fait de renforcer l'image de soi d'un enfant aurait alors pour conséquence de favoriser sa réussite scolaire. D'autres estiment que la réussite engendre une image de soi favorable. Comme le confirme une étude menée récemment auprès de 635 écoliers norvégiens, une enfilade d'étoiles dorées à côté du nom d'un élève au tableau et les éloges constants d'un enseignant admiratif peuvent hausser l'estime de soi d'un enfant (Skaalvik et Hagtvet, 1990). Or, d'autres études (l'une réalisée avec un échantillon national composé de 1600 jeunes hommes américains et l'autre auprès de 715 jeunes du Minnesota) ont révélé qu'il *n*'existe *pas* de lien de causalité entre l'estime de soi et la réussite (Bachman et O'Malley, 1977; Maruyama et coll., 1981). Ces études ont plutôt expliqué la corrélation entre l'estime de soi et la réussite par le lien existant entre ces deux facteurs et l'intelligence et le statut social de la famille. Après que les chercheurs eurent éliminé de l'analyse statistique l'effet de l'intelligence et du statut social, la corrélation entre l'estime de soi et la réussite s'était évaporée. De même, John McCarthy et Dean Hoge (1984) doutent que la corrélation observée entre une faible estime de soi et la délinquance signifie qu'une faible estime de soi cause la délinquance. L'étude qu'ils ont réalisée auprès de 1658 adolescents laisse plutôt supposer que les actes délinquants ont pour effet d'abaisser l'estime de soi. Les infractions entraînent des condamnations, et les condamnations amoindrissent l'estime de soi.

De telles études peuvent, en recherche corrélationnelle, évoquer l'existence de relations de cause à effet, en ce sens qu'elles isolent des facteurs manifestement reliés (comme l'éducation, le statut social et les aptitudes) pour préciser la valeur prédictive de chacun. Ces études peuvent aussi tenir compte de l'enchaînement des événements (en déterminant par exemple si les variations de la réussite précèdent ou suivent les variations de l'estime de soi). Quoi qu'il en soit, la morale de l'histoire reste la même: la recherche corrélationnelle nous permet de faire des *prévisions*, mais elle ne nous indique pas si c'est la modification d'une

5

variable (comme l'éducation) qui *provoquera* des changements dans une autre variable (comme le revenu).

La recherche corrélationnelle a donc ceci d'avantageux qu'elle se déroule généralement dans des milieux réels où nous pouvons examiner des facteurs qu'il est impossible de modifier en laboratoire, tels la race, le sexe et le niveau d'instruction. Le revers de la médaille, c'est que les résultats sont souvent mal interprétés. Sachant que deux variables changent en même temps, nous pouvons statistiquement prédire l'évolution de l'une si nous connaissons l'évolution de l'autre. Mais déterminer s'il existe une relation de cause à effet entre les deux, c'est une tout autre histoire...

● La recherche expérimentale: chercher la cause et l'effet

Comme les psychologues sociaux sont à toutes fins pratiques incapables de discerner la cause et l'effet parmi des événements naturellement corrélés, la plupart d'entre eux simulent en laboratoire, dans la mesure où cela est faisable et conforme à l'éthique, des événements du quotidien. Ce procédé est semblable à celui qu'utilisent les ingénieurs en aéronautique. Ceux-ci, en effet, pour obtenir des réponses à leurs questions, ne commencent pas par observer la performance des objets volants dans divers milieux naturels. Les variations des conditions atmosphériques et des objets volants sont si complexes que les ingénieurs auraient sûrement de la difficulté à organiser et à utiliser les données obtenues pour concevoir de meilleurs appareils. Alors, les ingénieurs recréent une réalité contrôlable, c'est-à-dire qu'ils utilisent une soufflerie aérodynamique. Ils peuvent ainsi faire varier les conditions de vent à leur gré et en déterminer l'effet avec exactitude sur telle ou telle structure de l'aile.

Le contrôle: manipuler des variables

Comme les ingénieurs en aéronautique, les psychologues sociaux expérimentent en créant de toutes pièces des situations sociales qui comportent d'importantes caractéristiques de la vie quotidienne. En modifiant seulement un ou deux facteurs à la fois (les **variables indépendantes**), le chercheur parvient à identifier l'effet précis de ces changements. Tout comme la soufflerie aide l'ingénieur en aéronautique à découvrir les principes de l'aérodynamique, l'expérience permet au psychologue social de découvrir les principes de la pensée sociale, de l'influence sociale et des relations sociales. Et comme les ingénieurs font des simulations en soufflerie afin de comprendre et de prévoir les caractéristiques de vol d'appareils complexes, les psychologues sociaux font des expérimentations pour comprendre et prévoir le comportement humain.

Environ les trois quarts des études en psychologie sociale reposent sur la méthode expérimentale (Higbee et coll., 1982), et les deux tiers se déroulent dans un laboratoire de recherche (Adair et coll., 1985). À titre d'exemple, prenons un sujet sur lequel nous reviendrons dans un chapitre ultérieur: les effets de la télévision sur les attitudes et le comportement des enfants. Les enfants qui regardent

Variable indépendante
Facteur expérimental que le chercheur manipule (variable prédictive, la cause supposée).

beaucoup d'émissions violentes ont tendance à être plus agressifs que ceux qui en regardent peu. Cela laisse supposer que les enfants apprennent l'agressivité en regardant le petit écran. Or, et j'espère que vous vous en serez aperçu, il s'agit là d'un résultat corrélationnel. La figure 1.1 nous rappelle qu'il existe deux autres explications possibles pour le phénomène et qu'aucune ne pose la télévision comme la cause de l'agressivité des enfants. (Quelles peuvent être ces explications?)

Les psychologues sociaux ont donc transporté la télévision au laboratoire, où ils peuvent déterminer le niveau de violence auquel les enfants sont soumis. En montrant aux enfants des émissions violentes et des émissions non violentes, les chercheurs peuvent observer l'effet du niveau de violence sur le comportement. Robert Liebert et Robert Baron (1972) ont présenté à des garçons et à des filles de l'Ohio soit un extrait violent d'une émission de gangsters, soit un extrait d'une course palpitante. Les enfants qui avaient regardé l'émission violente avaient par la suite plus tendance à appuyer vigoureusement sur un bouton rouge qui était censé chauffer une tige et infliger une brûlure à un autre enfant. Cette mesure du comportement est la **variable dépendante**. (En réalité, aucun enfant n'était en contact avec la tige chauffée et ne risquait donc de subir des blessures.) Une telle expérience indique que la violence à la télévision *peut* être une des causes de l'agressivité chez les enfants.

Jusqu'à présent, nous avons vu que la logique de l'expérimentation est simple: en créant et en contrôlant une réalité en miniature, nous pouvons modifier un ou plusieurs facteurs et découvrir comment, isolément ou combinés les uns aux autres, ils influent sur les gens. Faisons maintenant un pas de plus et voyons comment se déroule une expérience.

Toute expérience de psychologie sociale comprend deux éléments essentiels. Nous venons de traiter du premier, le *contrôle*. Nous modifions une ou deux variables indépendantes en nous efforçant de maintenir tout le reste constant. L'autre élément est la *répartition au hasard*.

La répartition au hasard: tous égaux devant la variable indépendante

Rappelez-vous que nous hésitions à conclure que les études postsecondaires étaient la cause des revenus supérieurs des diplômés du collège et de l'université. Ceux-ci, en effet, sont peut-être avantagés non seulement par leur éducation mais aussi par leur milieu social et par leurs aptitudes. Un enquêteur pourrait mesurer chacun de ces autres facteurs possibles puis noter l'avantage financier dont jouissent les diplômés au-delà de ce que ces facteurs permettent de prévoir. Cette gymnastique statistique serait fort louable. Or, le chercheur ne peut jamais tenir compte de tous les facteurs susceptibles de différencier les diplômés des autres. En effet, les explications possibles de la différence de revenus sont innombrables; il peut s'agir de l'origine ethnique, de la sociabilité, de l'apparence ou de centaines d'autres facteurs que le chercheur n'a pas considérés.

Alors, pour l'instant, laissons libre cours à notre imagination et voyons comment nous pourrions placer tous les facteurs possibles sur un pied d'égalité. Supposons que nous ayons la capacité de prendre un groupe de diplômés du secondaire et de les **répartir au hasard** entre les études collégiales et d'autres activités

Variable dépendante
Variable prévue et mesurée qui *dépend* des modifications apportées à la variable indépendante (l'effet supposé).

Répartition au hasard
Procédé qui consiste à distribuer les sujets en fonction des conditions d'une expérience, de manière à ce que tous aient les mêmes chances d'être exposés à une condition donnée. La *répartition au hasard* dans les expériences diffère de l'échantillonnage au hasard dans les enquêtes. La répartition au hasard facilite la détermination de la cause et de l'effet. L'échantillonnage au hasard permet de généraliser des résultats à une population entière.

(figure 1.2). Chaque personne a autant de chances de se retrouver au collège que de faire autre chose. Par conséquent, les deux groupes sont à tous égards (statut social, apparence et aptitudes) à peu près équivalents, du moins du point de vue de la moyenne. *Grosso modo*, la répartition au hasard nivelle tous les facteurs qui, antérieurement, compliquaient l'étude. Aucun de ces facteurs ne peut être la cause d'une différence de revenus observée ultérieurement entre les deux groupes. En revanche, la différence sera presque à coup sûr *reliée* d'une manière ou d'une autre à la variable que nous aurons fait varier. De même, si une expérience sur le paludisme en Amérique centrale révélait que seules les personnes réparties dans des chambres dont les fenêtres sont dépourvues de moustiquaires contractent la maladie, cela ne signifierait pas que les fenêtres sans moustiquaires *causent* le paludisme, mais bien que la cause de la maladie est reliée d'une façon quelconque à l'absence de moustiquaires (qui empêchent l'entrée d'insectes).

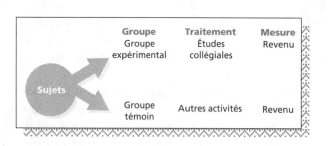

Figure 1.2

Le chercheur répartit les sujets au hasard entre le groupe expérimental (qui reçoit le traitement expérimental) et le groupe témoin (qui ne reçoit pas le traitement). Il s'assure ainsi que toute différence ultérieure entre les deux groupes aura été causée d'une manière ou d'une autre par le traitement.

L'éthique de l'expérimentation

Notre exemple des études postsecondaires révèle que certaines expérimentations ne sont ni faisables ni conformes à l'éthique. Les psychologues sociaux ne s'immisceraient jamais de cette façon dans la vie des gens. Dans des cas semblables, nous nous fions à la méthode corrélationnelle et nous en extrayons toute l'information pertinente possible.

Dans d'autres cas, et notamment pour l'étude des effets de la télévision sur les enfants, les chercheurs altèrent brièvement le vécu social des gens et ils notent les effets de leur intervention. Il arrive que le traitement expérimental soit inoffensif, voire agréable, et que les gens y consentent en toute connaissance de cause. Mais il arrive aussi que les chercheurs se retrouvent dans la zone grise qui sépare l'inoffensif du périlleux.

COMMENT PEUT-ON TRACER LA LIGNE? Les psychologues sociaux s'aventurent fréquemment dans cette zone grise de l'éthique lorsqu'ils conçoivent des expériences qui mettent vraiment en jeu les pensées et les émotions des gens. Il n'est pas nécessaire que les expériences présentent ce que Elliot Aronson et ses collègues (1985) appellent un **réalisme trivial** (Aronson et coll., 1985). Autrement dit, il n'est pas essentiel que le comportement en laboratoire (comme donner des secousses électriques dans le contexte d'une expérience sur l'agression) soit exactement conforme au comportement quotidien. Aux yeux de nombreux chercheurs, un tel réa-

Réalisme trivial
Similitude superflue et artificielle entre une expérience et une situation réelle.

Réalisme expérimental
Similitude propre à absorber et à engager les sujets d'une expérimentation.

Sujet
Participant qui, dans une expérimentation ou dans tout autre type de recherche, fournit de l'information que le chercheur analyse.

Attentes de l'expérimentateur
Attentes implicites d'un chercheur à l'égard des sujets d'une expérience; peut se manifester par des indices subtils.

Déontologie
Ensemble de règles que suivent les professionnels afin de respecter scrupuleusement les droits de leurs sujets et de leurs clients. Le psychologue social doit se conformer au code de déontologie dans tous les aspects de son travail de recherche.

lisme est littéralement trivial, c'est-à-dire sans grande importance. En revanche, l'expérience *devrait* présenter un **réalisme expérimental**, c'est-à-dire qu'elle devrait absorber et engager les gens. Les expérimentateurs ne veulent pas que leurs **sujets**[2] fassent semblant; ils veulent déclencher d'authentiques processus psychologiques. Forcer les gens à choisir entre donner une secousse intense et donner une secousse modérée à quelqu'un d'autre peut, par exemple, constituer une mesure réaliste de l'agression. Sur le plan fonctionnel, en effet, le procédé simule l'agression réelle.

EST-ON SOUVENT AMENÉ À MENTIR? Le réalisme expérimental exige souvent qu'on dupe les sujets. Si la personne qui se trouve dans la pièce d'à côté ne prend pas véritablement les secousses, l'expérimentateur ne veut pas que les sujets le sachent. Le réalisme expérimental s'en trouverait anéanti. Par conséquent, dans environ un tiers des études en psychologie sociale (une proportion qui va en diminuant) les sujets sont temporairement dupés (Vitelli, 1988).

Par ailleurs, les expérimentateurs s'efforcent de taire leurs prévisions, de peur que les participants, désireux de se montrer «bons sujets», ne fassent que ce qu'on attend d'eux (ou, par esprit de contradiction, ne fassent le contraire). Néanmoins, les mots, le ton de la voix et les gestes de l'expérimentateur peuvent, de façon subtile, susciter les réponses désirées. Afin de réduire au maximum l'influence **des attentes de l'expérimentateur** (c'est-à-dire la présence d'indices qui semblent «appeler» certains comportements), les expérimentateurs ont l'habitude d'uniformiser leurs directives, voire de les écrire ou de les enregistrer.

L'équilibre est souvent fragile entre une expérience qui soit à la fois réaliste et conforme à l'éthique. Le chercheur peut causer un désagrément passager à ses sujets en leur faisant croire qu'ils blessent quelqu'un ou en les soumettant à une forte pression sociale pour déterminer si leur opinion ou leur comportement changera. Les expériences de ce genre soulèvent une question vieille comme le monde: la fin justifie-t-elle les moyens? Les renseignements obtenus justifient-ils la duperie et, dans certains cas, la détresse causée aux gens?

Étant donné l'importance croissante qu'accordent les chercheurs à la dignité de leurs sujets, des comités universitaires de **déontologie** évaluent aujourd'hui la recherche en psychologie sociale afin de s'assurer que les gens sont traités avec respect. Au Canada, le Conseil de recherches en sciences humaines, organisme du gouvernement fédéral qui finance un grand nombre des recherches en psychologie sociale (et dans d'autres branches des sciences humaines), a formulé les principes déontologiques suivants:

- Le chercheur doit respecter le droit à la protection de la vie privée de tout participant dans un projet de recherche. Le chercheur doit expliquer les buts de sa recherche, et ne pas divulguer les renseignements personnels sans la permission écrite de la personne.

9

---

2. En recherche expérimentale, le terme «sujet» désigne les participants. Dans la plupart des cas, les sujets sont des personnes, bien que, dans certains contextes, et particulièrement en psychologie générale, les chercheurs utilisent aussi des animaux (des pigeons, des souris, des singes, etc.). Il ne faut pas confondre le sujet d'une recherche et son objet, c'est-à-dire son objectif.

- Sans l'accord écrit du participant, le chercheur ne doit jamais divulguer les noms des participants dans sa recherche, ni permettre une identification par des recoupements ou des associations fortuites. Tous les renseignements sont personnels.
- Le sujet doit être informé de tous les inconvénients et risques encourus dans la recherche et de son droit de se retirer du projet à tout moment sans conséquences négatives.
- La duperie implique le recours à la dissimulation des renseignements essentiels pour réaliser un projet de recherche, ou l'induction délibérée du sujet en erreur quant aux méthodes ou aux buts poursuivis. Cette duperie est inacceptable si le sujet encourt un risque ou s'il est impossible de lui présenter les raisons pour lesquelles ce procédé pourrait être employé (CRSH, 1991).

L'expérimentateur devrait faire preuve d'une clarté *et* d'une considération telles que les sujets ne laissent pas une part de leur estime de soi dans le laboratoire. Mieux encore, les sujets devraient tirer de l'expérience un apprentissage sur la nature de l'enquête psychologique. Rares sont les sujets traités de manière courtoise et sans manipulation qui s'offusquent d'avoir été dupés (Christensen, 1988). Au demeurant, les psychologues sociaux affirment qu'ils provoquent beaucoup plus d'anxiété et de détresse lorsqu'ils donnent des examens à leurs étudiants et leur communiquent les résultats que lorsqu'ils effectuent des expériences.

●Expliquer et prévoir: utiliser des théories

Bien que la recherche fondamentale produise souvent des avantages concrets, l'application n'est pas le seul but de la psychologie sociale. Beaucoup d'entre nous ont choisi cette profession parce qu'ils ne trouvent rien de plus fascinant que l'existence humaine. Si, comme le professait Socrate, «une vie qui n'est pas remise en question ne vaut pas la peine d'être vécue», alors son injonction «Connais-toi toi-même» constitue en soi un objectif valable.

Au fur et à mesure que nous nous colletons avec la nature humaine pour en percer les secrets, nous organisons nos idées et nos résultats en théories. Une **théorie** est un ensemble intégré de principes qui expliquent les phénomènes et permettent de les prévoir. C'est une généralisation qui peut s'appliquer à un grand nombre de situations différentes. Certaines personnes se demandent pourquoi les psychologues sociaux sont si préoccupés par les théories et ne se contentent pas de noter des faits. Nous répondrons à cette question en utilisant une fois de plus l'analogie du génie aéronautique. Les ingénieurs seraient vite débordés si, en l'absence de tout principe directeur, ils tentaient par essais et erreurs de répertorier exhaustivement les effets des différentes conditions de vent sur les structures de l'aile. C'est pourquoi ils formulent des concepts généraux ou des théories à propos de l'interaction des mouvements atmosphériques et des structures de l'aile, puis utilisent la soufflerie pour vérifier des prévisions fondées sur ces concepts.

Dans le langage courant, on emploie souvent le mot «théorie» pour désigner un concept plus ou moins vérifié qui serait intermédiaire entre le fait et la spécu-

Théorie
Ensemble intégré de principes qui expliquent certains phénomènes et permettent de les prévoir.

lation. Pour tous les scientifiques, cependant, les faits et les théories sont des choses bien différentes et non pas des points sur un continuum. Les faits sont des énoncés faisant l'objet d'un accord et portant sur des réalités observées. Les théories sont des *idées* qui résument, relient et expliquent les faits. Dans un livre intitulé *La science et l'hypothèse* (1902), le mathématicien français Henri Poincaré a écrit: «La science est construite avec des faits, comme une maison l'est avec des pierres, mais une accumulation de faits n'est pas plus une science qu'un tas de pierres n'est une maison.»

Les théories font plus que résumer: elles font naître aussi des prévisions vérifiables appelées **hypothèses**. Les hypothèses ont plusieurs fonctions. Premièrement, elles nous permettent de *vérifier* les théories sur lesquelles elles sont fondées. Dans la mesure où elle engendre des prévisions précises, une théorie débouche sur l'action. Deuxièmement, les prévisions *orientent* la recherche. N'importe quelle discipline scientifique évoluera plus rapidement si les chercheurs qui la pratiquent savent où ils vont. Les prévisions théoriques ouvrent de nouveaux horizons à la recherche; elles mettent les chercheurs sur la piste de découvertes qu'ils n'auraient jamais envisagées autrement. Troisièmement, les prévisions rendues possibles par les théories solidement construites donnent à ces dernières un caractère *pragmatique*. Ainsi, qu'y aurait-il de plus pratique aujourd'hui qu'une théorie qui permettrait de prévoir l'apparition de l'agression et de trouver les moyens de la contrôler? Comme l'a dit Kurt Lewin, l'un des pionniers de la psychologie sociale moderne: «Il n'y a rien de plus pratique qu'une bonne théorie.»

Comme le mot «théorie», le mot «hypothèse» est problématique dans la mesure où il prend différentes significations selon le contexte. L'adjectif «hypothétique» a souvent le sens d' «incertain», de «douteux» ou de «possible», comme dans la phrase «Il est hypothétique que nous ayons un examen facile». Dans le contexte de la recherche scientifique, cependant, le mot «hypothèse» désigne un énoncé, une prévision précise qu'il est possible de vérifier au moyen d'une étude. L'hypothèse est, certes, incertaine, mais elle est plus qu'une simple supposition. Elle constitue une conclusion logique que l'on cherche à vérifier et qui découle de la théorie.

Illustrons nos propos par un exemple concret. Nous observons que les foules ont parfois des accès de violence. Nous pourrions supposer que la présence d'autres personnes donne aux individus une impression d'anonymat et atténue leurs inhibitions. Laissons notre esprit jongler avec cette idée quelques instants. Nous pourrions la vérifier en élaborant une expérience de laboratoire dans laquelle nous utiliserions une sorte de chaise électrique. Et si nous demandions aux membres d'un groupe d'infliger de cruelles secousses à une malheureuse victime sans qu'ils sachent lequel d'entre eux inflige véritablement la décharge? Réussirions-nous à vérifier notre hypothèse? Les individus réunis en groupe administreraient-ils des secousses plus intenses que celles qu'ils infligeraient s'ils agissaient seuls?

Nous pourrions aussi modifier la variable de l'anonymat. Si les gens étaient masqués, administreraient-ils des secousses plus intenses? Si les résultats confirmaient notre hypothèse, ils pourraient déboucher sur des applications pratiques. On pourrait peut-être juguler la brutalité policière en faisant porter de grands insignes d'identité aux agents, en leur fournissant des voitures identifiées par des numéros voyants ou en filmant les arrestations.

Mais comment conclure qu'une théorie est meilleure qu'une autre? Une bonne théorie remplit bien toutes ses fonctions: 1) elle

Hypothèse
Proposition vérifiable qui décrit une relation possible entre des événements.

résume efficacement une grande variété d'observations; 2) elle permet de faire des prévisions claires qui peuvent servir à: a) confirmer ou modifier la théorie; b) susciter de nouvelles recherches; et c) trouver des applications pratiques. Toutefois, rares sont les théories que nous abandonnons à la suite d'une démonstration de leur fausseté. Les théories, comme les vieilles voitures, sont remplacées par des modèles nouveaux et améliorés. Elles évoluent et s'enrichissent plus qu'elles ne disparaissent.

●La généralisation: passer du laboratoire à la vraie vie

Expérimentation ou recherche expérimentale Recherche menée dans le but de déterminer les relations de causalité entre deux ou plusieurs variables; on modifie alors volontairement un ou plusieurs facteurs (les variables indépendantes) tout en contrôlant les autres facteurs, c'est-à-dire en les maintenant constants, pour enfin observer les effets de ces modifications sur d'autres facteurs (les variables dépendantes).

Comme le montre l'exemple de l'**expérimentation** sur la télévision, la psychologie sociale marie le vécu quotidien et l'analyse en laboratoire. Tout au long de ce livre, nous ferons la même chose: nous irons chercher la majeure partie de nos données au laboratoire et nos exemples dans la vie quotidienne.La psychologie sociale se caractérise par un heureux mélange de recherche en laboratoire et d'observation de la vie courante. Les intuitions qu'inspirent le vécu nourrissent souvent la recherche en laboratoire et, à son tour, celle-ci enrichit notre compréhension du vécu. Nous pouvons étudier la réalité dont nous sommes témoins au moyen d'expérimentations dont nous pouvons appliquer les résultats aux problèmes sociaux. Cette interaction est à l'œuvre dans la recherche sur les habitudes télévisuelles des enfants. L'observation du quotidien a donné lieu à des expérimentations. Les décideurs des réseaux de télévision et ceux du Conseil de la radiodiffusion et des télécommunications canadiennes, organisme qui régit la télédiffusion au Canada, sont maintenant bien informés des résultats (quoique des considérations économiques et politiques influent sur leurs politiques).

Peut-on vraiment adopter les résultats d'études scientifiques comme principes moraux?

Néanmoins, nous devons nous garder des généralisations hâtives. Bien que les expériences de laboratoire dévoilent les secrets profonds de l'existence humaine, elles ne constituent qu'une réalité simplifiée et contrôlée. Elles nous indiquent l'effet que nous pouvons attendre de la variable x, toutes choses étant égales par ailleurs, condition qui n'existe jamais dans la réalité. De plus, comme vous le verrez ultérieurement, beaucoup d'expériences en psychologie sociale utilisent des étudiants des universités américaines comme sujets. Bien qu'il vous soit facile de vous identifier à eux, les étudiants des universités américaines sont loin de constituer un échantillon aléatoire de l'humanité. Obtiendrions-nous les mêmes résultats avec des sujets d'âges, de niveaux d'instruction et de cultures différentes? La question n'est pas résolue. Or, l'expérience nous enseigne à faire une distinction entre le *contenu* de la pensée et des actions (les attitudes par exemple) d'une part et, d'autre part, les *mécanismes* de la pensée et de l'action (la manière dont les attitudes influent sur les actions et vice versa). D'une société à l'autre, le contenu varie davantage que les mécanismes: les membres de cultures différentes peuvent avoir des opinions distinctes, mais les former de manière semblable. Ainsi, le sentiment de solitude est plus marqué chez les universitaires de Porto Rico que chez ceux du continent américain. Dans les deux sociétés, pourtant, les «ingrédients» de la solitude sont sensiblement les mêmes: la timidité, l'incertitude quant au but dans la vie et la faible estime de soi (Jones et coll., 1985).

La psychologie sociale au Québec

Il est indiqué plus haut que les sujets des recherches en psychologie sociale sont généralement des étudiants des universités américaines. Sans doute vous êtes-vous dit que la psychologie sociale est une discipline américaine et que ses résultats sont plus ou moins transposables aux autres pays et sociétés, et notamment au Québec.

Il est vrai, comme vous le constaterez en lisant ce livre, que les principaux ouvrages de psychologie sociale sont écrits par nos voisins du Sud. Les Américains n'ont pourtant pas inventé la psychologie sociale. Le premier livre dont le titre faisait référence à cette discipline, *Études de psychologie sociale,* a été publié en France il y a cent ans (Tarde, 1898). Au début du xxe siècle, la recherche américaine (sur les effets de la concurrence sur la productivité, puis sur la pression du groupe en milieu de travail et sur le choix des amis) a graduellement donné le ton à la psychologie sociale moderne.

La nouvelle discipline se retrouva au carrefour de la sociologie (l'étude des institutions et des grandes catégories du système social) et de la psychologie (qui, elle, étudie davantage l'individu que les influences sociales). Néanmoins, elle était plus proche de la seconde que de la première. Les psychologues sociaux ont toujours préféré les méthodes de la psychologie, et notamment les expérimentations, aux enquêtes et aux observations des sociologues.

Au Québec, l'enseignement et la recherche en psychologie sociale sont apparus dans les années 50, d'abord à l'Université McGill, puis à l'Université de Montréal et à l'Université Laval. La discipline prit son essor au début des années 70, avec la création et l'expansion rapide du réseau de l'Université du Québec; c'est aussi à cette époque que la psychologie sociale prit place parmi les cours de psychologie offerts à l'enseignement collégial.

Aujourd'hui, la psychologie sociale se porte bien dans les cégeps et les universités du Québec. Vous trouverez dans les chapitres qui suivent de nombreuses références aux travaux des chercheurs compétents et dynamiques qui concourent à la vitalité de la psychologie sociale au Québec.

Corrélations, expérimentations, éthique de recherche, vérification de théories, généralisation à la vie quotidienne, autant de concepts qui seront utiles à votre apprentissage. Vous voilà prêt à entrer dans le vif du sujet.

13

Exercices et questions

Dans ce chapitre, nous avons présenté la psychologie sociale comme l'étude du comportement dans son contexte social. Nous avons mentionné que cette étude pouvait prendre la forme de recherches expérimentales ou de recherches corrélationnelles, et nous avons expliqué les différences existant entre les deux méthodes. Nous décrivons brièvement ci-dessous trois recherches réalisées au Canada (dont deux au Québec). Lisez les sommaires, puis répondez aux questions suivantes qui portent sur chacune de ces recherches.

1. S'agit-il d'une recherche effectuée en laboratoire ou sur le terrain?
2. S'agit-il d'une recherche expérimentale ou corrélationnelle?
3. Selon vous, quelle hypothèse les chercheurs veulent-ils vérifier?
4. Qui sont les sujets de la recherche?
5. Quelle est la variable indépendante? Quelle est la variable dépendante?
6. Les résultats confirment-t-ils l'hypothèse de la recherche?
7. Quelles conclusions générales tirez-vous de la recherche?

RECHERCHE 1   TEMPÉRAMENT FROID OU CHALEUREUX

Si, avant votre premier cours, quelqu'un qualifie le professeur de «chaleureux» ou de «froid», l'opinion que vous aurez à l'égard du professeur après le cours s'en trouvera-t-elle influencée? Deux psychologues de l'université de Waterloo, Widmeyer et Loy (1988), se sont penchés sur la question. Un homme qui s'était présenté comme le professeur a donné un cours dont le contenu était neutre à 240 étudiants. Avant le cours, les chercheurs avaient dit à la moitié des étudiants que l'homme était «chaleureux» et à l'autre moitié qu'il était «froid». Après le cours, les étudiants qui s'attendaient à rencontrer un professeur chaleureux cotèrent la compétence, l'amabilité, la sociabilité, l'humour et la sensibilité du «professeur» plus favorablement que ne le firent les étudiants qui s'attendaient à ce que le professeur soit froid.

RECHERCHE 2   L'AGRESSIVITÉ CHEZ DES GARÇONS DE LA MATERNELLE

Soussignan et ses collègues (1987) étudièrent 1154 garçons de maternelle issus de foyers défavorisés de Montréal. Les chercheurs demandèrent aux enseignantes de classer les garçons en quatre groupes selon leur degré d'agressivité. Ils découvrirent certaines différences entre les garçons jugés les plus agressifs et les garçons jugés les moins agressifs; les plus agressifs venaient généralement de familles plus nombreuses, leurs mères étaient moins instruites et un plus grand nombre d'entre elles n'occupaient aucun emploi. Les chercheurs postulent que ces trois variables (taille de la famille, niveau d'instruction de la mère et situation professionnelle de la mère) jouent un rôle dans l'apparition subséquente de la délinquance.

RECHERCHE 3   LA RÉACTION DES NOURRISSONS AUX ÉTRANGERS

Deux chercheurs de l'Université de Montréal, Ricard et Gouin-Décarie (1993), ont voulu savoir comment des nourrissons de 9 ou 10 mois accompagnés de leur mère réagiraient face à un nouveau jouet ou à une personne inconnue. Les chercheurs se demandaient en effet si la crainte des étrangers était plus forte chez certains nourrissons que chez d'autres. Ils réalisèrent leur étude dans des conditions rigoureusement contrôlées. La moitié des nourrissons s'approchèrent du jouet et de l'inconnu sans hésitation; les chercheurs classèrent ces nourrissons dans la catégorie des «audacieux». L'autre moitié des nourrissons s'approchèrent du jouet, mais restèrent loin de l'étranger, sans pour autant manifester de peur ou d'autres émotions négatives à son égard; les chercheurs les qualifièrent de «timides». Ricard et Gouin-Décarie concluent que certains enfants préfèrent simplement maintenir une distance entre eux et un étranger. Ils précisent que ces enfants ne manifestent aucune crainte, mais qu'ils ont seulement tendance à éviter les rapprochements avec des personnes qu'ils ne connaissent pas.

Le saviez-vous?

*Tout semble
banal une fois
expliqué.*

Le Dr Watson à
Sherlock Holmes

Les théories de la psychologie sociale nous apprennent-elles quelque chose de *nouveau* sur la condition humaine? Ne font-elles que décrire des évidences? Un bon nombre des conclusions présentées dans ce livre correspondent déjà à vos propres réflexions et expériences, car nous baignons tous dans la psychologie sociale. Chaque jour, nous voyons des gens se faire une opinion à propos des autres, influencer les autres et entrer en relation les uns avec les autres. Depuis des siècles, les philosophes, les romanciers et les poètes observent et commentent le comportement social en faisant preuve, dans bien des cas, d'une grande perspicacité. Le philosophe britannique Alfred North Whitehead a d'ailleurs fait la remarque suivante: «Tout ce qui est important a déjà été dit.»

Par conséquent, pourrait-on dire que la psychologie sociale n'est que le gros bon sens exprimé dans un vocabulaire savant? La psychologie sociale fait l'objet de deux critiques contradictoires: certains lui reprochent d'être triviale parce qu'elle rend compte de l'évidence; d'autres l'accusent d'être dangereuse parce que ses résultats pourraient servir à manipuler les gens. La première affirmation est-elle valide? Autrement dit, la psychologie sociale ne fait-elle que donner forme à ce que tout bon psychologue amateur sait déjà intuitivement?

Telle est l'opinion de Cullen Murphy (1990), rédacteur en chef de la revue mensuelle américaine *The Atlantic*. À ses yeux, les sciences sociales ne produisent «aucune idée ni aucune conclusion qui ne se trouvent déjà dans n'importe quel dictionnaire des citations. [...] Jour après jour, les spécialistes des sciences sociales partent en exploration. Jour après jour, ils découvrent que le comportement humain correspond à ce à quoi on aurait pu s'attendre.» Près d'un demi-siècle plus tôt, l'historien Arthur Schlesinger J[r] (1949) avait eu une réaction semblable face aux deux volumes de *The American Soldier* («Le soldat américain»). Il s'agit d'un compte rendu d'études réalisées par des spécialistes des sciences sociales à propos des soldats américains ayant combattu pendant la Seconde Guerre mondiale. Selon lui, il ne s'agissait que de «démonstrations pompeuses» relevant du gros bon sens.

Que contenait ce compte rendu? Un autre critique, Paul Lazarsfeld (1949), en a cité et commenté quelques résultats. Voici un échantillon de ses interprétations présentées entre parenthèses:

§ Les soldats instruits ont connu plus de problèmes d'adaptation que les soldats peu instruits. (Les intellectuels étaient moins bien préparés que les gens ordinaires au stress de la bataille.)

§ Les soldats originaires du Sud ont mieux supporté que les soldats du Nord la chaleur des îles du Pacifique Sud. (Les gens du Sud sont habitués à la chaleur.)

§ Les simples soldats blancs étaient plus désireux que les simples soldats noirs d'être promus au rang de sous-officiers. (Des années d'oppression viennent à bout de la volonté de réussite.)

§ Les Noirs du Sud préféraient les officiers blancs du Sud à ceux du Nord. (Les officiers du Sud étaient plus habitués et plus habiles à interagir avec des Noirs.)

§ Les soldats avaient plus hâte de retourner chez eux pendant les combats qu'à la fin de la guerre. (Les soldats savaient qu'ils couraient un danger mortel pendant les combats.)

Le bon sens a ceci de problématique, cependant, que nous ne l'invoquons qu'*après* avoir pris connaissance des faits. Les événements sont beaucoup plus «évidents» et prévisibles rétrospectivement qu'avant leur déroulement. Baruch Fischhoff et ses collègues (Slovic et Fischhoff, 1977) ont maintes fois démontré qu'une fois connu, le résultat d'une expérience perd soudainement tout son caractère inattendu pour les gens. Toutefois, le même résultat apparaît beaucoup plus surprenant aux yeux des gens qui connaissaient seulement la démarche expérimentale et les résultats possibles.

Daphna Baratz (1983) a mis à l'épreuve la perspicacité de collégiens. Elle leur a soumis des séries de deux prétendus résultats de recherche: une partie du groupe recevait des conclusions authentiques, du genre «En période de prospérité, les gens dépensent une plus grande proportion de leurs revenus qu'en période de récession», ou «Les gens qui vont à l'église régulièrement ont tendance à avoir plus d'enfants que les gens qui vont rarement à l'église», et le reste du groupe devait examiner les conclusions opposées. Et qu'a-t-elle découvert? Qu'on leur ait donné la vérité ou son contraire, la plupart des étudiants ont affirmé du prétendu résultat qu'ils l'auraient prévu.

Vous avez peut-être réagi de la même façon en lisant les commentaires de Lazarsfeld sur les résultats publiés dans *The American Soldier*. Or, ce que vous ne savez pas, c'est que Lazarsfeld ajoutait: «Chacun de ces énoncés exprime exactement le contraire du résultat véritable.» Dans les faits, les auteurs de l'ouvrage mentionnaient que les soldats peu instruits étaient ceux qui s'adaptaient le plus difficilement. Les soldats du Sud *ne* s'habituaient *pas* mieux que les soldats du Nord au climat tropical. Les Noirs recherchaient davantage les promotions que ne le faisaient les Blancs, et ainsi de suite. «Si nous avions présenté en premier les véritables résultats de l'étude [ceux que Schlesinger a lus], le lecteur aurait dit qu'ils coulaient de source. De toute évidence, il y a quelque chose qui cloche dans l'argument de l'évidence. [...] Puisque n'importe quelle réaction humaine est concevable, il est primordial de connaître celles qui se manifestent le plus fréquemment dans la réalité et de savoir dans quelles conditions elles apparaissent.»

De même, dans la vie quotidienne, beaucoup d'événements nous paraissent imprévisibles jusqu'à ce qu'ils surviennent. Ainsi, les commentateurs sportifs sont toujours plus brillants après qu'avant la partie... Ce n'est que rétrospectivement que nous ouvrons soudainement les yeux sur les forces qui ont fait naître l'événement et que nous ne nous étonnons pas. Après que Ronald Reagan eut vaincu Jimmy Carter aux élections présidentielles de 1980, les analystes, oubliant que les deux candidats étaient nez à nez jusqu'aux derniers jours de la campagne, trouvèrent le balayage républicain naturel et compréhensible. La veille du scrutin, Mark Leary (1982) demanda aux gens de prévoir le pourcentage des voix que chaque candidat obtiendrait. Le citoyen moyen prédisait à Reagan une faible majorité. Le lendemain du scrutin, Leary demanda à d'autres personnes quel résultat elles *auraient prédit* la veille des élections; la plupart des gens répondirent qu'ils auraient prévu une forte majorité pour Reagan.

Un événement qui s'est produit paraît tout d'un coup inévitable. Songez à l'humiliante défaite du Parti conservateur aux élections fédérales de 1993, à la faible majorité obtenue par le «non» au référendum québécois sur la souveraineté en 1995, à la défaite du Nouveau parti démocratique lors des élections provinciales de 1995 en Ontario. Songez à n'importe quel scrutin, au résultat d'une importante compétition sportive ou même aux notes que votre frère obtient à un examen; tous ces événements sont susceptibles de provoquer la même réaction après le fait: «Je le savais.» Comme l'a dit le philosophe et théologien danois Soren Kierkegaard: «La vie se vit vers l'avant mais se comprend à rebours.»

Si ce **biais rétrospectif** (appelé aussi phénomène du je-le-savais) est aussi répandu, vous êtes peut-être en train de vous dire que vous le saviez déjà. De fait, presque tout résultat concevable d'une expérience psychologique paraît relever du gros bon sens, *une fois connu*. Faites vous-même la démonstration du phénomène: demandez à la moitié d'un groupe de prévoir le résultat d'un événement d'actualité, des élections par exemple. Une semaine après l'annonce du résultat, demandez aux autres membres du groupe ce qu'ils auraient prédit. Lorsque, aux Jeux olympiques de 1988, le sprinter canadien Ben Johnson perdit son titre d'homme le plus rapide au monde parce qu'il avait fait usage de stéroïdes anabolisants, bien des gens, après le choc initial, s'empressèrent d'affirmer: «Je m'étais toujours douté qu'il se dopait.»

Le concept de biais rétrospectif vous rappelle peut-être quelque chose si vous avez étudié l'œuvre de Sigmund Freud (1856-1939), père de la psychanalyse. Selon Freud, notre comportement obéit à une motivation inconsciente; par conséquent, nous avons un besoin impérieux de justifier nos actions et nos croyances, en faisant appel à un processus appelé **rationalisation**. Le biais rétrospectif est relié au besoin inconscient de justification de la part de tout individu.

Pour étudier vous-même le biais rétrospectif, vous pourriez aussi donner le résultat d'une expérience psychologique à la moitié d'un groupe et présenter le contraire à l'autre moitié. Ainsi, dites ceci à la première moitié:

Les psychologues sociaux ont découvert que, en amitié comme en amour, nous sommes surtout attirés par les gens dont les traits diffèrent des nôtres. Le vieux dicton «Les contraires s'attirent», paraît-il, est juste.

Dites la vérité à l'autre moitié du groupe:

Les psychologues sociaux ont découvert que, en amitié comme en amour, nous sommes surtout attirés par les gens dont les traits sont semblables aux nôtres. Le vieux dicton «Qui se ressemble s'assemble», paraît-il, est juste.

Invitez les gens à expliquer leur résultat respectif. Ensuite, demandez-leur s'il est surprenant ou non. Quel que soit le résultat, à peu près personne ne le trouvera surprenant.

17

Au fond, y aurait-il un proverbe convenant à chaque situation?

Comme le montrent ces exemples, on trouvera toujours un vieux proverbe pour accréditer à peu près n'importe quel résultat. Comme presque tous les résultats possibles sont concevables, il existe des adages pour toutes les occasions. Dirons-nous comme John Donne, poète anglais du xvııᵉ siècle, «Nul n'est une île» ou, comme Thomas Wolfe, écrivain américain du début du xxᵉ siècle, «Tout homme est une île»? Si un psychologue social affirme que la séparation attise le désir amoureux, M. Tout-le-monde rétorquera: «Et c'est pour ça qu'on vous paie? Il est bien connu que "L'absence diminue les médiocres passions et augmente les grandes"». Et si le psychologue avance que la séparation émousse le désir, Mme Tout-le-monde répliquera: «Ma grand-mère aurait pu vous le dire, "Loin des yeux, loin du cœur"». Peu importe le résultat, il se trouvera toujours quelqu'un pour l'avoir prévu.

Karl Teigen (1986) a dû s'amuser follement lorsqu'il a demandé à des étudiants de l'université de Leicester, en Grande-Bretagne, d'évaluer des proverbes authentiques et leurs contraires. La plupart des étudiants qui avaient reçu le proverbe authentique «La peur est plus forte que l'amour» affirmèrent qu'il était vrai. Or, les étudiants qui avaient reçu le proverbe inversé, «L'amour est plus fort que la peur», en firent autant. De même, les étudiants accordaient foi à l'authentique proverbe «Celui qui est tombé ne peut aider celui qui est par terre»; mais ils accréditaient aussi le contraire, c'est-à-dire «Celui qui est tombé peut aider celui qui est par terre». Quant à moi, j'ai une affection particulière pour deux proverbes dont la vérité fut admise par la majorité: «Le sage fait des proverbes et le fou les répète» (authentique) et «Le fou fait des proverbes et le sage les répète» (inventé).

Le biais rétrospectif constitue un problème pour de nombreux étudiants en psychologie. Lorsque vous lisez les résultats d'expériences dans vos manuels, la matière vous paraît facile, voire simpliste. À l'examen, lorsque vous devez choisir entre plusieurs conclusions plausibles dans une question à choix multiples, la tâche devient parfois singulièrement difficile. «Je ne sais pas ce qui est arrivé, maugrée l'étudiant, déconcerté. Je croyais connaître la matière.» (Avis aux futés: Méfiez-vous du phénomène lorsque vous étudiez en vue des examens. Vous pourriez surestimer votre connaissance de la matière.)

Non seulement le phénomène du je-le-savais banalise-t-il les résultats des sciences sociales, il peut aussi avoir des conséquences regrettables. Il engendre l'arrogance, c'est-à-dire la surestimation de nos capacités intellectuelles. Après l'invention et la propagation de la machine à écrire, par exemple, les gens dirent que l'appareil ne demandait qu'à être inventé et que son succès était assuré. Pour Christopher Latham Sholes, cependant, le succès de son invention ne paraissait pas gagné d'avance. Il avoua ceci dans une lettre qu'il écrivit en 1872: «Je crains que [la machine à écrire] connaisse une brève heure de gloire, puis soit abandonnée.»

Qui plus est, comme nous estimons que les résultats auraient dû être prévisibles, nous sommes plus enclins à blâmer les décideurs pour ce qui apparaît en rétrospective comme de mauvais choix «évidents» qu'à les féliciter pour les choix judicieux, qui semblent tout aussi «évidents» que les premiers. Après la guerre du golfe Persique, en 1991, il semblait évident que l'écrasante supériorité de l'aviation américaine et alliée allait défaire l'armée irakienne. Pourtant, la chose n'avait rien de clair pour la plupart des politiciens et des experts avant la victoire. De même, après que les Japonais eurent détruit, en 1941, la flotte américaine qui était basée à Pearl Harbor, à Hawaï, les signes avant-coureurs de l'attaque parurent soudainement évidents aux historiens du dimanche, et ceux-ci blâmèrent les autorités militaires américaines pour leur manque de clairvoyance.

De même, nous nous reprochons souvent nos «erreurs bêtes». Rétrospectivement, la bonne façon d'agir nous apparaît clairement. Lorsque nous découvrons le coupable à la fin d'un film, nous faisons comme le personnage du Dr Watson, ami de Sherlock Holmes, dans les romans de l'écrivain écossais Arthur Conan Doyle, et nous nous reprochons d'avoir passé outre aux indices qui nous paraissent maintenant si criants. Quelquefois, cependant, nous sommes trop sévères envers nous-mêmes. Nous oublions que ce qui nous semble évident *maintenant* ne l'était pas auparavant. Les médecins qui apprennent simultanément les symptômes d'un patient et la cause de son décès, à la suite d'une autopsie, se demandent souvent comment leurs collègues ont pu, dans un cas aussi évident, poser un diagnostic erroné. Dans une recherche de Dawson et ses collègues (1988), d'autres médecins à qui on n'avait fourni que les symptômes n'ont pas trouvé si facile d'établir le diagnostic. Les jurés seraient-ils moins pressés de conclure à la faute professionnelle s'ils étaient obligés de se prononcer *a priori* – à partir des seuls symptômes – plutôt qu'*a posteriori* – à partir des symptômes *et* du diagnostic juste)?

Que conclure alors? Que le bon sens, en général, est mauvais conseiller? C'est souvent le cas. Jusqu'à ce que la science contredise le sens commun, c'est-à-dire pendant des siècles, le vécu quotidien assurait les gens que le soleil tournait autour de la terre. Forts de leur expérience concrète, les médecins croyaient que la saignée constituait un traitement efficace contre la fièvre typhoïde, jusqu'à ce que quelqu'un, au milieu du XIXe siècle, prenne la peine d'en faire l'expérience. Ce sceptique forma deux groupes, saigna les patients du premier groupe et prescrivit le repos au lit aux patients du second groupe. Les deux traitements se révélèrent aussi efficaces (ou inefficaces) l'un que l'autre. Dans certaines conditions, en revanche, la sagesse populaire a raison. À d'autres moments, on trouve des sages pour défendre aussi bien la thèse que l'antithèse, une idée que son contraire. Pour être heureux, vaut-il mieux connaître la vérité ou conserver ses illusions? Vaut-il mieux partager ses jours avec d'autres personnes ou vivre dans une solitude paisible? Vaut-il mieux mener une vie vertueuse ou profiter, sans compter, des plaisirs de la vie? Les opinions ne coûtent pas cher; peu importe ce que nous découvrirons, il se trouvera toujours quelqu'un pour prétendre qu'il avait prévu notre découverte et qu'il s'agissait d'une évidence. Mais laquelle parmi toutes ces idées contradictoires et défendables décrira le mieux la réalité?

Il faut se garder de conclure que le bon sens se trompe la plupart du temps. En fait, le bon sens a généralement raison *après coup*; il décrit les événements plus facilement qu'il ne les prédit. Par conséquent, nous nous leurrons souvent nous-mêmes en nous convainquant que nous savions déjà ce qu'on voudrait nous apprendre. Jean Gabin, (célèbre comédien français, mort en 1976), a enregistré sur le sujet un excellent texte (Je sais... Je sais...) indiquant que, toute sa vie durant, on prétend tout savoir pour conclure, au crépuscule de ses jours, qu'on ne sait jamais... on ne sait jamais avec certitude ajoutera le scientifique aux propos du poète.

19

Exercices et questions

La psychologie sociale ne fait-elle que confirmer des évidences? On est parfois tenté de le croire. Lisez les questions suivantes et trouvez des réponses «évidentes». Justifiez chacune de vos réponses avant de lire les résultats de recherche présentés plus loin.

1. Les étudiantes sont-elles plus favorables que les étudiants à la souveraineté du Québec?
2. Si vous étiez anglophone et que vous fréquentiez une école primaire francophone, vos habiletés en anglais déclineraient-elles?
3. À quel âge les enfants apprennent-ils à distinguer les voix d'hommes des voix de femmes?
4. Existe-t-il des différences liées au sexe en matière de jeux de hasard chez les cégépiens?

RECHERCHE 1 LES DIFFÉRENCES LIÉES AU SEXE EN MATIÈRE D'INDÉPENDANTISME

L'adaptateur du présent ouvrage (Bolland, 1995) fit une enquête auprès de 128 cégépiens de deuxième année inscrits au cours «Initiation pratique à la méthodologie des sciences humaines». Il demanda à ces étudiants d'indiquer s'ils avaient voté oui ou non au référendum de 1995 sur la souveraineté du Québec. Il constata ainsi que les garçons étaient plus souverainistes que les filles. En effet, 60 pour cent des filles et 76 pour cent des garçons avaient voté oui. La différence était notable. Trente pour cent des filles et 22 pour cent des garçons avaient voté non. (Il est important de noter que tous les sujets étaient nés au Québec, que leurs deux parents parlaient français et qu'ils étaient inscrits sur la liste électorale.)

RECHERCHE 2 LES PROGRAMMES D'IMMERSION FRANÇAISE ET LES HABILETÉS EN ANGLAIS

Lambert et ses collègues (1991) constatèrent que les enfants anglophones qui étudient dans des classes d'immersion en français se comparent favorablement aux enfants anglophones qui fréquen-tent des écoles anglaises ordinaires pour ce qui est des habiletés en anglais. En outre, leurs résultats en français sont supérieurs à ceux qu'obtiennent les enfants anglophones, qui ont seulement quelques leçons de français par semaine.

RECHERCHE 3 LA CAPACITÉ DE DISTINGUER LES VOIX D'HOMME DES VOIX DE FEMME CHEZ LES NOURRISSONS

Poulin-Dubois et ses collègues (1994) ont découvert que, dès l'âge de neuf mois, beaucoup de nourrissons font la distinction entre les voix d'homme et les voix de femme; les filles sont plus sensibles que les garçons à la différence. À 12 mois, presque tous les nourrissons différencient les voix d'homme des voix de femme.

RECHERCHE 4 LES DIFFÉRENCES LIÉES AU SEXE EN MATIÈRE DE JEUX DE HASARD CHEZ LES CÉGÉPIENS

Lors d'une étude sur le jeu menée auprès de 1471 cégépiens de la région de Québec, Ladouceur et ses collègues (1994) ont découvert que plus de un cégépien sur cinq jouait au moins une fois par semaine. L'incidence du jeu de hasard était neuf fois plus élevée chez les garçons que chez les filles.

LA PENSÉE SOCIALE

L'intuition: les forces et les faiblesses de la connaissance intuitive

Quel est le pouvoir de notre intuition, de cette faculté de connaissance immédiate qui se passe du raisonnement et de l'analyse? Les partisans de la «gestion intuitive» croient que nous devrions obéir à nos pressentiments et nous fier, pour juger les autres, à la sagesse irrationnelle de notre hémisphère droit (que certains croient plus intuitif que notre hémisphère dominant, le gauche). Au moment d'embaucher ou de congédier du personnel et d'investir, nous devrions écouter nos prémonitions. Avant de formuler des jugements, nous devrions faire comme Luke Skywalker, dans le film de George Lucas, *La guerre des étoiles* (1977), c'est-à-dire fermer notre système électronique de guidage et nous abandonner à notre force intérieure. Qui a raison? Les intuitionnistes qui prétendent que des informations fiables et utiles sont disponibles sans le secours de l'analyse logique, ou les sceptiques qui prétendent que l'intuition consiste à «savoir qu'on a raison, peu importe que ce soit vrai ou faux»?

La connaissance intuitive: ses forces

«Le cœur a ses raisons que la raison ne connaît point», disait Blaise Pascal, philosophe et mathématicien français du XVIIe siècle. Trois siècles plus tard, les scientifiques ont donné raison à Pascal. Nous en savons plus que nous ne le croyons.

Les études portant sur le traitement inconscient de l'information confirment que nous n'avons qu'un accès limité aux activités intellectuelles qui nous sont propres (Greenwald, 1992; Uleman et Bargh, 1989). Notre pensée est en partie contrôlée, c'est-à-dire volontaire et consciente et – plus que la plupart d'entre nous ne l'ont déjà supposé – en partie *automatique* (spontanée et inconsciente). Proposons une image, la pensée consciente est ce qui se passe à l'écran de l'ordinateur, tandis que la pensée automatique est ce qu'on ne voit pas à l'écran, là où la raison n'a pas de prise.

Prenons, par exemple:

- Les *schèmes* (des modèles mentaux) qui guident automatiquement et insensiblement nos perceptions et nos interprétations. Un vieux proverbe chinois dit: «Les deux tiers de ce que nous voyons se trouvent derrière nos yeux.»

- Certaines *réactions émotionnelles* sont quasi instantanées et se déclenchent avant même que nous ayons eu le temps d'y réfléchir. Les goûts, les aversions et les peurs échappent, en général, à l'analyse raisonnée. Bien que nos réactions intuitives défient parfois la logique, elles n'en possèdent pas moins une valeur adaptative. Nos ancêtres sursautaient peut-être pour rien au moindre bruit dans les buissons, mais ils avaient plus de chances de survivre et de nous transmettre leurs gènes que leurs cousins plus posés.

- À la condition de posséder un *savoir-faire* suffisant, les gens peuvent trouver intuitivement la solution d'un problème. La situation les met sur la piste de données enfouies dans leur mémoire. De la même façon, sans trop savoir comment nous nous y prenons, nous reconnaissons les voix de nos amis dès les premiers mots d'une conversation téléphonique. Les grands joueurs d'échecs quant à eux reconnaissent intuitivement sur l'échiquier des configurations significatives qui échappent aux novices.

- Nous nous rappelons certaines choses, tels les faits, les noms et les événements passés, explicitement (consciemment). Nous nous en rappelons d'autres, comme les habiletés et les dispositions acquises, *implicitement* (sans être conscients que nous les savons). Le phénomène se manifeste chez chacun d'entre nous, mais il se révèle avec une clarté particulière chez les personnes qui, à la suite de lésions cérébrales, ont perdu la capacité de former des souvenirs explicites. C'est ainsi qu'elles peuvent apprendre à assembler un casse-tête ou à jouer au golf, puis nier qu'elles aient jamais exécuté la tâche. Pourtant (et elles sont les premières surprises), leurs résultats sont dignes d'experts. Si on leur montre à répétition le mot «parfum», elles ne se rappellent pas l'avoir vu. Mais si on leur demande de deviner un mot qui commence par la syllabe «par», elles s'étonnent de connaître intuitivement la réponse.

§ Les cas de *vue aveugle* sont aussi stupéfiants. Ce trouble correspond à la perte d'une partie du champ visuel consécutive à une intervention chirurgicale ou à un accident cérébro-vasculaire. Lorsqu'on place une série de bâtonnets dans la partie aveugle de leur champ de vision, les personnes atteintes de ce trouble disent ne rien voir. On leur demande alors de deviner si les bâtonnets sont verticaux ou horizontaux et, à leur grande surprise, elles devinent juste. Ces patients en savent plus qu'ils ne sont conscients de savoir. Il existerait, semble-t-il, «des esprits miniatures», des unités de traitement parallèles qui fonctionneraient à notre insu.

§ Les personnes atteintes de *prosopagnosie* ont subi une lésion de l'aire cérébrale qui participe à la reconnaissance des visages. Elles voient les visages de leurs proches, mais elles sont incapables de les reconnaître. Or, quand on leur montre des photos des êtres qui leur sont chers, leur cœur, lui, les reconnaît. Il se met à battre plus fort, en même temps que leur corps montre des signes de reconnaissance inconsciente.

§ À propos de la reconnaissance des visages, attardez-vous à cette capacité que vous tenez pour acquise. Lorsque vous regardez une photo, votre cerveau décompose l'information visuelle en catégories telles que la couleur, la profondeur, le mouvement et la forme; il traite tous les composants simultanément avant de les réassembler. Enfin, il compare l'image perçue à celles qu'il a déjà emmagasinées. Et voilà! Instantanément et sans le moindre effort, vous reconnaissez votre grand-mère. Si l'intuition est une connaissance immédiate qui se passe de l'analyse logique, alors la perception est l'acte intuitif par excellence.

§ Bien qu'ils se situent en deçà de la conscience, les stimuli *subliminaux* ont parfois des effets fascinants. Lorsqu'on projette certaines figures géométriques pendant moins de 0,01 seconde, les gens affirment qu'ils on vu seulement un éclair de lumière. Ultérieurement, cependant, ils expriment une préférence pour les formes qu'ils ont aperçues. Quelquefois, nous percevons intuitivement ce que nous ne pouvons pas expliquer. De même, les mots projetés trop brièvement pour être visibles peuvent *influencer* nos réponses à des questions posées par la suite. Si le mot «pain» apparaît pendant un temps trop court pour que nous le reconnaissions, nous détectons ensuite un mot projeté désignant un concept apparenté, par exemple le mot «beurre», plus facilement que le mot «bouteille», par exemple, exprimant un concept sans rapport avec celui de pain.

En résumé, un bon nombre de fonctions cognitives courantes s'accomplissent automatiquement, involontairement et inconsciemment. Notre cerveau fonctionne comme une grande entreprise. Notre directeur général (notre conscience contrôlée) s'occupe des questions les plus importantes ou les plus inusitées et confie les affaires courantes à ses subordonnés. Cette délégation de l'attention nous permet de réagir à de nombreuses situations rapidement, efficacement, *intuitivement*, sans que nous soyons obligés de consacrer notre précieux temps au raisonnement et à l'analyse.

La connaissance intuitive: ses faiblesses

Les chercheurs ont beau affirmer que le traitement inconscient de l'information peut engendrer des éclairs d'intuition, ils doutent de sa sagacité. Elizabeth Loftus et Mark Klinger (1992) parlent au nom des cognitivistes contemporains lorsqu'ils disent que «l'inconscient n'est peut-être pas aussi futé qu'on le croyait autrefois». Ainsi, bien que les stimuli subliminaux puissent provoquer une réponse faible et éphémère (suffisante pour laisser supposer l'existence d'une conscience inconsciente), rien ne prouve que les cassettes subliminales qu'on trouve sur le marché réussissent à «reprogrammer votre inconscient» pour vous procurer le succès. [De fait, une masse de nouvelles données indiquent qu'elles n'y réussissent pas (Greenwald et coll., 1991).]

L'abondante littérature récente qui porte sur la façon dont nous absorbons, emmagasinons et récupérons l'information sociale traite aussi de la pensée illusoire. Comme les spécialistes de la perception étudient les illusions visuelles pour dégager ce qu'elles nous révèlent à propos des mécanismes perceptuels normaux, les psychologues sociaux étudient la pensée illusoire à cause de ce qu'elle nous apprend à propos du traitement normal de l'information. Ces chercheurs veulent établir une carte de la pensée sociale courante et en indiquer clairement les écueils. Pendant que nous examinerons quelques-uns des schèmes efficaces de la pensée sociale, rappelons-nous ceci: même si l'on peut démontrer comment se fabriquent les croyances factices, il n'en résulte pas que toutes les croyances sont factices. Mais, pour reconnaître les contrefaçons, il est utile de savoir comment on les produit. Voyons donc sans plus attendre comment le traitement efficace de l'information peut en venir à se détraquer. Pour ce faire, commençons par examiner la connaissance que nous avons de nous-mêmes.

Savons-nous bien pourquoi nous agissons?

«**I**l n'y a, dans l'univers entier, qu'une seule chose sur laquelle nous en savons plus que nous ne pourrions en apprendre par l'observation extérieure, disait l'écrivain britannique C.S. Lewis (1898-1963). Cette chose, c'est nous-mêmes. Nous disposons, pour ainsi dire, de renseignements d'initiés à ce sujet; nous faisons partie de cette connaissance (1960, p. 18-19)».

Admettons. Quelquefois, pourtant, nous *croyons* savoir, mais nos renseignements d'initiés sont faux. Telle est l'incontournable conclusion de fascinantes recherches.

Expliquer notre propre comportement

Pourquoi avez-vous choisi le collège et le programme auxquels vous êtes actuellement inscrit? Pourquoi vous êtes-vous

emporté contre votre colocataire ou contre votre petit frère? Pourquoi votre cœur s'est-il épris de cette personne plutôt que de telle autre? Quelquefois, nous connaissons la réponse. Et, quelquefois, nous l'ignorons. Lorsqu'on nous demande pourquoi nous avons eu telle émotion ou tel comportement, nous émettons des réponses plausibles. Mais quand les causes et les déterminants ne sont pas clairs, nos explications sont souvent erronées. Nous ne percevons pas l'importance de certains facteurs, pourtant déterminants. Et nous attribuons parfois une influence prépondérante à des facteurs insignifiants.

Richard Nisbett et Stanley Schachter (1966) l'ont démontré en demandant à des étudiants de l'université Columbia, à New York, de subir une série de secousses électriques d'intensité croissante. Avant l'expérience, ils ont donné une fausse pilule à quelques étudiants en leur disant qu'elle provoquerait des palpitations, des irrégularités respiratoires et des papillons dans l'estomac, soit les effets habituels d'une secousse électrique. Nisbett et Schachter prévoyaient que ces sujets attribueraient leurs malaises à la pilule plutôt qu'aux secousses et qu'ils toléreraient les décharges mieux que ne le feraient les sujets qui n'avaient pas pris la pilule. Les chercheurs avaient vu juste. L'effet fut énorme: les sujets qui avaient pris la fausse pilule tolérèrent quatre fois plus de secousses électriques que ceux qui ne l'avaient pas prise.

Les chercheurs annoncèrent à ces sujets qu'ils avaient reçu plus de secousses que la moyenne et ils leur demandèrent d'expliquer le phénomène. Les sujets ne firent aucunement mention de la pilule. Même lorsque les chercheurs leur eurent expliqué en détail les hypothèses de l'expérience, rien n'y fit: les sujets nièrent obstinément l'influence de la pilule. Ils dirent pour la plupart que la pilule avait probablement eu de l'effet sur certaines personnes, mais pas sur eux. La réponse typique: «Je n'ai même pas pensé à la pilule.»

TOUS LES GENS MENTAIENT-ILS?   Il arrive que les gens pensent avoir été influencés par une chose qui n'a eu, en réalité, aucun effet. Nisbett et Timothy Wilson (1977) demandèrent à des étudiants de l'université du Michigan de coter un film documentaire. Pendant qu'un certain nombre d'entre eux regardaient le film, le bruit d'une scie électrique retentissait à l'extérieur de la pièce. La plupart des étudiants prétendirent que ce bruit agaçant avait influencé leur évaluation du film. Mais il n'en fut rien. Leurs cotes étaient semblables à celles des étudiants du groupe témoin, qui avaient regardé le film sans être dérangés.

Plus troublantes encore sont les études au cours desquelles les sujets furent appelés à noter leur propre humeur chaque jour pendant deux ou trois mois (Stone et coll., 1985; Weiss et Brown, 1976; Wilson et coll., 1982). Ils consignèrent aussi les facteurs susceptibles d'influer sur leur humeur, tels le jour de la semaine, le temps, leurs heures de sommeil, etc. À la fin de chaque étude, les sujets évaluaient l'influence de chaque facteur sur leur humeur. Chose remarquable (étant donné qu'on faisait porter l'attention des sujets sur les variations quotidiennes de leur humeur), leurs perceptions de l'importance d'un facteur avaient peu de rapport avec sa valeur prédictive réelle. De fait, leurs évaluations de l'influence d'un facteur comme le temps ou le jour de la semaine n'étaient pas meilleures que les estimations faites par des étrangers. Ces résultats soulèvent une question déconcertante: dans quelle mesure pouvons-nous savoir ce qui nous rend heureux ou malheureux?

Prévoir notre propre comportement

Nous nous trompons souvent, finalement, en prédisant notre propre comportement. Quand on demande aux gens s'ils accepteraient de donner des secousses électriques intenses à d'autres personnes ou s'ils hésiteraient à aider une victime en présence de plusieurs autres personnes, ils nient systématiquement leur vulnérabilité aux influences extérieures. Or, nous verrons plus loin que des expérimentations ont démontré au contraire que nombre de gens y sont vulnérables. Qui plus est, voyez ce que Sidney Shrauger a découvert (1983). Il a présenté une longue liste d'événements (tomber amoureux, tomber malade, etc.) à des étudiants de l'université et leur a demandé d'estimer la probabilité que ces événements leur arrivent au cours des deux prochains mois. Les prévisions des étudiants concernant leur propre comportement furent à peine plus exactes que celles qu'on aurait pu faire en se basant sur ce qui arrive à la moyenne des gens. La seule chose que nous puissions dire sans crainte de nous tromper à propos de notre avenir, c'est qu'il est difficile à prévoir, même pour nous. Le mieux que nous puissions faire, c'est d'examiner le comportement que nous avons eu par le passé dans des situations semblables (Osberg et Shrauger, 1986). Ici, le passé semble encore le meilleur garant de l'avenir.

●Construire nos propres souvenirs

Êtes-vous d'accord avec l'énoncé suivant?

«La mémoire peut se comparer à un coffre situé quelque part dans notre cerveau. Nous y rangeons toutes sortes de choses que nous pouvons ressortir plus tard au besoin. De temps en temps, une de ces choses disparaît du «coffre», et nous disons que nous avons oublié.»

Environ 85 pour cent des étudiants interrogés sont d'accord avec cet énoncé (Lamal, 1979). Une annonce publiée dans un numéro de 1988 de *Psychology Today* (une populaire revue américaine de psychologie qui, chaque mois, publie, dans un langage accessible au grand public des aperçus d'importantes études en cours dans différents domaines de la psychologie) disait ce qui suit: «La science a prouvé que l'expérience accumulée durant toute une vie est parfaitement conservée dans notre cerveau.»

En réalité, la recherche psychologique a prouvé le contraire. Les souvenirs ne sont pas des copies d'expériences qui demeurent intactes dans notre banque mentale. Bien au contraire, nous construisons nos souvenirs au moment même de leur retrait. La mémoire fait intervenir un raisonnement à rebours. Elle déduit ce qui aurait dû être à partir de ce que nous savons ou croyons en ce moment. Comme un paléontologue déduit l'apparence d'un dinosaure à partir de fragments d'os, nous reconstruisons le passé lointain en assemblant des fragments d'information à la lumière de nos attentes présentes (Hirt, 1990). Ainsi, nous révisons inconsciemment nos souvenirs pour les rendre conformes à nos connaissances actuelles. L'un de mes fils se plaignit un jour de n'avoir pas reçu le numéro de juin de *Cricket*, son magazine préféré. Lorsque je lui montrai où se trouvait le magazine, il s'exclama, tout joyeux: «Bon sang! Je savais que je l'avais reçu!»

27

Reconstruire les attitudes passées

Il y a cinq ans, quelle était votre opinion à propos de l'énergie nucléaire? À propos de Brian Mulroney ou de François Mitterand? À propos de vos parents? Si vos attitudes ont changé, savez-vous à quel point?

Les chercheurs ont essayé de répondre à des questions semblables. Leurs résultats furent saisissants: les gens dont les attitudes ont changé sont pour la plupart convaincus qu'ils ont toujours eu l'opinion qu'ils défendent aujourd'hui. Daryl Bem et Keith McConnell (1970) ont mené une enquête auprès des étudiants de l'université Carnegie-Mellon, à Pittsburgh, en Pennsylvanie. Une de leurs questions concernait la participation des étudiants à l'élaboration des programmes d'études. Une semaine plus tard, les étudiants acceptèrent d'écrire une dissertation dans laquelle ils s'opposaient à la participation étudiante. Par la suite, leur opinion se calqua sur celle qu'ils avaient défendue dans leurs dissertations: ils montrèrent davantage d'opposition au droit de regard des étudiants sur les programmes. Les chercheurs leur demandèrent de se rappeler l'opinion qu'ils avaient formulée au moment de répondre au questionnaire d'enquête. Les étudiants «se rappelèrent» qu'ils avaient la même opinion que maintenant et ils nièrent l'influence exercée par l'expérimentation. D.R. Wixon et James Laird (1976) observèrent le même déni des attitudes passées chez des étudiants de l'université Clark, à Worcester, au Massachusetts; ils mentionnèrent que les étudiants avaient révisé leur propre histoire «avec une célérité, une ampleur et un aplomb frappants».

En 1973, des chercheurs de l'université du Michigan constituèrent un échantillon national d'élèves de dernière année du secondaire; ils les interrogèrent cette année-là, puis en 1982 (Markus, 1986). Les chercheurs demandèrent ensuite aux sujets de se rappeler les attitudes qu'ils avaient en 1973 face à des questions comme l'aide aux minorités, la légalisation de la marijuana et l'égalité des femmes. Les attitudes que les sujets ont décrites, étaient beaucoup plus proches de celles qu'ils avaient en 1982 que de celles qu'ils avaient vraiment exprimées en 1973. Les chercheurs qui observent des sujets depuis l'enfance en arrivent à des conclusions aussi renversantes: les souvenirs que gardent les adolescents de leur petite enfance n'ont aucun rapport avec les événements réels. C'est le niveau actuel d'adaptation des adolescents qui détermine leurs souvenirs. Les adolescents en bonne santé et satisfaits ont des souvenirs agréables du passé; les adolescents mal adaptés, quant à eux, ont des souvenirs désagréables (Lewis et Feiring, 1992). George Vaillant (1977, p. 197) a fait le commentaire suivant après avoir observé un groupe d'adultes pendant un certain temps: «Les chenilles deviennent des papillons et persistent à dire qu'elles ont été de petits papillons dans leur jeunesse. Le développement fait de nous des menteurs.»

Cathy McFarland et Michael Ross (1985) ont découvert que nous révisons même nos opinions passées sur les gens à mesure que nos relations avec eux évoluent. Ces deux chercheurs demandèrent à des étudiants de l'université d'évaluer les personnes avec lesquelles ils avaient des relations amoureuses stables. Deux mois plus tard, ils les invitèrent à recommencer. Les étudiants dont l'amour avait grandi tendaient à se rappeler qu'ils avaient eu le coup de foudre. Ceux qui avaient rompu se rappelaient plutôt qu'ils avaient trouvé leur partenaire égoïste et maussade.

Diane Holmberg et John Holmes (1993) observèrent le même phénomène chez 373 couples de jeunes mariés américains qui, pour la plupart, disaient être très heureux. Deux ans plus tard, les sujets dont la relation s'était gâtée se rappelaient que leur union n'avait jamais été satisfaisante. Les résultats sont «effrayants», disent Holmberg et Holmes: «De telles distorsions peuvent engendrer une dangereuse spirale descendante. Plus la perception actuelle que vous avez de votre partenaire est négative, pires sont vos souvenirs, ce qui ne fait que confirmer vos attitudes défavorables à son égard.» Les passions sont mères de l'exagération.

Ce n'est pas que nous soyons totalement coupés de nos sentiments passés; seulement, lorsque nos souvenirs sont flous, nos sentiments présents les précisent. De génération en génération, les parents déplorent les valeurs des jeunes. Ne pourrait-on pas soupçonner les adultes de donner aux valeurs qu'eux-mêmes avaient à l'adolescence la couleur de leurs valeurs d'aujourd'hui?

Reconstruire le comportement passé

La construction des souvenirs nous permet de refaire notre propre histoire. Michael Ross, Cathy McFarland et Garth Fletcher (1981) présentèrent à des étudiants de l'université de Waterloo, en Ontario, un message qui vantait les mérites du brossage des dents. Plus tard, lors d'une expérience dite différente, ils invitèrent deux groupes d'étudiants (dont un formé des sujets qui avaient vu le message) à se rappeler combien de fois ils s'étaient brossé les dents au cours des deux semaines précédentes. Les étudiants qui avaient vu le message faisaient état de brossages plus fréquents que ceux qui ne l'avaient pas vu. De même, lorsqu'on demande à des échantillons représentatifs d'Américains d'estimer leur consommation de cigarettes et qu'on projette les résultats à l'échelon national, on s'aperçoit qu'au moins le tiers des 600 milliards de cigarettes vendues annuellement sont mystérieusement disparues (Hall, 1985). Ce genre de résultats rappela au psychologue social Anthony Greenwald (1980) le roman *1984* de George Orwell, remarquable ouvrage de science-fiction publié en 1949 qui prédisait l'émergence d'une société totalitaire. Greenwald émit l'hypothèse que nous avons tous des «egos totalitaires» qui récrivent le passé pour accommoder notre vision présente.

Quelquefois, notre vision présente nous donne à penser que nous nous sommes améliorés. Le cas échéant, nous pouvons surestimer la différence entre le passé et le présent. Cela résout l'énigme que posent deux résultats fréquents. D'une part, les gens qui participent à des programmes de croissance personnelle (perte de poids, abandon du tabac, exercice, psychothérapie) ne présentent en moyenne qu'une amélioration modeste. D'autre part, ils affirment souvent en avoir tiré des bienfaits considérables (Myers, 1992). Michael Conway et Michael Ross (1985) expliquent pourquoi il en est ainsi. Comme les gens ont consacré énormément de temps, d'efforts et d'argent à leur amélioration personnelle, ils se disent commodément: «Je ne suis peut-être pas parfait aujourd'hui, mais j'étais pire avant; ça m'a fait beaucoup de bien.»

«Connais-toi toi-même», telle était la devise du philosophe grec Socrate. Nous essayons de la faire nôtre. Or, il est étonnant de constater à quel point nous nous trompons quant aux influences que nous avons subies, quant à nos sentiments et quant à nos actions. La connaissance intuitive que nous avons de nous-mêmes est faillible.

Cette réalité a deux conséquences pratiques. Premièrement, elle confirme la nécessité de l'enquête psychologique. Bien que

les intuitions des clients et des sujets puissent fournir des renseignements utiles sur les processus psychologiques, *les récits personnels sont rarement dignes de foi.* Les errements observés quant à la compréhension de soi limitent l'utilité scientifique des comptes rendus subjectifs.

La deuxième conséquence s'inscrit dans notre vie quotidienne. La sincérité avec laquelle les gens racontent et interprètent leurs expériences ne garantit en rien la validité de leurs affirmations. Certains témoignages personnels peuvent être éminemment persuasifs, mais comme nous venons de le voir ils sont souvent, aussi, entachés d'erreurs involontaires. Une meilleure connaissance des processus de distorsion de la réalité subjective qu'on nous exprime devrait nous aider à résister à l'intimidation dont nous sommes l'objet de la part des personnes «fortes» et à être moins crédules.

⬤ Exercices et questions

Avoir une intuition, c'est décider, en dehors de toute réflexion consciente, qu'une chose est vraie. Pourtant, vous avez lu dans ce chapitre que les récits personnels sont souvent douteux et que les témoignages personnels sont éminemment persuasifs, mais qu'ils peuvent aussi être entachés d'erreurs involontaires.

Ce qui devient évident après un événement ne l'était pas nécessairement avant. De plus, nos croyances sont fortement déterminées par le degré d'engagement personnel dont nous faisons preuve dans une situation. Examinons, dans ce contexte, les trois questions suivantes.

1. Le cas de Richard Barnabé est-il, en matière de brutalité policière, typique ou exceptionnel?
2. Le fait de regarder des sports violents augmente-t-il l'agressivité chez les hommes?
3. Qu'est-ce qui cause les sautes d'humeur caractéristiques du syndrome prémenstruel?

1. LE CAS TRAGIQUE DE RICHARD BARNABÉ

En décembre 1993, un chauffeur de taxi de Laval du nom de Richard Barnabé fut arrêté, placé dans une cellule et battu par quatre policiers qui tentaient de le «maîtriser.» Il subit des blessures si graves qu'il tomba dans le coma. Vingt-neuf mois plus tard, il mourut à l'hôpital sans avoir jamais repris conscience. Si vous étiez son cousin ou sa cousine, estimeriez-vous que les policiers du Québec sont, en général, violents? Si vous étiez le cousin ou la cousine d'un des policiers impliqués dans l'affaire, comment jugeriez-vous l'événement? Ce cas de brutalité policière est-il typique ou exceptionnel? (Votre réponse sera peut-être influencée par votre origine ethnique. Les Noirs, en effet, ont

à propos de la police des opinions très différentes de celles des Blancs.)

2. LES MACHOS ET LES EFFETS DE LA VIOLENCE DANS LES MÉDIAS

En se fondant sur leur propre expérience, beaucoup de gens affirment que la télévision a très peu d'effet sur eux. «Ce n'est qu'un divertissement», disent-ils. Croyez-vous qu'ils ont raison? Un psychologue social de l'Alberta (Russell, 1992) réalisa une intéressante étude auprès de 114 hommes qui fréquentaient l'université. Il découvrit que les hommes possédant des tendances machistes et qui boivent de la bière présentent une augmentation de l'agressivité après avoir regardé des films montrant des combats de boxe amateurs ou professionnels. Le chercheur n'observa pas d'augmentation de l'agressivité chez les hommes qui n'ont pas de tendances machistes et qui boivent des boissons gazeuses.

Essayez de demander à un «macho buveur de bière» que vous connaissez (vous-même, peut-être?) quels effets les spectacles violents ont sur lui. Que vous répond-il? Tandis que vous y êtes, indiquez quelles étaient l'hypothèse, la variable indépendante et la variable dépendante dans cette recherche.

3. LE SYNDROME PRÉMENSTRUEL

Demandez à des filles si elles souffrent du syndrome prémenstruel et beaucoup vous répondront «Oui!» d'emblée. Pendant 49 jours consécutifs, Bisson et Whissel (1989) analysèrent le journal intime de 22 femmes de 19 à 43 ans domiciliées à Sudbury, en Ontario. Ils découvrirent que les femmes amicales et sociables souffraient beaucoup moins du syndrome prémenstruel (une augmentation de l'agression et de la dépression au cours des cinq derniers jours du cycle menstruel) que les femmes moins amicales. Les chercheurs concluent que le cycle menstruel constitue un facteur moins important que la personnalité de la femme dans l'apparition du syndrome prémenstruel.

Vous, que concluez-vous de cette étude?

Quelle chance pour les dirigeants politiques, que le peuple ne réfléchisse pas!

Adolf Hitler

Les raisons de la déraison

L' ambivalence marque la connaissance intuitive que nous avons de nous-mêmes (voir module 3) tout autant que la représentation que nous nous faisons de notre propre rationalité. D'une part, nous méritons pleinement le nom d'*Homo sapiens*, c'est-à-dire d'homme sage. Nos capacités cognitives dépassent de loin celles des meilleurs ordinateurs sur les plans de la reconnaissance des formes, de l'utilisation du langage et du traitement de l'information abstraite. Notre traitement de l'information se révèle aussi d'une efficacité remarquable. Comme nous avons très peu de temps pour traiter une masse de données, avons fait des simplifications sommaires une spécialité. Les scientifiques s'émerveillent de la vitesse et de l'aisance qui caractérisent la formation de nos impressions, de nos jugements et de nos explications. Dans beaucoup de situations, nos généralisations hâtives («Attention! C'est dangereux!») ont une fonction adaptative. Elles favorisent notre survie.

D'autre part, cette efficacité, a un revers; les généralisations hâtives sont parfois erronées. Les stratégies qui nous aident à simplifier l'information complexe peuvent nous égarer. Pour développer notre pensée critique, penchons-nous sur cinq facteurs susceptibles d'expliquer la déraison – cinq façons courantes de former ou d'entretenir de fausses croyances.

1. Nos idées préconçues déterminent nos interprétations.
2. Nous surestimons l'exactitude de nos jugements.
3. Les anecdotes nous convainquent souvent mieux que les statistiques.
4. Nous voyons des corrélations et du pouvoir là où il n'y en a pas.
5. Nos croyances peuvent engendrer leur propre confirmation.

Nos idées préconçues déterminent nos interprétations

Nous avons traité dans le module 3 d'une importante caractéristique de l'esprit humain, à savoir de l'influence que nos idées préconçues exercent sur nos souvenirs, y compris ceux que nous gardons de nos propres attitudes et expériences. Les idées préconçues déterminent également notre mode de perception et d'interprétation de l'information. Cette influence fut tragiquement démontrée en 1988, alors que l'équipage du destroyer américain *USS Vincennes* confondit un Boeing 747 iranien avec un chasseur F-14 et l'abattit, faisant plus de 200 victimes civiles. Le F-14 est l'un des plus petits avions de chasse, tandis que le Boeing 747 est un appareil gigantesque. Lors de la commission d'enquête que le Congrès américain institua à la suite de cet accident, le psychologue social Richard Nisbett (1988) déclara: «Nos attentes, qui nous conduisent parfois à produire et à maintenir des hypothèses erronées, peuvent avoir des effets spectaculaires». La perception ne se limite pas à l'information sensorielle.

Les illusions d'optique engendrent de fausses interprétations, mais qu'en est-il de la perception que les gens ont des événements?

Il en va de même de la perception sociale. Une expérimentation de Robert Vallone et ses collègues (Vallone et coll., 1985) a révélé la puissance des idées préconçues. Les chercheurs montrèrent à des étudiants pro-israéliens et à des étudiants pro-arabes six reportages télévisés décrivant les meurtres de civils survenus en 1982 dans deux camps de réfugiés du Liban. Comme le montre la figure 4.1, chaque groupe jugea les reportages hostiles à sa propre opinion. Le phénomène est répandu. Les candidats politiques et leurs partisans trouvent presque toujours les médias antipathiques à leur cause. Les partisans d'une équipe sportive accusent les arbitres d'être gagnés à l'équipe adverse. Les gens qui vivent des conflits (les conjoints, les syndicats et le patronat, les groupes raciaux antagonistes) taxent les médiateurs neutres de partialité.

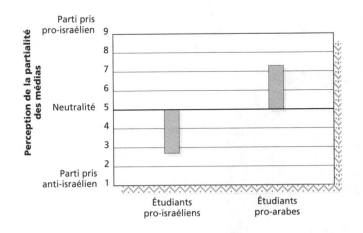

Figure 4.1

Des étudiants pro-israéliens et des étudiants pro-arabes regardèrent des reportages portant sur le massacre de Beyrouth. Les deux groupes d'étudiants estimèrent que les reportages étaient entachés d'un parti pris favorable au camp adverse. (Les données sont tirées de Vallone, Ross et Lepper, 1985.)

Nos présupposés peuvent aussi nous porter à récupérer à notre avantage des données pourtant ambiguës. Ainsi, Ross et Lepper assistaient Charles Lord (1979) lorsqu'il présenta à des étudiants de l'université Stanford, en Californie, les résultats de deux soi-disant nouvelles études. La moitié de ces étudiants approuvaient la peine capitale et l'autre moitié s'y opposaient. L'une des

études confirmait les croyances des étudiants quant à l'effet dissuasif de la peine de mort, alors que l'autre étude infirmait ces résultats. Les deux groupes d'étudiants admirent volontiers les données qui confirmaient leurs croyances, mais ils critiquèrent vivement les données qui les contredisaient. Ainsi, la présentation d'un *même* ensemble de résultats contradictoires, loin d'atténuer le désaccord observé entre les deux groupes, l'avait *intensifié*. Chaque groupe avait vu dans les résultats une preuve de ses croyances et n'y adhérait que plus fermement encore. La sagesse populaire ne nous dit-elle pas qu'on ne voit que ce qu'on veut bien voir? (Voir module 2)

Est-ce pour cette raison que, dans des domaines comme la politique, la religion et la science, l'information ambiguë attise souvent les conflits?

Aux États-Unis, les débats télévisés entre les candidats à la présidence ne font la plupart du temps qu'affirmer les opinions des électeurs. À raison de presque 10 contre 1, les gens qui, lors des débats de 1960, 1976 et 1980, avaient déjà une préférence pour un candidat, lui accordèrent la victoire (Kinder et Sears, 1985). Même lorsque notre candidat fait moins bonne impression que son adversaire, nous essayons de découvrir ses qualités et de mettre en évidence les défauts de l'autre candidat. Bien que, pendant la campagne référendaire, de 1995, une majorité d'analystes aient estimé que Lucien Bouchard avait fait meilleure figure que Daniel Johnson les partisans du «non» ont trouvé que Bouchard était «fanatique», «démagogique», «manipulateur» et «malhonnête». En revanche, les mêmes partisans ont employé à l'égard de Johnson les qualificatifs de «modeste», d'«honnête», de «direct» et de «digne». Vous aurez compris que les partisans du «oui» ont utilisé les termes opposés.

Au cours de certaines expériences, les chercheurs exploitent les idées préconçues et obtiennent ainsi des effets stupéfiants. Myron Rothbart et Pamela Birrell (1977) ont demandé à des étudiants de l'université de l'Oregon de juger l'expression de l'homme montré à la figure 4.2. Les étudiants à qui l'on avait dit que c'était un officier de la Gestapo et qu'il avait infligé des traitements médicaux barbares à des prisonniers de camps de concentration pendant la Seconde Guerre mondiale jugèrent son expression cruelle. (Voyez-vous ce sourire sardonique à peine réprimé?) Les étudiants à qui l'on avait dit que l'homme était chef d'un mouvement de résistance et qu'il avait sauvé des milliers de Juifs trouvèrent son expression chaleureuse et sympathique. (À bien y penser, voyez son regard bienveillant et son demi-sourire accueillant.) Les réalisateurs de films le savent bien, une expression

Figure 4.2

«Kurt Walden» présenté par Myron Rothbart et Pamela Birrell. L'homme est-il cruel ou bon? Jugez-en par vous-même.

ambiguë peut, selon le contexte, créer une impression de tristesse, d'introspection ou de joie.

●Nous surestimons l'exactitude de nos jugements

La complaisance intellectuelle dont sont empreints les jugements que nous formulons à propos de nos connaissances passées («Je le savais») caractérise aussi l'évaluation que nous faisons de nos connaissances actuelles. Daniel Kahneman et Amos Tversky (1979) demandèrent à des gens de compléter des énoncés factuels comme: «Je suis certain à 98 pour cent que la distance à vol d'oiseau séparant New Delhi et Pékin est supérieure à _____ kilomètres mais inférieure à _____ kilomètres.»

La plupart des sujets firent preuve d'une assurance excessive. Dans 30 pour cent des cas environ, les bonnes réponses se situaient à l'extérieur des limites dont les gens se déclaraient certains à 98 pour cent. Baruch Fischhoff et ses collègues (1977) furent témoins du même **phénomène de confiance excessive**; ils demandèrent à des sujets d'évaluer leur degré de certitude face aux réponses qu'ils donnaient à des questions à choix multiples telles que: «Quel canal est le plus long: a) le canal de Panama; b) le canal de Suez?» Si les gens répondent correctement dans 60 pour cent des cas à une question de ce genre, ils se disent pourtant sûrs à 75 pour cent de leurs réponses. (Réponses: Le canal de Suez est deux fois plus long que le canal de Panama, et New Delhi est à 4000 kilomètres de Pékin.)

Robert Vallone et ses collègues (1990) ont demandé, en septembre, à des étudiants de prévoir s'ils abandonneraient un cours, s'ils habiteraient à l'extérieur du campus l'année suivante, etc. Bien que les étudiants aient été sûrs à 84 pour cent de leurs prévisions, ils se sont trompés en moyenne deux fois plus souvent (dans 29 pour cent des cas) qu'ils ne l'auraient cru. Même lorsqu'ils se disaient certains à 100 pour cent de leurs prévisions, ils se sont trompés dans 15 pour cent des cas.

La confiance excessive marque aussi nos décisions de tous les jours. Les conseillers financiers qui commercialisent leurs services prétendent qu'ils sont capables de vaincre les variations de l'indice boursier. Or, ils oublient que, pour tout courtier qui crie «Vendez!» lorsqu'une action atteint un prix donné, il y en a un autre qui dit «Achetez!». Le prix d'une action représente le point d'équilibre entre deux jugements présentant la même certitude. Aussi incroyable que cela puisse paraître, d'ailleurs, l'économiste Burton Malkiel (1985) affirme que les portefeuilles de fonds mutuels constitués par les analystes financiers *ne* sont *pas* plus performants qu'ils ne le seraient si les actions étaient choisies au hasard.

Quelles leçons constructives pouvons-nous tirer de la recherche portant sur la confiance excessive? Nous devrions peut-être réduire l'importance que nous accordons aux affirmations dogmatiques des autres. Même quand les gens paraissent certains d'avoir raison, ils peuvent avoir tort. Alors, ne vous laissez pas intimider par les gens suffisants.

Deux mécanismes parviennent à ramener la confiance à de plus justes proportions. Le premier correspond à l'obtention d'une

Phénomène de la confiance excessive
Tendance à surestimer l'exactitude de ses propres croyances; se manifeste par un écart entre le degré de certitude et le degré de rectitude.

Les gens prédisent-ils avec plus d'exactitude leur propre comportement?

35

rétroaction prompte (Lichtenstein et Fischhoff, 1980). Dans la vie quotidienne, les météorologues et les preneurs au livre[1] reçoivent une rétroaction claire et ce, de façon continuelle. Par conséquent, ils estiment assez bien l'exactitude de leurs prévisions (Fischhoff, 1982).

Dès que les gens réfléchissent aux raisons pour lesquelles une idée *pourrait* être vraie, ils l'accréditent graduellement (Koehler, 1991). Donc, une deuxième façon de réduire la confiance excessive consiste à devenir son propre «avocat du diable» et à trouver un bon argument *contredisant son propre jugement*. Cela nous force à réfléchir à ce qui fait qu'une idée contraire à la nôtre pourrait être vraie (Koriat et coll., 1980). Les gestionnaires pourraient obtenir des jugements plus réalistes s'ils exigeaient que toutes les propositions et toutes les recommandations soient accompagnées d'objections.

Nous devons tout de même nous garder de miner l'assurance des gens au point que l'introspection accapare tout leur temps ou que le doute les paralyse. Dans les situations exigeant qu'ils déploient toute leur sagesse, ils pourraient s'abstenir de se prononcer ou de prendre des décisions difficiles. La confiance *excessive* peut être nuisible, mais la confiance réaliste a une fonction adaptative.

●Les anecdotes nous convainquent souvent mieux que les statistiques

L'information anecdotique a un effet persuasif. Les chercheurs Richard Nisbett et Eugene Borgida (Nisbett et coll., 1976) ont étudié la tendance à accorder un crédit excessif à l'anecdote. Ils ont montré à des étudiants de l'université du Michigan des interviews enregistrées sur bande vidéo. Les personnes interrogées étaient censées avoir participé à une expérience au cours de laquelle la plupart des sujets avaient négligé de porter secours à une personne prise de convulsions. L'information relative au comportement de la plupart des sujets eut peu d'effet sur les prévisions que firent les étudiants quant aux agissements de l'individu observé. La gentillesse apparente de cet individu était plus convaincante que la réalité à propos du comportement de la plupart des sujets: «Ted semblait si gentil que je ne peux pas l'imaginer indifférent à la détresse d'une autre personne». Cette expérience illustre un phénomène appelé **méconnaissance du groupe de référence**. En nous attachant à l'individu en particulier, nous risquons de perdre de vue de l'information utile à propos de la population dont il est issu.

Le fait de considérer les gens comme des individus et non pas simplement comme des unités statistiques est, bien entendu, tout à fait pertinent. Le problème vient de ce que nous fondons souvent nos croyances à propos des gens en général sur nos observations d'individus. L'attention que nous portons à l'individu déforme alors notre perception de la vérité générale. Les impressions que nous formons au sujet d'un groupe, par exemple, tendent à être excessivement influencées par les représentants extrêmes du groupe. Un homme tente d'assassiner Ronald Reagan (qui fut président des États-Unis de 1981 à 1989), et les gens en déduisent que les

---

Méconnaissance du groupe de référence **Tendance à négliger ou à sous-utiliser l'information relative au groupe de référence, c'est-à-dire l'information qui décrit la majorité des gens du groupe, et à se concentrer sur les caractères distinctifs du cas considéré.**

En quoi cette attitude peut-elle nous induire en erreur? Les individus ne sont tout de même pas des statistiques...

---

1. Ceux qui établissent les «cotes» des chevaux aux courses.

rues ne sont plus sûres. «L'âme américaine est malade», concluent-ils. «À partir de faits aussi minuscules qu'une goutte d'eau, nous fabriquons assez de généralisations pour remplir une baignoire», a fait remarquer le psychologue Gordon Allport.

Nous sommes en effet remarquablement prompts à déduire une vérité générale d'un cas isolé mais saisissant. Des chercheurs de l'université du Michigan présentèrent à des étudiants un article de revue sensationnel qui dépeignait une prestataire de l'aide sociale. La femme, une Portoricaine était présentée comme une propre à rien qui avait eu une ribambelle d'enfants turbulents d'une série de conjoints de fait. Ce portrait était mis en opposition avec des statistiques relatives à l'aide sociale qui indiquaient que 90 pour cent des bénéficiaires appartenant au même groupe d'âge que la femme portoricaine n'avaient eu besoin de prestations que pendant quatre ans (soit une période plus courte que celle qui s'appliquait à cette femme). Néanmoins, les faits eurent moins d'impact sur l'opinion déjà mauvaise que les étudiants entretenaient à l'égard des bénéficiaires d'aide sociale qu'un simple cas frappant comme celui de la dame en question (Hamill et coll., 1980). Il n'est pas étonnant, alors, qu'à force d'entendre et de lire d'innombrables reportages sur des viols, des cambriolages et des agressions, 9 Canadiens sur 10 surestiment (et généralement par une marge considérable) le pourcentage de crimes violents perpétrés au pays (Doob et Roberts, 1988).

L'exemple frappant provient parfois d'une expérience personnelle. Avant d'acheter une voiture, il y a quelques années, j'avais lu les résultats d'un sondage mené par la revue *Consumer Reports* auprès de propriétaires d'automobiles. J'avais jugé la fiabilité de la Dodge Colt plutôt satisfaisante. Peu de temps après, je parlais de mon intérêt pour la Colt à un étudiant. «Oh non! s'exclama-t-il. N'achetez pas ça. J'ai travaillé dans un atelier de mécanique l'été dernier. J'ai réparé deux Dodge Colt qui n'arrêtaient pas de tomber en panne et qui sont demeurées à l'atelier tout l'été.» Qu'ai-je fait de ce renseignement et des commentaires élogieux de deux de mes amis à propos de leurs voitures Honda (une marque qui me tentait aussi)? Ai-je simplement additionné deux au nombre de propriétaires de chaque marque interrogés par *Consumer Reports?* Logiquement, c'est ce que j'aurais dû faire. Mais la vigueur des témoignages entendus m'avait laissé une impression indélébile. J'ai acheté une Honda.

Se fier à l'heuristique de la disponibilité: preuve et réalité

La France est-elle plus peuplée que le Nigéria? Je ne m'attends pas à ce que vous connaissiez la réponse exacte, mais à ce que vous fassiez un effort d'imagination.

Vos réponses ont probablement été dictées par les exemples disponibles dans votre esprit. Si nous trouvons sans peine beaucoup d'exemples de l'une des catégories (et il est facile de trouver des exemples de Français), alors nous présumons que l'événement qui s'y rapporte est plus courant qu'un autre. Et il l'est généralement, à telle enseigne que nous sommes souvent bien servis par cette approximation cognitive appelée **heuristique de la disponibilité**. Parfois, cependant, ce mécanisme nous induit en erreur. (Le Nigéria, avec ses 115 millions d'habitants, est deux fois plus peuplé que la France)

Heuristique de la disponibilité
Manière efficace mais faillible de juger la probabilité des événements d'après les exemples dont dispose la mémoire. Si nous trouvons sans peine des exemples d'un fait, nous présumons qu'il est répandu.

37

C'est l'heuristique de la disponibilité qui explique pourquoi les anecdotes saisissantes sont plus persuasives que les statistiques et pourquoi le risque perçu par les gens est souvent très inférieur au risque encouru réellement (Allison et coll., 1992). Les reportages télévisés sur les écrasements d'avion se transforment pour la plupart d'entre nous en souvenirs facilement accessibles. Les gens supposent donc qu'ils courent plus de risques en avion qu'en voiture. Dans les années 80, cependant, la probabilité que les voyageurs nord-américains meurent dans un accident de la route était 26 fois plus élevée que la probabilité qu'ils meurent dans l'écrasement d'un avion de ligne couvrant la même distance (National Safety Council, 1991).

Prenons un autre exemple. Trois écrasements quotidiens de gros-porteurs remplis à pleine capacité feraient moins de morts que les maladies liées à l'usage du tabac. Si les décès dus à l'usage du tabac survenaient dans des accidents horribles, l'indignation générale aurait tôt fait de provoquer une interdiction totale de la cigarette. Mais les décès s'égrènent jour après jour, dans les chroniques nécrologiques, et leur cause se dissimule sous des mots comme «cancer» et «maladie du cœur», si bien que nous les remarquons à peine. Il faut en retenir que les événements dramatiques s'incrustent dans notre esprit et qu'ils nous servent d'appui pour estimer la probabilité d'un événement.

● Nous voyons des corrélations et du pouvoir là où il n'y en a pas

Chercher un ordre parmi des événements fortuits est le quatrième facteur susceptible d'amener notre pensée à faire fausse route.

Les corrélations illusoires: mettre de l'ordre dans ce qui n'en a pas

Il est facile de voir une corrélation – une **corrélation illusoire** – là où il n'en existe pas. Dans le cadre d'une recherche effectuée avec les Laboratoires de la compagnie de téléphone Bell, William Ward et Herbert Jenkins (1965) ont présenté à des gens les résultats d'une expérience hypothétique d'une durée de 50 jours portant sur l'ensemencement des nuages. Les chercheurs indiquèrent aux sujets les jours où l'on avait ensemencé les nuages et les jours où il avait plu. Ces renseignements ne constituaient rien de plus qu'un mélange aléatoire de résultats: l'ensemencement avait été suivi de précipitations dans certains cas et non dans d'autres. Néanmoins, les gens étaient convaincus (conformément à leur supposition quant aux effets de l'ensemencement) qu'ils avaient réellement observé une relation entre l'ensemencement des nuages et la pluie.

Étaient-ils prédisposés à établir cette relation?

Si nous croyons qu'une corrélation existe, nous sommes plus enclins à remarquer et à enregistrer les occurrences qui la confirment. Si nous croyons aux prémonitions, nous remarquons et retenons les cas où les événements pressentis suivent effectivement les prémonitions. Il nous arrive rarement de remarquer et de retenir les nombreux cas où des événements inhabituels ne coïncident pas. Un ami nous téléphone après que nous avons pensé à lui. Cette coïncidence nous marque bien plus que tous les cas où nous pensons à un ami sans qu'il nous appelle et tous les cas où un ami nous appelle sans que nous ayons pensé à lui. Nous surestimons la fréquence des cas où les «prémonitions» se réalisent.

L'illusion du pouvoir personnel: forcer le hasard

Illusion du pouvoir personnel
Fait de croire que des événements fortuits sont sujets à notre influence.

Notre tendance à voir une relation entre des événements fortuits nourrit l'**illusion du pouvoir personnel**, c'est-à-dire l'idée selon laquelle les événements aléatoires sont soumis à notre influence. C'est cette illusion qui entretient le goût du jeu chez les joueurs et qui incite les gens à faire toutes sortes de folies. Par exemple, pendant la sécheresse qui a frappé le Midwest américain, en 1988, Elmer Carlson, un agriculteur à la retraite de Audubon, en Iowa, a demandé à 16 Amérindiens Hopi d'exécuter une danse de la pluie. Le lendemain, il est tombé 2,5 cm de pluie. «Les miracles se produisent encore, expliqua Carlson, nous n'avons qu'à les solliciter» (Associated Press, 1988).

LES JEUX DE HASARD   Ellen Langer (1977) démontra l'existence de l'illusion du pouvoir personnel à l'aide d'expériences sur les jeux de hasard. Ses sujets étaient convaincus de pouvoir vaincre le hasard. La chercheure demanda à des adeptes de la loterie d'indiquer à quel prix ils vendraient leur billet. Les joueurs qui avaient eux-mêmes choisi leurs numéros exigèrent quatre fois plus d'argent que les gens ayant reçu des combinaisons toutes faites. Les gens pariaient beaucoup plus gros lorsqu'ils jouaient contre un adversaire négligé et nerveux que lorsqu'ils jouaient contre une personne soignée et sûre d'elle. Si, dans les débuts d'un jeu de hasard, ils obtenaient un succès inhabituel, ils ne tenaient pas compte des revers essuyés ultérieurement. Lors de ces expériences et de plusieurs autres, Langer constata que les gens se comportaient comme s'ils pouvaient influencer les événements fortuits.

En dehors du laboratoire, les joueurs entretiennent aussi l'illusion du pouvoir personnel. Ils lancent les dés doucement pour obtenir de petits nombres et ils les lancent fort pour en obtenir de grands (Henslin, 1967). L'industrie du jeu prospère grâce aux illusions qu'entretiennent les joueurs. L'espoir de battre les lois du hasard nourrit la passion du jeu. Les joueurs attribuent leurs gains à leur adresse et à leur clairvoyance. S'ils perdent, c'est qu'ils ont «raté de peu» la victoire ou qu'un événement extraordinaire s'est produit. Les parieurs sportifs invoquent le mauvais jugement de l'arbitre ou les défauts du terrain qui ont fait faire à la balle un rebond aberrant (Gilovich et Douglas, 1986). Il vous vient sûrement à l'esprit des exemples de clients de Loto-Québec, d'habitués des casinos ou des machines à sous dans les bars qui répondent à cette description.

Régression vers la moyenne
Tendance statistique des résultats ou des comportements extrêmes à revenir à leur moyenne.

LA RÉGRESSION VERS LA MOYENNE   Tversky et Kahneman (1974) ont noté une autre source de l'illusion du pouvoir personnel: nous ne tenons pas compte du phénomène statistique appelé régression vers la moyenne. Étant donné que les fluctuations des résultats d'examen sont dues en partie au hasard, la plupart des étudiants qui obtiennent une note extrêmement élevée à un examen reçoivent une note inférieure à l'épreuve suivante. Comme le premier résultat de ces étudiants représentait un sommet, le second résultat est plus susceptible de régresser vers la moyenne de chacun d'eux que d'atteindre un nouveau plafond. (C'est pourquoi l'étudiant qui fait toujours du bon travail termine quelquefois en tête de sa classe, même s'il n'est jamais premier aux examens.) Inversement, les étudiants qui obtiennent les pires résultats au premier examen ont toutes les chances de s'améliorer. Si ces étudiants assistent aux séances de rattrapage après le premier examen, leurs professeurs attribueront l'amélioration aux interventions pédagogiques, ce en quoi ils se tromperont peut-être.

De fait, n'importe quelle action peut paraître efficace, qu'elle ait eu un effet ou non. Quand ça va mal, nous sommes prêts à essayer n'importe quoi et, quel que soit le moyen choisi (commencer une psychothérapie, suivre un programme d'amincissement, lire un ouvrage spécialisé), la situation a plus de chances de s'améliorer que de se dégrader davantage. (Que nous soyons au septième ciel ou au septième sous-sol, nous avons tendance à retrouver notre moyenne.)

Il nous arrive de reconnaître que la vie ne peut pas continuer à aller extrêmement bien ou extrêmement mal. L'expérience nous a enseigné que, quand tout va bien, quelque chose de négatif est susceptible de se produire; inversement, nous avons appris à espérer le beau temps après la pluie. Or, il est rare que nous discernions l'effet de régression parmi les hauts et les bas de l'existence. Pourquoi le joueur de hockey, considéré une année comme le plus talentueux de la Ligue nationale, a-t-il souvent des performances décevantes la saison suivante? Devient-il arrogant? Perd-il ses moyens? Nous oublions qu'une performance exceptionnelle tend à être suivie d'une régression vers la normalité.

Imaginez une entraîneuse de volley-ball qui récompense ses joueuses par des éloges enthousiastes et une séance d'entraînement écourtée après qu'elles ont disputé le meilleur match de la saison, et qui les démolit à la suite d'une performance exceptionnellement mauvaise. Cette entraîneuse ne comprend pas que le rendement n'est pas parfaitement constant et qu'une performance inhabituelle tend à revenir à la normale. Elle conclut que les récompenses nuisent au rendement et que les punitions l'améliorent. Les parents et les enseignants peuvent en faire autant après avoir réagi à un comportement exceptionnellement bon ou mauvais.

La nature est ainsi faite, commentent Tversky et Kahneman, que nous avons souvent l'*impression* d'être punis pour avoir récompensé les autres et d'être récompensés pour les avoir punis. En réalité, et tout étudiant en psychologie le sait, le renforcement positif est généralement plus efficace que le renforcement négatif et il comporte moins d'effets secondaires indésirables. C'est l'un des principes fondamentaux du conditionnement opérant tel que l'a décrit le psychologue américain B.F. Skinner. Pour en comprendre la portée, imaginez un garçon de sept ans à qui son père donne la fessée parce qu'il a fumé en cachette à l'arrière de la maison. Le petit garçon arrêtera-t-il de fumer? (Peut-être cessera-t-il au moins de fumer à l'arrière de la maison.) Qu'éprouvera-t-il envers son père? (Le respectera-t-il davantage?) Il est clair que, dans bien des cas, la punition n'a aucune efficacité.

● Nos croyances peuvent engendrer leur propre confirmation

Effet Rosenthal
Effet qu'ont les croyances sur la réalisation du comportement attendu.

Un cinquième facteur de la déraison fait que nos croyances intuitives résistent à la réalité: elles nous poussent quelquefois à agir de telle façon qu'elles trouvent une confirmation apparente. C'est ce que l'on appelle l'**effet Rosenthal**.

Lors de ses célèbres études sur le préjugé de l'expérimentateur, Robert Rosenthal (1985) découvrit que les sujets se conforment parfois à ce que le chercheur attend d'eux. Dans l'une de ces études, les expérimentateurs demandèrent aux sujets d'évaluer le taux de réussite de personnes qui figuraient sur des photos. Certains expérimentateurs s'attendaient à ce que leurs sujets donnent des cotes élevées; d'autres s'attendaient à ce que leurs sujets considèrent les personnes photographiées comme des ratés. Néanmoins, les expérimentateurs lurent les mêmes directives à tous les sujets et ils leur montrèrent les mêmes photos. Malgré tout, les sujets du premier groupe de personnes émirent des jugements plus favorables que ne le firent les sujets du second groupe. Certains chercheurs ont obtenu des résultats encore plus renversants (et même controversés): il semble que les croyances des enseignants à propos de leurs élèves engendrent aussi leur propre confirmation.

Les attentes des enseignants influent-elles sur le rendement de leurs élèves?

Les enseignants ont des attentes plus élevées à l'égard de certains élèves qu'à l'égard des autres. Peut-être vous en êtes-vous aperçu si un frère ou une sœur vous a précédé à l'école, si vous avez reçu l'étiquette d'élève «doué» ou d'élève éprouvant des «difficultés d'apprentissage», ou si vous avez été classé parmi les élèves «forts» ou «moyens». Peut-être aussi la réputation qu'un enseignant vous avait faite dans la salle des professeurs vous a-t-elle précédé en classe, ou votre nouvel enseignant a-t-il épluché votre dossier scolaire ou découvert le statut social de votre famille. Les attentes des enseignants sont corrélées avec le rendement des élèves, mais c'est surtout vrai parce que le rendement des élèves influe sur les attentes des enseignants (Jussim et Eccles, 1993). Les attentes auraient-elles aussi un effet sur le rendement? Souvent, ce n'est pas le cas. Toutefois, dans 39 pour cent des 448 expériences dont les résultats ont été publiés, les attentes ont modifié le rendement (Rosenthal, 1991).

Rosenthal et d'autres chercheurs avancent que les enseignants communiquent davantage par des regards, des sourires et des signes de tête approbateurs avec les élèves «prometteurs» qu'avec les autres élèves. Elisha Babad, Frank Bernieri et Rosenthal (1991) ont filmé des enseignants pendant qu'ils s'adressaient à des élèves ou parlaient d'eux. Les chercheurs présentèrent à des enfants et à des adultes un extrait de 10 secondes pris au hasard dans la bande vidéo. Cela suffit à révéler aux spectateurs le rendement de l'élève et l'opinion que l'enseignant entretenait à son sujet. Les enseignants pensent peut-être qu'ils peuvent dissimuler leurs sentiments, mais les élèves sont extrêmement sensibles au langage non verbal de leurs professeurs. Il se peut aussi que les enseignants s'occupent davantage des élèves «doués», qu'ils leur fixent des objectifs plus élevés, qu'ils les interrogent plus fréquemment et qu'ils leur donnent plus de temps pour répondre (Cooper, 1983; Harris et Rosenthal, 1985, 1986; Jussim, 1986).

En lisant les résultats des expériences portant sur les attentes des enseignants, je me suis demandé si les attentes des *élèves* avaient un effet sur les enseignants. Avant de commencer la session, vous avez entendu dire que «Mme Durand est intéressante»

et que «M. Dupond est ennuyant». Pour vérifier si les attentes des élèves influaient sur les enseignants, une équipe de chercheurs dirigée par David Jamieson (1987) a étudié, en Ontario, quatre classes de l'ordre secondaire auprès desquelles travaillait une enseignante nouvellement mutée. Au cours d'entretiens individuels, les chercheurs dirent aux élèves de deux des classes que les autres élèves et l'équipe de recherche avaient une très bonne opinion de l'enseignante et que celle-ci était très enthousiasmée par ses classes. Les chercheurs ne créèrent pas d'attentes particulières dans les deux autres classes. Comparativement à ces derniers, les élèves à qui l'on avait insufflé des attentes favorables firent preuve d'une meilleure attention pendant les cours. À la fin de l'étape, ils obtinrent de meilleures notes et jugèrent plus positivement la clarté de l'enseignement reçu. L'attitude que les élèves ont envers leur enseignant est aussi importante, semble-t-il, que l'attitude dont l'enseignant fait preuve à l'égard de ses élèves.

Obtenons-nous des autres ce que nous attendons d'eux?

Il arrive donc que les attentes des expérimentateurs et des enseignants se concrétisent. L'effet Rosenthal est-il général? Obtenons-nous des autres ce que nous attendons d'eux? Dans certains cas, les attentes négatives d'une personne à notre égard nous poussent à lui témoigner un surcroît d'amabilité, ce qui, par ricochet, incite la personne à être aimable envers nous. Nos attentes se trouvent alors *contredites*. Or, la recherche sur les interactions sociales démontre plutôt le contraire: nous obtenons généralement ce que nous attendons des gens (Miller et Turnbull, 1986).

Dans les jeux organisés en laboratoire, l'hostilité engendre presque toujours l'hostilité. Les gens qui *perçoivent* de l'antagonisme chez leurs adversaires les *poussent* à l'antagonisme (Kelley et Stahelski, 1970). L'effet Rosenthal est particulièrement répandu dans les situations de conflit. Lorsqu'un individu décèle de l'agressivité, du ressentiment et de la rancune chez un autre individu, il a tendance à employer ces comportements comme moyens de défense. Le cercle vicieux est amorcé. Selon que je m'attends à trouver ma femme d'humeur maussade ou d'humeur tendre, j'aurai à son égard un comportement propre à provoquer chez elle l'attitude prévue.

Plusieurs expériences menées par Mark Snyder (1984) à l'université du Minnesota montrent qu'une fois formées, les croyances erronées à propos du monde social peuvent pousser les autres à confirmer ces croyances. Ce phénomène est appelé **confirmation comportementale**. Snyder, Elizabeth Tanke et Ellen Berscheid (1977) ont par exemple demandé à des hommes de parler au téléphone avec des femmes qu'ils croyaient soit attirantes, soit dénuées de charme (après avoir vu des photos). En analysant seulement les commentaires émis par les femmes pendant les conversations, les chercheurs s'aperçurent que les femmes perçues comme attirantes parlaient avec plus de chaleur que les femmes dites dénuées de charme. Déterminé par de fausses croyances, le comportement des hommes avait poussé les femmes à se conformer au stéréotype voulant que les gens beaux soient désirables. Les hommes avaient obtenu le comportement auquel ils s'attendaient.

Les attentes influent aussi sur le comportement des enfants. Après avoir observé la quantité de déchets qui jonchaient le sol de trois classes, Richard Miller

Confirmation comportementale
Phénomène selon lequel les gens agissent de manière que les autres confirment leurs attentes sociales.

et ses collègues (1975) demandèrent à l'enseignant et à d'autres personnes de répéter aux élèves de l'une des classes qu'ils devaient être propres. À la suite de ces interventions, la quantité de déchets jetés dans les corbeilles augmenta de 15 pour cent à 45 pour cent, mais cet effet ne fut que temporaire. Les élèves d'une autre classe, qui, eux aussi, jetaient seulement 15 pour cent de leurs déchets dans les corbeilles, reçurent de fréquentes félicitations pour leur ordre et leur propreté. Au bout de huit jours d'éloges, et encore deux semaines plus tard, ces élèves jetaient plus de 80 pour cent de leurs déchets dans les corbeilles. Répétez aux enfants qu'ils sont appliqués et sages (et non paresseux et turbulents), et ils vous donneront peut-être raison.

Les expériences que nous venons de décrire nous aident à comprendre comment les croyances sociales, tels les stéréotypes à l'égard des personnes handicapées ainsi que les stéréotypes raciaux et sexuels, engendrent leur confirmation. Nous participons à la construction de nos propres réalités sociales. Les autres nous traitent en fonction de la façon dont nous les traitons et dont d'autres encore les ont traités.

Conclusions

La liste des facteurs explicatifs de la déraison pourrait s'allonger encore, mais cet aperçu suffit sans doute à révéler comment nous en arrivons à croire des faussetés. Nous ne pouvons écarter du revers de la main les résultats d'expériences que nous avons étudiés: la plupart des sujets étaient des gens intelligents qui étudiaient dans des universités reconnues. Et même le fait d'encourager les sujets à la rigueur en les payant pour leurs bonnes réponses n'a pas suffi à éliminer les déformations et les préjugés. «Les illusions sociales, conclut un des chercheurs, ont une persistance qui n'est pas sans rappeler celle des illusions sensorielles » (Slovic, 1972).

La recherche en psychologie sociale cognitive est aussi partagée que la littérature, la philosophie et la religion dans son appréciation de la nature humaine. Une foule de chercheurs en psychologie ont consacré leur vie entière à l'étude des stupéfiantes capacités de l'esprit humain (Manis, 1977). Nous sommes assez brillants pour déchiffrer notre code génétique, pour fabriquer des ordinateurs parlants et pour envoyer des astronautes sur la lune. Qui plus est, nos intuitions (nos efficaces simplifications sommaires) ont généralement une fonction adaptative. «Ce qui compte d'abord et avant tout, pour l'esprit, c'est l'action et la survie, non pas la raison, écrit Robert Ornstein, neurologue américain éminent (1991). Il n'y a jamais eu, et il n'y aura jamais non plus, assez de temps pour que l'être humain soit vraiment rationnel.» Trois fois bravo pour l'intuition.

Ou plutôt, deux fois bravo. La primauté de l'efficacité, en effet, rend notre intuition plus vulnérable à l'erreur que nous ne l'aurions soupçonné. Nous formons et entretenons de fausses croyances avec une aisance remarquable. Mus par nos idées préconçues, aveuglés par nos jugements, convaincus par des anecdotes pittoresques, trompés par des corrélations et par un pouvoir personnel illusoires, nous nous faisons une idée du monde social qui nous entoure, puis nous l'influençons afin de trouver une confirmation à nos croyances. «À l'état nu, dit la romancière Madeleine L'Engle, l'intellect est un instrument

extraordinairement imprécis.» Nous sommes encore très loin de comprendre vraiment les mécanismes qui régissent le traitement de l'information et la prise de décision. Mais c'est l'objectif que visent les dynamiques équipes pluridisciplinaires de recherche en sciences cognitives. Ces équipes, formées de linguistes, de philosophes, d'informaticiens, de neurologues et d'autres spécialistes, perceront peut-être un jour les secrets du fonctionnement du cerveau.

●Exercices et questions

Nos idées irrationnelles ne sont pas tout à fait irrationnelles; elles ont une justification, même si nous n'en sommes pas conscients. Prenons l'exemple de la criminalité. On a, d'une part, des statistiques sur la criminalité et, d'autre part, des perceptions en matière d'augmentation de la criminalité. Cela nous amène à traiter de l'heuristique de la disponibilité et du problème des corrélations illusoires. Lorsque deux phénomènes coïncident, pouvons-nous conclure que l'un est la cause de l'autre? Les deux phénomènes ont-ils même un lien autre que chronologique? Avant de lire la description des études qui suivent, tentez de répondre à ces questions. Vos réflexions vous permettront de mieux évaluer les résultats.

1. Croyez-vous qu'il devient de plus en plus dangereux de vivre au Québec (ou au Canada)?
2. Croyez-vous que la violence au hockey rend en général les hommes plus violents dans leurs relations avec les femmes?

1. LA CRIMINALITÉ AU CANADA

Selon Statistique Canada, le taux de criminalité a diminué en 1995 pour la cinquième année de suite au Canada (sauf au Québec et en Ontario, où il n'a pas baissé de 1994 à 1995). Parmi toutes les grandes villes du Canada, c'est Québec qui a enregistré le plus faible taux de criminalité en 1995. De 1994 à 1995, les crimes violents ont diminué davantage que les crimes non violents (lesquels ont décliné de 4 pour cent). Néanmoins, la proportion de crimes violents dépassait de 38 pour cent celle observée en 1985. Entre 1993 et 1995, le nombre de cas de violence sexuelle a diminué de 21 pour cent au Canada. Le nombre d'homicides, de même, a décru pour la troisième année de suite et il a baissé de 3 pour cent (Presse canadienne, 1996).

Mais pourquoi donc tant de gens croient-ils que le taux de criminalité augmente? Vous, comment expliqueriez-vous le phénomène? (Évitez de donner une explication trop superficielle; tenez compte de plusieurs facteurs.)

2. LA VIOLENCE AU HOCKEY ET L'AGRESSIVITÉ MASCULINE

Selon Nathaly Gagnon, une professeure de sciences politiques à l'Université Concordia, à Montréal, il existe un lien entre la violence dans le hockey professionnel et les actes violents commis par des hommes à l'égard des femmes. Dans un rapport présenté en 1996 au congrès de l'ACFAS (Association canadienne-française pour l'avancement des sciences), la chercheuse affirmait que le hockey contribue de façon considérable à l'émergence d'une masculinité agressive. Les garçons apprennent que le goût de la victoire à tout prix est un attribut important des joueurs de hockey et ils transposent cette attitude à leurs relations sociales, y compris à leurs différends avec leurs amies. Le fait que la violence soit acceptée, voire encouragée, dans le sport, et particulièrement dans le hockey, encourage par conséquent les manifestations de violence en dehors de la patinoire. Gagnon appuyait sa conclusion sur 20 études de cas portant sur des filles qui avaient été victimes de violence de la part de leur ami. Elle présentait également des statistiques de la police de la Communauté urbaine de Montréal révélant que le taux de violence contre les femmes augmente le samedi soir (période à laquelle sont diffusés les matchs de hockey). Enfin, la chercheuse citait une étude américaine indiquant que les femmes se plaignaient d'un taux de violence extrêmement élevé le soir du Superbowl,

point culminant de la saison de football américain (Pratt, 1996a, b).

Selon vous, la corrélation entre le hockey et l'agressivité masculine est-elle illusoire? La violence faite aux femmes augmente-t-elle le samedi soir à cause du hockey? Quelle question poseriez-vous à Nathaly Gagnon pour vérifier la validité de ses conclusions?

L'erreur fondamentale d'attribution

Comme le révéleront les modules suivants, la principale leçon que nous donne la psychologie sociale a trait à l'ampleur de l'influence qu'exerce sur nous l'environnement social. Quel que soit le moment, notre état intérieur, et par voie de conséquence nos paroles et nos actes, dépendent de la situation dans laquelle nous nous trouvons et de notre contribution à sa matérialisation. Les expérimentations montrent qu'une légère différence entre deux situations a parfois de grandes répercussions sur les réponses des sujets. Je le constate moi-même dans ma carrière d'enseignant. À 8 h 30, je suis accueilli dans les classes par un morne silence. À 15 h, je dois jouer le trouble-fête. Dans chaque situation, certains individus sont évidemment plus bavards que les autres, mais la différence entre les deux contextes dépasse les particularités individuelles.

Selon les chercheurs qui étudient nos **attributions**, c'est-à-dire nos façons d'expliquer notre comportement et celui des autres, nous négligeons souvent cette importante leçon. Lorsque nous expliquons le comportement d'une personne, nous sous-estimons l'effet produit par la situation dans laquelle elle se trouve et nous surestimons celui qui est lié aux traits de caractère et aux attitudes de l'individu. Ainsi, même si je connais l'effet qu'a l'heure sur l'atmosphère d'une classe, je suis terriblement tenté de supposer que les étudiants de mon groupe de 15 h sont plus extravertis que ceux de mon groupe de 8 h 30.

Attributions
Modalités selon lesquelles nous expliquons le comportement. Les théoriciens de l'attribution étudient ce qui nous fait attribuer le comportement d'une personne soit à ses *dispositions* **personnelles (traits de caractère, motivations et attitudes), soit aux** *situations* **qui lui sont extérieures.**

Cette méconnaissance de la situation, que Lee Ross (1977) a baptisée **erreur fondamentale d'attribution**, s'est manifestée dans nombre d'expériences. La première fut réalisée par Edward Jones et Victor Harris (1967). Ils demandèrent à des étudiants de l'université Duke de prononcer des discours prenant position pour ou contre le chef d'État de Cuba, Fidel Castro. Lorsque les chercheurs indiquèrent que la position défendue avait été choisie par l'orateur, les étudiants supposèrent, non sans logique, que le texte traduisait l'attitude de la personne. Mais qu'arriva-t-il quand les étudiants apprirent que le professeur d'art oratoire avait imposé les prises de position? Les orateurs avaient écrit des discours plus convaincants que ce à quoi on aurait pu s'attendre de personnes feignant d'adhérer à une opinion (Miller et coll., 1990). Alors, même s'ils savaient que l'orateur avait été obligé d'adopter une position en faveur de Castro, les étudiants ne purent s'empêcher de déduire que cet orateur avait un penchant favorable au chef d'État cubain (figure 5.1).

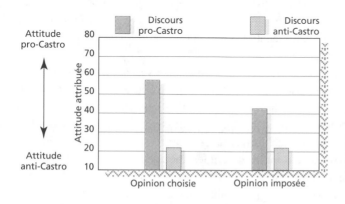

Figure 5.1

L'erreur fondamentale d'attribution. Les sujets qui ont lu le texte d'un discours favorable ou défavorable à Fidel Castro ont attribué à l'orateur l'attitude qu'il a défendue, même si celle-ci lui avait été imposée par le professeur d'art oratoire. (Les données proviennent de Jones et Harris, 1967.)

Nous commettons l'erreur fondamentale d'attribution lorsque nous expliquons le comportement des *autres*. Nous les tenons responsables de leur comportement; quant à notre propre comportement, nous l'expliquons en fonction de notre situation. Jean attribue son comportement à sa situation («J'étais en colère parce que tout allait mal»), tandis que les autres sont portés à penser: «Jean était agressif parce qu'il a un tempérament très colérique.» Pour parler de nous-mêmes, nous employons habituellement des verbes qui expriment des actions et des réactions («Je m'emporte quand...»). Pour parler des autres, cependant, nous avons généralement tendance à utiliser des termes descriptifs («Il est désagréable») (Fiedler et coll., 1991; McGuire et McGuire, 1986; White et Younger, 1988).

L'erreur fondamentale d'attribution dans notre vie quotidienne

Si nous savons que la caissière est obligée de dire «Merci et bonne journée», en concluons-nous pour autant que c'est une

personne amicale et reconnaissante? Nous n'avons aucune difficulté à juger à sa juste valeur un comportement que nous savons calculé (Fein et coll., 1990). Pourtant, voyez ce qui s'est produit lorsque des étudiants du collège Williams, aux États-Unis, s'entretinrent avec une prétendue diplômée en psychologie clinique. Celle-ci se comportait soit de manière chaleureuse et amicale, soit de manière distante et critique. Avant l'expérience, les chercheurs David Napolitan et George Goethals (1979) avaient dit à la moitié des étudiants que le comportement de la psychologue serait spontané. Ils avaient expliqué à l'autre moitié que, pour les fins de l'expérience, la diplômée avait reçu pour directive de feindre l'amabilité ou la froideur. Quel effet ces renseignements eurent-ils? Aucun. Si la diplômée se montrait aimable, les étudiants supposaient qu'elle l'était vraiment. Si elle se montrait antipathique, les étudiants présumaient qu'elle était une personne désagréable. Comme devant la marionnette d'un ventriloque ou l'acteur qui joue le «bon» ou le «méchant», nous avons du mal à nous soustraire à l'idée que le comportement programmé traduit une authentique disposition. C'est peut-être pour cette raison que Leonard Nimoy, qui incarnait M. Spock dans *Star Trek*, intitula son livre *I Am Not Spock* («Je ne suis pas Spock»). Ainsi, le regretté Jean-Pierre Masson, qui jouait le rôle de l'avare Séraphin dans «Les belles histoires des pays d'en haut», était fréquemment confondu avec son terrible personnage par les gens dans la rue.

La méconnaissance des contraintes sociales s'est aussi manifestée lors d'une expérience captivante de Lee Ross et de ses collaborateurs (Ross et coll., 1977). Ross recréa à cette occasion la situation qu'il avait vécue au moment de passer du statut d'étudiant du troisième cycle à celui de professeur. L'examen oral de doctorat avait été pour lui une expérience humiliante; ses professeurs, supposés brillants, l'avaient interrogé sur des sujets dont ils étaient les spécialistes. Six mois plus tard, Ross (qui pouvait désormais faire suivre son nom des lettres *Ph.D.*) devint lui-même examinateur; il avait à son tour la possibilité de poser des questions difficiles à propos de *ses* sujets favoris. Le malheureux étudiant avoua plus tard qu'il s'était senti exactement comme Ross un peu plus tôt: déprimé par son ignorance et impressionné par l'apparente intelligence des examinateurs.

Pour les fins de l'expérience, Ross simula un jeu-questionnaire, avec l'aide de Teresa Amabile et de Julia Steinmetz. Il distribua au hasard à des étudiants de l'université Stanford les rôles d'interrogateurs, de concurrents et d'observateurs. Il invita les interrogateurs à formuler des questions difficiles qui mettraient en évidence leurs vastes connaissances, du genre: «Où est situé l'archipel Alexandre? Comment s'intitule le septième livre de l'Ancien Testament? Quel continent a le littoral le plus long, l'Europe ou l'Afrique?»

Si ces quelques questions vous ont laissé un doute quant à votre culture générale, alors vous apprécierez les résultats de l'expérience[1]. Tout le monde savait que les interrogateurs jouiraient d'un avantage. Pourtant, les concurrents comme les observateurs conclurent à tort que les interrogateurs étaient *véritablement* plus savants que les concurrents (figure 5.2). Les recherches effectuées dans le sillage de celle-ci montrent que les fausses impressions ne dénotent aucunement un man-

---

1. L'archipel Alexandre est situé au nord-ouest de la Colombie-Britannique. Le livre septième de l'Ancien Testament est le livre des Juges. Bien que le continent africain soit deux fois plus étendu que l'Europe, le littoral européen est le plus long. (Il est plus accidenté et comprend un grand nombre de ports et de baies; cette caractéristique géographique a favorisé la suprématie européenne dans l'histoire du commerce maritime.)

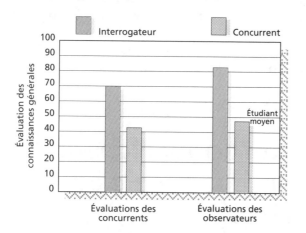

Figure 5.2

Lors de la simulation d'un jeu-questionnaire, les concurrents comme les observateurs ont présumé que la personne qui avait été choisie au hasard pour jouer le rôle de l'interrogateur possédait beaucoup plus de connaissances que le concurrent sur le sujet. Or, la simple distribution des rôles donne à l'interrogateur une supériorité *apparente*. L'erreur fondamentale d'attribution découle d'une méconnaissance de ce phénomène. (Les données proviennent de Ross, Amabile et Steinmetz, 1977.)

que d'intelligence et de compétence sociale. Au contraire, les personnes intelligentes et socialement compétentes sont les plus portées à commettre l'erreur d'attribution (Block et Funder, 1986).

Un statut social élevé, même artificiel, nous fait-il percevoir comme plus doué que la majorité?

Dans la vie de tous les jours, les gens qui possèdent du pouvoir dans la société sont souvent ceux qui amorcent et dominent les conversations. De ce fait, les subalternes surestiment les connaissances et l'intelligence de leurs supérieurs[2]. On présume fréquemment, par exemple, que les médecins sont des experts dans une foule de domaines non reliés à la médecine. De même, beaucoup d'étudiants surestiment l'intelligence de leurs enseignants. (Comme c'est le cas dans l'expérience de Ross, les enseignants posent des questions sur les sujets qu'ils maîtrisent.) Lorsque ces étudiants entrent à leur tour dans l'enseignement, ils sont généralement étonnés de découvrir que les enseignants ne sont pas si brillants, après tout. Enfin, on trouve plus d'enseignants timides que les étudiants ne l'imaginent et beaucoup plus de comptables démonstratifs que la plupart des gens qui n'exercent pas ces professions ne le croient.

L'attribution de la responsabilité constitue le nœud de nombreuses décisions judiciaires (Fincham et Jaspars, 1980). C'est la question de la responsabilité qui départage le meurtre prémédité – consistant à causer intentionnellement la mort d'une personne – de l'homicide involontaire (comprenant les cas de conduite en état d'ébriété). Les sentences sont d'ailleurs fixées en fonction du degré de responsabilité de l'auteur du délit. En 1995, un juge canadien établit qu'un homme ayant violé une femme alors qu'il était ivre était inconscient de son acte et, par conséquent, ne l'avait pas commis «volontairement». Cette décision souleva l'indignation des groupes de femmes, qui affirmèrent que l'ivresse ne pouvait constituer une circonstance atténuante. La décision du juge fut par la suite renversée.

Pour trouver des exemples de l'erreur fondamentale d'attribution, nous n'avons pas à chercher plus loin que notre propre expérience. Déterminée à se faire de nouveaux amis, Julie se force à sourire

49

2. Dans les discussions non structurées entre hommes et femmes, les hommes tendent à dominer les conversations (voir module 12). Quelles conséquences cela peut-il avoir sur la manière dont les hommes et les femmes perçoivent la compétence des personnes du sexe opposé?

et plonge anxieusement dans la surprise-partie. Tous les autres invités rient, bavardent et semblent détendus et heureux. Julie se demande: «Pourquoi tout le monde est-il si à l'aise dans les groupes comme celui-ci, tandis que moi, je suis timide et tendue?» En réalité, chaque invité est nerveux aussi et fait la même erreur d'attribution que Julie: il suppose que les autres, Julie y compris, *sont* tels qu'ils *paraissent*, sociables et sûrs d'eux-mêmes.

● Pourquoi commettons-nous l'erreur fondamentale d'attribution?

Jusqu'à présent, nous avons vu que notre manière d'expliquer le comportement des autres est souvent inexacte: nous ne tenons pas compte d'importants déterminants liés à la situation dans laquelle il s'inscrit.

La différence de points de vue: le voyeur observé

Pourquoi sous-estimons-nous les déterminants situationnels du comportement des autres et non ceux de notre propre comportement?

Les théoriciens de l'attribution soulignent que notre point de vue change selon que nous observons ou que nous agissons (Jones et Nisbett, 1971; Jones, 1976). Lorsque nous agissons, notre attention se concentre sur l'environnement. Et lorsque nous observons une autre personne, c'est *elle* qui devient notre point de mire. Les psychologues qui étudient la perception distinguent la figure (l'élément qui ressort et attire l'attention) et le fond (l'arrière-plan qui entoure l'élément). Nous pourrions leur emprunter ces concepts et comparer la personne à la figure et l'environnement au fond. La personne, par conséquent, semble causer tout ce qui arrive. Que se produirait-il, alors, si nous inversions les points de vue? Si nous pouvions nous voir comme les autres nous voient et si nous pouvions voir le monde à travers leurs yeux? Cela ne parviendrait-il pas à éliminer, ou du moins à renverser, l'erreur d'attribution typique?

Voyez si vous pouvez prédire le résultat d'une astucieuse expérience de Michael Storms (1973). Mettez vos méninges en marche et imaginez que vous êtes un des sujets de cette expérience. Vous êtes assis face à un autre étudiant à qui vous devez parler pendant quelques minutes. À côté de vous, une caméra de télévision est tournée vers votre interlocuteur. Face à vous, à côté de l'autre étudiant, se trouvent un observateur et une seconde caméra. Après la conversation, l'observateur et vous jugez ce qui a le plus influencé votre comportement: vos caractéristiques personnelles ou la situation dans laquelle vous étiez.

Question: Qui de vous ou de l'observateur, attribuera le moins d'importance à la situation? Storms a découvert que c'était l'observateur, ce qui fournit une nouvelle démonstration de la propension des gens à l'erreur fondamentale d'attribution. Que se passerait-il si on inversait les points de vue? Cette fois, vous et l'observateur regardez la vidéo enregistrée, à partir de la position de l'autre. (Vous vous voyez vous-même, tandis que l'observateur voit ce que vous avez vu.) Les attributions s'en trouvent renversées. Désormais, l'observateur attribue votre comportement à la situation que vous avez vécue; quant à vous, vous attribuez votre comportement à vous-même. Ce qui importe, alors, c'est le *centre d'attention*. Si notre attention est centrée sur la personne, nous faisons une attribution personnelle. Comme nous nous *rappelons* notre propre expérience du point de vue d'un observateur (en nous «voyant» de l'extérieur), nous acceptons une plus grande part de responsabilité pour notre propre comportement (Frank et Gilovich, 1989). Si nous voyons les choses avec les yeux de l'autre personne, nous saisissons mieux l'influence qu'exerce la situation sur notre comportement.

Lors d'une autre expérience, les sujets regardèrent l'enregistrement vidéo d'un interrogatoire au cours duquel un suspect passait aux aveux. S'ils voyaient l'interrogatoire tel que filmé par une caméra braquée sur le suspect, les aveux leur paraissaient spontanés. Mais s'ils le voyaient à travers la caméra braquée sur le détective, les aveux leur paraissaient forcés (Lassiter et Irvine, 1986). La plupart des enregistrements vidéo d'aveux qui sont faits dans les tribunaux sont centrés sur le suspect. Daniel Lassiter et Kimberley Dudley (1991) soulignent que ces enregistrements mènent dans presque 100 pour cent des cas à des verdicts de culpabilité lorsqu'ils sont présentés par les procureurs. Par conséquent, l'impartialité serait peut-être mieux servie si les enregistrements montraient à la fois l'interrogateur et le suspect.

Le temps peut modifier le point de vue de l'observateur. Au fur et à mesure que le souvenir de la personne s'efface dans sa mémoire, l'observateur accorde de plus en plus d'importance à la situation. Tout de suite après avoir entendu un orateur défendre une opinion qui lui avait été imposée, les gens présument qu'il s'agissait d'une opinion authentique. Une semaine plus tard, ils sont beaucoup plus enclins à reconnaître les contraintes liées au contexte (Burger, 1991). Le lendemain des élections présidentielles de 1988, aux États-Unis, Jerry Burger et Julie Pavelich (1991) demandèrent à des électeurs de Santa Clara, en Californie, d'expliquer le résultat du scrutin (remporté par le président sortant, George Bush). La plupart l'attribuèrent aux traits de personnalité et aux opinions des candidats (George Bush était sympathique; son adversaire, Michael Dukakis, avait mené une campagne médiocre). Un an plus tard, les chercheurs posèrent la même question aux électeurs; le tiers seulement d'entre eux attribuaient le résultat aux candidats. La plupart des gens l'expliquaient par les circonstances, et notamment par le climat social favorable et par la vigueur de l'économie.

Selon Burger et Pavelich, les éditoriaux publiés à la suite des six élections présidentielles qui se tinrent aux États-Unis entre 1964 et 1988 suivirent la même tendance. Tout de suite après les élections de 1978, les éditorialistes s'attachaient à décrire les campagnes et les personnalités des deux candidats, Gerald Ford et Jimmy Carter. Deux ans plus tard, la situation avait pris plus d'importance: «L'ombre du Watergate [...] a favorisé l'ascension de Carter à la présidence», écrivit un éditorialiste du *New York Times*. Nous négligeons les situations parce que nous nous intéressons exclusivement aux personnes.

Le fait de nous voir sur un écran de télévision en circuit fermé dirige à nouveau notre attention sur nous-mêmes. Nous regarder dans un miroir, entendre un enregistrement de notre voix, nous faire photographier, remplir un formulaire de renseignements personnels, toutes ces expériences nous ramènent à nous-mêmes et *détournent* notre attention de la *situation*. Voilà

donc une bonne explication de l'erreur d'attribution: *nous trouvons les causes là où nous les cherchons.*

Pour le vérifier vous-même, répondez à la question suivante: Diriez-vous que votre professeur de psychologie sociale est une personne silencieuse ou volubile?

Laissez-moi deviner votre réponse: vous avez déduit que votre professeur est une personne extravertie. Mais pensez-y un peu: vous centrez votre attention sur votre professeur dans un contexte où il lui incombe de parler. Votre professeur, pour sa part, observe son propre comportement dans toutes sortes de situations: en classe, dans des réunions, à la maison, etc. «Moi, volubile? dirait-il peut-être. Eh bien, ça dépend des situations. Quand je suis en classe ou avec de bons amis, je suis plutôt ouvert. Mais dans les congrès et dans les situations inusitées, je suis plutôt timide.»

Puisque nous sommes extrêmement sensibles aux variations que présente notre comportement en fonction des situations dans lesquelles il s'inscrit, nous devrions percevoir plus de variations dans notre comportement que dans celui des autres. C'est précisément ce qu'ont démontré des études réalisées aux États-Unis, au Canada et en Allemagne (Baxter et Goldberg, 1987; Kammer, 1982; Sande et coll., 1988). En outre, moins nous avons d'occasions d'observer le comportement des autres dans son contexte, plus nous l'attribuons à leur personnalité. Pour étudier ce phénomène, Thomas Gilovich (1987) a montré un film vidéo à des sujets et leur a demandé de décrire à l'intention d'autres sujets les actions de la personne filmée. Les impressions fondées sur des ouï-dire dénotaient une généralisation excessive. De même, les impressions que forment les gens à propos d'une personne dont ils entendent souvent parler par un ami sont habituellement plus fondées sur des généralisations que ne le sont celles de leur ami. Mieux on connaît quelqu'un, moins on est enclin à faire des généralisations abusives à son sujet (Prager et Cutler, 1990). En effet, on a l'occasion d'observer dans divers contextes les gens que l'on connaît bien.

Les différences culturelles

La culture est un autre des facteurs susceptibles d'expliquer l'erreur d'attribution (Ickes, 1980; Watson, 1982). La vision du monde en Occident nous prédispose à attribuer aux gens, et non aux situations, la responsabilité des événements. Jerald Jellison et Jane Green (1981) ont indiqué que, chez les étudiants de l'University of South California, les explications axées sur l'individu sont mieux acceptées socialement. «T'es capable!», tel est le mot d'ordre que nous assène la psychologie populaire dans notre culture de la pensée positive.

Cette perspective sous-entend que, à la condition de présenter l'attitude et la disposition appropriées, n'importe qui peut surmonter n'importe quel problème. On a ce qu'on mérite et on mérite ce qu'on a. Ainsi, nous expliquons souvent un mauvais comportement en étiquetant l'individu comme «malade», «paresseux» ou «sadique». Plus les enfants grandissent, plus ils expliquent le comportement d'après les caractéristiques personnelles de l'autre (Rhodes et coll., 1990; Ross, 1981). L'un de mes fils m'a fourni un exemple du phénomène quand il était en première année. Il devait replacer les mots suivants dans le bon ordre: «la clôture la manche a pris Paul dans sa.» Sa réponse: «La clôture a pris Paul dans sa manche.» L'enseignante, dont le rôle est d'enseigner une langue que la mentalité occidentale a façonnée, releva l'erreur et la corrigea: «Paul a pris sa manche dans la clôture.» Dans la «bonne» réponse, Paul est la cause de l'action.

Existe-t-il des cultures qui ont moins tendance à attribuer à l'individu toute la responsabilité?

Certaines langues sont propices à des attributions extérieures. En espagnol, on peut dire «L'horloge a causé mon retard» au lieu de «J'étais en retard». Dans les cultures moins individualistes que la nôtre, les gens ne perçoivent pas autant les autres en fonction de leurs caractéristiques personnelles. Par exemple, les hindous qui entendent parler des actions d'une autre personne sont moins portés que les Nord-Américains à les expliquer en fonction de ses traits de caractère. Ainsi, au lieu de dire «Elle est gentille», ils feront référence à la situation et diront «Ses amis étaient à ses côtés» (Miller, 1984). Si on demande à des étudiants japonais de répondre à la question «Qui suis-je?», ils ont tendance à décliner leur identité sociale: «Je suis un étudiant du Keio». Les étudiants américains, quant à eux, énumèrent leurs traits psychologiques: «Je suis sincère» ou «Je suis sûr de moi» (Cousins, 1989).

● L'erreur fondamentale d'attribution est-elle si fondamentale?

Comme toutes les idées dérangeantes, celle qui veut que nous soyons tous prédisposés à faire des erreurs fondamentales d'attribution fait l'objet de critiques. Certains admettent qu'il existe un *biais* d'attribution mais nient qu'il soit nécessairement source d'erreur. Ainsi, les parents qui ont le parti pris de croire que leur enfant ne fait pas usage de drogues peuvent se tromper ou avoir raison (Harvey et coll., 1981). Un biais peut nous entraîner à croire ce qui est vrai. De plus, certaines situations courantes, comme le fait de se trouver dans une église ou de participer à une entrevue d'emploi, sont semblables aux expériences que nous avons décrites. Elles comportent incontestablement des contraintes, et les acteurs les décèlent plus facilement que ne le font les observateurs. D'où l'erreur d'attribution. Dans d'autres situations, cependant (dans la chambre à coucher ou au parc, par exemple), les gens manifestent leur individualité. Là, ils perçoivent moins de contraintes à leur comportement que n'en voient les observateurs (Monson et Snyder, 1977; Quattrone, 1982). Il est donc exagéré de dire qu'en tout temps et en tout lieu les observateurs sous-estiment l'influence exercée par la situation.

Néanmoins, la recherche révèle que le biais se produit même si nous sommes conscients des contraintes situationnelles. Ainsi, nous y cédons même si savons qu'il n'est pas opportun de déduire les attitudes réelles d'une personne à partir d'une opinion qui lui a été imposée (Croxton et Morrow, 1984; Croxton et Miller, 1987; Reeder et coll., 1989). Nous y succombons même si nous savons que le rôle de l'interrogateur dans un jeu-questionnaire confère un avantage à celui qui le joue (Johnson et coll., 1984). Il est affligeant de penser que vous et moi puissions connaître l'existence d'un processus social qui déforme notre pensée et y donner prise tout de même. Peut-être est-il plus difficile de déterminer les influences sociales qui s'exercent sur le comportement des gens que de simplement l'attribuer à des dispositions personnelles (Gilbert et coll., 1988). C'est comme si nous nous

53

disions: «Ce n'est pas un très bon critère pour formuler un jugement, mais il est facile à employer et, en plus, c'est tout ce que j'ai.»

L'erreur d'attribution est *fondamentale* car elle colore nos explications de manière essentielle et capitale. Des chercheurs britanniques, indiens, australiens et américains ont, par exemple, découvert que les attributions permettent de prévoir les attitudes à l'égard des pauvres et des chômeurs (Feather, 1983a; Furnham, 1982; Pandey et coll., 1982; Wagstaff, 1983). Les gens qui attribuent la pauvreté et le chômage à des dispositions personnelles («Ce sont des paresseux et des bons à rien») ont tendance à adopter des positions politiques antipathiques aux pauvres et aux chômeurs, contrairement aux gens dont les attributions sont extérieures («Si vous et moi avions été aux prises avec le surpeuplement, le manque d'instruction et la discrimination, aurions-nous fait mieux?»). Les chercheurs français Jean-Léon Beauvois et Nicole Dubois (1988) avancent que les gens «relativement privilégiés» de la classe moyenne sont plus enclins que les gens défavorisés à expliquer le comportement par les dispositions personnelles. (Les gens qui ont réussi tendent à croire qu'on a ce qu'on mérite.)

Que retenir de l'étude de l'erreur fondamentale d'attribution? Le simple fait d'y être sensibilisé a en soi une utilité. Il y a quelque temps, j'ai participé à l'évaluation des candidats à un poste de professeur de la faculté. Nous étions six à interroger le premier candidat; chacun de nous avait la possibilité de lui poser deux ou trois questions. «Quel type maladroit et empesé», me suis-je dit en sortant de l'entrevue. J'ai eu un entretien individuel avec la deuxième candidate; en discutant autour d'une tasse de café, nous avons découvert que nous avions un ami commun. Plus la conversation avançait, plus je trouvais la candidate «chaleureuse, engageante et stimulante». Ce n'est que plus tard que je me suis rappelé l'existence de l'erreur fondamentale d'attribution et que j'ai révisé mon analyse. J'avais attribué la raideur de l'un et la chaleur de l'autre à des dispositions personnelles. Pourtant, le comportement des candidats résultait en partie des contextes dans lesquels je les avais rencontrés, officiel dans un cas et familier dans l'autre. Si j'avais observé les interactions à travers les yeux des deux personnes, j'aurais peut-être tiré des conclusions différentes.

●Exercices et questions

L'erreur fondamentale d'attribution consiste notamment à blâmer une autre personne pour un événement regrettable. Les trois exemples qui suivent illustrent ce phénomène.

1. LE CIVISME ET LES ÉTUDIANTS

Pendant 20 ans, le collège Dawson, qui est le plus grand cégep anglophone du Québec, occupa une douzaine de bâtiments temporaires répartis dans la ville de Montréal. Les étudiants avaient la réputation de manquer de discipline et de motivation. Les actes de vandalisme étaient fréquents; on voyait un peut partout des cloisons déchirées, des détritus sur les planchers et des graffitis sur les murs.

En 1989, le collège fit l'acquisition d'un nouvel édifice, soit un ancien couvent situé à l'angle des rues Atwater et Sherbrooke. On investit plus de 20 millions de dollars dans la rénovation, qui fut généralement considérée comme un grand succès. Mais comment les étudiants (qu'on jugeait dénués de discipline et de motivation) allaient-ils se comporter dans l'immeuble? Allaient-ils le détériorer ou, au contraire, faire preuve de civisme? À la surprise de certains, les étudiants se comportèrent de manière fort correcte et on ne vit apparaître ni graffitis, ni cloisons déchirées, ni déchets dans les corridors.

Que vous suggère cet exemple à propos des façons d'expliquer le comportement dont il a été question dans le chapitre?

2. LE «VOTE ETHNIQUE» AU RÉFÉRENDUM

Lors de l'étude citée à la fin du chapitre 2, l'adaptateur de ce livre interrogea des cégépiens à propos de leur vote au référendum de 1995 sur la souveraineté du Québec. Tous ces étudiants étaient des «Québécois de souche» francophones. Au cours de la semaine suivant le référendum, le chercheur demanda aux étudiants quelle était la principale raison de la victoire du «non». Parmi les étudiants qui avaient voté «oui», 48 pour cent attribuèrent le résultat au «vote ethnique» et 17 pour cent au vote anglophone. Parmi ceux qui avaient voté «non», 27 pour cent attribuèrent le résultat au «vote ethnique» et 7 pour cent au vote anglophone.

Que vous suggère cet exemple à propos des explications que nous donnons du comportement des gens?

3. LES MINORITÉS ETHNIQUES ET LA VIOLENCE DANS LES ÉCOLES

Le 20 septembre 1996, on pouvait lire les propos suivants dans le journal *La Presse*:

Les minorités ethniques composent le tiers des élèves du primaire et du secondaire dans les 439 écoles de l'île de Montréal, soit plus de 60 000 enfants et adolescents.

Mais, selon Jacques Mongeau, président du Conseil scolaire de l'île de Montréal, les tensions raciales et le climat de violence qui règnent parmi les jeunes ne sont pas attribuables à la présence massive d'élèves immigrants ou issus des minorités dans les écoles de Montréal, mais «font partie du contexte général de violence dans la période actuelle». Selon lui, la présence des minorités ne serait qu'«une occasion» d'exercer de la violence dans une société qui en est actuellement imprégnée (Berger, 1996).

Êtes-vous d'accord avec cet énoncé? À quoi attribuez-vous la violence dans les écoles de Montréal?

Nouveau regard sur l'orgueil

O n croit généralement que la plupart des gens ont une faible estime d'eux-mêmes. En 1958, le psychologue humaniste Carl Rogers conclut que la majorité des personnes qu'il connaissait «se méprisaient et se jugeaient sans valeur et indignes d'amour». Beaucoup de disciples de la psychologie humaniste sont d'accord avec leur illustre aîné. «Nous avons tous un complexe d'infériorité, avance le père John Powell (1989). Ceux qui donnent l'impression du contraire jouent la comédie.» «Je ne me joindrais jamais à un club qui accepterait dans ses rangs une personne comme moi», raillait le comédien américain Groucho Marx.

Le biais de complaisance: «Miroir, ô miroir...»

En réalité, la plupart des gens ont une excellente réputation auprès d'eux-mêmes. Dans les études portant sur l'estime de soi, même les gens qui se classent mal se situent à peu près au milieu de l'éventail des résultats possibles. (Une personne qui a une «faible» estime de soi nuance les énoncés comme «J'ai de bonnes idées» avec des adverbes comme «quelquefois».) En outre, l'une des conclusions les plus étonnantes de la psychologie sociale mais aussi les plus fermement étayées porte sur la puissance du biais de complaisance.

Les attributions relatives aux événements heureux et aux événements fâcheux

Les expérimentateurs ont maintes fois constaté que les gens acceptent volontiers le mérite de leurs succès (qu'ils attribuent à leur compétence et à leurs efforts). Par contre, ils attribuent leurs échecs à des facteurs extérieurs comme l'adversité ou l'insolubilité intrinsèque du problème (Whitley et Frieze, 1985). De même, les athlètes expliquent leurs victoires par leur talent mais leurs défaites par d'autres facteurs, tels la malchance, l'incompétence de l'arbitre et l'effort exceptionnel de l'équipe adverse (Grove et coll., 1991; Mullen et Riordan, 1988). Selon vous, quelle part de responsabilité les conducteurs tendent-ils à accepter lorsqu'ils ont des accidents? Dans des formulaires d'assurance, des conducteurs sont allés jusqu'à décrire ainsi leur accident: «Une voiture invisible a surgi de nulle part, a heurté ma voiture et a disparu.» «À l'intersection, une haie s'est dressée devant moi et a obstrué mon champ de vision, si bien que je n'ai pas vu l'autre voiture.» «Un piéton a percuté ma voiture et a roulé en dessous» (*Toronto News*, 1977).

Aurions-nous tendance à rejeter sur les circonstances ou sur autrui la responsabilité de nos échecs?

Dans les expériences où deux sujets doivent coopérer pour gagner de l'argent, la plupart des individus imputent l'échec à leur partenaire (Myers et Bach, 1976). C'est comme si on suivait l'exemple de celui qui nous fournit la première manifestation du biais de complaisance: Après avoir mangé le fruit défendu, Adam se trouve une excuse «C'est cette femme que tu as mise auprès de moi, qui m'a présenté ce fruit, alors, j'en ai mangé.» C'est ainsi que les gestionnaires attribuent le faible rendement de leur entreprise à l'incompétence ou à la paresse des travailleurs, tandis que ces derniers l'expliquent par un facteur extérieur, comme la mauvaise qualité du matériel, l'excès de travail, le manque de coopération des collègues et l'ambiguïté des directives (Rice, 1985).

Michael Ross et Fiore Sicoly (1979) ont mis en évidence une variante conjugale du biais de complaisance. Ils ont découvert que les jeunes Canadiens mariés estimaient généralement qu'ils prenaient, face aux activités comme le ménage et le soin des enfants, une part de responsabilité supérieure à celle que leur conjoint ou leur conjointe leur reconnaissait. Lors d'une enquête plus récente réalisée auprès d'Américains, 91 pour cent des épouses, mais seulement 76 pour cent des maris, reconnurent que la femme s'acquittait de la majeure partie des emplettes (Burros, 1988). Dans une autre étude, les maris estimèrent qu'ils faisaient plus de tâches ménagères que leurs femmes; celles-ci, d'un autre côté, jugèrent qu'elles en abattaient deux fois plus que leurs maris (Fiebert, 1990). Chaque soir, ma femme et moi lançons notre linge sale au pied du panier à lessive. Chaque matin, l'un de nous le ramasse. Ma femme me suggéra un jour de montrer un peu plus de diligence. «Quoi? me suis-je dit. C'est moi qui le fais 75 pour cent du temps.» Je demandai à ma femme à quelle fréquence elle croyait ramasser le linge sale. «Oh, répondit-elle, environ 75 pour cent du temps.» Pas étonnant que les gens divorcés rejettent le blâme sur leur ex-conjoint et se perçoivent de part et d'autre comme la victime et non comme le vilain (Gray et Silver, 1990).

Biais de complaisance
Tendance à se percevoir soi-même de manière favorable.

Les étudiants succombent aussi au **biais de complaisance**. Lorsqu'ils reçoivent les résultats d'un examen, ceux qui ont obtenu de bonnes notes ont tendance à en accepter le mérite. Ils estiment que l'examen constitue une mesure valide de leur compétence (Arkin et Maruyama, 1979; Davis et Stephan, 1980; Gilmor

57

et Reid, 1979; Griffin et coll., 1983). Par contre, ceux qui ont obtenu de faibles notes sont beaucoup plus enclins à critiquer l'examen.

À la lecture des résultats de ces expériences, je ne peux m'empêcher de me dire «Je le savais» sur un ton satisfait. Or, les professeurs de collège et d'université ne sont pas immunisés non plus contre le biais de complaisance. Mary Glenn Wiley et ses collègues se sont adressés à 230 chercheurs qui avaient soumis des articles à des revues de sociologie; ils leur ont demandé pourquoi leurs articles avaient été acceptés ou refusés. Les chercheurs attribuèrent les refus à des facteurs indépendants de leur volonté et notamment à la malchance (par exemple, au choix malencontreux d'un lecteur effectué par le rédacteur en chef). Et, comme vous l'avez sûrement deviné, les chercheurs n'attribuèrent pas les acceptations à la *chance*, mais bien à des facteurs contrôlables, comme la qualité des articles et l'effort investi.

Sommes-nous tous supérieurs à la moyenne?

Le biais de complaisance se manifeste également lorsque les gens se comparent aux autres. Au vie siècle avant notre ère, Lao Tseu a dit: «Jamais un homme sain d'esprit ne se dépassera trop, ne se dépensera trop ni ne se surestimera.» Si le philosophe chinois avait raison, alors nous sommes pour la plupart un peu fous. En effet, pour presque toutes les caractéristiques à la fois *subjectives* et *socialement désirables*, la plupart des gens se jugent supérieurs à la moyenne. Ainsi:

- La plupart des gens d'affaires s'estiment plus respectueux de l'éthique que la moyenne des gens d'affaires (Baumhart, 1968; Brenner et Molander, 1977). Quatre-vingt-dix pour cent des gestionnaires jugent leur performance supérieure à celle de la moyenne de leurs pairs (French, 1968).
- En Australie, 86 pour cent des gens affirment que leur rendement au travail est supérieur à la moyenne; seulement 1 pour cent des gens le jugent inférieur à la moyenne (Headey et Wearing, 1987).
- La plupart des résidents de communautés croient qu'ils ont moins de préjugés et qu'ils sont plus justes que les autres résidents de leur communauté (Fields et Schuman, 1976; Lenihan, 1965; Messick et coll., 1985; O'Gorman et Garry, 1976).
- La plupart des conducteurs (y compris ceux qui ont été hospitalisés à la suite d'accidents) croient qu'ils sont plus prudents et plus habiles que le conducteur moyen (Svenson, 1981).
- La plupart des Américains se trouvent plus intelligents que la moyenne de leurs pairs (Wylie, 1979) et estiment qu'ils ont plus belle apparence (*Public Opinion*, 1984).
- La plupart des adultes croient qu'ils s'occupent plus de leurs parents âgés que ne le font leurs frères et sœurs (Lerner et coll., 1991).
- Peu de gens pensent qu'ils vont mourir plus jeunes que la moyenne (Larwood, 1978; C.R. Snyder, 1978). Les habitants de Los Angeles se jugent en meilleure santé que la plupart de leurs voisins. La plupart des étudiants du premier cycle universitaire croient qu'ils dépasseront d'environ 10 ans leur espérance de vie telle que la prévoient les actuaires.

Nous aurions donc une assez bonne image de nous-mêmes?

Les Américains ont tendance à se voir à travers des lunettes roses. Cet optimisme vient peut-être du fait que 66 pour cent d'entre eux se trouvent jeunes pour leur âge et que seulement 12 pour cent d'entre eux pensent le contraire (*Public*

Opinion, 1984). On ne peut s'empêcher d'évoquer la blague que faisait Freud (1856-1939), père de la psychanalyse, à propos d'un homme qui dit un jour à sa femme: «Si l'un de nous deux venait à mourir, je crois bien que j'irais vivre à Paris.»

Les caractères subjectifs (comme la «discipline») sont plus propices au biais de complaisance que les caractères comportementaux objectifs (comme la «ponctualité»). Ainsi, les étudiants sont plus enclins à se juger supérieurs au chapitre de la «bonté morale» qu'au chapitre de l'«intelligence» (Allison et coll., 1989; Van Lange, 1991). Cette situation est partiellement due au fait qu'en matière de qualités subjectives, nous disposons de beaucoup de latitude pour élaborer notre définition du succès (Dunning et coll., 1989, 1991). Pour évaluer mes «talents athlétiques», je me remémore mes performances au basket-ball, et non les horribles semaines que j'ai passées dans une petite ligue de base-ball, caché dans le champ droit. Si je mesure mon «aptitude au leadership», je me fais l'image d'un chef hors du commun dont le style est semblable au mien. En précisant à son gré des critères ambigus, chacun de nous peut se percevoir comme un être relativement compétent. Aux États-Unis, 0 pour cent des 829 000 élèves de dernière année du secondaire qui avaient subi un test d'aptitude scolaire se sont jugés inférieurs à la moyenne sur le plan de l'«aptitude à s'entendre avec les autres» (un caractère subjectif désirable); par ailleurs, 60 pour cent ont évalué qu'ils se situaient parmi les 10 pour cent supérieurs et 25 pour cent se sont vus dans le 1 pour cent supérieur!

Nous entretenons notre image de soi par le biais de l'importance que nous accordons aux activités dans lesquelles nous excellons. Au cours d'un semestre, les étudiants qui réussissent haut la main un cours d'introduction à l'informatique en viennent peu à peu à valoriser la culture informatique dans le monde moderne. Ceux qui obtiennent de piètres résultats sont plus enclins à railler les mordus de l'informatique et à exclure les habiletés informatiques des éléments d'une image de soi favorable (Hill et coll., 1989).

Autres manifestations de la complaisance

Les attributions complaisantes et les comparaisons avantageuses ne sont pas les seuls signes d'autosatisfaction. Dans les modules précédents, nous avons vu que la plupart des gens surestiment la compétence qu'ils montreraient dans une situation donnée. De plus, nous faisons preuve de «complaisance cognitive» dans la mesure où nous exagérons l'exactitude de nos croyances et de nos jugements. Enfin, nous modifions nos souvenirs de façon à nous donner raison.

Mais là ne s'arrêtent pas les manifestations de la complaisance, bien au contraire. Lisez les résultats de recherche suivants pour vous en convaincre (vous vous y reconnaîtrez sûrement dans plusieurs cas):

- S'il nous est impossible d'effacer un acte indésirable ou d'en modifier le souvenir, alors nous le justifions.
- Plus nous percevons favorablement un de nos caractères (comme l'intelligence, la persévérance et le sens de l'humour), plus nous sommes portés à l'établir comme critère pour juger les autres (Lewicki, 1983).
- Si un test ou quelque autre source d'information (même un horoscope) est flatteur pour nous, nous y croyons; qui plus est, nous évaluons favorablement tant le test que les

preuves de sa validité (Glick et coll., 1989; Pyszczynski et coll., 1985; Tesser et Paulhus, 1983).

⑤ Nous avons tendance à nous voir à l'avant-scène, nous nous sentons exagérément visés par le comportement d'autrui et nous nous croyons responsables d'événements dans lesquels nous n'avons joué qu'un rôle minime (Fenigstein, 1984).

⑤ Lorsque nous jugeons des gens à partir de photos, nous présumons que les individus de belle apparence ont une agréable personnalité; nous supposons en outre que leur personnalité, plus que celle des individus dénués de charme, est semblable à la nôtre (Marks et coll., 1981).

⑤ Nous aimons nous associer à la gloire des autres. Et si nous nous découvrons un point commun (la date de naissance, par exemple) avec une personne peu recommandable, nous nous mettons en valeur en atténuant la sévérité de notre jugement à l'égard du personnage (Finch et Cialdini, 1989).

De plus, beaucoup de gens font preuve de ce que le chercheur Neil Weinstein (1980, 1982) appelle «un optimisme irréaliste face aux événements futurs». À l'université Rutgers, par exemple, les étudiants considèrent qu'ils ont beaucoup plus de chances que leurs camarades de trouver un bon emploi, de gagner un bon salaire et de posséder une maison; d'un autre côté, ils croient qu'ils ont beaucoup moins de chances que leurs camarades de vivre des événements malencontreux comme devenir alcoolique, subir une crise cardiaque avant 40 ans ou faire l'objet d'un congédiement. À Dundee, en Écosse, la plupart des adolescents pensent qu'ils risquent beaucoup moins que leurs pairs de contracter le VIH (Abrams, 1991). Après le tremblement de terre de 1989, les étudiants de la région de la baie de San Francisco cessèrent de croire qu'ils étaient moins vulnérables que leurs camarades aux blessures occasionnées par une catastrophe naturelle. Trois mois plus tard, cependant, ils avaient retrouvé leur optimisme illusoire (Burger et Palmer, 1991).

Linda Perloff (1987) souligne à quel point l'optimisme illusoire augmente notre vulnérabilité. Nous croyant immunisés contre le malheur, nous négligeons de prendre les précautions appropriées. La plupart des jeunes Américains savent que la moitié des mariages se terminent par un divorce aux États-Unis, mais ils persistent à croire que *le leur* tiendra bon (Lehman et Nisbett, 1985). Les étudiantes de premier cycle qui ont des activités sexuelles se jugent beaucoup *moins* sujettes que les autres femmes de leur université à une grossesse indésirée, et c'est particulièrement vrai chez celles qui *n'*utilisent *pas* régulièrement un moyen de contraception efficace (Burger et Burns, 1988). Il y a plus étonnant encore. Des chercheurs de l'université de la Californie à Los Angeles (Taylor et coll., 1992) ont récemment constaté que 238 hommes homosexuels séropositifs étaient *plus* optimistes quant à leurs chances d'échapper au sida que 312 homosexuels séronégatifs[1]! Les gens qui n'attachent pas leur ceinture de sécurité, ceux qui nient les effets du tabagisme sur l'organisme et ceux qui s'acharnent dans des relations perdues d'avance nous rappellent que l'optimisme aveugle, comme l'orgueil, peut causer notre perte.

---

1. Les chercheurs s'interrogent: «Qu'arrivera-t-il si le sida se déclare chez ces hommes, ce qui, selon la recherche, arrivera dans la majorité, sinon dans la totalité des cas? La désillusion les abattra-t-elle? Parviendront-ils à s'adapter aussi bien ou mieux que les hommes qui ne nourrissaient pas un optimisme aussi irréaliste? À l'heure actuelle, nous ne connaissons pas les réponses à ces questions.»

Un soupçon de pessimisme peut nous prémunir contre les périls de l'optimisme irréaliste. Le doute, par exemple, peut stimuler les étudiants qui, pour la plupart, affichent un optimisme excessif face aux examens (Sparrell et Shrauger, 1984). Les étudiants trop sûrs d'eux-mêmes ont tendance à bâcler leur préparation. Leurs camarades plus anxieux mais tout aussi talentueux, redoutant l'échec, étudient avec application et obtiennent de meilleures notes (Goodhart, 1986; Norem et Cantor, 1986; Showers et Ruben, 1987). À l'école, et plus tard dans la vie, on réussit, à condition d'avoir assez d'optimisme pour garder espoir et assez de pessimisme pour se motiver à agir.

Enfin, nous avons une curieuse tendance à rehausser notre image de soi en surestimant ou en sous-estimant la similitude existant entre les pensées et les actions des autres et les nôtres. Le phénomène est appelé **effet de faux consensus**. Au chapitre des *opinions*, nous nous confortons dans nos positions en surestimant le nombre des gens qui la partagent (Marks et Miller, 1987; Mullen et Goethals, 1990). Lorsque nous agissons mal ou que nous échouons dans une tâche, nous nous rassurons en nous disant que les défaillances semblables sont fréquentes. Nous présumons que les autres pensent et agissent comme nous: «Je le fais, mais tout le monde le fait aussi.» Si nous avons voté pour le candidat défait, si nous trichons avec l'impôt ou si nous fumons, nous exagérons le nombre de gens qui font de même. Lance Shotland et Jane Craig (1988), voient dans ce phénomène une des raisons pour lesquelles les hommes sont plus portés que les femmes à percevoir une connotation sexuelle dans le comportement amical. Selon elles, les hommes ont un seuil d'excitation sexuelle inférieur à celui des femmes, et ils présupposent que les femmes partagent leurs sentiments.

Certains pourraient penser que le faux consensus découle d'une généralisation que nous formulons rationnellement à partir d'un échantillon limité dont nous faisons partie (Dawes, 1990). Mais en matière de *compétence* et de comportement opportun, l'**effet de fausse unicité** est plus répandu (Goethals et coll., 1991). Nous

flattons notre image de soi en croyant que nos talents et nos comportements sont relativement inhabituels. Les gens qui boivent beaucoup mais qui bouclent leur ceinture de sécurité *sur*estiment (faux consensus) le nombre de gros buveurs, mais ils *sous*-estiment (fausse unicité) le nombre de conducteurs qui attachent leur ceinture de sécurité (Suls et coll., 1988). En un mot comme en cent, les gens trouvent leurs défauts normaux mais leurs qualités exceptionnelles.

La dévalorisation de soi: dites-moi que je suis meilleur que moi...

En lisant le module, peut-être avez-vous pensé à des personnes qui, au lieu de se vanter, se dénigrent elles-mêmes. Or, même la dévalorisation de soi peut constituer une forme de complaisance, dans la mesure où elle suscite des marques de réconfort. Une remarque comme «J'aimerais tellement être moins laid!» fait naître, à tout le moins, un encouragement comme «Allons donc, je connais bien des personnes qui sont plus laides que toi».

61

Mais là n'est pas la seule raison pour laquelle les gens se déprécient et louangent les autres. Imaginez un entraîneur qui, avant un match important, vante à n'en plus finir le talent de l'adversaire. Est-il sincère? Robert Gould et ses collègues (1977) ont constaté que les étudiants de l'université du Maryland exaltaient les qualités de leurs adversaires dans un concours de laboratoire. Or, ils ne le faisaient qu'en public. Leurs évaluations anonymes étaient beaucoup moins élogieuses.

Les entraîneurs qui vantent publiquement leurs opposants projettent une image de modestie et d'esprit sportif; de plus, ils se préparent une évaluation favorable, quel que soit le résultat du match. La victoire deviendra un accomplissement digne d'éloges, tandis que la défaite pourra être attribuée à la «formidable défensive» de l'adversaire. Un philosophe anglais du XVIIe siècle, Francis Bacon, a dit que la modestie n'était qu'un des «arts de l'ostentation».

Le handicap intentionnel

Il arrive que les gens sabotent leurs chances de succès en se présentant comme timides, malades ou handicapés par des traumatismes passés. Loin d'être délibérément autodestructeurs, ces comportements ont une visée autoprotectrice (Arkin et coll., 1986; Baumeister et Scher, 1988; Rhodewalt, 1987): «Je ne suis pas un raté. Je suis très bien, sauf que j'ai un problème qui me handicape.»

Avons-nous l'habitude de justifier à l'avance un échec possible?

Se peut-il que les gens se nuisent volontairement à eux-mêmes? Rappelez-vous que nous protégeons farouchement notre image de soi en attribuant nos échecs à des facteurs extérieurs. Comprenez-vous pourquoi, *par peur de l'échec*, les gens font la fête jusqu'aux petites heures la veille d'une entrevue d'emploi ou jouent à un jeu vidéo au lieu d'étudier avant de se présenter à un examen important? Lorsque l'image de soi est liée à une performance, il peut être plus décourageant de fournir un effort pour finalement échouer que d'avoir sous la main une excuse toute faite. Si nous échouons en dépit d'un handicap, nous pouvons toujours nous accrocher à notre sentiment de compétence; si nous réussissons dans de telles conditions, notre image de soi s'en trouve doublement rehaussée. Les handicaps protègent l'estime de soi dans la mesure où ils permettent d'attribuer les échecs à une condition temporaire («Je ne me sentais pas bien»; «J'avais trop fêté la veille») et non à l'incompétence.

Handicap intentionnel
Fait de protéger son image de soi en prévoyant une excuse commode susceptible d'expliquer ses échecs.

Cette analyse du **handicap intentionnel**, proposée par Steven Berglas et par Edward Jones (1978) a été confirmée par nombre d'expériences. L'une d'entre elles était supposée porter sur «les drogues et le rendement intellectuel». Mettez-vous à la place des étudiants de l'université Duke qui en étaient les sujets. Face à des questions très difficiles, vous ne pouvez que tenter de deviner les réponses, puis on vous dit: «Vous avez obtenu l'un des meilleurs résultats enregistrés jusqu'à maintenant!» Vous vous trouvez incroyablement chanceux puisque vous y êtes allé intuitivement. Ensuite, on vous donne le choix entre deux drogues avant de vous poser d'autres questions. L'une de ces drogues stimulera votre rendement intellectuel et l'autre l'affaiblira. Quelle drogue choisirez-vous? La plupart des étudiants réclamèrent la drogue qui était censée perturber leurs facultés; ils trouvaient là une excuse commode pour le rendement inférieur qu'ils s'attendaient à donner inévitablement lors du deuxième test.

Les chercheurs ont recensé d'autres manières de se pourvoir soi-même d'un handicap. Par peur de l'échec, les gens agissent comme suit:

- Ils réduisent leur entraînement avant d'importantes compétitions individuelles d'athlétisme (Rhodewalt et coll., 1984);
- Ils ne fournissent pas l'effort dont ils sont capables pendant une tâche difficile nécessitant un investissement de soi (Hormuth, 1986; Pyszczynski et Greenberg, 1983);
- Ils donnent un avantage à leur adversaire (Shepperd et Arkin, 1991);
- Ils se disent déprimés (Baumgardner, 1991);
- Ils fournissent un rendement médiocre dans les premiers stades d'une tâche pour éviter de créer des attentes démesurées (Baumgardner et Brownlee, 1987).

Martina Navratilova, la grande joueuse de tennis, fit l'aveu suivant après avoir été défaite par des adversaires plus jeunes qu'elle: «J'ai eu peur de donner mon plein rendement. [...] Je craignais de m'apercevoir qu'elles peuvent me battre alors que je joue de mon mieux. Cela signifierait que je suis finie» (Frankel et Snyder, 1987).

Comment expliquer le biais de complaisance?

Les chercheurs proposent trois facteurs susceptibles d'expliquer le biais de complaisance. Premièrement, ils y voient une tentative pour *présenter* une image favorable. Deuxièmement, ils le considèrent comme un sous-produit du *traitement de l'information*. Troisièmement, ils estiment qu'il est *motivé* par le désir de protéger et de rehausser l'estime de soi.

La présentation de soi

Présentation de soi
Façon de s'exprimer et de se comporter de manière à créer une impression favorable ou une impression correspondant à ses propres idéaux. (La présentation de soi est un élément capital de la «gestion de l'impression».)

La **présentation de soi** correspond au désir de donner de soi une image favorable tant à un auditoire externe (les autres) qu'à un auditoire interne (soi-même). Nous nous efforçons donc de «gérer» les impressions que nous créons. Intentionnellement ou non, nous dupons, nous fournissons des prétextes, des justifications et des excuses autant qu'il le faut pour raffermir notre estime de soi et pour maintenir notre image de soi (Schlenker et Weigold, 1992).

Il n'est donc pas étonnant, disent les chercheurs qui s'intéressent à la présentation de soi, que les gens se donnent un handicap dans les situations où un échec pourrait nuire à leur image (Arkin et Baumgardner, 1985). Il n'est pas surprenant non plus que les gens manifestent un surcroît de modestie quand leurs prétentions risquent d'être démenties ou quand leurs auto-évaluations seront soumises à l'examen d'experts (Arkin et coll., 1980; Riess et coll., 1981; Weary et coll., 1982). Votre professeur vantera moins l'importance de son travail s'il le présente à ses collègues que s'il vous le présente à vous, ses étudiants.

Comment éviter de passer pour une tête enflée?

Se présenter soi-même de manière à faire bonne impression demande beaucoup de doigté. Les gens veulent non seulement paraître compétents, mais aussi modestes et honnêtes (Carlston et Shovar, 1983). La modestie fait bonne impression, tandis que la forfanterie a mauvais effet (Forsyth et coll., 1981; Holtgraves et

Srull, 1989; Schlenker et Leary, 1982). Par conséquent, les gens ont tendance à montrer *moins* d'estime de soi qu'ils n'en ont en leur for intérieur (Miller et Schlenker, 1985). S'ils expliquent un succès important en public, ils sont doublement enclins à mentionner l'apport d'autrui (Baumeister et Ilko, 1991). Mais lors d'une performance manifestement exceptionnelle, les restrictions affectées («J'ai réussi, mais il ne faut pas en faire un plat») peuvent passer pour de la fausse modestie. Le handicap intentionnel, de même, peut être mal vu (Smith et Strube, 1991). Faire bonne impression (se montrer modeste autant que compétent) exige une grande habileté sociale.

La tendance à afficher de la modestie est particulièrement répandue dans les sociétés qui, comme la Chine et le Japon, valorisent la réserve (Markus et Kitayama, 1991; Wu et Tseng, 1985). Là, l'identité et le sentiment d'accomplissement sont fortement reliés au rendement du groupe. Il y a quelques années, on fit passer un test d'intelligence à des enfants d'une réserve amérindienne. Tous les enfants répondirent ensemble aux questions, dans la même salle. Le test avait été adapté de manière qu'il soit représentatif de la culture des sujets. Même si les enfants paraissaient très normaux à leurs enseignants et à leurs parents, l'analyse des résultats révéla que la plupart d'entre eux avaient un quotient intellectuel si faible qu'on pouvait les considérer comme modérément attardés. Cette interprétation eut cours jusqu'à ce que quelqu'un demande aux enfants eux-mêmes pourquoi ils avaient trouvé le test si difficile. La réponse ne se fit pas attendre: aucun ne voulait paraître plus intelligent que les autres. Les enfants avaient délibérément donné des réponses erronées à un grand nombre de questions.

Le biais de complaisance n'est pas pour autant le monopole des Nord-Américains ou des non-Amérindiens. Les chercheurs l'ont décelé chez les élèves de l'ordre d'enseignement secondaire et les étudiants d'université aux Pays-Bas, chez les joueurs de basket-ball en Belgique, chez les hindous en Inde, chez les conducteurs japonais, chez les étudiants et les travailleurs australiens, chez les étudiants chinois et chez les Français de tous âges (Codol, 1976; de Vries et van Knippenberg, 1987; Feather, 1983b; Hagiwara, 1983; Jain, 1990; Liebrand et coll., 1986; Lefebvre, 1979; Murphy-Berman et Sharma, 1986; Ruzzene et Noller, 1986, respectivement).

Le traitement de l'information

Pourquoi, dans le monde entier, les gens se perçoivent-ils, et même se présentent-ils toujours de façon avantageuse? Certains chercheurs pensent que le biais de complaisance constitue simplement un sous-produit du traitement et de la mémorisation de l'information portant sur soi.

Rappelez-vous ce que Michael Ross et Fiore Sicoly (1979) ont constaté, à savoir que les gens mariés s'attribuent plus de mérite que ne leur en donne leur conjoint ou leur conjointe pour les tâches ménagères. Ross et Sicoly ont tenté d'expliquer le phénomène; selon eux, nous nous rappelons bien ce que nous avons fait, mais mal ce que nous n'avons pas fait ou ce que les autres ont fait sous nos yeux. Je n'ai pas de difficulté à me voir en train de ramasser le linge sale, mais j'ai du mal à me voir passer distraitement à côté.

La motivation liée à l'estime de soi

Le biais de complaisance constitue-t-il simplement une erreur de perception, un froid dérèglement technique du traitement de l'information? Ne découlerait-il pas aussi de *motivations personnelles?* Une troisième explication veut que nous soyons motivés à protéger et à rehausser notre estime de soi (Tice, 1991).

Des résultats de recherche confirment qu'une variable affective, la motivation, actionne notre machinerie cognitive à la manière d'un moteur (Kunda, 1990). Selon Abraham Tesser (1988), de l'université de la Géorgie, la motivation «au maintien de l'estime de soi» permet de prévoir d'intéressants résultats, même les frictions entre frères et sœurs. Dans une famille, les enfants de même sexe et d'âges rapprochés font souvent l'objet de comparaisons. D'après Tesser, les perceptions des gens motivent l'enfant considéré comme le moins doué à se comporter de manière à conserver son estime de soi. (Tesser pense que le danger de perte d'estime de soi est plus grand pour un enfant qui est suivi d'une cadette ou d'un cadet très doué.) Les hommes qui ont un frère plus ou moins doué qu'eux se rappellent généralement qu'ils ne s'entendaient pas avec lui; en revanche, les hommes qui ont un frère dont les aptitudes sont semblables aux leurs se remémorent fort peu de frictions. Les atteintes à l'estime de soi compromettent aussi les relations entre amis et entre conjoints. Bien qu'il soit bénéfique pour deux personnes d'avoir les mêmes centres d'intérêt, la poursuite d'objectifs professionnels *identiques* peut engendrer entre elles de la tension ou de la jalousie (Clark et Bennett, 1992).

●Quelques réflexions sur le biais de complaisance: adaptation ou inadaptation?

De nombreux lecteurs trouveront sans doute le contenu de ce module soit déprimant, soit incompatible avec les sentiments d'incompétence qu'ils éprouvent à l'occasion. Ceux d'entre nous qui manifestent le biais de complaisance (c'est-à-dire, apparemment, la majorité des gens) peuvent quand même se sentir inférieurs à certains individus, et particulièrement à ceux qui les précèdent d'un ou deux échelons dans l'échelle du succès, de la beauté ou de l'intelligence. Et puis, tout le monde ne cède pas au biais de complaisance. (Comme les autres constats de la psychologie sociale, celui-ci s'applique à la plupart des gens la plupart du temps.) Il existe effectivement des gens qui ont une faible estime de soi. Ceux-là manifestent-ils le biais de complaisance dans l'espoir de trouver l'estime dont ils sont si avides? Le biais de complaisance n'est-il qu'une façade? C'est ce que pensent certains théoriciens, dont Erich Fromm, l'un des disciples de Freud (Shrauger, 1975).

Certains faits semblent leur donner raison. Quand nous sommes satisfaits de nous-mêmes, nous nous tenons moins sur la défensive (Epstein et Feist, 1988). Nous sommes moins susceptibles et plus impartiaux; nous avons moins tendance à louanger ceux qui nous aiment et à éreinter les autres (Baumgardner et coll., 1989). Des résultats de recherche démontrent que les sujets dont l'estime de soi est temporairement froissée (ceux qui, par exemple, appren-

nent qu'ils ont obtenu un score catastrophique à un test d'intelligence) sont plus enclins à déprécier les autres. En règle générale, les gens qui sont sévères pour eux-mêmes tendent à l'être aussi pour les autres (Wills, 1981). Et les gens qui viennent de subir une blessure d'amour-propre sont plus enclins à expliquer le succès ou l'échec de manière complaisante que ceux dont l'*ego* vient d'être flatté (McCarrey et coll., 1982). Quand on n'est pas sûr de soi, on vante ses propres qualités, on se trouve des excuses, et on dénigre les autres. La raillerie en dit aussi long sur le compte du railleur que sur celui de sa victime.

Néanmoins, les sujets qui obtiennent les plus hauts scores aux tests mesurant l'estime de soi (ceux qui se perçoivent favorablement) ont aussi de bons mots pour eux-mêmes lorsqu'ils expliquent leurs succès et leurs échecs (Ickes et Layden, 1978; Levine et Uleman, 1979; Rosenfeld, 1979; Schlenker et coll., 1990), lorsqu'ils décrivent leurs propres traits de personnalité (Roth et coll., 1986), lorsqu'ils évaluent leur groupe (Brown et coll., 1988) et lorsqu'ils se comparent à d'autres (Brown, 1986). Les atteintes à l'estime de soi suscitent une complaisance défensive; pourtant, dans les études réalisées au moyen de questionnaires, le caractère «forte estime de soi» est lié de près à des perceptions complaisantes.

Le biais de complaisance, facteur d'adaptation

En l'absence d'un biais de complaisance et des excuses commodes qui l'accompagnent, les gens qui ont une faible estime de soi sont plus vulnérables à l'anxiété et à la dépression (Snyder et Higgins, 1988). La plupart des sujets trouvent des excuses pour expliquer leurs échecs dans des tâches de laboratoire ou surestiment leur maîtrise de la situation. Les gens déprimés, eux, font preuve de plus d'exactitude dans leurs auto-évaluations.

La dépression rendrait-elle réaliste?

Comme les gens n'aiment pas beaucoup exprimer des impressions défavorables, la plupart ont de la difficulté à déterminer les vraies perceptions que les étrangers et les vagues connaissances ont à leur égard (DePaulo et coll., 1987; Kenny et Albright, 1987). Les gens modérément déprimés sont moins sujets aux illusions; ils se voient généralement *comme* les autres les voient (Lewinsohn et coll., 1980). Pascal, philosophe et mathématicien français du XVIIᵉ siècle, a écrit: «Peu d'amitiés subsisteraient si chacun savait ce que son ami dit de lui lorsqu'il n'y est pas.» Nous devrions peut-être nous résoudre, non sans angoisse, à lui donner raison.

Les perceptions complaisantes comportent peut-être une part de sagesse. C'est ce que laisse supposer la recherche récente sur la dépression,. Les tricheurs feignent l'honnêteté plus habilement s'ils croient en leur honnêteté. La croyance en notre supériorité peut aussi nous motiver à réussir (vous vous souvenez de l'effet Rosenthal?) et nourrir notre espérance quand frappe l'adversité.

Le biais de complaisance, facteur d'inadaptation

Le biais de complaisance ne favorise pas toujours l'adaptation. Les gens qui attribuent aux autres leurs difficultés sociales sont souvent plus malheureux que les gens qui savent reconnaître leurs erreurs (C.A. Anderson et coll., 1983; Newman et Langer, 1981; Peterson et coll., 1981). Dans des recherches effectuées à l'université de la Floride, Barry Schlenker (1976; Schlenker et Miller, 1977a, 1977b) a montré aussi que les perceptions complaisantes peuvent empoisonner la vie d'un groupe. Au cours de neuf expériences, Schlenker a demandé à des sujets de collaborer à une tâche. Il leur a ensuite fait croire que leur groupe avait réussi ou échoué. Chacune des études a montré que les membres des groupes dits compétents s'attribuaient plus de mérite pour le succès collectif que ne le faisaient les membres des groupes qui étaient censés avoir échoué. La plupart disaient que leur apport avait été supérieur à celui de leurs collègues; rares furent ceux qui jugèrent leur contribution inférieure à celle d'autrui.

Cet aveuglement peut faire que les membres d'un groupe s'attendent à une récompense plus généreuse que la moyenne en cas de succès collectif et à un blâme moins sévère que la moyenne dans le cas contraire. Si la plupart des individus d'un groupe croient qu'ils reçoivent, pour leurs contributions, une rémunération et une appréciation insuffisantes, la discorde et l'envie les guettent. Aux États-Unis, les administrateurs des collèges et des universités sont fort au courant du phénomène. La plupart des professeurs d'université – 94 pour cent dans une enquête réalisée à l'université du Nebraska (Cross, 1977) et 90 pour cent dans une enquête menée auprès du corps professoral de 24 établissements (Blackburn et coll., 1980) – se jugent supérieurs à la moyenne de leurs collègues. Il est par conséquent inévitable que beaucoup se sentent victimes d'injustice lorsque l'administration annonce des hausses de salaire fondées sur le mérite et que la moitié des professeurs reçoivent une augmentation égale ou inférieure à la moyenne.

Les auto-évaluations biaisées déforment aussi le jugement des gestionnaires. Les membres de groupes comparables considèrent pour la plupart que leur propre groupe est supérieur aux autres groupes. (Codol, 1976; Taylor et Doria, 1981; Zander, 1969). C'est pourquoi la plupart des présidents prévoient pour leur propre société une croissance supérieure à celle des sociétés concurrentes (Larwood et Whittaker, 1977). Et c'est pourquoi la plupart des responsables de la production surestiment la production future de leur entreprise (Kidd et Morgan, 1969). Comme l'ont fait remarquer Laurie Larwood et William Whittaker (1977), cet excès d'optimisme peut avoir des conséquences désastreuses. Si les gens d'affaires qui travaillent dans le domaine des valeurs mobilières et dans celui de l'immobilier jugent leur intuition meilleure que celle de leurs concurrents, ils s'exposent à d'amères déceptions. Même Adam Smith, économiste écossais du XVIIIe siècle qui croyait en la rationalité humaine en matière d'économie, avait prévu que les gens surestimeraient leurs chances de profit. Cette «absurde foi en leur bonne fortune, a-t-il écrit, naît de la confiance excessive que la plupart des hommes placent en leurs propres capacités» (Spiegel, 1971, p. 243). En nous imaginant que nous aurions pu prévoir le présent (le biais rétrospectif du «je le savais»), nous surévaluons notre capacité de prévoir l'avenir (Johnson et Sherman, 1990).

Ce n'est pas d'hier que les gens se voient et se présentent sous un jour favorable. Les Grecs désignaient ce tragique aveuglement sous le nom d'*hubris*, mot qui signifie orgueil. Comme les sujets de nos expériences, les personnages de la tragédie grecque n'étaient pas délibérément mauvais; ils se croyaient simplement meilleurs qu'ils ne l'étaient. La littérature regorge d'exemples

d'orgueilleux qui ont couru à leur perte. Dans la morale chrétienne, l'orgueil a long-temps été considéré comme le pire des sept péchés capitaux.

Si l'orgueil s'assimile au biais de complaisance, qu'est-ce alors que l'humilité? Est-ce le mépris de soi? Est-il possible de s'affirmer et de s'accepter sans céder au biais de complaisance? Disons, pour paraphraser l'écrivain britannique C.S. Lewis, que l'humilité ne consiste pas à se faire croire qu'on est laid alors qu'on est beau ni qu'on est stupide alors qu'on est intelligent. La fausse modestie peut en réalité dissimuler l'orgueil qu'on tire d'une humilité qu'on croit supérieure à la moyenne. (Je le dis au cas où certains lecteurs se seraient déjà enorgueillis d'échapper au biais de complaisance.) La véritable humilité (par opposition au biais de complaisance et au réalisme dépressif) correspond davantage à l'oubli de soi qu'à la fausse modestie. Elle nous permet de nous réjouir de nos talents et, avec la même hon-nêteté, de reconnaître ceux des autres.

●Exercices et questions

L'orgueil et l'estime de soi sont d'importants facteurs du maintien de senti-ments favorables à l'égard de soi-même, mais ces sentiments sont souvent complai-sants. Avant de lire les descriptions des études qui suivent, tentez de répondre à ces questions. Vos réflexions vous permettront de mieux évaluer les résultats.

1. Quelle importance accordez-vous à l'estime de soi?
2. Comment expliqueriez-vous la faible estime de soi que présentent certains groupes dans notre société?
3. Expliquez l'expression «double fardeau» employée dans le premier des exemples présentés ci-dessous. Décrivez des situations semblables à celle-là qui ont aussi pour effet d'ébranler l'estime de soi.
4. L'estime de soi influe-t-elle sur la façon d'expliquer un succès ou un échec?
5. Quelles sont les probabilités qu'un premier mariage se solde par un divorce? Pourquoi les gens sous-estiment-ils leurs probabilités de divorcer? Après avoir lu le troisième exemple, quelles conclusions tirez-vous à propos de votre propre «optimisme irréaliste face aux événements futurs»?

1. L'ESTIME DE SOI, LA DISCRIMINATION ETHNIQUE ET LES FEMMES

Les femmes expriment-elles moins d'estime d'elles-mêmes que les hommes? Le fait d'être vic-time de discrimination diminue-t-il l'estime de soi? Anita Pak et ses collègues (1991) de l'université Brock, à St. Catherines, en Ontario, se sont posé ces questions et ils ont tenté d'y répondre en réalisant une enquête auprès de 90 étudiants d'origine chi-noise. Premièrement, les étudiantes exprimèrent moins d'estime d'elles-mêmes que les étudiants; deuxièmement, les femmes qui avaient fait l'objet de discrimination manifestèrent moins d'estime d'elles-mêmes que les hommes qui avaient fait l'objet de discrimination. Les chercheurs affirment que ce résultat prouve l'existence d'un double far-deau pour les femmes; autrement dit, les femmes des groupes minoritaires sont encore plus vulnéra-bles à la discrimination que les hommes des grou-pes minoritaires.

2. L'ESTIME DE SOI ET LA RECHERCHE DE RÉTROACTION

Joanne Wood et ses collègues de l'université de Waterloo, en Ontario, ont réalisé une étude pour déterminer si des sujets ayant une forte estime d'eux-mêmes et des sujets ayant une faible estime d'eux-mêmes chercheraient autant à se comparer aux autres après avoir réussi ou raté une tâche. Comme les auteurs l'avaient prévu, les sujets ayant une forte estime d'eux-mêmes demandèrent davantage de rétroaction et cherchèrent à se comparer aux autres après avoir *échoué* dans l'accomplissement d'une tâche. Les sujets ayant une faible estime d'eux-mêmes, quant à eux, se mirent en quête de rétroaction après avoir *effectué* la tâche avec succès.

3. À LA RECHERCHE DU BONHEUR CONJUGAL ÉTERNEL

Voici quelques statistiques sur le mariage et le divorce au Québec. Prenez-en connaissance, puis traitez des implications de ces données pour votre propre avenir conjugal.

	Nombre de mariages	Nombre de divorces	Divorces/ mariages
1960	130 338	6 980	5 %
1981	190 082	67 671	36 %
1990	187 738	78 152	42 %

De 1981 à 1991, le nombre de couples sans enfant a augmenté de 28 pour cent, le nombre de familles monoparentales a augmenté de 34 pour cent et le nombre d'unions libres a plus que doublé (passant de 356 610 à 725 950) (*Annuaire du Québec*, 1995, p. 126).

Le pouvoir de la pensée positive

Jusqu'ici, nous avons étudié deux importants biais révélés par les psychologues sociaux: la tendance à négliger l'influence que la situation ou le contexte exerce sur le comportement des autres (l'erreur fondamentale d'attribution) et la tendance à se percevoir soi-même favorablement (le biais de complaisance). Le premier peut nous amener à interpréter de façon erronée les problèmes des autres (par exemple, à supposer que tous les chômeurs sont paresseux ou incompétents). Le second peut alimenter les conflits entre individus et entre pays, si chacun considère qu'il a plus de valeur morale et plus de mérite que les autres.

Les études portant sur l'erreur fondamentale d'attribution et sur le biais de complaisance dévoilent de profondes vérités à propos de la nature humaine. Or, les vérités toutes simples suffisent rarement à expliquer la réalité, en raison de la complexité du monde. Et, justement, il existe un important complément à ces vérités. Une forte estime de soi (c'est-à-dire le sentiment qu'on a de sa propre valeur) est propice à l'adaptation. Comparativement aux gens dont l'estime de soi est faible, ceux dont l'estime de soi est forte sont plus heureux, moins névrosés et moins sujets aux ulcères, à l'insomnie et aux toxicomanies (Brockner et Hulton, 1978; Brown, 1991). Nombre de psychologues cliniciens rapportent que le désespoir naît dans bien des cas d'une estime de soi vacillante.

La recherche portant sur le foyer de contrôle, l'optimisme et l'impuissance acquise confirme les bienfaits que procure le fait de se percevoir comme quelqu'un de compétent et d'efficace. Albert Bandura (1986) a tiré de l'ensemble de ces résultats de recherche le concept d'**autoefficacité**, qui constitue une version savante du concept de pensée positive. La croyance optimiste en nos propres possibilités nous est salutaire. Les gens qui sont fermement convaincus de leur efficacité personnelle sont plus persévérants, moins anxieux, moins déprimés que les autres, et ils connaissent plus de succès sur le plan scolaire (Gecas, 1989; Maddux, 1991; Scheier et Carver, 1992).

Le foyer de contrôle: la source d'orientation de la vie personnelle

Quel énoncé correspond le plus à vos croyances?

À longue échéance, on obtient ici-bas le respect qu'on mérite.

ou

Malheureusement, la valeur des gens est rarement reconnue, peu importe leurs efforts.

Je suis responsable de ce qui m'arrive.

ou

J'ai parfois l'impression que je ne maîtrise pas suffisamment le cours de ma vie.

Le citoyen moyen peut influencer les décisions du gouvernement.

ou

Le monde est dirigé par une poignée de puissants, et les petites gens ne peuvent pas y changer grand-chose.

Vos réponses à ces questions (tirées de Rotter, 1973) indiquent soit que vous croyez maîtriser votre destin (**foyer de contrôle interne**), soit que vous attribuez votre sort au hasard ou à des forces extérieures (**foyer de contrôle externe**). Les gens qui possèdent un foyer de contrôle interne sont plus susceptibles que les autres de réussir à l'école, d'arrêter définitivement de fumer, de boucler leur ceinture de sécurité, d'employer des moyens de contraception, de faire face directement à leurs problèmes conjugaux, de gagner beaucoup d'argent et de différer l'obtention d'une gratification en vue d'atteindre des objectifs lointains (par exemple, Findley et Cooper, 1983; Lefcourt, 1982; Miller et coll., 1986).

L'optimisme: «Ce n'est pas parce que c'est difficile qu'on n'ose pas, c'est parce qu'on n'ose pas que c'est difficile.»

Nos sentiments de compétence et d'efficacité dépendent aussi de notre manière d'expliquer les événements malheureux. Vous connaissez peut-être des étudiants qui attribuent leurs mauvaises notes à des facteurs indépendants de leur volonté, tels leur

71

propre sentiment de stupidité, l'incompétence de leurs enseignants, la «médiocrité» des manuels et l'injustice des examens. Si on incite de tels étudiants à adopter une attitude plus confiante, par exemple, à croire que l'effort, les bonnes méthodes d'étude et l'autodiscipline donnent des résultats, leurs notes tendent à augmenter (Noel et coll., 1987; Peterson et Barrett, 1987).

Les gens prospères sont enclins à considérer leurs revers comme temporaires et à se dire «J'ai besoin d'imaginer une nouvelle façon de faire». Dans le domaine de l'assurance-vie, les nouveaux agents qui se sentent capables de surmonter leurs difficultés («C'est difficile mais avec de la persévérance, je peux m'améliorer») vendent plus de polices. Ils risquent deux fois moins que leurs collègues pessimistes de démissionner au cours de leur première année d'expérience professionnelle (Seligman et Schulman, 1986). En ce qui concerne les équipes universitaires de natation, les nageurs optimistes sont plus susceptibles que les pessimistes d'enregistrer des performances exceptionnelles (Seligman et coll., 1990). Comme l'a dit le poète latin Virgile, dans l'*Énéide*: «Ils sont capables parce qu'ils pensent qu'ils le sont.»

Les optimistes jouissent aussi d'une meilleure santé. Plusieurs études ont confirmé que les explications pessimistes des événements malencontreux («C'est ma faute, ça va durer et ça va tout miner») font augmenter les probabilités de maladie. Christopher Peterson et Martin Seligman (1987) ont étudié les propos de 94 membres du Temple de la renommée du base-ball tels que les ont rapportés les journaux. Les chercheurs ont évalué la fréquence des explications pessimistes (stables, globales et internes) que les grands du base-ball apportaient à des événements regrettables comme les défaites encourues lors de parties importantes. Ceux qui donnaient régulièrement de telles explications avaient tendance à mourir relativement jeunes. Les optimistes (qui fournissaient des explications stables, globales et internes aux événements *heureux*) survivaient généralement aux pessimistes. Il convient de définir minimalement ces trois facteurs. On peut le faire ainsi:

Une explication stable n'est pas conjoncturelle. Par exemple, le fait d'expliquer un succès par sa propre intelligence constitue une explication stable par rapport à une explication conjoncturelle du genre: l'examen était facile. Une explication globale suppose que l'habileté ou l'inaptitude observée est transférable à plusieurs situations différentes, («J'ai une bonne capacité de raisonnement) par comparaison à une habileté beaucoup plus spécialisée («Je suis bon en maths 307»). L'explication interne rejette la responsabilité sur l'individu lui-même («Je n'ai pas bien étudié) plutôt que de la reporter sur les circonstances («L'examen était exagérément difficile»).

Peterson, Seligman et George Vaillant (1988) ont constaté par ailleurs que, chez les étudiants diplômés de l'université Harvard, aux États-Unis, ceux qui avaient exprimé le plus d'optimisme lors d'entrevues réalisées en 1946 étaient les mieux portants en 1980. Parmi les étudiants de première année de psychologie à Virginia Tech, ceux qui donnaient des explications optimistes (ni stables ni globales) aux événements malheureux eurent moins de rhumes, de maux de gorge et de grippes un an plus tard. Michael Scheier et Charles Carver (1992) rapportent de même que les optimistes (qui, par exemple, sont d'accord avec l'énoncé «Je m'attends généralement que tout aille pour le mieux») sont moins sujets à diverses maladies et se remettent plus rapidement d'un pontage coronarien.

Même les personnes atteintes de cancer paraissent avoir plus de chances de survie si leur attitude est optimiste et déterminée plutôt que pessimiste et résignée (Levy et coll., 1988; Pettingale et coll., 1985). Lors d'une étude réalisée auprès de

86 femmes traitées pour le cancer du sein, celles qui avaient participé aux réunions hebdomadaires d'un groupe de soutien ont connu une survie moyenne de 37 mois, contre 19 mois pour les femmes qui n'avaient pas bénéficié des encouragements d'un groupe (Spiegel et coll., 1989). Les analyses sanguines, en effet, révèlent que le pessimisme est relié à une faiblesse du système immunitaire (Kamen et coll., 1988). À l'hôpital affilié à l'université de la Californie à Los Angeles, les personnes atteintes de cancer qui se joignirent aux groupes de soutien devinrent plus vigoureuses que celles du groupe témoin; de plus, le nombre de leurs cellules immunitaires augmenta (Cousins, 1989). Les croyances, semble-t-il, donnent un coup de pouce à la physiologie.

● L'impuissance acquise et l'autodétermination: se résigner ou foncer

Les avantages que procure la croyance en l'efficacité personnelle ressortent aussi dans la recherche portant sur les animaux. Les chiens qui acquièrent un sentiment d'impuissance (à force de se faire enseigner qu'ils ne peuvent échapper à des secousses électriques) négligent de prendre l'initiative dans une situation où ils seraient *capables* d'échapper à la punition. Les chiens qui apprennent à maîtriser leur comportement (en réussissant à échapper aux premières secousses) s'adaptent sans peine à une situation nouvelle. Seligman (1975, 1991) note des ressemblances entre le chien et l'être humain. Les gens déprimés ou opprimés, par exemple, deviennent passifs parce qu'ils croient que leurs efforts sont vains. Les chiens impuissants et les gens déprimés présentent une paralysie de la volonté, une résignation passive, voire une apathie émotionnelle.

Voilà qui explique comment les institutions (qu'elles soient malveillantes, comme les camps de concentration, ou bienveillantes, comme les hôpitaux) peuvent avoir un caractère déshumanisant. Dans les hôpitaux, les «bons patients» n'appellent pas les infirmières, ne posent pas de questions et n'essaient pas de maîtriser les événements (Taylor, 1979). Une telle passivité contribue peut-être à l'efficacité de l'hôpital, mais elle est néfaste pour l'être humain. En effet, le sentiment d'être efficace et de pouvoir diriger sa propre vie favorise la santé et la survie. Perdre la maîtrise des actes que l'on accomplit de son propre chef et de ceux que l'on subit peut faire en sorte que des événements déplaisants deviennent profondément stressants (Pomerleau et Rodin, 1986). Plusieurs maladies sont associées à des sentiments d'impuissance et d'incapacité. Ces sentiments expliquent la rapidité du déclin et de la mort dans les camps de concentration et dans les centres d'accueil. Les patients hospitalisés qui sont encouragés à croire en leur capacité de dominer le stress ont besoin de moins d'analgésiques; selon les infirmières, ils présentent moins d'anxiété (Langer et coll., 1975). Manifestement, il est bénéfique de se percevoir comme une créature libre plutôt que comme une marionnette aux mains de forces extérieures.

73

Ellen Langer et Judith Rodin (1976) ont, au cours d'une expérience qu'elles ont réalisée dans un centre d'accueil fort bien coté du Connecticut, démontré l'importance de la maîtrise personnelle. Elles ont divisé les pensionnaires en deux groupes. Les préposés disaient aux membres du premier: «Nous avons la responsabilité de faire du centre un lieu dont vous serez fiers et où vous serez heureux». Ils traitaient ces personnes comme des bénéficiaires passifs recevant les soins bienveillants et cordiaux qui sont la norme dans une telle institution. Trois semaines plus tard, toutes les évaluations (celles des pensionnaires eux-mêmes, des chercheurs et du personnel) faisaient état d'une dégradation de l'état des personnes âgées. Les membres de l'autre groupe, quant à eux, reçurent un traitement axé sur la maîtrise personnelle, sur le *dés*apprentissage de l'impuissance. Ils pouvaient faire des choix, influencer la politique du centre d'accueil et «vivre leur vie comme bon leur semblait». Ils avaient de petites décisions à prendre et des responsabilités à assumer. Au cours des trois semaines qui suivirent l'implantation de ce traitement, on constata chez 93 pour cent des membres du groupe une augmentation de la vigilance, de l'activité et du bien-être.

L'expérience qu'a vécue le premier groupe dut être semblable à celle que connut James MacKay (1980), un psychologue âgé de 87 ans:

«L'été dernier, je suis devenu une non-personne. Ma femme souffrait d'arthrite au genou et elle dut utiliser un déambulateur. C'est ce moment que j'ai choisi pour me fracturer une jambe. Nous nous sommes installés dans un centre d'accueil. L'établissement n'avait d'accueil que le nom. Le médecin et l'infirmière chef prenaient toutes les décisions; nous étions à peine plus que des objets inanimés. Dieu merci, cela n'a duré que deux semaines. [...] Le directeur du centre était un homme fort instruit et très compatissant; selon moi, son établissement est le meilleur en ville. Il n'en reste pas moins que nous avons été des non-personnes du premier au dernier jour.»

Être pris en charge peut-il engendrer du stress?

Une telle perte d'autonomie peut exacerber le stress lié à la pauvreté. Le bien-être consiste moins, pour la plupart des gens, à *avoir* ce qu'on veut qu'à pouvoir *faire* ce qu'on veut. Autrement dit, c'est se sentir maître de sa propre vie. Matthew Dumont (1989) est psychiatre de communauté à Chelsea, au Massachusetts, ville où le revenu par habitant est le plus faible de l'État. Il fait les réflexions suivantes à propos de l'impuissance des citoyens et de leur propension à la détresse:

«Qu'est-ce que la pauvreté? Il m'est vite apparu que sa dimension pathogène ne consiste pas simplement en un manque d'argent. Le pouvoir d'achat d'un assisté social de Chelsea passerait pour une rançon royale aux yeux d'un chasseur-cueilleur prospère du désert de Kalahari, en Afrique australe. Pourtant, la vie d'un assisté social paraît terriblement misérable à côté de celle du chasseur-cueilleur. Une observation attentive de la vie à Chelsea résout le paradoxe. Les habitants de Chelsea possèdent des biens matériels inconnus du chasseur mais, en dépit de leur (faible) pouvoir d'achat, ils maîtrisent peu leur propre existence. Les efforts du chasseur, en revanche, ont un effet direct sur le cours de sa vie et sur ses perspectives d'avenir.»

Jesse Jackson, dynamique leader noir du groupement Rainbow Coalition, aux États-Unis, est conscient des ravages que cause la résignation autodestructrice. Il a enjoint les jeunes des villes américaines à prendre leur vie en mains. Il a résumé son message dans un discours prononcé à Washington, en 1983, à l'occasion d'une manifestation en faveur des droits civiques: «Si mon esprit peut l'imaginer et si mon cœur peut y croire, je sais que je peux réussir.» Les tenants de la «thérapie cognitive du comportement» mettent à profit le pouvoir de la pensée positive. Ils visent à éliminer la pensée négative et autodestructrice sous-jacente à des difficultés comme la dépression. Ils aident leurs clients à déceler le lien existant entre leurs interprétations défaitistes et leur dépression et à renverser leurs propres verbalisations négatives.

Certaines études confirment que les systèmes de gouvernement ou de gestion qui font une large place à l'autoefficacité sont effectivement propices à la santé et au bonheur (Deci et Ryan, 1987). Les détenus qui ont la possibilité d'exercer un certain contrôle sur leur environnement (et notamment de déplacer les chaises, d'utiliser les commandes des téléviseurs et de régler l'éclairage) vivent moins de stress, présentent moins de problèmes de santé et commettent moins d'actes de vandalisme que les autres détenus (Ruback et coll., 1986; Wener et coll., 1987). Les travailleurs qui jouissent d'une certaine latitude dans l'accomplissement de leurs tâches et qui participent à la prise de décision ont un meilleur moral que les autres travailleurs (Miller et Monge, 1986). Les personnes vivant en institution et qui ont la liberté de choisir le menu de leur déjeuner, les jours où elles vont au cinéma ainsi que leurs heures de coucher et de lever ont, semble-t-il, une vie plus longue et certainement plus heureuse (Timko et Moos, 1989).

●Quelques réflexions sur l'autoefficacité: quand on veut, on peut...?

La recherche sur l'autoefficacité en est encore à ses premiers pas; en revanche, on entend dire depuis longtemps qu'il est important de prendre sa vie en mains et de se réaliser pleinement. Le thème du *self-made man* est l'un des clichés les plus tenaces de la culture nord-américaine. Il suppose que tout le monde peut se sortir de n'importe quelle impasse et atteindre n'importe quel sommet, à condition d'avoir de la motivation, de l'énergie et de la volonté. Il apparaît dans *The Power of Positive Thinking*, le succès de librairie que Norman Vincent Peale écrivit dans les années 50. («Si vous pensez de manière positive, vous obtiendrez des résultats positifs. C'est aussi simple que cela.») L'idée est exposée dans des livres pratiques et des vidéos de croissance personnelle qui présentent les attitudes positives comme la clé du succès.

La recherche sur l'autoefficacité fournit de nouvelles raisons de pratiquer des vertus traditionnelles comme la persévérance et l'espérance. Néanmoins, Bandura croit que l'autoefficacité ne naît ni de l'autosuggestion («Je suis capable, je suis capable»), ni des encouragements flagorneurs et outrés («Vous êtes formidable. Vous êtes quelqu'un. Vous êtes beau»). Elle découle principalement de l'accomplissement de tâches difficiles, mais qui sont réalisables. Les gens qui ont surmonté une phobie, par exemple, gagnent en assurance, en autonomie et en audace dans d'autres domaines de leur vie. Les femmes qui ont acquis les habiletés physiques propres à repousser un agresseur se sentent moins vulnérables, moins anxieuses et plus sûres d'elles-mêmes (Ozer et Bandura, 1990). Les élèves et les étudiants qui ont goûté à la réussite scolaire évaluent plus favorablement leurs capacités, ce qui les pousse à travailler plus fort et à obtenir des résultats encore meilleurs (Felson, 1984). Faire de son mieux et réussir, c'est gagner de la confiance et de l'aplomb.

La pensée positive engendre donc un pouvoir véritable. Mais n'oublions pas la première chose que nous avons mentionnée dans ce module: toute vérité séparée de sa vérité complémentaire est une demi-vérité. La vérité que recèle le concept d'autoefficacité peut nous inciter à tenir bon dans l'adversité, à persévérer malgré un premier échec et à nous appliquer sans nous laisser miner par le doute. Pour éviter de nous laisser emporter par *cette* vérité, nous ferions bien de nous rappeler qu'elle non plus ne représente pas *toute* la vérité. Si nous croyons en la toute-puissance de la pensée positive, nous devons admettre que nous sommes les seuls à blâmer pour nos difficultés conjugales, notre pauvreté ou notre dépression. Honte à nous! Si seulement nous avions été plus déterminés, plus disciplinés, moins stupides! Oublier que les difficultés découlent souvent de situations sociales oppressantes peut nous amener à blâmer les autres de leurs problèmes et de leurs échecs, voire à nous reprocher trop sévèrement les nôtres. Ironiquement, les plus grandes déceptions, autant que les plus extraordinaires accomplissements, naissent des attentes les plus enthousiastes. Nos réalisations, comme nos échecs potentiels, sont à la mesure de nos rêves.

Les chercheurs Howard Tennen et Glenn Affleck (1987) admettent qu'un style d'attribution positif et optimiste est généralement bénéfique, mais ils soulignent que toute médaille a son revers. Les optimistes risquent de se croire invulnérables et de négliger les précautions les plus élémentaires. Et quand les choses tournent vraiment mal (quand l'optimiste a un enfant atteint du syndrome de Down, maladie génétique associée à un retard mental plus ou moins prononcé, ou quand il tombe gravement malade), le choc peut être dévastateur. L'optimisme *est* bon pour la santé. Mais rappelez-vous que même les optimistes ont un taux de mortalité de 100 pour cent.

En conclusion, l'attitude la plus saine n'est ni l'optimisme aveugle, ni le pessimisme cynique. Elle est faite d'une dose d'optimisme assez généreuse pour entretenir l'espoir et d'une dose de réalisme suffisante pour favoriser le discernement. Telle est la sagesse que le théologien américain Reinhold Niebuhr demande à Dieu dans sa célèbre prière: «Mon Dieu, donnez-moi la sérénité d'accepter les choses que je ne puis changer, le courage de changer les choses que je peux et la sagesse me permettant d'établir la différence entre les deux.»

Exercices et questions

Dans le module, il a été question de la pensée positive et de l'autoefficacité. Avant de lire les études qui suivent sur ces sujets, tentez de répondre à ces questions. Vos réflexions vous aideront à mieux évaluer les résultats.

1. L'autoefficacité influe-t-elle sur la manière dont les étudiants d'université mènent leurs études?
2. Quand les écoliers timides deviennent-ils le plus loquaces: quand ils doivent poser des questions ou quand ils peuvent s'exprimer librement?

3. Enfin, nous vous posons une série de questions à propos de l'importance de la pensée positive. Nous relions ce phénomène à l'autoefficacité et au foyer de contrôle dans le contexte d'une catastrophe potentielle. Comment pouvons-nous conserver une pensée positive lorsque notre vie semble s'écrouler?

1. La réaction des étudiants «autonomes» et «impersonnels» face à l'échec

Koestner et Zuckerman (1994), deux chercheurs de l'Université McGill, ont étudié les réactions que manifestaient des étudiants «autonomes» (qui ont le sentiment d'avoir la maîtrise de leur vie) et des étudiants «impersonnels» (qui se sentent peu engagés dans leurs études) face à un échec. Les premiers se donnent des objectifs d'apprentissage en fonction desquels ils se jugent eux-mêmes, ont confiance en leurs aptitudes scolaires et réagissent à l'échec de manière constructive (en cherchant des moyens de faire mieux la prochaine fois). Les seconds, quant à eux, se donnent peu d'objectifs ou des objectifs modestes, ont peu confiance dans leurs aptitudes et manifestent, en cas d'échec, les réactions caractéristiques de l'impuissance acquise.

2. La loquacité des écoliers timides

Mary Evans, de l'université de Guelph, en Ontario, se demandait dans quelles circonstances les enfants timides se replient le plus sur eux-mêmes au cours des activités où on leur demande de décrire des images. Est-ce quand ils doivent poser une question ou quand ils peuvent émettre librement des commentaires? Evans observa donc 19 enfants timides de cinq ou six ans dans différentes classes de maternelle. Elle enregistra les activités sur bande vidéo et découvrit que les enfants timides prononçaient plus de mots, donnaient plus de détails sur l'image et parlaient plus longuement quand on leur demandait de formuler des commentaires personnels que quand on les incitait à poser des questions.

3. Les réactions à un congédiement imminent

Les coupures de postes dans le secteur public ont des conséquences considérables pour le personnel. Certains employés voient le congédiement comme une catastrophe, d'autant plus que les possibilités d'emploi sont limitées dans le contexte économique actuel. Mettez-vous à la place d'un homme de 50 ans qui occupe un poste de concierge non permanent dans un hôpital et qui apprend qu'il sera bientôt mis à pied. En quoi votre foyer de contrôle (interne ou externe) influerait-il sur votre réaction? Si le chômage mène à la pauvreté, quel serait l'effet de l'événement sur votre foyer de contrôle? (Répondez en vous fondant sur le contenu du module.) Dans quelle mesure votre autoefficacité déterminerait-elle votre réaction? Comment pourriez-vous rester optimiste dans cette situation?

Le comportement et les croyances

Qu'est-ce qui vient en premier: les croyances ou le comportement? l'attitude ou l'action? le caractère ou la conduite? Quelle relation existe entre ce que nous *sommes* (à l'intérieur) et ce que nous *faisons* (à l'extérieur)?

C'est le problème de la poule et de l'œuf, et les opinions à ce sujet varient. «L'ancêtre de toute action est une pensée», écrivit le philosophe et essayiste américain Ralph Waldo Emerson, en 1841. Le premier ministre britannique Benjamin Disraeli soutenait le contraire: «La Pensée est la fille de l'Action.» La plupart des gens se rangent du côté d'Emerson. Nos enseignements, nos sermons et nos conseils reposent sur le présupposé voulant que les croyances intimes déterminent le comportement public. Pour modifier les conduites des autres, par conséquent, il faut changer leur cœur et leur esprit.

Nos attitudes influent-elles sur notre comportement?

Attitude
Disposition favorable ou défavorable envers une personne ou une chose; se manifeste dans les croyances, les opinions et le comportement intentionnel.

Les **attitudes** sont des croyances et des sentiments qui peuvent influer sur nos réactions et déterminer nos actions. Ce sont en quelque sorte des prédispositions à agir de telle ou telle façon. Si nous *croyons* qu'une personne nous menace, nous *éprouverons* de l'antipathie à son égard et, par conséquent, nous *agirons* envers elle de manière antipathique. Steve Biko, défenseur sud-africain des droits civils, s'est fait l'écho d'Emerson: «Changez la façon de penser des gens, dit-il, et rien ne sera plus jamais pareil.»

Forts de la même conviction, les psychologues sociaux des années 40 et 50 étudièrent les facteurs qui déterminent les attitudes. Quelle ne fut pas leur surprise, dans les années 60, lorsque des dizaines d'études révélèrent que les pensées et les sentiments ont souvent fort peu de rapport avec les actes (Wicker, 1971)! Dans ces études, les attitudes des étudiants face à la tricherie étaient faiblement reliées à la probabilité qu'ils trichent. Les attitudes des gens face à la pratique religieuse n'étaient que modérément liées à leur présence à l'église le dimanche. Les attitudes raciales déclarées ne permettaient pas de prédire toutes les variations de comportement observées lors de situations interraciales réelles. Les gens, semblait-il, n'agissaient pas comme l'auraient laissé supposer leurs croyances (c'étaient de beaux parleurs mais de piètres faiseurs).

C'est pourquoi les chercheurs entreprirent d'autres études dans les années 70 et 80. Il en ressortit que nos attitudes *n'influent sur nos actions que dans certaines conditions:*

- *Les influences extérieures qui s'exercent sur nos propos et sur nos actions sont minimales.* Quelquefois, nous modifions l'expression de nos attitudes en vue de plaire à notre auditoire. Le phénomène fut éloquemment démontré aux États-Unis lorsque les membres de la Chambre des représentants voulurent s'octroyer une augmentation de salaire. Lors d'un vote officieux, l'immense majorité d'entre eux adopta la proposition. Quelques instants plus tard, lors d'un vote par appel nominal (et donc public), ils furent tout aussi nombreux à rejeter la proposition. Redoutant la critique, les représentants n'avaient pas exprimé publiquement l'opinion qu'ils avaient en privé. En d'autres circonstances, la pression sociale prend le pas sur les attitudes; elle peut même inciter les gens à manifester de la cruauté à l'endroit de personnes qui ne leur sont pas antipathiques. Le lien entre nos attitudes et nos actions nous apparaît plus clairement en l'absence de pressions extérieures.

- *L'attitude est spécifique au comportement.* Les gens se targuent d'honnêteté alors qu'ils fraudent le fisc, ils défendent la propreté de l'environnement alors qu'ils ne recyclent pas leurs déchets, et d'autres exaltent la santé alors qu'ils fument et ne pratiquent aucune activité physique. Cependant, les attitudes particulières des gens à l'égard du jogging permettent mieux de prédire s'ils pratiquent ou non ce sport (Olson et Zanna, 1981). Leurs attitudes face au recyclage permettent de prédire s'ils recyclent (Oskamp, 1991). Enfin, leurs attitudes à l'égard de la

79

contraception permettent de prédire s'ils utilisent des moyens contraceptifs (Morrison, 1989).

ⓖ *Nos attitudes sont conscientes*. Tant que nous agissons par habitude ou par conformisme, nos attitudes demeurent à l'état latent. Pour que nos attitudes guident nos actions, nous devons nous arrêter et y réfléchir. C'est pourquoi l'introspection ou le rappel de nos opinions nous poussent à agir de manière plus conforme à nos convictions (Fazio, 1990). En outre, nous retenons et nous concrétisons plus facilement les attitudes que nous formons à la suite d'une expérience significative.

En résumé, une attitude influe sur le comportement: 1) si les autres influences sont minimales, 2) si elle est reliée spécifiquement au comportement, et 3) si elle devient consciente, à la suite notamment d'un rappel. Quand ces trois conditions sont réunies, nous agissons conformément à nos croyances.

●Notre comportement influe-t-il sur nos attitudes?

En venons-nous aussi à croire à ce pour quoi nous avons pris parti? Oui, en effet. L'une des principales leçons que nous apprend la psychologie sociale veut non seulement que nos pensées déterminent nos actes, mais aussi que nos actes déterminent nos pensées. De nombreuses recherches ont démontré que l'acquisition de nos attitudes se fait en fonction de notre comportement.

Jouer un rôle: en devenir le personnage

Rôle
Ensemble d'attentes d'un groupe définissant le comportement approprié d'un individu dans une position sociale donnée.

Le mot **rôle** évoque le théâtre. De fait, en psychologie sociale comme au théâtre, il désigne des actions prescrites, c'est-à-dire des actions attendues de ceux qui occupent une position sociale particulière. Lorsque nous assumons un nouveau rôle social, nous devons le jouer intégralement, même si cela nous vaut une désagréable impression de duplicité. Cette impression, cependant, dure rarement.

Rappelez-vous une situation où vous avez endossé un nouveau rôle, par exemple les premiers jours que vous avez passés dans un emploi, au cégep, ou dans une équipe sportive. Durant vos premières semaines au cégep, vous vous êtes probablement concentré sur l'acquisition de votre nouveau rôle, de vos nouvelles prescriptions sociales; vous avez vaillamment tenté de vous y conformer et vous avez travaillé à vous débarrasser du comportement que vous aviez durant votre cours secondaire et qui, lui, était devenu obsolète. Dans des périodes comme celle-là, nous nous sentons artificiels. Nous nous écoutons parler et nous nous regardons agir, car notre discours et notre comportement ne nous sont pas naturels. Puis, un jour, il se produit quelque chose d'étonnant: notre enthousiasme sportif ou nos propos pseudo-intellectuels ne nous paraissent plus affectés. Nous finissons par nous sentir aussi à l'aise dans ce rôle que dans notre vieux jean et notre vieux tee-shirt.

Lors d'une étude, les chercheurs ont observé des travailleurs industriels qui avaient été promus à un poste de superviseur (poste de direction) ou à un poste de délégué syndical. Ces nouveaux rôles exigeaient un nouveau comportement. Et, bien entendu, les ouvriers acquièrent bientôt de nouvelles attitudes. Les superviseurs devinrent plus sympathiques à l'égard de la direction; de même, les délégués adhérèrent davantage aux positions du syndicat (Lieberman, 1956). Cela nous amène à souligner l'importance du rôle professionnel pour le travailleur. Votre choix de carrière déterminera non seulement votre travail quotidien mais aussi vos attitudes. Les enseignants, les policiers, les soldats et les gestionnaires intériorisent généralement leurs rôles et ce mécanisme a d'importantes répercussions sur leurs attitudes. En un sens, l'habit fait le moine, et aussi la religieuse, le garde de sécurité, le gardien de prison et le clown. Dans les écoles privées, le port de l'uniforme fait plus que traduire un certain «snobisme»; il vise à créer une adhésion au code de conduite en vigueur dans l'établissement et à produire des attitudes conformes à celles que sont réputés avoir les gens ainsi vêtus.

Dans une étude de laboratoire centrée sur les rôles sociaux, des étudiants se portèrent volontaires pour passer un certain temps dans une prison simulée que le psychologue Philip Zimbardo (1972) avait conçue. Celui-ci nomma les gardiens au hasard; il leur donna des uniformes, des matraques et des sifflets et leur demanda de faire respecter certains règlements. Quant aux «prisonniers», ils étaient enfermés dans des cellules austères et obligés de porter des tenues humiliantes. Au bout d'un jour ou deux, la simulation prit un tour très réaliste, trop réaliste. Les gardiens établirent des routines cruelles et dégradantes; l'un après l'autre, les prisonniers s'effondrèrent, se rebellèrent ou se résignèrent passivement. Zimbardo dut mettre fin à l'étude au bout de six jours seulement. Le jeu de rôles était devenu réalité. L'habit avait fait le moine.

Quand dire nous amène à croire

En 1785, Thomas Jefferson, troisième président des États-Unis et principal auteur de la Déclaration d'indépendance américaine, fit une observation digne de la psychologie sociale: «Celui qui se permet de mentir une fois trouve beaucoup plus facile de le faire une seconde puis une troisième fois, jusqu'à ce que, à la fin, le mensonge lui devienne habituel; il ment sans s'en rendre compte et dit la vérité sans être cru. La fausseté de la langue mène à celle du cœur et, à la longue, corrompt toutes ses bonnes dispositions.» L'expérience a donné raison à Jefferson. Les sujets que l'on incite à témoigner verbalement ou par écrit d'un fait dont ils doutent fortement s'exécutent souvent à contrecœur. Néanmoins, ils en viennent peu à peu à croire leurs propos (à condition de n'avoir été ni subornés ni contraints). Lorsque nos paroles ne nous sont pas dictées par une force extérieure incontournable, les dire nous pousse à les croire (Klaas, 1978).

Tory Higgins et ses collègues (Higgins et Rholes, 1978; Higgins et McCann, 1984) ont mis en lumière ce phénomène d'autopersuasion. Ils ont demandé à des étudiants d'université de lire une description du caractère d'un individu et de la résumer à l'intention d'un lecteur censé aimer ou détester l'individu. Les étudiants qui s'adressaient à un lecteur sympathique à l'individu rédigèrent des descriptions plus favorables; de surcroît, eux-mêmes appréciaient plus l'individu. Les chercheurs leur demandèrent de se rappeler ce qu'ils avaient lu; dans leur souvenir, la description était plus favorable qu'en réalité. Bref, il semble que nous soyons

enclins à adapter nos messages à notre auditoire et, par la suite, à croire ces messages adaptés plus vrais que les messages originaux.

Le phénomène du pied dans la porte

Vous est-il déjà arrivé d'apporter votre aide à un projet ou à une organisation et de vous retrouver plus engagé que vous ne l'auriez voulu? Si oui, vous avez probablement juré qu'on ne vous y reprendrait plus. Comment cela se produit-il? Des résultats de recherche laissent croire que si l'on veut obtenir une grosse faveur, on commence par en demander une petite. Lors de la plus célèbre démonstration du phénomène du **pied dans la porte**, des chercheurs qui se faisaient passer pour des bénévoles demandèrent à des gens la permission d'installer sur leur parterre un énorme panneau où les mots «Conduisez prudemment» apparaissaient dans un lettrage peu attrayant. Seulement 17 pour cent des personnes approchées acceptèrent. Les chercheurs firent une proposition plus modeste à d'autres citoyens: ils leur demandèrent d'afficher dans leur fenêtre un autocollant de 7 cm portant le message «Prudence au volant». Presque tout le monde accepta. Deux semaines plus tard, les chercheurs demandèrent aux mêmes personnes d'installer le vilain panneau sur leur parterre. Cette fois, 76 pour cent des gens y consentirent (Freedman et Fraser, 1966).

D'autres chercheurs ont montré que le phénomène du pied dans la porte marquait aussi les comportements altruistes:

§ Patricia Pliner et ses collaborateurs (1974) ont constaté que seulement 46 pour cent des habitants de la banlieue de Toronto acceptaient de fournir une contribution financière à la Société du cancer lorsqu'ils étaient sollicités directement. Par contre, les gens à qui l'on avait proposé, la veille de la collecte, de porter l'épinglette de la campagne (et qui avaient tous accepté de le faire) donnèrent dans une proportion d'environ 90 pour cent lorsque la Société leur en fit la demande.

§ Dans une ville israélienne de la classe moyenne, 53 pour cent des citoyens contribuèrent à une collecte pour les handicapés mentaux lorsqu'ils furent sollicités par des collaborateurs de Joseph Schwarzwald (1983). Deux semaines plus tôt, d'autres citoyens avaient été incités à signer une pétition en faveur d'un centre récréatif pour les handicapés. Quatre-vingt-douze pour cent de ces citoyens firent un don lors de la collecte de fonds.

§ Angela Lipsitz et ses collègues (1989) notent que la proportion de donneurs de sang qui se présentent aux collectes passe de 62 pour cent à 81 pour cent lorsque les bénévoles qui les sollicitent par téléphone terminent la conversation par la phrase «Nous comptons sur votre présence, d'accord?» et font une pause pour attendre la réponse.

Il faut noter que, dans ces expériences, le premier consentement (signer une pétition ou porter une épinglette et faire connaître son intention d'agir) était volontaire. Nous verrons à maintes reprises que, lorsque les gens s'engagent à adopter des comportements publics *et* perçoivent qu'ils les accomplissent de leur propre initiative, ils en viennent à croire plus fermement à leurs actions.

Robert Cialdini et des collaborateurs (1978) firent la démonstration d'une variante du phénomène du pied dans la porte: le **leurre tactique**. La technique est utilisée par certains vendeurs de voitures. Séduit par le prix avantageux d'une voi-

Phénomène du pied dans la porte
Tendance à accepter une demande considérable après avoir consenti à une demande moins importante.

Leurre tactique
Technique visant à provoquer l'adhésion des gens. Ceux qui se sont déjà conformés à une exigence maintiennent leur consentement même si l'exigence s'alourdit. Les gens à qui l'on présente dès l'abord une exigence considérable sont moins susceptibles de s'y conformer.

ture, le client décide de l'acheter et commence à remplir les formulaires de vente. À ce moment, le vendeur facture des accessoires optionnels que le client croyait inclus dans le prix, ou encore il soumet l'entente à son patron. Celui-ci la récuse sous prétexte qu'il vendrait la voiture à perte. Il paraît qu'on réussit à vendre plus de voitures au moyen de cette technique qu'en demandant le prix réel au départ. Cialdini et ses collaborateurs ont confirmé l'efficacité de la technique. Ils invitèrent des étudiants de psychologie à participer à une expérience en leur précisant qu'elle se tiendrait à 7 h. Seulement 24 pour cent des étudiants approchés se présentèrent. En revanche, 53 pour cent des étudiants se rendirent à l'expérience quand les chercheurs n'en indiquèrent l'heure qu'après avoir obtenu le consentement des sujets.

Les chercheurs en marketing et les vendeurs ont découvert que la technique porte fruit même lorsque les gens savent qu'elle est employée à des fins lucratives (Cialdini, 1988). Un geste anodin (comme retourner un bon pour obtenir plus d'information et bénéficier d'une prime, ou accepter d'écouter une offre d'investissement) aboutit souvent à un engagement substantiel. Vingt-quatre heures après que j'eusse écrit cette dernière phrase, un vendeur d'assurance-vie vint à mon bureau et m'offrit d'effectuer une analyse approfondie de la situation financière de ma famille. Il ne me proposa pas de souscrire une police d'assurance-vie, ni même de faire gratuitement l'essai de ses services. Il me posa plutôt une question soigneusement formulée pour susciter l'accord: «Croyez-vous que les gens ont besoin de tels renseignements sur leur situation financière?» Je ne pus qu'acquiescer et, avant de me rendre compte que le vendeur avait déjà mis le pied dans la porte, j'avais accepté l'analyse. Mais on ne me refera pas le coup. Hier soir, un collecteur de fonds rémunéré sonna à ma porte. Il commença par me demander de signer une pétition en faveur de la dépollution. Il sollicita ensuite une contribution pour la cause à laquelle je venais d'exprimer mon adhésion. (J'ai signé la pétition mais j'ai résisté à la manipulation et je n'ai rien donné.)

Certains vendeurs tablent sur le pouvoir d'entraînement que possèdent les petits engagements. C'est pourquoi il existe des lois qui accordent aux consommateurs un délai pour résilier les contrats conclus avec des vendeurs itinérants. Pour contrer l'effet de ces lois, de nombreuses entreprises utilisent ce que le programme de formation des vendeurs d'un éditeur d'encyclopédies appelle «un outil psychologique très important pour éviter la résiliation des contrats» (Cialdini, 1988, p. 78). Ce sont les clients, et non les vendeurs, qui remplissent les formulaires. Comme les gens ont rédigé eux-mêmes le contrat, ils ont tendance à s'y conformer.

Connaître le phénomène du pied dans la porte, c'est déjà y être moins vulnérable. Une personne qui essaie de nous séduire (sur le plan financier, politique ou sexuel) s'efforcera d'obtenir d'abord et avant tout une forme d'adhésion quelconque de notre part. Alors, avant d'obtempérer à une demande modeste, nous devons penser à ce qui suivra.

Le mal et les malins: «Qui vole un œuf vole un bœuf»

L'enchaînement action-attitude caractérise non seulement la dissimulation mais aussi les actes ignominieux. Il arrive en effet que le mal résulte d'une gradation d'actions. Une peccadille pave la voie à un méfait grave. Comme l'a dit La Rochefoucauld dans

ses *Maximes* (1665), il est moins difficile de trouver quelqu'un qui n'a jamais succombé à une tentation que de trouver quelqu'un qui n'y a succombé qu'une fois.

Les actes cruels corrompent la conscience de leurs auteurs. La personne qui malmène une victime innocente (en lui faisant des remarques blessantes ou en lui administrant des secousses électriques) en arrive typiquement à la dénigrer et à trouver là une justification pour son agression (Berscheid et coll., 1968; Davis et Jones, 1960; Glass, 1964). Dans toutes les études qui ont démontré ce fait, les sujets étaient d'autant plus portés à justifier une action qu'ils avaient été persuadés, et non forcés, de l'accomplir. Lorsque nous consentons à faire un acte, nous en prenons davantage la responsabilité.

Dans la vie quotidienne, les oppresseurs discréditent généralement leurs victimes. Non seulement maltraitons-nous ceux que nous détestons, mais nous détestons ceux que nous maltraitons. En temps de guerre, les soldats déprécient leurs ennemis. Pendant la Seconde Guerre mondiale, les soldats américains appelaient les Japonais les «Japs». Dans les années 60, ils traitaient les Vietnamiens de «gooks», ce qui signifie péjorativement «asiates». Les actions et les attitudes s'enchaînent en un cercle vicieux: plus on commet d'agressions, plus il est facile d'en commettre. Il en va de même des préjugés. Les esclavagistes estiment que les esclaves sont des sous-humains qui méritent l'oppression. Les actions et les attitudes s'alimentent les unes les autres au point, quelquefois, d'émousser complètement le sens moral de l'individu. Chaque petit méfait provoque une mutation de la conscience. L'esprit humain est habile à produire des croyances servant à justifier n'importe quel comportement, et particulièrement le mal.

Il est vrai que les mauvaises actions nous façonnent mais, heureusement, les bonnes en font autant. Lorsque les enfants résistent à une tentation, ils intériorisent leur résolution si la dissuasion est assez forte pour provoquer le comportement désiré, mais assez faible pour leur laisser croire qu'ils ont le choix. Lors d'une expérience renversante, Jonathan Freedman (1965) présenta à des écoliers du cours primaire un attrayant robot à piles, mais il leur interdit de jouer avec pendant que lui-même était à l'extérieur de la pièce. Freedman utilisa une menace sévère auprès de la moitié des enfants et une menace modérée auprès des autres. Les deux suffirent à détourner les enfants du jouet.

Quelques semaines plus tard, un autre chercheur qui paraissait étranger à Freedman laissa les mêmes enfants jouer avec le robot. Des 18 enfants qui avaient reçu la menace sévère, 14 jouèrent avec le robot; cependant, les deux tiers de ceux qui avaient reçu la menace modérée résistaient toujours. Ils avaient consciemment choisi de *ne pas* toucher au jouet et, semble-t-il, ils avaient intériorisé la décision; leur nouvelle attitude avait déterminé leur comportement subséquent. Les actes moraux, ceux que nous choisissons de faire plus encore que ceux qui nous sont imposés, marquent notre pensée morale.

> Cette attitude s'appliquerait-elle exclusivement au mal?

●Le lavage de cerveau: un gros «pied dans la porte»

Beaucoup de gens croient que le «lavage de cerveau» est la plus inéluctable des influences. Le terme fut inventé dans les années 50 pour désigner le traitement qu'avaient subi les prisonniers de guerre américains pendant la guerre de Corée. En réalité, le programme de coercition idéologique que les Chinois avaient mis au point n'était pas aussi irrésistible que ce que le terme sous-entend. Néanmoins, des centaines de prisonniers coopérèrent avec leurs geôliers, 21 choisirent de rester en Asie même après avoir reçu la permission de retourner dans leur patrie et, enfin, beaucoup de ceux qui regagnèrent leurs foyers croyaient que «le communisme est une bonne chose pour l'Asie, même s'il ne peut pas fonctionner en Amérique» (Segal, 1954). Ce point de vue, sans être en soi critiquable, était étrange de la part d'un soldat américain des années 50.

Edgar Schein (1956) interrogea de nombreux prisonniers de guerre pendant leur voyage de retour et il constata que les ravisseurs utilisaient entre autres méthodes celle qui consiste à imposer des exigences de plus en plus contraignantes. Les Chinois, qui ne manquaient pas d'expérience en matière de «rééducation» des attitudes, commençaient toujours par faire des demandes banales, après quoi ils passaient graduellement à des requêtes considérables. «Les Chinois, écrivit Schein, «entraînaient» d'abord un prisonnier à énoncer ou à écrire des banalités, puis ils lui demandaient de formuler des déclarations sur des questions importantes.» De plus, les Chinois suscitaient toujours la participation active des prisonniers; ils leur faisaient copier des textes, participer à des discussions, écrire des autocritiques ou faire des confessions publiques. Une fois qu'un prisonnier avait prononcé ou écrit un énoncé, il éprouvait le besoin de mouler ses croyances sur ses actes. De nombreux prisonniers se persuadèrent ainsi de la validité de leurs actes. Cette tactique gradualiste consistant à modifier progressivement le comportement des individus constituait une variante efficace de la technique du pied dans la porte; du reste, elle est encore utilisée de nos jours pour la socialisation des terroristes et des tortionnaires.

Peut-on utiliser cette tactique à une grande échelle?

Dans l'Allemagne nazie, la participation à d'immenses rassemblements, le port d'uniformes, les manifestations et particulièrement le salut hitlérien (*Heil Hitler*) établissaient pour beaucoup de gens une discordance profonde entre le comportement et la croyance. Selon l'historien Richard Grunberger (1971, p. 27), «pour ceux qui entretenaient des doutes au sujet d'Hitler, le salut hitlérien représentait un puissant outil de conditionnement. Un grand nombre d'Allemands le prononçaient simplement pour témoigner extérieurement leur conformité, mais l'incompatibilité de leurs paroles et de leurs sentiments provoquait chez eux un désarroi schizophrénique. Empêchés de dire ce qu'ils croyaient, ils tentaient de maintenir leur équilibre psychique en s'efforçant consciemment de croire ce qu'ils disaient.»

Quelle leçon pratique pouvons-nous tirer de toutes ces observations sur les effets des rôles sociaux, le phénomène du pied dans la porte, les actes moraux et immoraux et le lavage de cerveau? La voici: si nous voulons faire un changement important en nous-mêmes, nous avons intérêt à n'attendre ni l'inspiration ni l'éclair de génie. Tout ce que nous avons besoin de faire, bien souvent, c'est de passer à l'action (commencer à écrire cet article, faire ces appels, voir cette personne), même si nous n'en avons pas envie. Pour raffermir nos convictions, adoptons la ligne d'action qu'elles dictent. En ce sens, la foi et l'amour se ressemblent: ils s'étiolent quand nous les taisons, mais ils grandissent quand nous les exprimons par nos paroles et par nos actes.

Pourquoi le comportement influe-t-il sur les attitudes?

Tous les psychologues sociaux s'entendent pour dire que les actions influent sur les attitudes au point de transformer les ennemis en amis, les prisonniers en collaborateurs et les sceptiques en convertis. Mais là où les psychologues sociaux divergent d'opinion, c'est à propos des causes du phénomène.

Je vous entends me rétorquer que la cause en est que, voulant faire bonne impression, nous exprimons simplement des attitudes qui *paraissent* conformes à nos actes. Vous n'avez pas tort. Avouons honnêtement que nous attachons de l'importance aux apparences. Sinon, pourquoi dépenserions-nous autant d'argent pour des vêtements, des produits de beauté et des régimes amaigrissants? Pour que nous puissions donner bonne impression, nous arrangeons les apparences de manière à les rendre plaisantes plutôt qu'offensantes. Pour paraître cohérents, nous feignons quelquefois d'avoir des attitudes compatibles avec nos actions.

Mais ce n'est là qu'une partie du tableau. En effet, des résultats de recherche laissent supposer qu'un authentique changement d'attitude suit l'action et ce, pour deux raisons que nous exposerons ici.

La justification des actions: la théorie de la dissonance cognitive

La **théorie de la dissonance cognitive**, formulée par le regretté Leon Festinger (1957), veut que nous soyons motivés à justifier nos actions. Nous tentons en effet de maintenir un équilibre entre nos croyances, nos sentiments et nos comportements. Il arrive que cet équilibre se rompe. Pensez, par exemple, à la personne à l'esprit large qui se surprend à rire d'une blague raciste ou sexiste, au fumeur qui sait que son habitude est mauvaise pour la santé, à la personne qui a toujours méprisé les chômeurs et qui se retrouve soudain sans emploi. La dissonance cognitive correspond à une discordance entre notre comportement et nos attitudes, et elle est source d'un malaise que nous cherchons à dissiper. La dissonance, comme la faim, appelle son propre soulagement. Pour obtenir ce soulagement, nous pouvons aligner nos attitudes avec nos actions. «Si j'ai choisi de le faire, rationalisons-nous, c'est que ça doit valoir la peine d'être fait.» Plus nous nous sentons responsables d'un acte troublant, plus la dissonance est grande entre la conscience que nous avons de notre comportement et de nos attitudes.

Des recherches ont démontré que plus la dissonance est forte, plus nos attitudes changent pour justifier nos actes. Lors d'un programme de cours de survie, Philip Zimbardo et ses collègues (1965) ont incité des étudiants et des réservistes de l'armée à manger des sauterelles frites. Zimbardo se demandait qui, d'un chef sympathique ou d'un chef antipathique, parviendrait le mieux à amener les sujets non seulement à manger des sauterelles mais surtout à se persuader que ce n'était pas si dégoûtant. Selon vous, qu'a-t-il découvert? Lorsque l'expérimentateur semblait désagréable et injuste, les sujets étaient *plus* enclins à justifier leur consommation de sauterelles que lorsque l'expérimentateur semblait agréable et juste (auquel cas les sujets pouvaient justifier leur comportement en se disant «Je ne peux pas contrarier un type si gentil»). Les sujets avaient donc plus tendance à modifier leurs attitudes lorsqu'ils ne percevaient aucune «bonne» raison pour exécuter le comportement.

L'inférence des attitudes: la théorie de la perception de soi

Selon la théorie de la dissonance cognitive, notre besoin de conserver une image de nous-mêmes qui soit favorable et cohérente nous pousse à adopter des attitudes qui justifient nos actions. La **théorie de la perception de soi**, d'un autre côté, nie l'existence d'une telle motivation. Selon cette seconde théorie, il arrive que nous discernions mal nos attitudes. Alors, nous observons nos comportements et nous en déduisons nos attitudes. Cela n'est pas sans rappeler un passage du journal d'Anne Frank, ouvrage qui devint un des plus poignants témoignages des horreurs du nazisme: «Tous mes actes, je peux les observer comme ceux d'une étrangère.» C'est un peu comme si nous donnions rétrospectivement un sens à notre comportement.

Daryl Bem (1972), l'auteur de la théorie de la perception de soi, supposait que, lorsque nous sommes incertains de nos attitudes, nous les inférons comme nous le faisons pour celles des autres. Si nous voyions une personne se porter volontaire pour écrire des arguments contre la consommation d'alcool, nous déduirions probablement que cette personne s'oppose à la consommation d'alcool. Nos paroles et nos actes spontanés peuvent nous suggérer nos attitudes. Comme l'indique le sage: «Comment puis-je savoir ce que je pense avant de m'être entendu parler ou de m'être vu agir?»

Le débat entourant le phénomène de la postériorité des attitudes a suscité des centaines d'expériences qui nous révèlent l'univers où évoluent la dissonance et la perception de soi. La théorie de la dissonance cognitive est celle qui explique le mieux ce qui se produit quand nos actions contredisent ouvertement nos attitudes clairement définies. Lorsque, par exemple, nous blessons un être que nous aimons, nous éprouvons une tension que nous pouvons réduire en considérant cet être comme un bon à rien. La théorie de la perception de soi, par ailleurs, est celle qui explique le mieux ce qui se produit lorsque nous ne sommes pas certains de nos attitudes: nous les inférons en nous observant nous-mêmes. Si nous prêtons une tasse de sucre à nos nouveaux voisins, envers lesquels nous ne ressentons ni haine ni affection particulières, nous pouvons déduire de notre amabilité que nous les aimons.

En psychologie sociale comme dans bien d'autres sciences, chaque théorie fournit une explication partielle d'une réalité complexe. Si seulement la nature humaine était simple, une seule théorie suffirait à la décrire! Malheureusement, et heureusement aussi, nous ne sommes pas des créatures simples. Et c'est pourquoi les chercheurs ont encore beaucoup de pain sur la planche.

Exercices et questions

Le module portait sur la relation entre les croyances et les attitudes, d'une part, et entre les croyances et le comportement, d'autre part. Vous avez ainsi appris que ces trois éléments ne coïncident pas nécessairement. Pour illustrer le phénomène, prenons l'exemple de l'utilisation du condom. La plupart des gens ont à ce propos des croyances fort opportunes (il faut avoir des pratiques sexuelles sûres), mais qu'en est-il de leur comportement? Les deuxième et troisième points ci-dessous ne décrivent pas des recherches, bien qu'ils puissent faire l'objet d'études. Avant de lire ces descriptions, tentez de répondre aux questions qui suivent. Vos réflexions vous aideront à mieux évaluer les résultats.

1. Comment pourrait-on inciter les gens à avoir des pratiques sexuelles sûres et à utiliser le condom?
2. La deuxième situation décrite illustre un autre conflit entre les croyances et le comportement. Comment réagiriez-vous si on ouvrait dans votre rue une maison de transition pour itinérants ayant des antécédents de maladie mentale?
3. Comment les fumeurs résolvent-ils leur dissonance cognitive?

1. L'INTENTION D'UTILISER DES CONDOMS

Michel Lavoie et Gaston Godin (1991) ont étudié les facteurs qui influent sur l'intention d'utiliser le condom. Leur échantillon se composait de 69 jeunes hommes qui étudiaient la mécanique automobile à Montréal. Les chercheurs ont constaté que l'intention d'utiliser le condom dépendait de trois facteurs: l'attitude favorable à l'égard du condom, la perception des normes sociales relatives à l'utilisation du condom et la perception des problèmes pratiques posés par l'utilisation du condom. L'intention d'avoir recours au condom n'était aucunement influencée par les risques de grossesse et de maladies transmissibles sexuellement.

Que faudrait-il ajouter à cette étude si l'on voulait se renseigner sur l'utilisation du condom?

2. «PAS DANS MA COUR»

Imaginez que le ministère de la Santé et des Services sociaux décide d'ouvrir dans votre rue une maison de transition pour itinérants ayant des antécédents de troubles psychiatriques. Quelle serait la réaction de vos voisins (leurs attitudes et leur com-portement)? Traitez du point de vue de la personne qui croit que la société n'aide pas assez les itinérants mais qui ne veut pas que son quartier «se dégrade» (que la valeur des maisons et la «qualité de vie» diminuent) et qui signe une pétition contre le projet du gouvernement.

3. TABAGISME ET DISSONANCE COGNITIVE

Le tabagisme est sans conteste une habitude nocive pour la santé. «La cigarette peut vous tuer», lit-on sur les paquets de cigarettes. Nous avons vu dans le module que nous sommes motivés à justifier nos actions. Selon vous, est-ce que ce sont les fumeurs ou les non-fumeurs qui sont le plus influencés par les messages apparaissant sur les paquets de cigarettes? Comment les fumeurs justifient-ils leur comportement? Traitez du problème du point de vue de la dissonance cognitive.

Demandez à quelques fumeurs pourquoi ils fument et établissez un lien entre leurs réponses et la question de la cohérence entre les attitudes, les croyances et le comportement.

Qui est malheureux et pourquoi?

S i vous êtes un étudiant typique, il vous arrive à l'occasion d'être légèrement déprimé, insatisfait de votre vie, découragé face à l'avenir, triste, sans appétit ni énergie et incapable de vous concentrer. Peut-être même vous demandez-vous parfois si la vie vaut la peine d'être vécue. Vous pensez peut-être que vos notes décevantes compromettent l'atteinte de vos objectifs professionnels. La rupture d'une relation amoureuse vous a peut-être désespéré. Et peut-être que votre rumination ne fait alors qu'empirer votre état. Or, environ 10 pour cent des hommes et près de 20 pour cent des femmes connaissent plus que des «mauvaises passes»; ils vivent un ou plusieurs épisodes dépressifs qui durent pendant des semaines, sans qu'il ait de cause apparente.

L'un des domaines de recherche les plus fascinants de la psychologie porte sur les processus cognitifs (mentaux) qui accompagnent les idées noires. Quels sont les attributions, les attentes et les autres mécanismes mentaux qui caractérisent les personnes perturbées? Dans le cas de la dépression, trouble qui fait l'objet des recherches les plus intenses, des dizaines de nouvelles études apportent quelques réponses à nos questions.

⬤ La cognition sociale et la dépression: réalisme et désespoir

Comme nous le savons tous par expérience, les gens déprimés sont défaitistes. Ils voient la vie à travers des lunettes noires. Chez les gens gravement déprimés (ceux qui ne se trouvent aucune valeur, qui sont léthargiques, indifférents aux amis et à la famille et qui ont de la difficulté à manger et à dormir normalement), la pensée négative devient destructrice. Le pessimisme conduit ces personnes à exagérer leurs mauvaises expériences et à minimiser leurs expériences positives. Une femme déprimée en témoigne: «Mon vrai moi est indigne et incompétent. Je ne peux pas aller de l'avant dans mon travail parce que je suis paralysée par le doute» (Burns, 1980, p. 29).

Distorsion ou réalisme?

Les gens déprimés sont-ils tous aussi aveuglément pessimistes? Pour le déterminer, Lauren Alloy et Lyn Abramson (1979) ont observé des étudiants du premier cycle universitaire qui étaient légèrement déprimés ou qui n'étaient pas déprimés. Elles leur ont demandé de déterminer si le fait de presser sur un bouton était relié d'une manière ou d'une autre au fait qu'une lumière s'allume. Fait étonnant, les étudiants déprimés estimaient plutôt exactement leur degré de contrôle de la lumière. C'étaient les gens non déprimés qui avaient un jugement déformé: ils exagéraient leur capacité de contrôle.

Le phénomène du **réalisme dépressif** se manifeste sous bien des formes (Alloy et coll., 1990; Dobson et Franche, 1989). Shelley Taylor (1989, p. 214) donne l'explication suivante:

Les gens normaux exagèrent leur compétence et l'évaluation positive dont ils font l'objet. Les gens déprimés [à l'exception des gens gravement déprimés] n'exagèrent pas ces dimensions. Les gens normaux gardent de leur comportement passé un souvenir complaisant. Les gens déprimés ont des souvenirs plus impartiaux de leurs succès et de leurs échecs. Les gens normaux se décrivent eux-mêmes de manière essentiellement favorable. Les gens déprimés décrivent autant leurs qualités que leurs défauts. Les gens normaux s'attribuent le mérite de leurs succès et tendent à décliner la responsabilité de leurs échecs. Les gens déprimés acceptent la responsabilité de leurs succès et de leurs échecs. Les gens normaux surestiment l'influence qu'ils exercent sur les événements. Les gens déprimés sont moins sujets à l'illusion du pouvoir personnel. Les gens normaux croient au point d'être irréalistes que l'avenir leur réserve une profusion de bonheurs et de rares malheurs. Les gens déprimés ont des perceptions plus réalistes du futur. En fait, dans presque tous les domaines où les gens normaux cèdent à la complaisance, à l'illusion du pouvoir personnel et à une vision irréaliste de l'avenir, les gens déprimés ne manifestent pas les mêmes biais. Il semble en effet que la dépression soit source de sagesse.

La pensée des gens déprimés est en partie déterminée par leurs modes d'attribution de la responsabilité. Illustrons cette affirmation par un exemple. Si vous échouez à un examen et que vous vous en estimez responsable, vous risquez de conclure que vous êtes stupide ou paresseux et, le cas échéant, de vous sentir déprimé. Mais si vous attribuez votre échec à l'injustice du professeur ou à d'autres circonstances indépendantes de votre volonté, vous éprouverez vraisemblablement de la colère. Dans plus de 100 études ayant rassemblé 15 000 sujets (Sweeney et coll., 1985), les gens déprimés ont été plus nombreux que les gens non déprimés à présenter un «style d'attribution» pessimiste (figure 9.1). Autrement dit, ils ont attribué leurs échecs et leurs difficultés à des causes *stables* («Ça va durer toujours»), *globales* (Ça va se répercuter sur tout ce que je fais») et *internes* («Tout est de ma

Les déprimés seraient-ils plus réalistes que les autres?

Réalisme dépressif
Tendance des personnes légèrement déprimées à faire des jugements, des attributions et des prévisions réalistes plutôt que complaisantes.

Figure 9.1

Le style d'attribution dépressif. La dépression est reliée à des explications et à des interprétations pessimistes des échecs.

faute»). Selon Abramson et ses collègues (1989), cette pensée pessimiste, excessivement généralisée et autocritique, engendre un affligeant désespoir.

Comparativement au style d'attribution dépressif, les illusions complaisantes favorisent l'adaptation. Cela vous paraît-il évident? Trouvez-vous aussi évidente la croyance populaire voulant que la santé mentale repose sur des perceptions *exactes* de soi et du monde? Après avoir colligé les études disponibles, Shelley Taylor et Jonathan Brown (1988) affirmèrent que la santé mentale résulte plutôt «d'auto-évaluations exagérément favorables, d'une surestimation de la maîtrise personnelle et d'un optimisme irréaliste». Grâce à nos illusions optimistes, nous sommes plus heureux, plus productifs et moins préoccupés que les déprimés réalistes.

Les illusions optimistes peuvent cependant engendrer la témérité et l'arrogance, du type «Je suis meilleur que toi», qui sous-tendent les conflits sociaux et les préjugés. Néanmoins, nous pouvons comprendre pourquoi La Rochefoucauld écrivit dans ses *Maximes* (1665): «Il semble que la nature, qui a si sagement disposé les organes de notre corps pour nous rendre heureux, nous ait aussi donné l'orgueil pour nous épargner la douleur de connaître nos imperfections.» Même les gens déprimés (mais surtout ceux qui sont en voie de guérison) compensent la noirceur de leur image de soi en percevant favorablement certains de leurs traits (Pelham, 1991).

La pensée négative est-elle la cause ou le résultat de la dépression?

Les aspects cognitifs de la dépression soulèvent une question qui n'est pas sans rappeler celle de la poule et de l'œuf: est-ce la dépression qui cause la pensée négative ou la pensée négative qui cause la dépression?

L'HUMEUR DÉPRESSIVE PROVOQUE LA PENSÉE NÉGATIVE Il ne fait pas de doute que nos humeurs colorent notre pensée. Pour les Allemands de l'Ouest qui célébraient la victoire de leur équipe à la Coupe du monde de soccer (Schwarz et coll., 1987) et pour les Australiens qui venaient de voir un film réconfortant (Forgas et Moylan, 1987), les humains étaient bons et la vie était merveilleuse. Si notre équipe a remporté la coupe Stanley, tout va pour le mieux dans le meilleur des mondes. Lorsque nous sommes d'humeur joyeuse, nous trouvons le monde accueillant, nous prenons sans peine nos décisions et nous nous rappelons facilement les bonnes nouvelles (Johnson et Tversky, 1983; Isen et Means, 1983; Stone

91

et Glass, 1986). Lorsque nous nous *sentons* heureux, notre pensée est imprégnée de joie et d'optimisme. Les gens qui sont *actuellement* déprimés se souviennent de leurs parents comme d'êtres froids et prompts au châtiment. Mais les gens qui ont été déprimés et qui ne le sont *plus* ont de leurs parents des souvenirs aussi favorables que ceux qui n'ont jamais fait de dépression (Lewinsohn et Rosenbaum, 1987).

Changeons d'humeur et laissons nos pensées prendre une autre voie. Substituons des lunettes noires à nos lunettes roses. Maintenant, la morosité fait surgir dans notre esprit des souvenirs d'événements malheureux (Bower, 1987; Johnson et Magaro, 1987). Nos relations nous paraissent insatisfaisantes, l'image que nous avons de nous-mêmes pique du nez, nos perspectives d'avenir s'assombrissent, le comportement des gens nous semble sinistre (Brown et Taylor, 1986; Mayer et Salovey, 1987).

Imaginez que vous avez participé à une expérience de Joseph Forgas et de ses collègues (1984). Les chercheurs vous ont hypnotisé pour vous mettre de bonne ou de mauvaise humeur, puis ils vous ont fait regarder un film vidéo (tourné la veille) où vous apparaissez en train de parler avec quelqu'un. Si on vous a mis de bonne humeur, vous êtes content de ce que vous voyez; vous relevez de nombreux exemples de votre assurance, de votre intérêt et de votre habileté sociale. Mais si on vous a mis de mauvaise humeur, le même film vidéo semble révéler une tout autre personne, une personne empesée, nerveuse et bafouilleuse (figure 9.2). Heureusement pour vous, l'expérimentateur vous remet de bonne humeur avant de vous laisser partir, et votre opinion de vous-même s'améliore. Curieusement, notent Michael Ross et Garth Fletcher (1985), nous n'attribuons pas les variations de nos perceptions à celles de nos humeurs. Suivant notre humeur, le monde nous paraît vraiment différent.

L'humeur dépressive influe aussi sur le comportement. Une personne repliée sur elle-même, morose et plaignarde ne fait pas naître la joie et la chaleur chez les autres. Stephen Strack et James Coyne (1983) découvrirent justement que les gens déprimés avaient raison de croire que les autres n'aimaient pas leur comportement. Le comportement dépressif peut susciter l'hostilité, l'anxiété et même la dépression chez autrui. Les étudiants d'université qui ont des colocataires déprimés tendent à être un peu déprimés eux-mêmes (Burchill et Stiles, 1988; Howes et coll., 1985; Sanislow et coll., 1989). Par conséquent, les gens déprimés s'exposent au divorce, au congédiement et au rejet, autant de situations qui approfondissent leur dépression (Coyne et coll., 1991; Gotlib et Lee, 1989; Sacco et Dunn, 1990). De même, ils

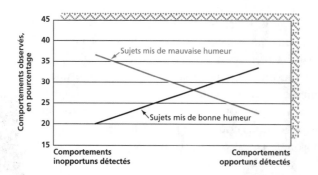

Figure 9.2

Une bonne ou une mauvaise humeur temporaires influèrent fortement sur les évaluations que firent les sujets de leur propre comportement tel qu'enregistré sur bande vidéo. Les sujets de mauvaise humeur décelèrent beaucoup moins de comportements opportuns.

recherchent la présence de personnes qui ont d'eux une perception défavorable et qui se trouvent ainsi à confirmer et à amplifier la piètre image qu'ils ont d'eux-mêmes (Swann et coll., 1991).

LA PENSÉE NÉGATIVE CAUSE-T-ELLE LA DÉPRESSION? La dépression a donc des effets cognitifs et comportementaux. A-t-elle aussi des origines cognitives? Il est parfaitement normal de se sentir déprimé après une perte importante et notamment après un congédiement, le décès d'un parent proche, un rejet ou de mauvais traitements. Mais pourquoi certaines personnes sont-elles déprimées à la suite de stress *mineurs*? Les résultats de la recherche à ce sujet ne sont pas clairs, parce que la pensée négative tend à fluctuer en fonction de la dépression (Barnett et Gotlib, 1988; Kuiper et Higgins, 1985). Cependant, des résultats récents laissent croire qu'un style d'attribution pessimiste engendre des réactions dépressives. Colin Sacks et Daphne Bugental (1987) ont demandé à des jeunes femmes de faire connaissance avec un étranger qui se conduisait parfois de manière froide et inamicale et qui créait alors des situations sociales embarrassantes. Contrairement aux femmes optimistes, celles qui avaient un style d'attribution pessimiste (qui donnaient en règle générale des explications stables, globales et internes aux événements malencontreux) réagissaient à l'échec social en devenant encore plus déprimées. De surcroît, elles se conduisaient alors de manière plus antagoniste avec la première personne qu'elles rencontraient par la suite. Leur pensée négative les prédisposait à une humeur sombre, laquelle les prédisposait à un comportement inopportun.

Les études réalisées à l'extérieur du laboratoire auprès d'enfants, d'adolescents et d'adultes confirment que le style d'attribution pessimiste rend l'individu sujet à la dépression dans les périodes difficiles de la vie (Alloy et Clements, 1991; Brown et Siegel, 1988; Nolen-Hoeksema et coll., 1986). Si vous pensez que vous n'avez aucun contrôle sur vos ennuis (les problèmes d'argent, les mauvaises notes, le rejet social), les probabilités que vous deveniez déprimé sont plus élevées.

Peter Lewinsohn et ses collègues (1985) ont étudié ces résultats pour en tirer une explication psychologique cohérente de la dépression. Selon eux, l'image de soi, les attributions et les attentes pessimistes d'une personne déprimée constituent un chaînon capital dans le cercle vicieux déclenché par une expérience fâcheuse, comme un échec scolaire ou professionnel, un conflit familial ou un rejet social (figure 9.3). Chez les personnes sujettes à la dépression, de tels stress provoquent la rumination, le repli sur soi et la dévalorisation de soi (Pyszczynski et coll. 1991; Wood et coll., 1990a, b). Cette morosité crée une humeur dépressive qui perturbe profondément les pensées et les actions. Il s'ensuit une multiplication des expériences malheureuses, une intensification de l'autocritique et une amplification de l'humeur dépressive. Par conséquent, la dépression est *à la fois* une cause et une conséquence des cognitions négatives.

Martin Seligman (1988) croit que le repli sur soi et la dévalorisation de soi sont au nombre des facteurs qui expliquent la fréquence quasi endémique de la dépression en Amérique du Nord. Depuis le milieu des années 40, la fréquence de la dépression unipolaire (le type le plus répandu) a décuplé. Selon Seligman, le déclin de la pratique religieuse et de la vie de famille, joint à la promotion de l'attitude individualiste («T'es capable!»), engendre le désespoir et l'autoculpabilisation en période difficile. Les cours, les carrières et les mariages ratés sont source de désolation pour celui qui est seul et qui n'a rien ni personne pour le

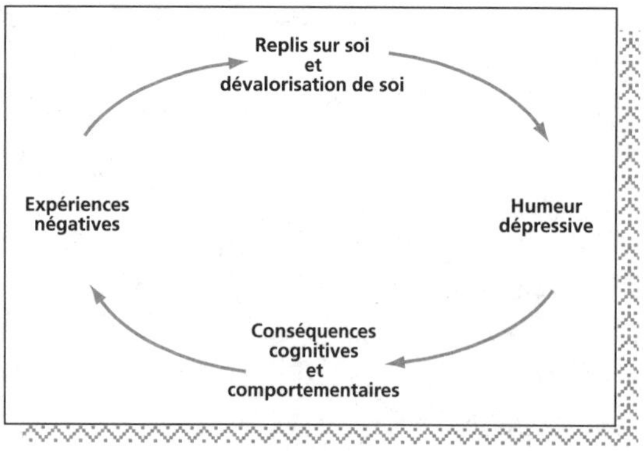

Figure 9.3

Le cercle vicieux de la dépression.

Replis sur soi
et
dévalorisation de soi

Expériences
négatives

Humeur
dépressive

Conséquences
cognitives
et
comportementales

réconforter. Si, comme le proclamait une publicité machiste publiée dans la revue *Fortune*, «vous pouvez bâtir votre succès» grâce à «votre propre détermination, votre propre audace, votre propre énergie, votre propre ambition», alors à qui la faute si vous *ne* réussissez *pas*? Pensez un instant à ce que vous éprouveriez si vous aviez travaillé pendant 20 ans dans la même usine et que l'entreprise déménageait en Alabama. Croyez-vous réellement que vous échapperiez à la dépression que connaissent beaucoup de travailleurs ainsi mutés? Trouveriez-vous facile de recommencer à zéro et de bâtir votre succès?

La recherche sur le mode de pensée relié à la dépression a poussé les psychologues sociaux à étudier les processus mentaux associés à d'autres problèmes. Comment les gens qui sont aux prises avec la solitude, la timidité ou la toxicomanie se voient-ils eux-mêmes? Quels souvenirs gardent-ils de leurs succès et de leurs échecs? À quoi attribuent-ils leurs hauts et leurs bas? Leur attention est-elle centrée sur eux-mêmes ou sur les autres? Voici quelques-unes des réponses que les chercheurs ont trouvées.

●La cognition sociale et la solitude

Si la dépression est aux troubles psychologiques ce que le rhume est aux troubles physiologiques, alors la solitude est l'équivalent du mal de tête. Qu'elle soit chronique ou temporaire, la solitude est le douloureux sentiment que l'on a d'une insuffisance quantitative ou qualitative de relations sociales. Jenny de Jong-Gierveld (1987) a observé de jeunes adultes néerlandais et constaté que les célibataires et les gens sans attaches amoureuses sont plus sujets à la solitude. Devant cet état de fait, elle émit l'hypothèse que l'importance accordée aujourd'hui à l'épanouissement individuel ainsi que la dévalorisation du mariage et de la vie de famille étaient des facteurs explicatifs de la solitude (autant que de la dépression).

Peut-on se sentir seul même en compagnie des autres?

La solitude, ce n'est pas seulement le fait d'être sans compagnie. On peut se sentir seul au beau milieu d'une réception. Et on peut être éloigné des autres sans se sentir seul. Il arrive en effet que nous choisissions l'isolement. Ainsi, vous pouvez fort bien décider de passer une semaine seul au chalet familial dans les Laurentides pour réaliser une création artistique ou écrire un scénario. Se sentir seul, c'est se sentir exclu d'un groupe, mal aimé par ses proches, incapable de se confier ou différent et détaché de son entourage (Beck et Young, 1978; Davis et Franzoi, 1986). Les adolescents éprouvent ces sentiments plus souvent que les adultes. Dans une expérience au cours de laquelle les chercheurs communiquaient avec les sujets au moyen d'un téléavertisseur à différents moments d'une semaine pour leur demander de noter ce qu'ils faisaient et ce qu'ils ressentaient, les adolescents exprimaient plus fréquemment que les adultes un sentiment de solitude lorsqu'ils étaient sans compagnie (Larson et coll., 1982). Les hommes et les femmes ne se sentent pas seuls dans les mêmes circonstances; les hommes se sentent seuls lorsqu'ils sont privés d'interactions de groupe et les femmes, lorsqu'elles sont privées de relations individuelles (Berg et McQuinn, 1988; Stokes et Levin, 1986).

Comme les gens déprimés, les gens qui vivent une solitude chronique semblent prisonniers d'un cercle vicieux fait de cognitions et de comportements sociaux autodestructeurs. Leur style d'attribution est semblable à celui des déprimés; ils se blâment eux-mêmes pour leurs relations sociales insatisfaisantes et ils sentent que la plupart des choses échappent à leur volonté (Anderson et Riger, 1991; Snodgrass, 1987). De plus, ils perçoivent les autres de façon défavorable. Lorsque les étudiants esseulés qui vivent en résidence sont placés avec un étranger du même sexe ou avec un étudiant de première année, ils sont particulièrement enclins à avoir une perception défavorable de cette personne (Jones et coll., 1981; Wittenberg et Reis, 1986).

Cette perspective sombre traduit autant qu'elle colore l'expérience des personnes esseulées. Celles-ci, en effet, trouvent souvent difficile de se présenter, de faire des appels téléphoniques et de se joindre à des groupes (Rook, 1984; Spitzberg et Hurt, 1987). Elles ont tendance à être centrées sur elles-mêmes et à avoir une faible estime d'elles-mêmes (Check et Melchior, 1990; Vaux, 1988). Lorsqu'elles s'entretiennent avec un étranger, elles passent plus de temps à parler d'elles-mêmes et elles s'intéressent moins à leur interlocuteur que ne le font les personnes non esseulées (Jones et coll., 1982). Leurs nouvelles connaissances tirent de ces conversations des perceptions défavorables. Comme les personnes esseulées sont convaincues de leur incompétence sociale et pessimistes au sujet des autres, elles ne font rien pour atténuer leur solitude.

La cognition sociale et l'anxiété sociale

Se présenter à une entrevue pour un emploi qu'on désire obtenir, sortir avec quelqu'un pour la première fois, entrer dans une pièce remplie d'inconnus, donner un spectacle devant un auditoire important ou (la plus répandue des phobies), prononcer une allocution, toutes ces actions provoquent de l'anxiété chez à peu près n'importe qui. Mais certaines personnes, et particulièrement les timides, sont anxieuses dans presque toutes les situations où elles risquent d'être évaluées. Chez ces personnes, l'anxiété est plus un trait de caractère qu'un état temporaire.

Qu'est-ce qui nous rend anxieux dans les situations sociales?

Pourquoi certaines personnes sont-elles prisonnières de leur propre timidité? Barry Schlenker et Mark Leary (1982, 1985; Leary,

1984, 1986; Maddux et coll., 1988) répondent à ces questions au moyen de la *théorie de la présentation de soi*. Selon cette théorie, nous cherchons à nous présenter de manière à faire bonne impression. Son rapport avec l'anxiété sociale est clair: *nous sommes anxieux lorsque nous voulons impressionner les autres mais que nous doutons de notre aptitude à le faire*. Ce principe simple éclaire une série de résultats de recherche dans lesquels vous vous reconnaîtrez sans doute. Nous sommes anxieux lorsque:

- Nous interagissons avec des personnes puissantes et haut placées, des personnes dont l'opinion compte;
- Nous sommes en situation d'évaluation, comme lorsque nous rencontrons pour la première fois les parents de notre ami ou de notre amie;
- L'interaction est axée sur un aspect capital de notre propre image, comme lorsqu'un professeur présente ses idées à ses pairs dans le cadre d'un congrès;
- Nous abordons une situation nouvelle, comme lorsque nous allons à notre première soirée dansante, que nous assistons à notre premier grand dîner et que nous connaissons mal les règles sociales;
- Nous sommes intimidés et que notre attention est centrée sur nous-mêmes et sur l'impression que nous donnons;
- Nous nous trouvons dans une situation non structurée où le rôle que nous devons tenir est mal défini. Les personnes timides sont manifestement anxieuses lorsqu'on leur dit de «prendre cinq minutes pour faire connaissance avec les autres»; en revanche, elles ne le sont pas lorsqu'on leur donne une série de questions à poser.

Dans de telles situations, la tendance naturelle est à l'autoprotection farouche: parler peu, éviter les sujets qu'on ne maîtrise pas, rester sur son quant-à-soi, être conciliant, agréable et souriant.

La timidité est une forme d'anxiété sociale qui se caractérise par une conscience de soi excessive et le souci de ce que les autres pensent (Anderson et Harvey, 1988; Asendorpf, 1987; Carver et Scheier, 1986). Les personnes timides (parmi lesquelles on trouve beaucoup d'adolescents) voient les événements fortuits comme étant de quelque façon reliés à elles (Fenigstein, 1984). Elles personnalisent à l'excès les situations, et cette tendance engendre l'anxiété et, dans les cas extrêmes, la paranoïa. Si on les soumet à une entrevue avec une personne qu'elles voient sur un écran et qu'on leur fait croire que l'entrevue se déroule en temps réel (alors qu'elles voient simplement une bande vidéo), elles trouvent leur interlocuteur fermé et indifférent à elles (Pozo et coll., 1991). En outre, elles surestiment les observations et les évaluations qui sont dirigées vers elles. Si elles ont une mèche rebelle ou un bouton sur le nez, elles supposent que tout le monde le remarquera et les jugera.

L'anxiété sociale se manifeste aussi lorsqu'on essaie de parler une langue étrangère qu'on ne maîtrise pas complètement. Après *quelques* verres d'alcool, des fonctionnaires anglophones d'Ottawa qui suivaient un programme d'apprentissage du français eurent tendance à parler plus couramment en français. Ils étaient moins inhibés et s'exprimaient avec moins d'anxiété. Ils se donnaient la permission de faire des erreurs au lieu de se taire, de peur d'en faire. (L'alcool, soit dit en passant, n'a pas les mêmes effets sur l'expression écrite.)

Pour réduire l'anxiété qu'elles ressentent en société, de fait, certaines personnes s'en remettent à l'alcool. L'alcool atténue l'anxiété dans la mesure où il réduit la conscience de soi (Hull et Young, 1983). Par conséquent, les personnes très timides sont particulièrement enclines à boire après un échec. Celles d'entre elles qui deviennent alcooliques et qui reçoivent un traitement risquent plus que les personnes non timides de rechuter à la suite d'un stress ou d'un échec.

L'anxiété et l'alcoolisme peuvent aussi servir à créer un handicap intentionnel. L'anxiété, la timidité, la dépression et l'abus d'alcool constituent de commodes excuses à l'échec (Snyder et Smith, 1986). Derrière une barricade de symptômes, le moi est à l'abri. «Pourquoi est-ce que je ne sors avec personne? Parce que je suis timide, alors il n'est pas facile de me connaître vraiment.» «Je ne peux pas me concentrer pendant mes cours, parce que j'ai souvent la gueule de bois.» Le symptôme est un stratagème inconscient pour justifier des résultats fâcheux.

Qu'arriverait-il si on éliminait la raison d'être d'un tel stratagème en fournissant aux gens une autre explication pour leur anxiété et, par le fait même, pour leur échec potentiel? La personne timide aurait-elle encore besoin de sa timidité? C'est précisément ce que Susan Brodt et Philip Zimbardo (1981) ont voulu déterminer. Ils ont emmené des étudiantes timides et non timides au laboratoire et ils leur ont demandé de bavarder avec un bel homme qui se faisait passer pour un autre sujet. Avant la conversation, les chercheurs entassèrent les femmes dans une pièce exiguë et produisirent un bruit assourdissant. Ils dirent à quelques-unes des femmes timides que le bruit leur causerait des palpitations, ce qui est un symptôme fréquent de l'anxiété sociale. Lorsque les femmes se mirent à bavarder avec l'homme, elles purent ainsi attribuer leurs palpitations et toutes leurs difficultés de communication au bruit plutôt qu'à leur timidité ou à leur incompétence sociale. Comparativement aux femmes timides qui n'avaient pas reçu cette commode explication, ces femmes perdirent leur timidité. Elles parlèrent d'abondance une fois la conversation engagée et posèrent des questions à l'homme. De fait, celui-ci fut incapable de les distinguer des femmes non timides, alors qu'il parvenait sans mal à reconnaître les autres timides (celles qui n'avaient pas été exposées au bruit). L'une des timides à qui on avait donné la fausse explication devint si attrayante socialement que le beau complice des chercheurs lui demanda plus tard un rendez-vous.

Les approches thérapeutiques inspirées de la psychologie sociale: d'abord le comportement

Jusqu'ici, nous nous sommes intéressés à des modalités de la pensée sociale reliées à des difficultés d'être, allant de la dépression grave à la maladie physique en passant par la timidité. Les connaissances que nous commençons à acquérir sur la pensée inadaptée nous mettent-elles sur la piste de traitements? Il n'existe pas de théorie sociopsychologique unique. Mais la thérapie étant une rencontre sociale, les psychologues sociaux suggèrent des façons d'intégrer leurs principes aux techniques thérapeutiques existantes (Leary et Maddux, 1987).

Étudions quelques-unes de ces approches en nous appuyant sur ce que nous venons d'apprendre.

Changer le comportement pour changer la pensée

Les thérapies ne visent-elles pas habituellement le contraire?

Dans le module 8, qui portait sur les croyances et sur le comportement, nous avons vu que de nombreux résultats appuient un principe simple mais important: les actions influent sur les attitudes. Nos rôles, nos paroles, nos actes et nos décisions concourent à nous façonner. Nous croyons les idées associées à nos gestes, particulièrement si nous nous sentons responsables de nos actes. La conviction suit l'action.

Dans cet esprit, plusieurs techniques psychothérapeutiques prescrivent l'action. Si nous ne réussissons pas à maîtriser directement nos sentiments au moyen de notre seule volonté, nous pouvons les influencer indirectement par notre comportement. Les thérapeutes du comportement essaient de modifier le comportement et, s'ils s'intéressent aux dispositions, c'est qu'ils supposent que leur modification suivra celle du comportement. Les cours d'affirmation de soi, par ailleurs, mettent à profit le phénomène du pied dans la porte. L'individu commence par simuler l'affirmation dans un contexte rassurant, puis il transpose graduellement sa nouvelle habileté dans la vie quotidienne. La thérapie rationnelle-émotive repose sur le principe selon lequel nous produisons nos propres émotions; les clients doivent faire des exercices consistant à essayer d'adopter de nouveaux comportements qui engendreront de nouvelles émotions. Dans les groupes de rencontre, enfin, on incite subtilement le client à présenter devant le groupe de nouveaux comportements, comme exprimer de la colère, pleurer, manifester une forte estime de soi et exprimer des sentiments positifs.

Ces thérapies ont-elles l'effet attendu?

Certaines expériences confirment que les propos que nous tenons à notre propre sujet peuvent influer sur nos sentiments. Dans l'une de ces expériences, les chercheurs demandèrent à un groupe d'étudiants de rédiger leur propre apologie et à un autre groupe d'écrire un essai sur un sujet social d'actualité (Mirels et McPeek, 1977). Plus tard, un autre expérimentateur invita tous les étudiants à s'auto-évaluer en secret. Les étudiants qui s'étaient louangés manifestèrent une plus haute estime d'eux-mêmes. Dans d'autres expériences, Edward Jones et ses collaborateurs (1981; Rhodewalt et Agustsdottir, 1986) incitèrent des étudiants à se présenter à un interrogateur de manière soit avantageuse, soit désavantageuse. Les présentations publiques (tant favorables que défavorables) se transposèrent là aussi dans les réponses que les sujets donnèrent en privé à un test mesurant l'estime de soi. Dire, c'est croire, même quand nous parlons de nous. Le phénomène fut particulièrement marqué quand les chercheurs amenèrent les étudiants à se sentir responsables de la façon dont ils s'étaient présentés. Les comportements étudiés, dans la mesure où ils ne sont pas imposés par la force, peuvent en effet posséder une valeur thérapeutique.

Briser les cercles vicieux

Si la dépression, la solitude et l'anxiété sociale s'autoalimentent dans un cercle vicieux d'expériences malheureuses, de pensée négative et de comportement auto-destructeur, on devrait pouvoir briser le cycle en plusieurs points: en modifiant l'environnement, en exerçant la personne à avoir un comportement constructif, en renversant la pensée négative. La chose, en effet, est possible. Plusieurs méthodes thérapeutiques peuvent libérer les gens du cercle vicieux de la dépression.

L'APPRENTISSAGE D'HABILETÉS SOCIALES: FAITES-LE, ON VERRA PLUS TARD...   La dépression, la solitude et la timidité sont des problèmes non seulement psychologiques mais aussi sociaux. Il peut être irritant et déprimant de côtoyer une personne déprimée. Les personnes esseulées et timides ont raison de croire qu'elles risquent de donner mauvaise impression dans les situations sociales. Or, l'apprentissage d'habiletés sociales peut aider ces personnes. En observant et en essayant de nouveaux comportements dans un contexte rassurant, elles acquièrent la confiance dont elles ont besoin pour se comporter efficacement dans d'autres situations.

À mesure que la personne récolte les bénéfices d'un comportement approprié, sa perception d'elle-même devient plus favorable. Frances Haemmerlie et Robert Montgomery (1982, 1984, 1986) l'ont démontré au moyen d'expériences réconfortantes qu'ils ont réalisées auprès d'étudiants timides et anxieux. Les chercheurs supposaient que les étudiants qui sont nerveux en présence de personnes du sexe opposé et qui ont peu de rendez-vous se disent: «Je n'ai pas beaucoup de rendez-vous, donc je dois être socialement incompétent, donc je ne devrais plus tenter ma chance.» Pour renverser ce raisonnement défaitiste, Haemmerlie et Montgomery incitèrent les étudiants à avoir des interactions agréables avec des personnes du sexe opposé.

Est-ce possible d'arriver à un résultat probant à partir de situations créées de toutes pièces?

Dans le cadre d'une expérience, des étudiants de l'université remplirent des questionnaires portant sur l'anxiété sociale, puis ils se présentèrent au laboratoire à deux occasions. Chaque fois, ils eurent des conversations individuelles de 12 minutes avec six jeunes femmes qu'ils prenaient pour d'autres sujets de l'expérience. En réalité, les chercheurs avaient simplement demandé aux femmes de bavarder de manière naturelle, constructive et amicale avec chacun des hommes.

L'effet de ces deux heures et demie de conversation fut étonnant. L'un des sujets écrivit ce qui suit après l'expérience: «Je n'avais jamais rencontré autant de filles avec lesquelles je pouvais avoir une bonne conversation. Après avoir parlé avec quelques filles, ma confiance en moi était devenue telle que je n'avais pas conscience d'être nerveux comme d'habitude.» Diverses mesures vinrent confirmer la validité des commentaires de ce genre. Lors de nouvelles évaluations effectuées respectivement une semaine et six mois après l'expérience, ceux qui avaient eu des conversations, contrairement aux hommes du groupe témoin, dirent que leur anxiété face aux femmes avait beaucoup diminué. Lorsqu'ils se trouvaient seuls dans une pièce avec une inconnue séduisante, ils étaient beaucoup plus portés à amorcer une conversation. À l'extérieur du laboratoire, ils commencèrent même à sortir de temps en temps avec des filles.

Haemmerlie et Montgomery soulignent que tous ces progrès se produisirent en l'absence de tout *counseling* et ajoutent qu'ils furent peut-être dus, justement, à cette absence. Comme les sujets avaient eu sans aide un comportement efficace, ils pouvaient désormais se percevoir comme socialement compétents. Sept

mois après l'expérience, les chercheurs en révélèrent le fin mot aux sujets. Mais, après ce délai, les hommes avaient vraisemblablement connu suffisamment de succès social pour continuer à se l'attribuer à eux-mêmes. «Rien ne réussit autant que la réussite, conclut Haemmerlie (1987), tant qu'il n'existe pas de facteurs externes que le client puisse utiliser pour expliquer cette réussite!»

LA MODIFICATION DU STYLE D'ATTRIBUTION: S'ATTRIBUER SES BONS COUPS.   Les cercles vicieux qui entretiennent la dépression, la solitude et la timidité peuvent être rompus par l'apprentissage d'habiletés sociales, par des expériences constructives qui modifient les perceptions de soi *et* par une élimination de la pensée négative. Certaines personnes possèdent des habiletés sociales, mais elles ont eu des amis et des parents hypercritiques qui les ont convaincues du contraire. Pour aider ces personnes, il peut être suffisant de les inciter à renverser les croyances défaitistes qu'elles entretiennent face à elles-mêmes et à leur avenir. Parmi les thérapies cognitives qui visent cet objectif, on trouve la «thérapie par le style d'attribution» mise au point par des psychologues sociaux (Abramson, 1988; Försterling, 1986).

Mary Anne Layden (1982) apprit ainsi à des étudiants déprimés à modifier leurs attributions habituelles. Elle commença par leur expliquer les avantages d'un style d'attribution semblable à celui des gens non déprimés (accepter le mérite de ses succès et discerner les circonstances préjudiciables). Après avoir assigné une variété de tâches aux étudiants, elles les aida à prendre conscience de la manière dont ils interprétaient habituellement leurs succès et leurs échecs. Vint ensuite la phase du traitement proprement dit. Layden demanda à tous les sujets de consigner quotidiennement dans un journal leurs succès et leurs échecs; elle leur indiqua de noter aussi la part qu'ils avaient prise dans leurs succès et celle que des facteurs extérieurs avait prise dans leurs échecs. Layden réévalua les sujets au bout d'un mois de formation et elle les compara aux sujets d'un groupe témoin qui n'avaient pas suivi la formation. L'estime que les sujets avaient d'eux-mêmes avait augmenté et leur style d'attribution était devenu plus optimiste. Et plus leur style d'attribution s'était amélioré, plus leur dépression s'était atténuée. En modifiant leurs attributions, les sujets avaient changé leurs émotions.

Maintenant que nous avons vanté les mérites de la modification du comportement et de la pensée, nous serions avisés d'en souligner les limites. L'apprentissage des habiletés sociales et de la pensée positive ne peut pas faire de nous des gagnants sans défaillance, aimés et admirés de tous. La dépression passagère, la solitude et la timidité, en outre, constituent des réactions parfaitement appropriées à des événements accablants. C'est lorsque ces sentiments se manifestent chroniquement et sans cause discernable que nous avons des raisons de nous inquiéter. Nous devons alors modifier nos pensées et nos comportements autodestructeurs.

Exercices et questions

La tristesse a manifestement un effet autodestructeur pour l'individu. Or, la dépression est le trouble psychiatrique le plus fréquent au Québec. Son incidence est plus élevée ici que dans la plupart des autres pays industrialisés, ce qui semble relié au fort taux de suicide qu'on enregistre chez les adolescents. Avant de lire les descriptions des textes qui suivent, tentez de répondre à ces questions. Vos réflexions vous aideront à mieux évaluer les résultats.

1. Quels sont les effets du rejet par les pairs chez les enfants?
2. L'indifférence des autres est-elle aussi nuisible que le rejet (voir la première étude présentée ci-dessous)?
3. Quels sont les prédicteurs du comportement suicidaire chez les étudiants?
4. Quel est le profil des étudiants qui ont des idées suicidaires ou qui font une tentative de suicide?

1. LES EFFETS DE L'INDIFFÉRENCE ET DU REJET CHEZ LES ENFANTS

À l'Université Laval, Michel Boivin et ses collègues (1994) étudièrent trois groupes d'enfants de quatre ans: des enfants qui étaient rejetés par leurs pairs, des enfants qui n'avaient pas de véritables relations avec leurs pairs («négligés par leurs pairs») et des enfants qui avaient des relations normales avec leurs pairs. Les chercheurs constatèrent que les enfants rejetés par leurs pairs étaient plus susceptibles de manifester des comportements tels le repli sur soi, l'agressivité, la dépression et l'insatisfaction face à la vie. Les chercheurs observèrent très peu de différences entre les enfants «négligés par leurs pairs» et les enfants «normaux».

En vous fondant sur ce résumé, quelles hypothèses formuleriez-vous quant à l'avenir des enfants rejetés par leurs pairs et de ceux qui sont négligés par leurs pairs?

2. UN PORTRAIT DES ÉTUDIANTS SUICIDAIRES

Marthe Hurteau et Yvan Bergeron (1991) étudièrent les tendances et les actes suicidaires chez des étudiants de première année du cégep de Shawinigan. Sur les 550 questionnaires que les chercheurs distribuèrent, 355, soit 64,5 %, leur furent retournés (ce qui représente une forte proportion pour une étude de ce genre). Vingt-huit (8 %) des étudiants qui répondirent au questionnaire dirent avoir fait une tentative de suicide. Par ailleurs, 16 étudiants (4,5 %) affirmèrent avoir planifié une tentative de suicide. Les chercheurs décelèrent des idées suicidaires marquées chez 18 étudiants (5 %). Enfin, ils classèrent 278 étudiants (78 %) comme non suicidaires. Les étudiants qui avaient fait une tentative de suicide faisaient face à des problèmes familiaux importants, étaient généralement dépressifs, manquaient de soutien social et avaient subi un stress qui avait ébranlé leur estime d'eux-mêmes. Ceux qui avait planifié une tentative de suicide paraissaient semblables aux sujets non suicidaires. Les chercheurs établirent que le projet de ces étudiants n'était pas récent ou qu'il constituait un appel à l'aide ayant reçu une réponse satisfaisante. Les étudiants qui avaient des idées suicidaires donnèrent des réponses semblables à celles des étudiants qui avaient tenté de se suicider; par conséquent, les chercheurs les considéraient comme des personnes à risque et, dans certains cas, comme des «bombes à retardement».

Comment une telle étude peut-elle servir à la mise sur pied d'un programme de prévention du suicide (comme ce fut le cas à Shawinigan)?

Quel lien peut-on faire entre cette étude et la question des croyances, des attitudes et des comportements dont nous avons traité dans le module 8?

3. L'IMPORTANCE DU SOUTIEN SOCIAL DANS LA PRÉVENTION DES COMPORTEMENTS SUICIDAIRES

Une autre étude, réalisée à l'Université de Montréal par Monique Bouchard et Monique Morval, ne révéla aucune différence entre les caractéristiques démographiques des étudiants suicidaires (8 %) et celles des étudiants non suicidaires (92 %). Le taux de réponse fut de 47 %. Les chercheuses concluent que «les étudiants suicidaires [...] ont vécu significativement plus d'événements stressants au cours de la dernière année et perçoivent moins d'unité, de cohésion, d'entraide et de soutien parmi les membres de leur entourage. Ils sont plus insatisfaits des échanges qu'ils entretiennent avec leurs pairs et ont davantage de difficulté à rattraper la matière manquée.»

Les résultats de cette étude concordent-ils avec ceux que nous avons présentés plus haut? Dans quelle mesure laissent-ils croire que les facteurs contribuant à la formation de l'intention suicidaire pourraient être plus diversifiés?

101

Qui est heureux et pourquoi?

Des livres, des livres et encore des livres: on ne compte plus les auteurs qui ont analysé la misère humaine. Au cours de son premier siècle d'existence (qui s'est terminé en 1989!), la psychologie s'est intéressée bien plus aux émotions sombres comme la dépression et l'anxiété qu'aux émotions réjouissantes comme le bonheur et la satisfaction. Aujourd'hui encore, nos manuels en disent plus long sur la souffrance que sur la joie.

Mais la situation est en voie de changer. Un groupe de chercheurs innovateurs jettent aujourd'hui un éclairage original sur une vieille énigme: Qui est heureux et pourquoi? Ainsi, ils ont demandé à des gens de divers pays en Occident d'exprimer leurs sentiments face à la vie: «En règle générale, comment allez-vous ces temps-ci? Diriez-vous que vous êtes très heureux, assez heureux ou pas très heureux?» Habituellement, les gens qui se disent très heureux paraissent effectivement heureux aux yeux des interviewers (ils sourient et rient fréquemment) ainsi que de leurs amis et de leurs parents. Comparativement aux gens déprimés, ils sont moins centrés sur eux-mêmes, plus affectueux et plus serviables. Les psychologues sociaux désignent ce phénomène par l'expression «Qui se sent bien fait le bien». Au XIXe siècle, le poète anglais Robert Browning l'avait pressenti: «Oh, rendez-nous heureux et vous nous rendrez bons!»

Les psychologues et les sociologues ont commencé par faire éclater quelques mythes à propos de ce qui nous rend heureux (voir à ce sujet l'ouvrage de l'auteur intitulé *The Pursuit of Happiness: Who Is Happy – and Why*).

Une mythologie du bonheur

Le bonheur: une affaire de jeunes, d'adultes ou de retraités?

Beaucoup de gens pensent que la vie est ponctuée de périodes malheureuses. À les croire, l'adolescence apporterait des tourments, l'âge mûr commencerait par une crise et la vieillesse serait synonyme de déclin. Or, les entrevues réalisées auprès d'échantillons représentatifs de personnes de tous les âges (soit des centaines de milliers de gens en tout) révèlent qu'aucune période de la vie n'est particulièrement heureuse ou malheureuse. Les ingrédients du bonheur changent avec l'âge. Il en va de même du «terrain émotionnel». (Les adolescents, contrairement aux adultes, passent habituellement du désespoir à l'exaltation en quelques minutes.) Toutefois, vous aurez beau me donner l'âge d'une personne, vous ne me fournirez aucun indice sérieux sur le sentiment de bien-être qu'elle éprouve.

On ne trouve sous forme de taux de dépression, de suicide et de divorce, aucun indice des bouleversements personnels caractéristiques de la prétendue «crise du mitan de la vie» qui surviendrait au début de la quarantaine. Nous sommes nombreux à vivre des périodes de crise, mais l'âge où nous les traversons n'a rien de prévisible. Le «syndrome du nid vide» (le sentiment d'abandon et d'inutilité que les parents ressentent quand leurs enfants quittent le foyer familial) se révèle en réalité extrêmement rare. Pour la plupart des couples, le nid vide est un endroit très confortable; la disparition des soucis et du stress liés à l'éducation des enfants occasionne fréquemment un regain du bonheur conjugal.

Le bonheur a-t-il un sexe?

En matière de malheur, il existe entre les sexes des disparités criantes. Les femmes, en effet, sont deux fois plus sujettes que les hommes à la dépression et à des niveaux d'anxiété perturbateurs. Les hommes, de leur côté, sont cinq fois plus sujets que les femmes à l'alcoolisme et aux désordres antisociaux de la personnalité. Le bonheur, lui, ne fait pas de distinction entre les sexes. Dans les années 80, lors d'enquêtes portant sur 169 776 personnes soigneusement choisies dans 16 pays, 80 pour cent des hommes et 80 pour cent des femmes affirmèrent qu'ils étaient au moins «plutôt satisfaits» de leur vie (Inglehart, 1990). Un peu moins de 25 pour cent des personnes de chaque sexe se déclarèrent «très heureuses».

Le bonheur est-il associé à une race ou à d'autres caractéristiques personnelles ou sociales?

Comme l'âge, la race d'une personne fournit peu d'indications sur son bien-être psychologique. Les Noirs américains, par exemple, connaissent presque autant de bonheur que les Américains de descendance européenne et ils sont un peu *moins* sujets qu'eux à la dépression (Robins et Regier, 1991). D'après Jennifer Crocker et Brenda Major (1989), les Noirs et les Blancs, les femmes et les hommes ainsi que les personnes handicapées et les personnes non handicapées obtiennent des scores comparables aux tests mesurant l'estime d'eux-mêmes. (En dépit de la discrimination, les membres des groupes défavorisés conservent leur estime d'eux-mêmes en valorisant les habiletés qu'ils maîtrisent, en se comparant aux autres membres de leur groupe et en attribuant leurs problèmes à des sources extérieures, comme aux préjugés.) Curieusement, toutefois, on constate qu'il existe d'importantes différences nationales en matière de bonheur. Au Portugal, par exemple, 1 personne sur 10 se dit très heureuse; aux Pays-Bas, la proportion est de 4 sur 10.

L'argent fait-il le bonheur?

Plus que jamais, le rêve américain semble bâti sur le droit à la vie, à la liberté et au bonheur... de consommer. En 1991, parmi les étudiants américains qui étaient en première année d'université, 74 pour cent déclarèrent qu'un de leurs principaux objectifs de vie était la «prospérité financière». Seulement 39 pour cent des étudiants s'étaient exprimés de la sorte en 1970. La plupart des adultes affichent le même matérialisme et croient qu'une augmentation de 10 pour cent à 20 pour cent de leurs revenus les rendrait plus heureux, dans la mesure où elle les soulagerait du stress des factures à payer et leur permettrait d'acheter des biens depuis longtemps convoités.

Ces adultes ont-ils raison de penser ainsi?

Précisons la question. Premièrement, les habitants des pays riches sont-ils plus heureux que les habitants des pays pauvres? Les Français sont-ils plus heureux que les Hongrois? Un peu plus. Néanmoins, la corrélation entre la richesse d'un pays et le bien-être de ses habitants est singulièrement faible. Pendant les années 80, par exemple, les Irlandais disposaient de la moitié du revenu et du pouvoir d'achat des Allemands de l'Ouest. Année après année, cependant, les Irlandais se sont révélés plus heureux.

Deuxièmement, à l'intérieur d'un pays donné, les riches sont-ils plus heureux que les pauvres? La nourriture, le gîte et la sécurité sont essentiels au bien-être. Mais une fois que l'on peut se procurer les biens nécessaires à la vie, on constate avec étonnement que la richesse excédentaire importe peu. La richesse, c'est comme la santé: en être dépourvu peut rendre malheureux, mais la posséder ne constitue en rien une garantie de bonheur. Nous avons besoin d'argent, mais l'argent seul ne fait pas le bonheur. Lors d'une enquête, certains des Américains les plus riches (selon la liste établie par le magazine *Forbes*, mensuel économique publié à New York) firent état d'un degré de bonheur à peine supérieur à celui des autres Américains. Trente-sept pour cent de ces riches étaient moins heureux que l'Américain moyen (Diener et coll., 1985). Même les gens qui ont gagné à la loterie ne vivent qu'une poussée de jubilation transitoire. De même, les effets émotionnels liés à certaines tragédies sont temporaires. Les gens qui deviennent handicapés retrouvent généralement un niveau de bien-être presque normal. Étrangement, la satisfaction a peu de rapport avec les conditions de vie objectives. C'est moins une question d'obtenir ce qu'on veut que de vouloir ce qu'on a.

Troisièmement, le bonheur des citoyens augmente-t-il proportionnellement à l'enrichissement d'un pays? En 1957, au moment où John Kenneth Galbraith, économiste d'origine canadienne, s'apprêtait à décrire son époque comme *L'Ère de l'opulence*, le revenu par habitant, exprimé en dollars d'aujourd'hui, était inférieur à 8000 $ aux États-Unis. Aujourd'hui (grâce, entre autres choses, au travail des femmes), le revenu par habitant se chiffre à 16 000 $. Il faut noter qu'il s'agit d'une augmentation de 100 pour cent ! Depuis 1957, le nombre de voitures par personne a doublé. Nous nous sommes pourvus de fours à micro-ondes, de téléviseurs couleur, de magnétoscopes, de climatiseurs et de répondeurs téléphoniques. Chaque année, nous dépensons 12 milliards de dollars en chaussures d'entraînement de marques renommées.

Alors, sommes-nous plus heureux que dans les années 50? Lors d'une enquête menée en 1957 aux États-Unis, 35 pour cent des gens se dirent «très heureux». En 1991, alors que la richesse avait doublé, la proportion était passée à 31 pour cent. Le taux de dépression monte en flèche, la fréquence des crimes violents a quintuplé depuis 1960, le taux de divorce a doublé, la satisfaction conjugale a légèrement décliné chez les personnes non divorcées et le taux de suicide a triplé chez les adolescents. À en juger par toutes ces statistiques, nous sommes plus riches mais aussi plus *malheureux*. Dès lors, une conclusion incontournable s'impose à nous: *La croissance économique dans les pays riches n'est pas un facteur de bonheur.*

Oserais-je proposer une morale? Nous devons prendre conscience que c'est dans notre capacité d'adaptation aux changements que se trouve notre grande force (que ce changement consiste en une richesse subite ou en l'apparition d'un handicap). En effet, nous pourrons ainsi cesser d'envier le mode de vie des gens riches et célèbres. Nous pourrons arrêter de dépenser inutilement pour des disques compacts qui restent sur les étagères, pour des voitures de luxe et pour des vacances extravagantes. Nous pourrons mettre fin à cette quête de joies qui ont un caractère essentiellement éphémère. Le bonheur n'est pas dans ce que nous avons, il est dans ce que nous sommes.

Les gens heureux

Si le bonheur est accessible à tous, quels que soient l'âge, le sexe, la race et, jusqu'à un certain point, le revenu, qui sont les gens les plus heureux? Certaines personnes conservent leur aptitude au bonheur contre vents et marées. Aux États-Unis, une étude menée auprès de 5000 adultes par le National Institute of Aging a révélé que les gens qui étaient les plus heureux en 1973 étaient encore relativement heureux 10 ans plus tard, même si leur vie professionnelle, leur domicile et leur situation familiale avaient changé (Costa et coll., 1987).

Les traits de caractère des gens heureux: estime, maîtrise, optimisme et extraversion

Étude après étude, on découvre que les gens heureux présentent les quatre traits de caractère suivants: l'estime de soi, le sentiment de maîtrise personnelle, l'optimisme et l'extraversion.

Premièrement, les gens heureux ont une bonne opinion d'eux-mêmes. Ils se disent d'accord avec des énoncés comme «Je suis d'agréable compagnie» et «J'ai de bonnes idées». Contrairement au mythe qui veut que les Américains aient une faible estime d'eux-mêmes, la plupart d'entre eux expriment une estime d'eux-mêmes relativement forte en se disant d'accord avec de tels énoncés. Et, comme nous l'expliquions dans le module 6, la plupart succombent au biais de complaisance, dans la mesure où ils se croient plus moraux, plus intelligents, plus justes, plus sociables et mieux portants que la moyenne (rappelez-vous la boutade de Freud[1]). On trouve dans cette solide estime de soi l'une des raisons pour lesquelles 9 personnes sur 10 se disent au moins «assez heureuses». N'en déplaise à certains, les gens heureux ne forment pas une espèce rare.

Deuxièmement, les gens heureux ont le sentiment de maîtriser leur vie. Contrairement à ceux qui se sentent impuissants, les gens confiants tendent à réussir à l'école, à s'adapter au stress et à vivre heureux. Les personnes qui n'ont pas la possibilité de maîtriser leur vie (comme les détenus, les pensionnaires de centres d'accueil et les gens qui vivent sous des régimes totalitaires) ont le moral plus bas et une santé plus chancelante.

Troisièmement, les gens heureux sont optimistes. Comme j'écris ces mots dans le centre de recherche scientifique Vincent Peale, dans un collège portant le nom de Hope («Espoir»), je suppose qu'il est opportun de souligner le pouvoir de la pensée positive. Les optimistes (ceux qui sont d'accord avec un énoncé comme «Lorsque j'entreprends quelque chose, je m'attends à réussir») ont tendance à être plus prospères, mieux portants et plus heureux. Si l'optimisme est tempéré par une conscience réaliste des limites existant (tout le monde ne peut pas être le numéro un, la moitié des équipes doivent perdre), il prédispose à l'audace et à la ferveur.

Quatrièmement, les gens les plus heureux sont sociables. Le bonheur ne serait-il pas plus grand chez les pessimistes surpris par des événements heureux? Ou encore chez les introvertis qui coulent des jours sereins dans une solitude tranquille? Non. Étude après étude, ce sont les extravertis sociables qui font état du plus grand bien-être. Ils sont, par nature, plus joyeux et moins anxieux d'aller au-devant des autres. C'est peut-être pour cette raison qu'ils se marient plus tôt, qu'ils trouvent de meilleurs emplois et qu'ils ont plus d'amis.

Bien que certains traits de caractère (et particulièrement l'extraversion) des gens heureux soient probablement transmis par les gènes, la personne qui aspire au bonheur pourrait faire sien un principe de la psychologie sociale qui nous est maintenant familier: La pensée suit l'action, tout comme l'action suit la pensée. Donc, pour être heureux, agissez comme les gens heureux. Au cours d'expériences, les sujets qui feignent une forte estime de soi finissent par mieux s'apprécier. Alors, affectez l'optimisme. Simulez la sociabilité. Accrochez-vous un sourire sur le visage. Même les sujets que l'on oblige de façon détournée à sourire en leur disant «Pendant que j'attache ces fils, relevez les coins de votre bouche» se sentent joyeux tout à coup et quand on leur faire prendre une mine renfrognée, le monde leur paraît morne). Il peut suffire de feindre une émotion pour l'éprouver vraiment.

Pour expliquer ce phénomène, certaines scientifiques ont émis l'hypothèse de la rétroaction faciale. Cette théorie veut que le fait de «porter» une expression émotionnelle sur son visage procure une rétroaction musculaire au cerveau qui aide à produire une émotion convenant à l'expression (Izard, 1990, dans Feldman et coll., 1994)

---

1. «Si l'un de nous deux devait mourir, je crois que j'irais vivre à Paris.»

Les relations établies par les gens heureux: confiance et intimité

Il est facile d'imaginer pourquoi les relations intimes exacerbent parfois la maladie et le désespoir. Nos liens les plus étroits sont lourds de stress. «L'enfer, c'est les autres», écrivit Jean-Paul Sartre, philosophe existentialiste français. Demandez à des gens ce qui, hier, leur a causé le plus gros souci, et ils vous répondront probablement «la famille». En revanche, ils vous donneront la même réponse si vous leur demandez ce qui leur a valu la plus grande joie.

Heureusement, les bienfaits que procurent les relations intimes l'emportent sur les inconvénients qu'elles créent. Les gens qui ont plusieurs amis intimes auxquels ils peuvent se confier librement jouissent d'une meilleure santé, sont moins sujets à une mort prématurée et sont plus heureux. Dans certaines recherches, des sujets doivent se détendre tout en racontant leurs épreuves. Lors d'une étude, 33 survivants des camps de concentration nazis ont passé deux heures à narrer leurs expériences, allant souvent jusqu'à dévoiler des détails très personnels qu'ils n'avaient jamais révélés jusque-là. Quatorze mois plus tard, ceux qui s'étaient le plus ouverts avaient connu l'amélioration de leur état de santé la plus notable (Pennebaker, 1990). La confidence, comme la confession, est bienfaisante pour le moral.

Mais ne vivons-nous pas dans une société qui valorise l'autonomie?

Certains psychologues croient que les niveaux épidémiques de dépression qu'on observe actuellement résultent d'un appauvrissement des liens interpersonnels dans une société de plus en plus individualiste. Aujourd'hui, 24 pour cent des Américains vivent seuls, ce qui représente une augmentation de 8 pour cent en 50 ans. Contrairement aux sociétés orientales, les sociétés occidentales modernes valorisent l'indépendance. Sois fidèle à toi-même, nous dit-on. Fais comme bon te semble. Sois authentiquement toi-même. Évite surtout la codépendance (qui consiste à soutenir, à aimer et à conserver un conjoint perturbé). Le psychologue humaniste Carl Rogers a résumé en une phrase tout l'individualisme moderne: «La seule question qui importe est la suivante: «Ma façon de vivre est-elle profondément satisfaisante pour moi et exprime-t-elle véritablement ce que je suis?»

Pour plus de 9 personnes sur 10, le meilleur moyen d'échapper à la solitude est le mariage. La rupture du lien conjugal, comme celle des autres liens sociaux étroits, fait le malheur de bien des gens, tandis qu'une relation conjugale riche est l'une des plus grandes joies de la vie. Comme l'a dit le prédicateur américain Henry Ward Beecher au XIXe siècle, les gens bien mariés ont des ailes, mais les gens mal mariés ont des chaînes. Heureusement, trois personnes mariées sur 4 affirment que leur conjoint est leur meilleur ami, et 4 sur 5 disent qu'elles épouseraient le même homme ou la même femme si c'était à refaire. C'est peut-être ce qui explique pourquoi, dans les années 70 et 80, seulement 24 pour cent des adultes qui ne s'étaient jamais mariés, contre 39 pour cent des adultes mariés, dirent aux enquêteurs du National Opinion Research Center qu'ils étaient «très heureux». On ne peut nier que le divorce représente un premier pas vers la guérison pour les victimes de violence physique ou affective. Cependant, un nombre croissant d'experts s'accordent pour dire qu'un mariage durable, équitable et affectueux favorise le bien-être des conjoints et celui des enfants. C'est ainsi que, lors d'une enquête réalisée en 1990, les membres de l'American Psychological Association placèrent «le déclin de la famille nucléaire» au premier rang des risques pour

107

la santé mentale. Vivre dans l'intimité et l'engagement avec des gens qui nous connaissent et nous aiment, c'est diminuer les risques de troubles physiques et affectifs et augmenter nos chances de bonheur.

Le plaisir intrinsèque des gens heureux

L'écrivain russe Maxime Gorki, qui vécut au début du xxe siècle, a devancé les chercheurs modernes: «Lorsque le travail est un plaisir, écrit-il, la vie est une joie! Lorsque le travail est un devoir, la vie est un esclavage.» La satisfaction au travail est un facteur de bonheur.

Pourquoi? Et pourquoi les gens sans emploi sont-ils moins satisfaits de la vie que les travailleurs possédant un emploi? Pourquoi l'inaction n'est-elle pas le paradis que nous croyons parfois qu'elle est?

Pour bien des gens, le travail est un élément déterminant de l'identité personnelle: il les aide à se définir. De plus, le travail confère un sentiment d'appartenance, dans la mesure où il favorise l'établissement d'un réseau de relations. Enfin, le travail peut donner un sens et un but à la vie.

Le travail, cependant, est parfois insatisfaisant et ce, pour deux raisons. Premièrement, il peut être excessif. Lorsque nous n'avons ni le temps ni les moyens nécessaires pour accomplir nos tâches, nous cédons à l'angoisse et au stress. Deuxièmement, le travail peut être insuffisant. Lorsque nous avons trop de temps et de moyens pour abattre nos tâches, nous tombons dans l'ennui. Entre l'anxiété et l'ennui, toutefois, il existe un état intermédiaire déterminé par une adéquation entre les tâches et les capacités. Mihaly Csikszentmihalyi (tchik-sent-mi-aye), psychologue à l'université de Chicago, qualifie cet état optimal d'**expérience gratifiante intrinsèque** (figure 10.1).

Une expérience gratifiante intrinsèque nous occupe tout entiers sans nous demander d'effort conscient. Pensez à une activité qui vous absorbe au point où vous restez concentré, où vous oubliez tout ce qui vous entoure et où vous ne voyez pas le temps passer. Csikszentmihalyi formula le concept d'expérience gratifiante intrinsèque après avoir étudié des artistes capables de passer des heures d'affilée à peindre ou à sculpter avec une concentration sans faille. Totalement immergés dans leur œuvre, ils travaillaient comme si rien d'autre ne comptait et ils l'oubliaient aussitôt terminée. Ils semblaient nourris moins par les gratifications extrinsèques de l'art (l'argent, la renommée, les promotions) que par les gratifications intrinsèques de la création.

Expérience gratifiante intrinsèque
Activité absorbante qui fait disparaître la conscience de soi chez la personne qui l'accomplit, qui correspond à ses habiletés et lui fait oublier le passage du temps.

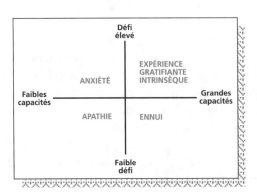

Figure 10.1

Modèle de l'expérience gratifiante intrinsèque. Lorsqu'une tâche correspond à nos capacités, nous nous y consacrons si intensément que nous perdons conscience de nous-mêmes et du temps. (Adapté de Csikszentmihalyi et Csikszentmihalyi, 1988).

L'écrivaine Madeleine L'Engle compare la concentration de l'artiste à celle du petit enfant qui joue: «Dans le vrai jeu, qui est la vraie concentration, l'enfant n'est pas seulement en dehors du temps, il est en dehors de *lui-même*. Il s'immerge dans son activité, quelle qu'elle soit. Un enfant qui joue à un jeu, qui construit un château de sable ou qui fait un dessin est entièrement *compris* dans ce qu'il fait. Sa conscience de *soi* a disparu; toute sa conscience se focalise à l'extérieur de lui-même.»

À des milliers d'occasions, Csikszentmihalyi (1988) communiqua avec des gens par l'intermédiaire d'un téléavertisseur pour leur demander d'indiquer ce qu'ils faisaient et ce qu'ils éprouvaient. Il découvrit que le bonheur ne naît pas de la passivité détachée, mais bien de l'accomplissement d'une tâche absorbante. Au travail ou pendant les loisirs, les gens ont plus de plaisir s'ils se concentrent sur une activité que s'ils ne font rien de valable. Csikszentmihalyi conclut:

Nous voulons tous avoir plus de temps libre. Mais quand nous en trouvons, nous ne savons qu'en faire. La plupart des dimensions de l'expérience se détériorent: les gens disent qu'ils deviennent passifs, irritables, tristes, faibles, etc. Pour combler le vide de la conscience, les gens allument le téléviseur ou trouvent une autre façon de laisser quelqu'un d'autre structurer leur expérience. Ces loisirs passifs font reculer d'un pas la menace du chaos, mais ils n'apportent à l'individu que faiblesse et abattement.

Le dramaturge Noel Coward apprécierait les observations de Csikszentmihalyi. «On s'amuse plus, dit-il, à faire un travail intéressant qu'à s'amuser.» Le mot clé de ses propos est «intéressant». Malgré les apparences, il n'est pas paradoxal que de nombreux travailleurs se plaignent de leur emploi tandis que les chômeurs se plaignent de *ne pas* travailler. Beaucoup de travailleurs bénévoles (comme ceux qui sollicitent les dons pendant les téléthons) débordent d'énergie et ont vraiment l'impression de faire quelque chose d'utile. À l'opposé, beaucoup d'infirmières et d'enseignants d'écoles primaires ont l'impression qu'on ne les laisse pas accomplir tout ce dont ils sont capables. La répression de l'initiative peut anéantir la motivation au travail.

La foi des gens heureux

À certains égards, le rapport entre la pratique religieuse et la santé mentale a de quoi impressionner (Myers, 1992b).

Les gens religieux (qu'on définit souvent comme les gens qui vont régulièrement à l'église) ont beaucoup moins de chances que les autres de commettre des actes délinquants, de devenir alcooliques ou toxicomanes, de divorcer, d'être malheureux en ménage et de se suicider. Ils tendent même à jouir d'une meilleure santé *physique* et à vivre plus vieux que les autres, notamment parce qu'ils évitent le tabac, l'alcool et la gourmandise.

La mesure des autres indicateurs de la santé mentale chez les pratiquants donne des résultats moins clairs. Les gens religieux se sentent un peu *moins* maîtres de leur destin. En revanche, ils sont légèrement moins sujets à deux troubles à composante biologique, soit à la dépression et à la schizophrénie.

En Amérique du Nord et en Europe, les gens religieux se disent plus que les autres heureux et satisfaits de la vie. Le résultat le plus étonnant nous vient de Gallup, une grande maison de

109

sondage, qui compara des gens dont l'«engagement spirituel» était faible à des gens très religieux (qui étaient d'accord avec des énoncés comme «Ma foi religieuse est l'influence la plus importante dans ma vie»). Les seconds furent *deux* fois plus nombreux que les premiers à se déclarer «très heureux».

Nombre d'études ont porté sur le rapport existant entre la pratique religieuse et le bien-être chez les personnes âgées. Un relevé statistique indiqua que les deux meilleurs prédicteurs du bien-être dans cette catégorie de la population étaient la santé et la pratique religieuse (Okun et Stock, 1987). Les personnes âgées sont plus heureuses et plus satisfaites de la vie si elles ont des croyances et des activités religieuses.

D'autres études ont scruté le lien entre la foi et la capacité d'adaptation en temps de crise. Ce lien existe bel et bien. Comparativement aux veuves non pratiquantes, celles qui ont une vie religieuse active disent connaître plus de joie. Comparativement aux mères non pratiquantes d'enfants handicapés, celles qui sont animées d'une foi profonde sont moins sujettes à la dépression. De plus, leur bonheur résiste mieux à des épreuves comme le divorce, la perte d'emploi, la maladie grave et le deuil.

Comment expliquer le rapport existant entre la foi et le bien-être?

Les spécialistes des sciences sociales ne peuvent ni confirmer ni réfuter le bien-fondé de la foi religieuse sous toutes ses formes, mais ils peuvent au moins en étudier les effets. Qu'est-ce qui rend les croyants heureux? C'est peut-être le réseau d'amitié et d'entraide qu'apporte la vie paroissiale. C'est peut-être le sentiment de valeur et d'utilité que la foi confère à bien des gens. C'est peut-être l'espoir que donne la foi en face de ce que Sheldon Solomon et ses collègues psychologues sociaux appellent «la terreur née de la conscience de notre vulnérabilité et de notre mortalité» (Solomon et coll., 1991).

Alors, en résumé, qui est heureux? Vous aurez beau me donner l'âge, le sexe, la race et le revenu (dans la mesure où il suffit à pourvoir aux besoins fondamentaux) d'une personne, vous ne me révélerez rien sur son bonheur. Pour m'en faire une idée, il me faudrait savoir si la personne présente certains traits de caractère, si elle possède un réseau de relations intimes enrichissantes (y compris probablement une relation conjugale avec son meilleur ami ou sa meilleure amie), si elle a un travail et des loisirs adaptés à ses habiletés et si elle pratique une religion.

●Exercices et questions

Les études que nous résumons ici portent sur deux sources de bonheur chez les personnes âgées et sur le lien existant entre le chômage prolongé et la dépression. Avant de lire ces études, tentez de répondre à ces questions. Vos réflexions vous aideront à mieux évaluer les résultats.

1. Dans quel contexte les personnes âgées sont-elles le plus heureuses, dans un logement particulier ou en institution?
2. Les hommes âgés sont-ils plus heureux que les femmes âgées?
3. Les personnes âgées se rendent-elles dans un centre commercial pour faire des emplettes ou seulement pour se distraire?
4. Le chômage prolongé est-il un facteur à l'origine de la dépression et de la perte de l'estime de soi?

1.   LE BONHEUR ET LE LOGEMENT CHEZ LES PERSONNES ÂGÉES

Paul Valliant et Catherine Furac (1993), de l'Université Laurentienne, située à Sudbury, en Ontario, étudièrent un échantillon composé de 105 hommes et femmes âgés de 50 à 90 ans vivant soit dans une maison particulière, soit dans un immeuble à appartements, soit dans une institution. Les hommes qui vivaient dans une institution étaient beaucoup plus déprimés que ceux qui habitaient une maison particulière. Quelle que fût leur résidence, les hommes étaient beaucoup plus déprimés que les femmes. Bien que le milieu de vie ait été relié au degré de dépression, il n'avait cependant pas d'effet apparent sur l'estime de soi. En général, les femmes étaient plus heureuses que les hommes, mais elles exprimaient plus d'anxiété qu'eux.

Que suggère cette étude à propos de l'influence du milieu de vie sur le comportement?

2.   LA FRÉQUENTATION DES CENTRES COMMERCIAUX PAR LES PERSONNES ÂGÉES

Dawn Graham, chercheuse de l'Unité d'études sur la promotion de la santé, qui est un organisme du gouvernement fédéral, se demandait si les personnes âgées tendent à utiliser les centres commerciaux comme des lieux d'échange social et par conséquent, s'ils tirent une satisfaction sociale des visites qu'ils y font. Avec deux collègues, Graham interrogea 300 personnes âgées de plus de 65 ans qui se rendaient régulièrement dans trois centres commerciaux. Les deux tiers environ des personnes interrogées (67 %) avaient des échanges sociaux avec des gens qu'elles rencontraient dans les centres commerciaux, ce qui laisse croire que les visites dans les centres commerciaux peuvent être une source de bonheur, au moins partielle, pour les personnes âgées.

3.   DURÉE DU CHÔMAGE ET ÉTAT DE DÉPRESSION

Joshe Puroshottam, de l'Université Laval, postulait que la durée du chômage est directement proportionnelle à la diminution de l'estime de soi et, par conséquent, que le chômage prolongé entraîne la dépression et perturbe la capacité d'une personne de communiquer des sentiments positifs. Le chercheur compara des personnes qui avaient perdu leur emploi depuis un mois et des personnes qui étaient sans emploi depuis un an. Ses résultats ne confirmèrent pas son hypothèse. En effet, les sujets conservaient leur estime d'eux-mêmes et ne devenaient pas plus déprimés à mesure que le temps passait.

Comment expliqueriez-vous ces résultats?

111

L'INFLUENCE SOCIALE

De L'Orient à l'Occident: collectivisme, individualisme et communautarisme

À d'importants points de vue, nous, les humains (membres d'une même espèce, d'une grande famille avec des ancêtres communs), nous nous ressemblons tous. Nous possédons la même constitution biologique ainsi que des tendances comportementales semblables. Nous percevons le monde, nous ressentons la soif et nous avons créé des langages avec leur grammaire en utilisant des mécanismes identiques.

Notre comportement social, de même, est propre à notre espèce. Nous savons tous comment interpréter un froncement de sourcils et un sourire. Nous sommes tous attirés par les gens dont les attitudes et les attributs sont semblables aux nôtres. Nous formons des groupes, nous nous plions à des règles et nous nous organisons en hiérarchies. Nous montrons du favoritisme à l'égard des groupes auxquels nous appartenons et, dans nos confrontations avec les autres groupes, nous présentons des comportements antagonistes qui vont de la méfiance au génocide. Tous ces traits définissent notre nature humaine. Aux yeux du psychologue social, il existe entre les êtres humains plus de ressemblances que de différences.

Le plus important de nos points communs est peut-être la capacité d'apprentissage et d'adaptation que possède notre cerveau. De cette caractéristique partagée découle la diversité sociale. C'est ainsi que certaines sociétés prisent la spontanéité, apprécient la franchise et acceptent les relations sexuelles avant le mariage, tandis que d'autres se sont donné des normes différentes. Selon l'époque et l'endroit où nous vivons, nous associons la beauté à la minceur ou aux rondeurs. Selon que nous adhérons au marxisme ou au capitalisme, nous faisons correspondre la justice sociale avec l'égalité (tout le monde reçoit la même chose) ou avec l'équité (ceux qui produisent plus reçoivent plus). Selon que nous vivons en Afrique, en Europe ou en Asie, nous aurons tendance à être plus expressifs ou réservés, plus familiers ou cérémonieux.

●Une différence liée à la culture: l'individualisme ou le collectivisme

Une différence culturelle fondamentale tient à l'importance que les sociétés accordent à l'individu. Alors que certaines sociétés chérissent l'indépendance et la réussite individuelle, d'autres cultivent la solidarité. Vers quelle attitude penchez-vous? Pour le déterminer, répondez à quelques-unes des questions de l'échelle sur l'individualisme et le collectivisme élaborée par C. Harry Hui (1988), psychologue social de l'université de Hong-Kong:

Êtes-vous d'accord avec les énoncés suivants?

J'aiderais un collègue de travail qui me dirait qu'il a besoin d'argent pour acquitter les factures des services publics.

Les jeunes devraient tenir compte des conseils de leurs parents au moment de planifier leurs études et leur carrière.

Je suis souvent influencé par les humeurs de mes voisins.

Alors, à quoi tenez-vous le plus, à votre identité et à vos objectifs personnels ou à vos liens sociaux? Pensez-vous davantage au «je» ou au «nous»?

Il est typique aux sociétés occidentales industrialisées de valoriser l'**individualisme**. Elles placent l'autonomie et le bien-être personnel au-dessus de l'identité sociale. La littérature occidentale, de *L'Iliade* et *L'Odyssée* du poète grec Homère aux *Misérables* de Victor Hugo, regorge de héros solitaires qui, au lieu de se conformer aux attentes des autres, recherchent leur propre épanouissement. Les individualistes défendent âprement leurs droits, sachant que c'est à force de se plaindre qu'on obtient ce qu'on veut.

115

Individualisme

Tendance à faire passer les objectifs de l'individu avant ceux du groupe et à définir l'identité en fonction d'attributs personnels plutôt que de l'appartenance au groupe.

Tendance à faire primer les objectifs du groupe (la famille élargie et le groupe de travail, par exemple) et à définir l'identité en fonction de la collectivité.

Psychologie transculturelle
Branche de la psychologie qui compare les traits psychologiques et le comportement interpersonnel des membres des différents groupes culturels (y compris les groupes ethniques vivant dans un même pays ou une même région).

Les sociétés autochtones et asiatiques ainsi que la plupart des sociétés du Tiers Monde privilégient le **collectivisme**. Leurs membres donnent la priorité aux objectifs et au bien-être du groupe, qu'il s'agisse de la famille, du clan, de la communauté rurale ou (comme au Japon, en Corée et à Taïwan) de l'entreprise. Ils sont comme des athlètes en ce sens qu'ils accordent plus d'importance à la performance de l'équipe qu'au succès individuel. On trouve dans la littérature orientale beaucoup de personnages qui résistent aux tentations de la gratification personnelle et se conforment à leur devoir social. Les collectivistes évitent la confrontation et l'honnêteté tranchante, sachant que «c'est sur le clou qui dépasse que s'abat le marteau».

La **psychologie transculturelle** compare les traits psychologiques et le comportement interpersonnel des membres des différents groupes culturels (y compris des groupes ethniques vivant dans un même pays). Sans minimiser les différences individuelles existant à l'intérieur des cultures, des psychologues transculturels comme Harry Triandis, Richard Brislin et C. Harry Hui (1988) ont démontré que l'individualisme ou le collectivisme d'une société se répercute sur le concept de soi, les relations sociales et l'éducation des enfants.

Le concept de soi: moi... et l'autre

Même quand ils sont privés de leurs liens sociaux (c'est-à-dire séparés de leur famille, de leurs amis et de leur groupe de travail), les individualistes conservent leur identité, la conception qu'ils se font d'eux-mêmes. Par conséquent, ils se sentent libres de quitter leur emploi, leur domicile, leur église et leur famille élargie pour chercher ailleurs une vie meilleure. À l'adolescence, ils conquièrent farouchement leur indépendance et ils s'élaborent un concept de soi qui leur est propre. «Entrez en contact avec vous-même, acceptez-vous, soyez fidèle à vous-même», tel est le message qu'ils reçoivent des pontifes de leur culture. Fritz Perls (1973, p. 70), thérapeute californien qui inventa la thérapie rationnelle-émotive, résuma en quelques phrases tout l'individualisme que véhicule la psychologie populaire occidentale: «Je fais mon affaire et tu fais ton affaire. Je ne suis pas venu au monde pour me conformer à tes attentes. Et tu n'es pas venu au monde pour te conformer aux miennes.» Frank Sinatra, célèbre chanteur populaire, formula en quatre mots l'objectif de l'individualisme: «I gotta be me.» (Il faut que je sois moi)

Dans les sociétés collectivistes, où prime la solidarité, il serait impensable de s'exprimer ainsi. Pour les collectivistes, les réseaux sociaux orientent et définissent la personne. La famille élargie est «tricotée serré». D'ailleurs, le nom de famille s'écrit souvent avant le prénom («Hui Harry» au lieu de «Harry Hui»).

Les relations sociales: quantité ou qualité?

Les collectivistes entretiennent peut-être moins de relations que les individualistes, mais ces relations sont plus profondes, plus stables et plus durables. Comparativement aux étudiants nord-américains, les universitaires de Hong-Kong parlent avec moins de gens au cours d'une journée, mais leurs conversations durent plus longtemps (Wheeler et coll., 1989). Dans les sociétés collectivistes, les relations employeur-employé sont marquées par une loyauté mutuelle. Comme les gens valorisent la solidarité sociale, ils cherchent à maintenir l'harmonie en montrant du respect aux autres et en leur permettant de sauver la face. Ils évitent l'honnêteté crue, éludent les sujets délicats et affichent une grande humilité (Markus et Kitayama, 1991). Les gens se rendent service les uns aux autres et ils se témoignent de la reconnaissance. Pour eux, nul n'est une île. Le soi n'est pas indépendant mais *inter*dépendant.

Sommes-nous ce qu'est notre groupe?

Étant donné l'importance qu'ils accordent à l'identité sociale, les collectivistes sont plus prompts que les individualistes à juger les gens d'après leurs groupes. Dans leur culture, disent-ils, il est *utile* de savoir à quels groupes une personne appartient. «Dites-moi quels sont la famille, le niveau d'instruction et l'emploi d'une personne, et je vous dirai qui elle est.» Les individualistes se gardent de tels stéréotypes et évitent de juger les gens d'après leur milieu ou leurs relations. «Chaque personne est unique, alors ils ne faut pas faire des présupposés fondés sur le sexe, la race ou le milieu.» Les individualistes ne sont pas dépourvus de préjugés, mais les leurs reposent le plus souvent sur des attributs personnels extérieurs, comme le charme physique (Dion et coll., 1990).

L'éducation des enfants

Dans les sociétés individualistes, les parents et les éducateurs enseignent aux enfants à être indépendants de corps et d'esprit. Les enfants et les adolescents décident de ce qu'ils mangent au restaurant, ouvrent leur courrier, choisissent eux-mêmes leurs amis et fixent leurs propres objectifs avant de quitter le nid familial. Les enseignants apprennent aux enfants à définir leurs propres valeurs. Devenus adultes, les jeunes individualistes poursuivent leurs propres rêves, échafaudent leurs propres projets et se séparent de leurs parents, qui, eux-mêmes, vivent séparés des grands-parents.

Le Québec a évidemment une culture de type occidental qui intègre les systèmes de valeurs et les modes de vie nord-américains et européens. Nous tenons cette culture pour acquise. Mais si vous viviez en Asie ou dans le Grand Nord canadien, un tel individualisme vous ferait grincer des dents. Vous seriez probablement uni à votre mère par un lien très étroit qui se serait noué dès votre naissance; votre mère vous aurait fait dormir avec elle, elle vous aurait lavé avec elle et elle vous aurait porté sur son dos pendant ses déplacements. Au lieu de laisser vos enfants former leur propre identité et choisir leurs propres valeurs, vous préféreriez sans doute leur enseigner l'attachement à la communauté et la coopération. Vous guideriez leurs choix ou vous feriez ces choix pour eux. Enfin, vous prendriez soin de vos parents âgés pour conserver l'intégrité de la famille élargie (Hui, 1990).

La communication interculturelle

Lorsque des personnes issues de cultures différentes se rencontrent, elles peuvent éviter bien des malentendus et des situations embarrassantes si elles sont sensibles à ce qui les différencie. Triandis et ses collègues (1988) donnent les conseils suivants aux individualistes qui visitent des sociétés collectivistes:

§ Évitez la confrontation.
§ Cultivez les relations durables sans vous attendre à une intimité immédiate.

117

- Présentez-vous modestement.
- Tenez compte de la position hiérarchique des gens.
- Faites connaître aux gens votre position sociale.

Inversement, les collectivistes qui visitent des sociétés individualistes devraient savoir qu'ils sont plus libres que chez eux de présenter les comportements suivants:

- Formuler des critiques.
- Aller droit au but.
- Révéler ses talents et ses réalisations.
- Accorder plus d'attention aux attitudes personnelles qu'à l'appartenance à un groupe et à la position occupée.

Chaque culture offre des avantages à ses membres. Dans les sociétés individualistes et compétitives, les gens jouissent d'une grande liberté, s'enorgueillissent de leurs réalisations, bénéficient de beaucoup d'intimité, laissent s'exprimer leur spontanéité et choisissent à leur gré leur mode de vie. Mais ces avantages ont un prix: on y trouve plus de solitude, de divorces, d'homicides et de maladies reliées au stress (Triandis et coll., 1988).

Une différence liée au sexe: l'indépendance ou l'interdépendance

De même que l'individualisme et le collectivisme sont tributaires de la culture, l'indépendance et l'interdépendance sociales sont fonction du sexe. Certes, il existe des différences individuelles à l'intérieur d'un même groupe, qu'il s'agisse d'une culture ou d'un sexe. Ces différences sont généralement plus importantes que celles qu'on identifie entre les groupes. Les psychologues Nancy Chodorow (1978, 1989), Jean Baker Miller (1986) et Carol Gilligan (1982, 1990) ne le nient pas, mais elles avancent que les femmes plus que les hommes donnent la priorité aux relations interpersonnelles.

La différence apparaît pendant l'enfance. Les garçons, en effet, sont avides d'indépendance; ils définissent leur identité en se séparant de la personne qui prend soin d'eux, la mère généralement. Les filles, elles, penchent pour l'interdépendance; elles définissent leur identité au moyen de leurs liens sociaux. Les garçons jouent beaucoup en grand groupe, tandis que les filles préfèrent les jeux en petit groupe qui supposent un faible degré d'agression, un partage, une imitation des relations et des discussions intimes (Lever, 1978). Cette différence continue à marquer les relations adultes. Dans les conversations, les hommes mettent l'accent sur les tâches, et les femmes, sur les relations. Dans les groupes, les hommes adoptent des comportements centrés sur la tâche, comme la diffusion d'information; les femmes présentent des comportements de type socio-affectif, comme l'aide et le soutien (Eagly, 1987). Les femmes consacrent plus de temps que les hommes aux soins des enfants d'âge préscolaire et des parents âgés (Eagly et Crowley, 1986). Ce sont elles qui achètent la plupart des cadeaux d'anniversaire et des cartes de souhaits (DeStefano et Colasanto, 1990; Hallmark, 1990). En Amérique du Nord, les femmes sont plus nombreuses que les hommes dans les carrières axées sur l'apport de soins, tels le travail social, l'enseignement primaire et les soins infirmiers. Parmi les étudiants de première année à l'université, 5 hommes sur 10 et 7 femmes sur 10 disent qu'il est *très* important «d'aider les gens en difficulté» (Astin et coll., 1991).

Empathie
Capacité de vivre les sentiments qu'éprouve une autre personne, de se mettre à la place de l'autre.

Lorsqu'elles font l'objet d'enquêtes, les femmes sont beaucoup plus susceptibles que les hommes d'affirmer qu'elles ont de l'**empathie**; autrement dit, elles se sentent capables de ressentir ce qu'un autre ressent, de se réjouir avec ceux qui se réjouissent et de pleurer avec ceux qui pleurent. Dans une moindre mesure, cette empathie se transpose dans les études de laboratoire; là, les femmes sont plus nombreuses que les hommes à pleurer ou à exprimer la détresse que leur inspire la détresse d'une autre personne (Eisenberg et Lennon, 1983). Si on leur montre des diapositives ou qu'on leur raconte des histoires, les filles aussi réagissent avec plus d'empathie que les garçons (Hunt, 1990). C'est en partie à cause de cette capacité supérieure d'empathie que l'amitié avec une femme est considérée tant par les hommes que par les femmes comme plus intime, plus plaisante et plus chaleureuse que l'amitié avec un homme (Rubin, 1985; Sapadin, 1988). Lorsque les hommes et les femmes ont besoin d'empathie et de compréhension, lorsqu'ils cherchent quelqu'un avec qui partager leurs joies et leurs chagrins, c'est généralement vers une femme qu'ils se tournent.

L'interdépendance des femmes s'exprime aussi dans leur sourire. Marianne LaFrance (1985) a analysé les photos contenues dans 9000 albums de fin d'études et constaté que les femmes étaient plus nombreuses que les hommes à sourire. Amy Halberstadt et Martha Saitta (1987) parvinrent au même résultat en étudiant 1100 photos tirées de revues et de journaux et 1300 passants dans des centres commerciaux, des parcs et des rues.

Comment peut-on expliquer de telles différences?

La différence d'empathie entre les hommes et les femmes s'explique notamment par l'habileté des femmes à saisir les émotions. Hall (1984) a analysé 125 études portant sur la sensibilité aux indices non verbaux. Elle s'est aperçue que les femmes décodent mieux que les hommes les messages émotionnels des autres. Ainsi, devant un film muet de deux secondes montrant le visage d'une femme soucieuse, les femmes déterminent plus exactement que les hommes si le personnage est en colère ou s'il discute de son divorce. De même, selon Hall, les femmes sont plus habiles que les hommes en matière d'expression non verbale des émotions.

Qu'on les classe comme des traits féminins ou comme des traits humains, les qualités comme la douceur, la sensibilité et la chaleur sont des atouts dans les relations intimes. Lors d'une étude menée à Sydney, en Australie, auprès de 108 couples mariés, John Antill (1983) a découvert que la satisfaction conjugale augmentait quand l'un des deux conjoints (ou, mieux, les *deux*) possédait ces qualités dites «féminines». Les hommes et les femmes trouvent le mariage gratifiant lorsque leur compagne ou leur compagnon de vie est capable de sensibilité et de dévouement.

119

Le communautarisme: liberté, égalité et fraternité...

On observe une convergence entre la recherche portant sur les différences entre les sexes en matière de relations sociales et la recherche transculturelle axée sur les valeurs collectivistes. Toutes deux nous rappellent qu'il existe des solutions de rechange à l'individualisme et à la quête du pouvoir personnel. À la lumière de ces résultats, les psychologues sociaux Hazel Markus et Shinobu Kitayama (1991) proposent une nouvelle définition de la dépendance: «Être dépendant, cela ne signifie pas nécessairement qu'on est démuni, impuissant et passif. Cela signifie souvent qu'on est *inter*dépendant.» Cela signifie qu'on accorde de la valeur aux relations intimes, qu'on est sensible aux autres, qu'on donne et qu'on reçoit du soutien. Cela signifie qu'on se définit non seulement comme un être unique mais aussi comme un être loyalement attaché à des personnes chères.

Dans le but de tirer le meilleur des valeurs individualistes et collectivistes, certains spécialistes des sciences sociales étudient actuellement une troisième voie: le **communautarisme**. Cette synthèse, croient-ils, pourrait réaliser l'équilibre entre les droits individuels et le droit collectif au bien-être. Les communautaristes approuvent les incitations à l'initiative personnelle et ils connaissent les facteurs qui ont causé l'écroulement des économies marxistes en Europe de l'Est et dans l'ancienne Union soviétique. Mais les communautaristes critiquent aussi l'autre extrême, c'est-à-dire l'individualisme et le laisser-aller qui, en Amérique du Nord, ont marqué les années 60 (décennie de la libération), les années 70 (décennie du «moi») et les années 80 (décennie de la cupidité). La liberté personnelle sans limite, selon eux, détruit le tissu social; et, ajoutent-ils, la liberté commerciale absolue ravage l'environnement qui, pourtant, appartient à tout le monde. Les communautaristes pourraient fort bien calquer leur devise sur celle que la Révolution française donna à la République: liberté, égalité *et* fraternité.

Au cours des 50 dernières années, l'individualisme occidental s'est intensifié. Plus que jamais, les parents cultivent l'indépendance et l'autonomie chez les enfants; l'obéissance leur importe moins qu'autrefois (Alwin, 1990; Remley, 1988). Les façons de s'habiller et de se coiffer se sont diversifiées, les libertés individuelles se sont accrues et les valeurs traditionnelles ont disparu (Schlesinger, 1991). Mais tels ne sont pas les seuls indicateurs de la récession sociale. Aux États-Unis, par exemple, depuis 1960:

- Le taux de divorce a doublé; et la satisfaction conjugale a légèrement diminué chez les gens non divorcés (Glenn, 1990, 1991).
- Le pourcentage de naissances à l'extérieur du mariage a quintuplé (il est passé de 5 pour cent à 28 pour cent); dans bien des cas, ces naissances destinent tant la mère que l'enfant à des études écourtées et à la pauvreté.
- La proportion d'enfants vivant sans l'un de leurs parents est passée de 1 sur 10 à près de 3 sur 10. Bien que les enfants élevés par un parent dévoué et consciencieux deviennent généralement des adultes mûrs et productifs, la situation familiale a de l'importance. En effet, les enfants issus de familles monoparentales sont plus sujets aux problèmes scolaires, à la délinquance et aux difficultés d'adaptation. Les psychologues du développement Edward Zigler et Elizabeth Gilman (1990) indiquent à ce propos qu'un nouveau «consensus» ras-

Communautarisme
Tentative de synthèse de l'individualisme (respect des droits individuels fondamentaux) et du collectivisme (promotion du bien-être de la famille et de la communauté).

semble les chercheurs qui s'intéressent à l'enfant et à la famille: «Il y a 30 ans que l'on surveille les indicateurs du bien-être de l'enfant. Jamais au cours de cette période ces indicateurs n'ont-ils été aussi sombres qu'aujourd'hui.»

La fréquence connue des viols – qui n'est que la partie visible de l'iceberg en matière de coercition sexuelle –, a quadruplé. Considérant les taux de dénonciation des crimes chez les femmes et l'augmentation des déclarations de viol par des femmes jeunes, il semble que les femmes soient de plus en plus vulnérables à l'agression sexuelle. L'augmentation des viols s'accompagne d'une multiplication d'autres formes de violence sociale. Ainsi, le taux de crimes violents a quintuplé. (Le viol, cependant, est un problème mondial.)

Mais ne nous emportons pas. Premièrement, les tendances que nous venons d'énumérer ont des causes multiples. Deuxièmement, rappelons que la corrélation entre l'augmentation de l'individualisme et la diminution de la santé sociale ne constitue pas nécessairement une relation de cause à effet. Troisièmement, les communautaristes ne prêchent pas un retour en arrière; ils n'ont pas, par exemple, la nostalgie des rôles sexuels inégaux et restrictifs des années 50. Ils proposent plutôt un compromis entre l'individualisme de l'Occident et le collectivisme de l'Orient, entre l'indépendance machiste traditionnellement associée aux hommes et l'interdépendance altruiste traditionnellement associée aux femmes, entre les droits individuels et le bien-être collectif, entre la liberté et la fraternité, entre le «je» et le «nous».

L'amalgame communautariste des valeurs individualistes et collectivistes se manifeste déjà dans certaines sociétés occidentales. En Grande-Bretagne, par exemple, on tente de renforcer les incitations à l'individualisme qu'offre une économie de marché, en même temps qu'on restreint les droits individuels en matière de possession d'armes à feu. Au Canada, le gouvernement est ouvert à la diversité culturelle, en même temps qu'il restreint la pornographie violente et la possession d'armes à feu.

Fouilles des bagages dans les aéroports. Interdiction de fumer dans les avions. Limites de vitesse et contrôle de l'alcoolémie sur les routes. Les sociétés limitent les droits individuels pour assurer le bien commun. Lutte contre la pollution, contre la chasse aux baleines, contre la déforestation. Dans le domaine de l'environnement, aussi, nous devons troquer quelques libertés à court terme contre un bénéfice collectif à long terme. Certains individualistes craignent que les limites imposées aux libertés individuelles ne nous conduisent insensiblement à la négation de libertés fondamentales. Si, aujourd'hui, nous les laissons fouiller nos bagages, qui nous dit qu'il ne viendront pas demain frapper à notre porte? Si, aujourd'hui, ils censurent la publicité sur le tabac et la violence sexuelle à la télévision, qui nous dit qu'ils ne viendront pas demain saisir les livres dans nos bibliothèques? Si, aujourd'hui, ils interdisent les armes de poing, qui nous dit qu'ils ne viendront pas demain nous enlever nos fusils de chasse? En veillant aux intérêts de la majorité, ne risquons-nous pas de supprimer les droits fondamentaux des minorités? Les communautaristes rétorquent que, faute de trouver un équilibre entre les droits individuels et le bien-être collectif, nous nous exposons à un désordre social encore pire et, dans la foulée de ces problèmes, à l'avènement de l'autocratie. Au fur et à mesure que s'échauffe le débat politique entre les tenants des droits individuels et les tenants des droits collectifs, la recherche qui porte sur les différences liées à la culture et au sexe fait apparaître de nouvelles valeurs culturelles et nous oblige à remettre les nôtres en question.

●Exercices et questions

Le module traitait des influences culturelles qui s'exercent sur le comportement. Ce sujet trouve des échos au Québec, car notre société, comme toutes les sociétés occidentales, est de plus en plus marquée par le multiculturalisme. Il nous amène aussi à nous questionner sur la manière dont nous pouvons conserver notre identité. À quels genres de problèmes font face les immigrants qui s'établissent au Québec? Les valeurs diffèrent-elles d'un groupe ethnique à l'autre? Et pourquoi les membres des groupes ethniques autres que le nôtre nous paraissent-ils se ressembler tous?

1. L'individualisme, le désir de soutien de la part des pairs et l'attachement familial varient-ils entre les enfants d'origine italienne, canadienne-française et canadienne-anglaise?
2. Est-il difficile pour les réfugiés de s'adapter à la ville de Québec, même s'ils parlent français? Est-ce seulement une question de temps?
3. Trouvez-vous que les membres des groupes ethniques autres que le vôtre se ressemblent tous? Selon vous, pourquoi les Blancs ont-ils de la difficulté à distinguer les Asiatiques, et vice versa? Si la difficulté persiste en dépit de contacts entre les deux groupes, comment peut-on expliquer le phénomène?

1. Les enfants de différents groupes ethniques

Les études portant sur les enfants de moins de 10 ans révèlent habituellement que les enfants ont des tendances plus individualistes que collectivistes. Lortie-Lussier et Fellers (1991), de l'Université d'Ottawa, interrogèrent 116 enfants de 10 à 12 ans d'origine canadienne-anglaise, canadienne-française ou italienne vivant en Ontario, afin d'étudier différents aspects de leurs valeurs. Les chercheurs découvrirent que les enfants d'origine canadienne-anglaise étaient plus individualistes que ceux des deux autres groupes, que les enfants d'origine italienne cherchaient davantage à se faire accepter par leurs pairs et que les enfants d'origine canadienne-française étaient les plus axés sur la famille.

2. Les contacts et le stress chez des réfugiés africains vivant à Québec

Sylvie Dompierre et Marguerite Lavallée (1990), de l'Université Laval, étudièrent, chez 62 réfugiés africains adultes (venant principalement du Bénin, du Burundi et du Rwanda) vivant à Québec, le niveau de stress qu'ils éprouvaient et la quantité de contacts qu'ils avaient établis avec la société d'accueil. Les chercheuses constatèrent que le stress

atteignait son point culminant à l'arrivée des réfugiés et qu'il tendait à diminuer au cours des 12 mois suivants. Pendant la deuxième année, les contacts diminuaient et le stress augmentait. Durant la quatrième année, au contraire, les contacts se multipliaient et le stress s'atténuait.

3. La reconnaissance des visages entre les groupes ethniques

Wei-Jen Ng et Rod Lindsay (1994), de l'université Queens, en Ontario, firent une recherche auprès d'étudiants d'origine canadienne-anglaise et d'étudiants d'origine asiatique qui avaient peu de contacts les uns avec les autres. Les chercheurs demandèrent aux Blancs de reconnaître des visages d'Asiatiques et aux Asiatiques de reconnaître des visages de Blancs. Les étudiants, quelle que fût leur origine ethnique, commirent beaucoup d'erreurs. Les chercheurs répétèrent leur étude à Singapour; ils découvrirent que les Blancs et les Asiatiques, qui avaient pourtant beaucoup plus de contacts à Singapour qu'au Canada, avaient encore énormément de difficulté à effectuer une reconnaissance de visages. Autrement dit, l'hypothèse du manque de contacts ne suffisait pas à expliquer pourquoi les membres d'un groupe jugeaient que les membres de l'autre se ressemblaient tous.

Les rôles sexuels et les gènes

La diversité humaine s'exprime d'une infinité de façons. La taille, la masse et la couleur des cheveux sont quelques-uns de nos traits variables les plus visibles. Or, en matière de concept de soi et de relations sociales, les deux dimensions qui revêtent le plus d'importance sont la race, et surtout le sexe. Plus loin, nous verrons comment ces dimensions influent sur la façon dont les autres nous considèrent et nous traitent. Pour l'instant, intéressons-nous aux comportements dits spécifiques aux hommes et aux femmes. Demandons-nous quels comportements sont *vraiment* caractéristiques des hommes et des femmes et lesquels sont exigés d'eux.

Les hommes et les femmes se ressemblent non seulement sur le plan physique (par exemple, âge où ils se tiennent assis, percent leurs dents et font leurs premiers pas), mais aussi sur le plan psychologique (vocabulaire, intelligence et recherche du bonheur). Pourtant, ce sont leurs rares différences qui attirent notre attention et qui font la manchette. Les femmes sont deux fois plus vulnérables que les hommes aux troubles anxieux et à la dépression, mais cinq fois moins à l'alcoolisme et trois fois moins au suicide. L'odorat des femmes est légèrement plus développé que celui des hommes. La capacité d'excitation après l'orgasme est plus grande chez les femmes que chez les hommes. Les femmes sont beaucoup moins sujettes que les hommes à souffrir d'hyperactivité et de troubles de l'élocution pendant l'enfance, et de troubles de la personnalité antisociale à l'âge adulte. Enfin, les femmes accordent plus d'importance que les hommes aux relations humaines.

Au cours des années 70, de nombreux experts et chercheurs craignaient que les études centrées sur les différences entre les sexes ne renforcent les stéréotypes et ne portent préjudice aux femmes. L'attention accordée aux différences entre les sexes, croyaient-ils, était une arme qui allait se retourner contre les femmes (Bernard, 1975, p. 13). Il est vrai, aussi, que l'étude des différences est généralement axée sur le groupe qui est perçu comme différent de la norme (Miller et coll., 1991). On s'interroge plus fréquemment sur les causes de l'homosexualité que sur celles de l'hétérosexualité (ou sur les déterminants de l'orientation sexuelle). On se demande pourquoi les étudiants d'origine asiatique excellent si souvent en mathématiques et en sciences, mais on ne cherche pas à savoir pourquoi d'autres groupes sont moins doués pour ces disciplines. Dans chaque cas, les gens définissent la norme en fonction de leur propre groupe et se demandent sur quoi se fonde la différence qu'ils ont observée. Or, de la perception de l'autre comme «différent» à sa représentation comme «déviant» ou comme un individu dont le rendement est «inférieur» aux normes, il n'y a qu'un pas.

Depuis les années 80, les experts et les chercheurs se sentent plus libres d'étudier la diversité liée au sexe (Ashmore, 1990). Certains ont avancé que cette recherche a atténué les stéréotypes et «favorisé la cause de l'égalité des sexes» et que nous sommes maintenant capables d'accepter et d'apprécier les différences entre les sexes (Eagly, 1986). Les deux sexes, comme les deux côtés d'une médaille, peuvent être différents et néanmoins égaux. À titre d'exemple, étudions un des aspects de cette diversité, puis demandons-nous quelles en sont les causes.

●La dominance sociale: s'exprimer comme un homme

Partout dans le monde, dans les sociétés modernes comme dans les sociétés traditionnelles, en Asie comme en Europe, on s'attend à ce que les hommes soient plus dominants et plus résolus que les femmes; en outre, on les perçoit comme tels (Williams et Best, 1990a). Et dans pratiquement toutes les sociétés, ce sont les hommes qui dominent. Ils représentent 93 pour cent des législateurs dans le monde (Harper's, 1989). Aux États-Unis, ils représentent 50 pour cent des jurés mais 90 pour cent des présidents de jurys élus et la majorité des chefs de groupes de laboratoire *ad hoc* (groupes dont les membres ne se connaissent pas avant l'expérience et qui se structurent spontanément) (Davis et Gilbert, 1989; Kerr et coll., 1982). Et ce sont principalement les hommes qui lancent les invitations à des rendez-vous galants, ce qui constitue un comportement typique des individus qui occupent une position supérieure.

Le mode de communication utilisé par les hommes traduit leur pouvoir social. Dans les situations où les rôles ne sont pas définis avec rigidité, les hommes tendent à exercer un leadership directif et les femmes, un leadership démocratique (Eagly et Johnson, 1990). Lorsqu'ils exercent des fonctions de leadership, les hommes se centrent sur la tâche, tandis que les femmes cultivent l'esprit d'équipe (Eagly et Karau, 1991; Wood et Rhodes, 1991). Dans la conversation courante, les hommes adoptent le comportement des gens puissants: ils parlent avec assurance, interrompent leurs interlocuteurs, les touchent de la main, les fixent et leur sourient peu (Ellyson et coll., 1991; Carli, 1991; Major et coll., 1990). Pour exprimer ces résultats dans une perspective féminine, l'on dirait que le style des femmes (particulièrement dans les groupes mixtes) est moins direct: elles ont moins tendance à couper la parole à leurs interlocuteurs, elles sont plus sensibles, plus polies et moins frondeuses.

Ces résultats ont poussé Nancy Henley (1977) à affirmer que les femmes devraient cesser d'esquisser des sourires forcés, de détourner le regard et de tolérer les interruptions et qu'elles devraient plutôt regarder les gens dans les yeux et s'exprimer avec aplomb. Judith Hall (1984), quant à elle, apprécie le style de communication propre aux femmes et, par conséquent, s'objecte à l'idée que:

[...] les femmes devraient renoncer à leur style non verbal afin de paraître plus distantes et plus insensibles. [...] Elles sacrifieraient ainsi la valeur personnelle et sociale d'un style comportemental adapté, avisé et propice aux interactions constructives, à la compréhension et à la confiance. [...] Chaque fois qu'on suppose que le comportement non verbal des femmes est indésirable, on perpétue un autre mythe: celui qui veut que le comportement masculin soit «normal» et que le comportement féminin soit déviant et nécessite des explications (p. 152-153).

Avant d'accréditer l'idée de l'existence d'une différence quelconque entre la femme *moyenne* et l'homme *moyen*, il faut se rappeler que les différences observées entre les personnes de même sexe sont bien plus importantes encore. Il est vrai que l'espérance de vie n'est pas la même pour les hommes et les femmes, mais l'âge au décès varie beaucoup plus parmi les hommes et parmi les femmes. En outre, décrire les différences entre les sexes ne permet pas de les justifier ni de les expliquer. Mais alors, comment peut-on les expliquer?

⬤ Les variations des rôles sexuels

Le monde entier est un plateau de théâtre et tous les hommes et toutes les femmes ne sont que les personnages de la pièce. Ils font leurs entrées, leurs sorties et chaque homme y joue plusieurs rôles.

William Shakespeare

À l'instar de Shakespeare, les théoriciens des rôles comparent la vie sociale à une scène, avec ses décors, ses masques et ses répliques. Comme le rôle de Jacques, le personnage de *Comme il vous plaira* qui prononce la tirade placée en exergue, les rôles sociaux (ceux de parent, d'étudiant et d'ami) survivent à ceux qui les incarnent. Et, comme le dit Jacques, ces rôles laissent aux acteurs une certaine liberté d'interprétation. Cependant, quelques aspects du rôle sont *essentiels*. Un étudiant doit au moins se présenter aux examens, remettre ses travaux et conserver la moyenne minimale.

Lorsque les obligations associées à une position sociale sont très peu nombreuses, nous ne considérons pas la position comme un rôle social. Mais l'existence d'une série d'obligations détermine un **rôle**. Il me serait facile de faire la longue énumération des activités qui me sont prescrites en tant que professeur et en tant que père. Bien que je puisse me démarquer un tantinet en refusant de respecter les exigences les moins importantes (j'arrive quelquefois en classe avec quelques minutes de retard), transgresser mes principales obligations (négliger de donner mes cours, maltraiter mes enfants) serait perçu comme un manquement grave à mon rôle.

Rôle
Ensemble d'attentes (normes) définissant le comportement approprié dans une position sociale donnée.

125

La force des exigences culturelles transparaît dans l'idée que nous nous faisons du comportement qui est approprié aux hommes et aux femmes. Même dans les couples nord-américains contemporains formés de deux personnes qui travaillent à l'extérieur, les hommes font la majeure partie du bricolage et les femmes s'occupent du soin des enfants (Biernat et Wortman, 1991). Les normes comportementales de cet ordre forment les **rôles sexuels**.

Au cours d'une expérience à laquelle participaient des étudiantes de premier cycle de l'université Princeton, Mark Zanna et Susan Pack (1975) ont démontré l'effet des attentes reliées au rôle sexuel. Les étudiantes remplirent un questionnaire dans lequel elles se décrivaient à un étudiant plus âgé qu'elles, de grande taille et célibataire qu'elles s'attendaient à rencontrer. Les chercheurs firent croire à certaines des femmes que l'homme recherchait une épouse qui resterait au foyer et qui se soumettrait à son mari. Ils firent croire aux autres que l'homme aimait les femmes fortes et ambitieuses. Les premières plus que les secondes donnèrent d'elles-mêmes l'image de femmes traditionnelles. En outre, les femmes qui s'attendaient à rencontrer un homme non sexiste mirent plus en évidence leur intelligence: elles résolurent 18 pour cent plus de problèmes que les femmes qui s'attendaient à rencontrer un homme traditionaliste. Les chercheurs firent la même expérience en disant cette fois aux étudiantes qu'elles allaient rencontrer un étudiant de première année, de petite taille et déjà fiancé. L'adaptation aux préférences de l'homme fut beaucoup moins prononcée.

Les rôles sexuels ne font-ils que traduire le comportement qui est naturellement approprié aux hommes et aux femmes? Les variations des rôles sexuels à travers le temps et les cultures montrent que c'est en fait la culture qui façonne les rôles sexuels.

Rôle sexuel

Ensemble d'attentes comportementales propres aux hommes et aux femmes.

Les rôles sexuels: variations culturelles

Les femmes devraient-elles s'acquitter des tâches ménagères? Devraient-elles promouvoir davantage la carrière de leur mari que la leur? John Williams, Debra Best et leurs collaborateurs (1990b) ont posé ces questions à des étudiants d'université provenant de 14 groupes culturels différents. Presque partout, les opinions des étudiantes étaient légèrement plus égalitaires que celles de leurs camarades masculins. Les différences étaient bien plus marquées en fonction du pays d'origine des étudiants. Par exemple, les conceptions des étudiants nigériens et pakistanais en matière de rôles sexuels étaient beaucoup plus traditionnelles que celles des étudiants néerlandais et allemands. Iftikhar Hassan (1980), de l'Institut national de psychologie du Pakistan, décrit la situation traditionnelle de la Pakistanaise:

Elle sait que ses parents sont mécontents d'avoir eu une fille. Elle ne doit pas se plaindre qu'ils ne l'envoient pas à l'école. Elle ne doit pas chercher de travail. On lui enseigne à faire preuve de patience, à se sacrifier, à obéir. [...] Si son mariage bat de l'aile, elle est la seule à blâmer. Si l'un de ses enfants ne réussit pas dans la vie, elle est la cause principale de son échec. Et, dans les rares cas où elle demande ou obtient le divorce, ses chances de se remarier sont minimes, car la société pakistanaise se montre très dure envers les femmes divorcées[1].

---

1. Il est donc d'autant plus exceptionnel qu'une femme, Benazir Bhutto, ait dirigé le gouvernement pakistanais à la fin des années 80 et de 1993 à 1996. Il est vrai qu'elle est la fille d'Ali Bhutto, président et premier ministre renversé et qui fut exécuté en 1978.

Les divergences d'opinions en matière de rôles sexuels se matérialisent dans le comportement. Dans les années 80, les femmes représentaient, aux États-Unis, 3 pour cent des cadres supérieurs des 1000 plus grandes sociétés, 4 pour cent des Marines, 97 pour cent des membres de la profession infirmière et 99 pour cent des secrétaires (Castro, 1990; Saltzman, 1991; Williams, 1989). Partout dans le monde, les filles consacrent plus de temps que les garçons aux tâches ménagères et aux soins des enfants, tandis que les garçons consacrent plus de temps que les filles aux jeux libres (Edwards, 1991). Certains pays ont du rôle des garçons et de celui des filles des conceptions radicalement différentes. Dans les régions rurales du centre de l'Inde, par exemple, les filles passent les deux tiers de leur temps à accomplir des tâches ménagères, tandis que leurs frères passent les deux tiers du leur à jouer[2] (Sarawathi et Dutta, 1988).

Les rôles sexuels: variations dans le temps

Au cours des 50 dernières années, ce qui constitue une brève tranche de vie dans la longue histoire de l'humanité, les rôles sexuels ont profondément changé. En effet, 1 Nord-Américain sur 5 admettait, en 1938, «qu'une femme mariée ait un emploi rémunéré dans les affaires ou dans l'industrie si son mari est capable de pourvoir à ses besoins». Or, à la fin des années 80, la proportion était passée à 4 sur 5 (Niemi et coll., 1989). Néanmoins, près de 2 Nord-Américains sur 3 estiment encore que «la situation familiale idéale» pour les enfants est représentée par «un père qui travaille et une mère qui reste à la maison et qui prend soin d'eux» (Gallup, 1990). En 1967, les étudiants de première année d'université pensaient dans une proportion de 57 pour cent que «les activités d'une femme mariée devraient se limiter au foyer et à la famille». En 1990, la proportion était tombée à 25 pour cent (Astin et coll., 1987a, 1991).

Le changement d'attitude qu'on a pu mettre en évidence s'est accompagné d'un changement de comportement. De 1960 à 1990, la proportion d'Américaines occupant un emploi est passée de 1 sur 3 à près de 3 sur 5. De 1965 à 1985, le nombre d'heures consacrées aux tâches ménagères a graduellement diminué chez les femmes et augmenté chez les hommes; la proportion des travaux ménagers accomplis par les hommes est ainsi passée de 15 pour cent à 33 pour cent (Robinson, 1988). Mais, en ce qui a trait à l'ampleur du phénomène, on se doit de souligner que, même si on trouve des hommes debout devant la cuisinière ou penchés au-dessus de la machine à laver, les différences culturelles demeurent considérables. Au Japon, les maris consacrent 4 heures par semaine aux travaux ménagers; leurs homologues suédois en consacrent 18 (Juster et Stafford, 1991).

● La culture ou la biologie?

Jusqu'ici, nous avons souligné les ressemblances biologiques entre les êtres humains. Nous avons reconnu l'existence de

---

2. Ces résultats contredisent les tendances relatives à l'indépendance et à l'interdépendance des humains qui sont rapportées dans le module précédent.

la diversité sociale. Nous avons aussi démontré que les rôles varient en fonction de la culture et que les cultures se modifient avec le temps. Il ne faudrait pas perdre de vue que la psychologie sociale, comme toute science, a pour objectif premier non pas de répertorier les différences, mais de dégager les principes universels du comportement. Nous aspirons, comme l'a dit le psychologue transculturel Walter Lonner (1989), à «une psychologie universaliste, à une psychologie qui ait la même validité et la même signification à Omaha, à Osaka, à Rome et au Botswana». Les attitudes et les comportements varieront toujours selon la culture, mais les mécanismes par lesquels les attitudes influent sur le comportement apparaissent beaucoup plus constants. Les Nigériens et les Japonais ne définissent pas les rôles sexuels de la même façon que les Européens et les Nord-Américains. Cependant, dans toutes les sociétés, les attentes liées aux rôles déterminent les relations sociales. L'écrivain anglais G.K. Chesterton l'avait pressenti il y a un siècle en affirmant en substance: «Lorsque quelqu'un aura découvert pourquoi les hommes de Bond Street portent des chapeaux noirs, il aura découvert du même coup pourquoi les hommes de Tombouctou portent des plumes rouges.»

Pour étudier les interactions entre la biologie et la culture, examinons deux autres aspects qui différencient les sexes: l'agression physique et l'initiative sexuelle.

En psychologie, le mot **agression** désigne un comportement adopté dans l'intention de blesser. Dans le monde entier, la chasse, les combats et la guerre sont des activités essentiellement masculines. Les enquêtes révèlent que les hommes ont, plus souvent que les femmes, recours à l'agression. Dans les expériences de laboratoire, en effet, les hommes présentent davantage d'agressivité physique; ainsi, ils donnent ce qu'ils croient être des secousses électriques douloureuses (Eagly et Steffen, 1986; Hyde, 1986). Aux États-Unis, la police arrête huit fois plus d'hommes que de femmes pour des crimes violents. La tendance, du reste, s'observe dans toutes les sociétés qui tiennent des statistiques sur la criminalité (Kenrick, 1987).

Bien que les hommes et les femmes aient «plus de ressemblances que de différences» (Griffitt, 1987) au chapitre des réponses physiologiques et subjectives aux stimuli sexuels, ils diffèrent en matière d'attitudes sexuelles. Selon Susan Hendrick et ses collègues (1985), de nombreuses études, y compris les leurs, révèlent que, face aux aventures sexuelles, les femmes ont en moyenne des attitudes «modérément conservatrices», tandis que les hommes ont des attitudes «modérément permissives». Cette divergence fut attestée par une enquête que mena récemment l'American Council on Education auprès d'un quart de million d'étudiants de première année d'université. Soixante-six pour cent des hommes, mais seulement 39 pour cent des femmes, se dirent d'accord avec l'énoncé suivant: «Si deux personnes se plaisent vraiment, il est acceptable qu'elles aient des relations sexuelles, même si elles ne se connaissent que depuis très peu de temps» (Astin et coll., 1991).

La disparité entre les sexes en matière d'attitudes sexuelles se transpose sur le plan du comportement. Marshall Segal et ses collègues psychologues transculturels (1990, p. 244) affirment: «Partout dans le monde, à de rares exceptions près, les hommes prennent l'initiative de l'activité sexuelle plus souvent que ne le font les femmes.» En outre, chez les personnes hétérosexuelles comme chez les personnes homosexuelles, mais particulièrement chez ces dernières, les hommes sans attaches stables ont plus de relations sexuelles avec un plus grand nombre de partenaires que les femmes qui n'ont pas de relations durables (Baumeister, 1991,

Agression
Comportement physique ou verbal qui vise à blesser quelqu'un. Dans les expériences de laboratoire, les sujets manifestent de l'agression en administrant des chocs électriques ou en tenant des propos désobligeants à l'endroit d'un autre individu. D'après la définition que la psychologie sociale donne de l'agression, on peut s'affirmer socialement sans exprimer de l'agressivité.

p. 151). Dans la plupart des espèces animales, de même, les mâles ont un comportement sexuel plus résolu et moins sélectif que celui des femelles (Hinde, 1984). Les hommes prennent, plus souvent que les femmes, non seulement l'initiative des rapports sexuels, mais aussi celle des fréquentations et des rapports physiques (Hendrick, 1988; Kenrick, 1987). Pour expliquer les rôles sexuels et élucider ces différences entre les sexes en matière d'agression et d'initiative sexuelle, les chercheurs en psychologie traquent, à la manière de détectives, deux suspects: la biologie et la culture.

La biologie

«Selon vous, quel est le principal facteur expliquant que les hommes et les femmes ont des personnalités, des aptitudes et des champs d'intérêt différents? Est-ce l'éducation ou la biologie?» Telle est la question que posèrent les sondeurs de la maison Gallup (1990) lors d'une enquête nationale réalisée aux États-Unis. Les réponses de 99 pour cent des gens (qui, apparemment, n'ont pas contesté les prémisses de la question) se répartirent à parts presque égales entre l'éducation et la biologie.

Il existe, bien entendu, des différences biologiques marquées entre les sexes. Les hommes ont un pénis et les femmes, un vagin. Les hommes produisent des spermatozoïdes et les femmes, des ovules. Les hommes ont une masse musculaire qui leur permet de chasser à la lance; les femmes ont des seins qui leur permettent d'allaiter. Les différences biologiques entre les sexes se limitent-elles à la constitution physique et à l'appareil génital? N'y aurait-il pas aussi entre les hommes et les femmes des différences génétiques et hormonales susceptibles d'expliquer leurs divergences comportementales? Depuis quelque temps, les spécialistes des sciences sociales se penchent avec un intérêt croissant sur les déterminants biologiques du comportement social.

L'évolution des sexes: faire ce qui nous vient tout «naturellement»

Depuis que le naturaliste anglais Darwin a publié sa théorie de la sélection naturelle, en 1859, la plupart des biologistes admettent que les organismes luttent pour survivre et laisser une descendance. Au cours de l'évolution, les gènes qui favorisaient les chances de survie et de reproduction se sont répandus. Chez l'ours polaire, par exemple, les gènes qui codent l'apparition d'une épaisse fourrure blanche ont prévalu et prédominent aujourd'hui.

Selon Darwin, les organismes qui ne réussissent pas à s'adapter à leur milieu disparaissent. Les organismes adaptés, en revanche, ont plus de chances que les autres de survivre et de transmettre leurs gènes. La **psychologie évolutionniste** étudie non pas seulement les caractères physiques, mais aussi les caractères psychologiques et les comportements sociaux qui favorisent l'adaptation et la survie (Buss, 1991).

La théorie de l'évolution propose une explication commode du comportement sexuel des hommes. L'homme moyen produit

Psychologie évolutionniste
Étude des effets de la sélection naturelle sur l'apparition de caractères et de comportements propices à l'adaptation.

129

plus de huit trillions de spermatozoïdes au cours de sa vie; selon la loi de l'offre et de la demande, comparativement à un ovule, un spermatozoïde est bon marché. Et pendant qu'une femme mène un fœtus à terme puis allaite l'enfant, un homme peut disséminer ses gènes en fécondant plusieurs femmes. C'est pourquoi les femmes dépensent leur capital reproductif avec circonspection et recherchent chez leurs partenaires des signes de santé et de richesse. Les hommes, pour leur part, font concurrence à leurs semblables pour assurer la perpétuation de leurs gènes. De plus, les hommes physiquement dominants ont eu un accès plus facile aux femmes, ce qui, au fil des générations, a accentué des caractères tels que l'agression et la domination chez leurs descendants de sexe masculin.

L'explication est-elle vraiment si simple?

Vous imaginez bien que ces processus sont pour la plupart inconscients. Personne ne s'arrête pour se demander: «Comment puis-je maximiser le nombre de gènes que je dissémine?» Selon les psychologues évolutionnistes, nos gènes tendent à se multiplier. Et cela, disent-ils, explique non seulement la domination et l'agression masculines, mais aussi les différences qui fondent les attitudes et les comportements sexuels des hommes et ceux des femmes. Bien que notre patrimoine génétique soit assez souple pour permettre les variations culturelles, des études réalisées dans 37 sociétés à travers le monde ont révélé que, partout, les hommes sont attirés par les femmes dont l'apparence de jeunesse évoque la fertilité. Partout également, les femmes sont attirées par les hommes dont la richesse, le pouvoir et l'ambition sont le gage de ressources suffisantes pour assurer la protection et l'éducation des enfants (Buss, 1989).

Sans contester le principe de la sélection naturelle (selon lequel la nature tend à sélectionner les caractères physiques et comportementaux propices à la survie des gènes), les détracteurs de la psychologie évolutionniste fondent leurs critiques sur deux arguments. Ils lui reprochent premièrement de partir d'un effet (comme la différence d'initiative sexuelle) et de l'expliquer rétrospectivement. Ils associent ce type de raisonnement au fonctionnalisme, théorie qui a eu cours en psychologie dans les années 20. «Pourquoi ce comportement se produit-il? Parce qu'il remplit telle ou telle fonction.» Le théoricien a peu de chances de perdre à ce jeu.

Pour éviter le biais rétrospectif (le phénomène du «je-le-savais» dont il a été question dans le module 2), on peut imaginer que les choses auraient pu tourner autrement. Essayons, pour voir. Si les mâles de l'espèce humaine n'avaient jamais d'aventures extraconjugales, ne trouverions-nous pas à cette fidélité un bien-fondé évolutif? Après tout, il faut plus que féconder une femme fertile pour amener une progéniture jusqu'à la maturité. Les hommes qui sont loyaux à leur partenaire et à leurs enfants sont plus aptes à assurer la survie de ces derniers et, par le fait même, la perpétuation de leurs gènes. (C'est là, justement, une explication évolutionniste donnée à la formation de couples stables chez l'être humain et chez certaines autres espèces dont la progéniture réclame un investissement parental considérable.) Imaginez aussi que les femmes forment le sexe le plus fort et le plus agressif physiquement. «Bien sûr! pourrait-on s'exclamer. C'est ainsi qu'elles peuvent protéger les petits.»

Les psychologues évolutionnistes répliquent que leur discipline est de plus en plus une science empirique qui vérifie des hypothèses à partir de l'observation du comportement animal, des variations culturelles ainsi que des mécanismes hormonaux et génétiques. De plus, rappellent-ils, l'étude de l'évolution nous indique seulement les comportements qui ont été efficaces *autrefois*, sans toutefois nous informer s'ils favorisent l'adaptation encore aujourd'hui.

Les critiques de la psychologie évolutionniste admettent que l'évolution contribue sans doute à expliquer nos ressemblances et nos différences, en ce sens qu'un certain degré de variation favorise la survie. Mais ils nient que notre patrimoine héréditaire commun suffise en lui-même à rendre compte de l'immense diversité des formes que prend le mariage (conjoint unique, succession de conjoints, polygamie, échange de conjoints, etc.). Ils ne croient pas non plus que notre ascendance commune explique les changements culturels qui ont marqué les comportements en quelques décennies seulement. Le plus important des caractères que la nature nous ait donné, semble-t-il, est la capacité d'adaptation, c'est-à-dire l'aptitude à apprendre et à changer. C'est là que l'influence de la culture se manifeste dans toute son ampleur.

Les hormones: un plan génétique

Les plans d'architecture se matérialisent dans les structures des bâtiments. Chez l'être humain, le plan génétique dicte la sécrétion d'hormones sexuelles qui différencient les hommes et les femmes. Dans quelle mesure les différences hormonales déterminent-elles les différences psychologiques?

Les nouveau-nés ont la capacité innée de téter, de serrer les doigts autour des objets et de pleurer. Les mères ont-elles aussi une capacité innée de réagir à ces signaux? Les tenants de l'approche biosociale, telle la sociologue Alice Rossi (1978), le pensent. Les comportements essentiels à la survie, et notamment l'attachement de la mère envers l'enfant qu'elle allaite, sont pour la plupart innés et universels. Les pleurs et la succion de l'enfant, par exemple, stimulent chez la mère la sécrétion d'ocytocine, hormone sexuelle qui cause aussi l'érection des mamelons lors de l'excitation sexuelle. Pendant la majeure partie de l'histoire humaine, le plaisir physique associé à l'allaitement a probablement contribué à tisser le lien entre la mère et l'enfant. Pour Rossi, par conséquent, il n'est pas étonnant que de nombreuses cultures exigent des hommes qu'ils soient des pères affectueux mais que *toutes* les cultures demandent aux femmes d'être très attachées à leurs jeunes enfants. Rossi ne s'est pas montrée surprise non plus des résultats d'une étude réalisée auprès de quelque 7000 passants dans un centre commercial de Seattle, dans l'État de Washington: les adolescentes et les jeunes femmes furent deux fois plus nombreuses que les hommes du même âge à s'arrêter pour regarder un bébé (Robinson et coll., 1979).

La différence entre les sexes en matière d'agression traduit l'influence d'une autre hormone, la *testostérone*. Chez divers animaux, l'administration de testostérone augmente l'agressivité. Les hommes qui ont commis des crimes violents présentent un taux de testostérone supérieur à la normale, et c'est également le cas des joueurs de la Ligue nationale de football (Dabbs et Morris, 1990). Chez l'être humain et chez le singe, la différence d'agressivité entre les sexes apparaît tôt au cours de la vie (avant que la culture n'ait exercé ses effets); elle s'atténue durant l'âge adulte, à mesure que décline le taux de testostérone. Pris isolément, aucun de ces faits n'est concluant. Considérés dans leur ensemble, cependant, ils persuadent la plupart des experts que les hormones sexuelles jouent un

rôle déterminant dans l'agressivité. Mais la culture exerce aussi une influence considérable en cette matière.

La biologie et la culture

Un curieux phénomène se produit au moment de la maturité. Les femmes gagnent de la confiance et de l'assurance; les hommes, pour leur part, deviennent plus empathiques et moins dominateurs (Lowenthal et coll., 1975; Pratt et coll., 1990). L'atténuation des différences sexuelles est due en partie à des changements hormonaux et en partie à une modification des obligations liées aux rôles. Certains chercheurs pensent que, pendant les fréquentations et les premières années de l'éducation des enfants, les attentes sociales poussent les hommes et les femmes à amplifier les caractères qui correspondent à leurs rôles respectifs. Pendant qu'ils font la cour à une femme, qu'ils subviennent aux besoins de la famille et qu'ils protègent leurs enfants, les hommes accentuent leur côté macho et négligent leur besoin d'interdépendance et de tendresse (Gutzmann, 1977). Les femmes, pendant cette même période, refrènent leur désir d'affirmation et d'indépendance. À mesure que les hommes et les femmes délaissent les rôles qu'ils ont assumés au début de l'âge adulte, ils expriment une part croissante des tendances jusque-là réprimées. Ils deviennent plus *androgynes*, c'est-à-dire qu'ils manifestent des caractères associés tant à la masculinité traditionnelle (comme l'affirmation de soi) qu'à la féminité traditionnelle (comme la tendresse).

Nous devons nous garder de croire que la biologie et la culture s'excluent mutuellement. Les attentes culturelles influent subtilement mais profondément sur nos attitudes et sur notre comportement. Cela ne signifie pas qu'elles soient indépendantes de la biologie. La culture, en effet, accentue souvent les prédispositions biologiques. Si les gènes et les hormones prédisposent les hommes à être plus agressifs physiquement que les femmes, la culture amplifie cette différence en enseignant la rudesse aux hommes et la douceur aux femmes.

La biologie et la culture sont aussi en interaction. Chez l'être humain, les caractères biologiques déterminent les réactions du milieu. Ainsi, les gens ne réagissent pas de la même manière à Sylvester Stallone et à Woody Allen. Les hommes, dont la taille est de 8 pour cent supérieure à celle des femmes et qui ont une proportion de masse musculaire deux fois plus grande que celle des femmes, ne vivent pas les mêmes expériences que les femmes (Kenrick, 1987). Prenons un autre exemple. Une norme culturelle très fortement ancrée veut que l'homme soit plus grand que sa partenaire. Dans une étude, seulement 1 couple sur 720 avait enfreint ce diktat (Gillis et Avis, 1980). Rétrospectivement, nous pouvons nous risquer à proposer une explication psychologique de ce phénomène: le fait d'être plus grand (et plus âgé) aide peut-être les hommes à perpétuer le pouvoir social qu'ils exercent sur les femmes. Nous pourrions aussi spéculer sur la valeur biologique de cette norme culturelle: si les gens choisissaient des partenaires de même taille qu'eux, les hommes grands et les femmes petites resteraient seuls. La biologie veut que les hommes soient plus grands que les femmes, et la culture veut qu'il en soit ainsi dans les couples. Alors, il se pourrait fort bien que la norme relative à la taille constitue un amalgame de la biologie *et* de la culture.

Dans un livre intitulé *Sex Differences in Social Behavior* (1987), Alice Eagly propose une théorie pour expliquer l'interaction de la biologie et de la culture (figure 12.1). Elle croit qu'une variété de facteurs, y compris les influences biologiques et la socialisation, favorisent une division du travail entre les sexes. À l'âge adulte, les différences entre les sexes en matière de comportement social ont pour causes immédiates les *rôles* issus de cette division du travail. Les hommes se retrouvent principalement dans les rôles qui exigent une puissance sociale et physique et les femmes, dans les rôles protecteurs. Chaque sexe tend à présenter les comportements attendus de ceux qui remplissent ces rôles et à modeler en conséquence ses habiletés et ses croyances. Bref, la biologie et la socialisation déterminent les rôles que nous jouons, et ces rôles exercent à leur tour une influence sur notre comportement.

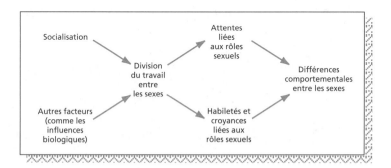

Figure 12.1

Théorie expliquant les différences entre les sexes en matière de comportement social. Diverses influences, y compris les expériences de l'enfance et des facteurs biologiques, poussent les hommes et les femmes à adopter des rôles différents. Ce sont les exigences ainsi que les habiletés et les croyances associées à ces rôles qui façonnent le comportement des hommes et celui des femmes. (Adapté de Eagly, 1987 et de Eagly et Wood, 1991.)

133

●Exercices et questions

Les hommes et les femmes diffèrent sur le plan du comportement social. Depuis la Révolution tranquille, les rôles sexuels se sont peut-être assouplis mais, pour le meilleur ou pour le pire, ils sont restés essentiellement les mêmes. Avant de lire les résultats des études qui suivent, tentez de répondre à ces questions. Vos réflexions vous permettront de mieux évaluer les résultats.

1. Est-il encore vrai que, dans les relations sociales, les hommes cherchent à dominer et les femmes, à établir des rapports amicaux?
2. La manière de vivre notre identité sexuelle a-t-elle une influence sur notre bonheur?
3. L'anxiété liée à l'apparence est-elle plus forte chez les femmes que chez les hommes?

1. LA RECHERCHE DE LA DOMINANCE ET DES RAPPORTS AMICAUX CHEZ LES HOMMES ET LES FEMMES

Selon une recherche réalisée à l'université McGill (Moskowitz, 1993), il semble que, lors des rencontres entre personnes du même sexe, les hommes soient plus dominants que les femmes, et les femmes, plus amicales que les hommes. Lors de cette étude, Moskowitz observa 24 femmes et 21 hommes dans trois situations: en présence d'une personne connue de même sexe, en présence d'une personne inconnue de même sexe et en présence d'une personne inconnue de sexe opposé. Les comportements qu'il a observés étaient les contacts amicaux et les tentatives de domination. Des observations minutieuses révélèrent que les femmes tendaient à être amicales et que les hommes cherchaient à dominer; en outre, les femmes étaient plus amicales en présence d'une autre femme (connue ou inconnue), et les hommes, plus dominateurs en présence d'un autre homme (connu ou inconnu).

2. IDENTITÉ SEXUELLE ET ESTIME DE SOI

À l'Université d'Ottawa, 541 étudiantes remplirent un questionnaire portant sur les rôles sexuels et visant à établir une «échelle des attitudes à l'égard des femmes». Les chercheurs (Kleinplatz et coll., 1992) se fondèrent sur les résultats pour diviser les femmes en deux groupes: les «traditionnelles» et les «non-traditionnelles». Les femmes du premier groupe étaient plus âgées et une plus forte proportion d'entre elles étaient mariées. Elles avaient une plus faible estime d'elles-mêmes, étaient moins satisfaites de leur mode de vie et éprouvaient davantage d'anxiété. Selon les chercheurs, il est plus sain de vivre sa vie selon ses préférences et ses croyances, quels que soient les coûts sociaux immédiats résultant de ce choix.

3. LE «SYNDROME DU VILAIN PETIT CANARD»

Dion et ses collègues (1991) distribuèrent à près de 300 étudiants et étudiantes de l'université de Toronto un questionnaire portant sur l'anxiété causée par l'apparence. Les chercheurs constatèrent des différences entre les hommes et les femmes. En effet, cette forme d'anxiété était plus élevée chez les femmes que chez les hommes; en outre, une forte anxiété était reliée à une faible estime de soi, à la timidité, à l'évitement social, à la détresse sociale et à la timidité en public. Les femmes qui manifestaient le plus d'anxiété en raison de leur apparence avaient fait l'objet d'un plus grand nombre de remarques désobligeantes quant à leur apparence, elles avaient été insatisfaites de leur apparence pendant leur enfance et elles avaient eu moins de rendez-vous amoureux au secondaire.

Comment les honnêtes gens se laissent corrompre

Dans leurs laboratoires, les chercheurs qui étudient l'influence sociale créent souvent des mondes sociaux en miniature, des microsociétés qui reproduisent, en les simplifiant, d'importants aspects de la vie quotidienne. Solomon Asch et Stanley Milgram sont du nombre. Le premier a réalisé une série d'études célèbres sur le conformisme et le second, sur l'obéissance. Les deux chercheurs ont révélé de manière stupéfiante la puissance inhérente à l'influence sociale.

● Les études de Asch sur le conformisme: quand on est le seul à avoir raison... ou tort?

Solomon Asch, psychologue social américain de premier plan, se rappelle un *seder* de son enfance. (Le *seder* est un festin familial qui marque la

Pâque juive. Il constitue un moment de recueillement et de réflexion très important de l'année judaïque.)

Je demandai à mon oncle, qui était assis à côté de moi, pourquoi on ouvrait la porte. «Le prophète Élie visite ce soir toutes les maisonnées juives, me répondit-il. Il prend une gorgée de vin dans la coupe qui lui a été réservée.»

Sa réponse m'étonna. «Est-ce qu'il vient vraiment? demandai-je. Est-ce qu'il prend vraiment une gorgée de vin?»

Mon oncle dit: «Si tu regardes très attentivement quand la porte sera ouverte, tu verras. Regarde bien la coupe. Tu verras que la quantité de vin diminuera.»

Et c'est ce qui arriva. J'avais les yeux rivés sur la coupe de vin. J'étais résolu à voir si un changement se produirait. Et il me sembla en effet (c'était tentant et, bien entendu, difficile d'en être absolument certain) que quelque chose se produisait au bord du verre et que le niveau du vin descendait un peu. (Cité par Aron et Aron, 1989, p. 27.)

Des années plus tard, Asch, devenu psychologue social, recréa en laboratoire l'expérience qu'il avait vécue enfant. Imaginez que vous êtes un de ses sujets. Vous occupez la sixième place dans une rangée de sept personnes. L'expérimentateur vous explique que vous allez participer à une étude sur la discrimination visuelle. Ensuite, il vous montre trois lignes de différentes longueurs et vous demande laquelle est égale à la ligne de référence (figure 13.1). Vous déterminez sans peine que c'est la ligne 2. Vous n'êtes donc pas surpris d'entendre les cinq personnes qui vous précèdent répondre «la ligne 2».

La comparaison suivante s'effectue avec autant de simplicité que la première et vous vous faites à l'idée de patienter jusqu'à la fin d'une expérience ennuyeuse. La troisième épreuve, cependant, vous surprend. Le bon choix semble tout aussi évident que pour les expériences antérieures, mais la première personne donne une réponse apparemment erronée. La deuxième personne donne la même réponse. Vous vous redressez sur votre siège et vous observez attentivement les cartes. La troisième personne est d'accord avec les deux premières. Vous n'en revenez pas; vous commencez à transpirer. «Qu'est-ce qui se passe? vous demandez-vous. Sont-ils aveugles? Ou est-ce moi qui ne vois pas clair?» Les quatrième et cinquième personnes donnent la même réponse que les autres. Alors l'expérimentateur vous regarde. Vous êtes en plein «cauchemar épistémologique»: «Que croire? Mes pairs ou mes yeux?»

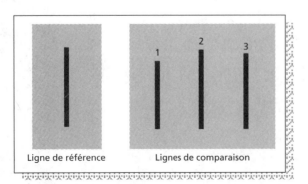

Ligne de référence   Lignes de comparaison

Figure 13.1

Une des épreuves utilisées par Asch dans son étude sur le conformisme. Les sujets devaient juger laquelle des lignes numérotées était égale à la ligne de référence.

Dans l'une des expériences d'Asch sur le conformisme, le sujet, qui porte le numéro 6, manifeste de l'embarras en entendant les cinq personnes qui le précèdent donner des réponses erronées.

Des dizaines d'étudiants d'université connurent un tel conflit pendant les expériences de Asch. Les sujets du groupe témoin, qui répondirent seuls (sans connaître les réponses des autres) donnèrent plus de 99 pour cent de bonnes réponses. Asch s'était posé la question suivante: Si quelques personnes (des «complices» formés par l'expérimentateur) donnaient la même mauvaise réponse, les sujets affirmeraient-ils ce qu'ils nieraient dans d'autres circonstances? Les trois quarts des sujets se conformèrent au moins une fois. Dans l'ensemble, 37 pour cent des réponses furent dictées par le conformisme. Bien entendu, cela laisse 63 pour cent de réponses non conformistes. En dépit de l'indépendance manifestée par un grand nombre de ses sujets, Asch (1955) avait à l'égard du conformisme des opinions aussi claires que les bonnes réponses à ses épreuves: «Il est inquiétant que des jeunes gens raisonnablement intelligents et bien intentionnés soient disposés à dire le contraire de leur pensée.» Cette situation remet en question nos méthodes d'éducation et les valeurs qui orientent notre conduite.

Les résultats de Asch sont renversants parce que ses expériences ne comportaient aucun élément de pression. Asch ne récompensait pas l'esprit d'équipe, et il ne punissait pas non plus l'individualisme. D'où la question: Si les gens sont aussi dociles en l'absence de pression, comment réagiront-ils à une contrainte directe? Quelqu'un pourrait-il forcer le Nord-Américain moyen à accomplir des actes cruels comme ceux des Nazis? Personnellement, je crois que non. Étant donné leurs valeurs démocratiques et individualistes, les Nord-Américains résisteraient. De surcroît, il y a une énorme différence entre donner des réponses

137

verbales à des questions et maltraiter quelqu'un. Vous et moi n'infligerions jamais de blessure sous la contrainte. Jamais? Stanley Milgram s'est interrogé à ce propos.

●Les expériences de Milgram sur l'obéissance

Stanley Milgram (1965, 1974) se demandait ce qui se passe quand les exigences de l'autorité en place sont incompatibles avec celles de la conscience de l'individu. Ses expériences sont les plus renommées et aussi les plus controversées de toute la psychologie sociale. «Davantage peut-être que toute autre recherche empirique dans l'histoire des sciences sociales, commente Lee Ross (1988), elles se sont intégrées au patrimoine intellectuel de notre société, ce petit corpus d'incidents historiques, de paraboles bibliques et d'œuvres littéraires classiques auquel puisent librement les penseurs sérieux au moment de débattre de la nature humaine ou de contempler l'histoire de l'humanité.»

Voici la scène. Deux hommes entrent dans le laboratoire de psychologie de l'université Yale (l'une des plus prestigieuses universités des États-Unis) pour participer à une étude sur l'apprentissage et la mémoire. Un expérimentateur à l'air grave, vêtu d'une blouse de laboratoire grise, leur explique qu'il s'agit d'une étude de pointe à propos des effets de la punition sur l'apprentissage. L'expérience exige que l'un des hommes enseigne à l'autre une liste de mots groupés deux par deux et punisse ses erreurs en lui administrant des secousses électriques d'intensité croissante. Pour se distribuer les rôles, les hommes pigent des bouts de papier dans un chapeau. L'un d'eux, un comptable affable de 47 ans, est de mèche avec l'expérimentateur. Il fait croire qu'il a pigé le rôle de l'élève, puis tous passent dans la pièce voisine. Le «professeur» (qui a répondu à une annonce parue dans les journaux) reçoit une légère secousse à titre d'exemple, et il regarde l'expérimentateur attacher l'élève à une chaise et lui fixer des électrodes au poignet.

Le professeur et l'expérimentateur retournent ensuite dans la pièce principale. Le professeur prend place devant un «générateur de secousses» muni de boutons qui produisent des courants allant de 15 à 450 volts, par paliers de 15 volts. Sous les boutons, des étiquettes indiquent «Légère secousse», «Très forte secousse», «Danger. Grave secousse» et ainsi de suite. L'inscription «XXX» apparaît sous les boutons correspondant à 435 volts et à 450 volts. L'expérimentateur demande au professeur de «monter d'un cran» chaque fois que l'élève donne une mauvaise réponse. Quand le professeur appuie sur un bouton, des lumières s'allument, des relais cliquettent et un bourdonnement retentit.

Si le sujet obéit aux consignes de l'expérimentateur, il entend l'élève gémir au moment où il donne des secousses de 75, de 90 et de 105 volts. À 120 volts, l'élève se plaint que les secousses sont douloureuses. Et à 150 volts, il crie: «Laissez-moi sortir d'ici! Je ne veux plus participer à cette expérience! Je refuse de continuer!» À 270 volts, ses protestations se muent en hurlements de douleur, et il continue à réclamer l'arrêt de l'expérience. À 300 et à 315 volts, il déclare qu'il ne répondra plus. À 330 volts, il se tait. Le professeur s'inquiète et implore l'expérimentateur de mettre fin à l'expérience. Celui-ci indique que l'absence de réponse doit être considérée comme une mauvaise réponse. Pour encourager le sujet à poursuivre, il lui donne verbalement quatre ordres:

Premier ordre: Continuez, s'il vous plaît.

Deuxième ordre: L'expérience exige que vous continuiez.

Troisième ordre: Il est absolument essentiel que vous continuiez.

Quatrième ordre: Vous n'avez pas le choix, vous *devez* continuer.

Jusqu'où iriez-vous? Milgram décrivit l'expérience à 110 psychiatres, étudiants de l'université et adultes de la classe moyenne. Les membres des trois groupes estimèrent qu'ils auraient commencé à désobéir à 135 volts environ; personne ne se croyait capable de dépasser 300 volts. Sachant que le biais de complaisance pouvait fausser les autoévaluations, Milgram demanda à ses interlocuteurs jusqu'où, selon eux, les *autres* iraient. Presque tous affirmèrent que personne n'utiliserait les boutons marqués de l'inscription «XXX». (Les psychiatres avancèrent que 1 personne sur 1000 se rendrait jusque-là.)

Or, Milgram fit l'expérience avec 40 hommes de 20 à 50 ans exerçant différentes professions. Vingt-cinq d'entre eux (soit 63 pour cent) se rendirent sans sourciller jusqu'à 450 volts. En fait, tous ceux qui atteignirent les 450 volts obéirent à l'ordre de *continuer* jusqu'à ce que, après deux essais supplémentaires, l'expérimentateur mette fin à la séance.

Fort de ce résultat troublant, Milgram donna aux protestations de l'élève un ton encore plus pathétique. Pendant que l'expérimentateur attachait l'élève à la chaise, celui-ci mentionnait à portée de voix du professeur qu'il avait une «légère faiblesse cardiaque». L'expérimentateur lui répondait: «Bien que les secousses soient douloureuses, elles ne causent aucun dommage permanent aux tissus.» L'angoisse de l'élève n'eut pas beaucoup d'effet, car 26 des 40 sujets de la nouvelle version de l'expérience (soit 65 pour cent) se plièrent totalement aux exigences de l'expérimentateur (figure 13.2).

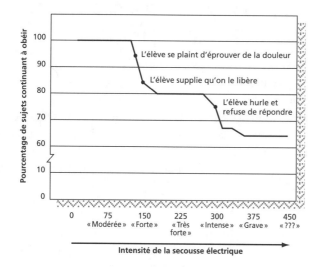

Figure 13.2

L'expérience de Milgram sur l'obéissance. Le graphique représente le pourcentage de sujets qui ont obéi aux ordres de l'expérimentateur en dépit des protestations de l'élève. (Tiré de Milgram, 1965.)

Comment les sujets ont-ils perçu cette expérience une fois la vérité connue?

L'obéissance des sujets déconcerta Milgram. Ses méthodes, elles, déplurent à de nombreux psychologues sociaux (Miller, 1986). L'élève ne recevait en réalité aucune secousse (il se détachait de la chaise électrique et il faisait jouer des protestations enregistrées). Néanmoins, certains accusèrent Milgram de traiter

ses sujets comme eux-mêmes agissaient envers leurs victimes, c'est-à-dire de leur imposer un stress à leur corps défendant. De fait, plusieurs des «professeurs» trouvèrent l'expérience extrêmement pénible. Ils transpiraient, tremblaient, bégayaient, se mordaient les lèvres, gémissaient ou avaient des accès de rire nerveux incontrôlables. Un journaliste du *New York Times* affirma que la cruauté infligée, dans le cadre d'expériences, «à des sujets qui n'étaient animés d'aucune intention mauvaise n'avait d'égale que la cruauté qu'on avait provoquée chez eux» (Marcus, 1974). Les détracteurs de Milgram craignaient aussi que le concept de soi des sujets n'eût été malmené. L'un des sujets essuya la remarque suivante de la part de sa femme: «Tu ne vaux pas mieux qu'Eichmann». (Adolf Eichmann était responsable des camps de concentration sous le régime nazi.)

Les résultats de Milgram sont d'autant plus inquiétants que ce furent les sujets droits, honnêtes et effacés qui obéirent le plus scrupuleusement aux injonctions de l'expérimentateur. Ces gens n'avaient rien de la personnalité sadique, mais ils avaient été conditionnés toute leur vie à obéir aux ordres émis par une autorité considérée comme légitime. On peut en tirer une réflexion à propos de l'abus d'autorité en général. Les médecins, les psychothérapeutes et même les dentistes n'abusent-ils pas parfois du pouvoir que leur confère leur statut?

Pour sa défense, Milgram invoqua tout d'abord les leçons qu'on peut tirer de ses travaux et, deuxièmement, le soutien que les sujets lui avaient accordé après qu'ils eurent connu le fin mot de l'expérience. Lors d'une enquête, 84 pour cent d'entre eux se dirent heureux d'avoir participé à l'expérience; 1 pour cent seulement regrettaient de s'être portés volontaires. Un an plus tard, un psychiatre interrogea 40 des sujets qui avaient souffert le plus. Il conclut qu'en dépit de leur stress temporaire, aucun ne gardait de séquelles de l'expérience.

Les sources de l'obéissance: distance, légitimité, institution et groupe

Milgram ne se contenta pas de révéler l'ampleur du phénomène de l'obéissance des gens à une autorité; il examina aussi les circonstances propices à l'obéissance. Dans quelles conditions, se demanda-t-il, quelqu'un peut-il inciter d'honnêtes gens au mal? Il réalisa donc d'autres expériences dans lesquelles il fit varier les conditions sociales; il obtint l'obéissance totale dans une proportion de 0 pour cent à 93 pour cent. Il mit en évidence quatre facteurs déterminants: la distance par rapport à la victime, la proximité de l'autorité et sa légitimité, le caractère institutionnel de l'autorité et l'effet du groupe.

LA DISTANCE PAR RAPPORT À LA VICTIME: LOIN DES YEUX, LOIN DU CŒUR... Les sujets de Milgram montraient le plus faible degré de compassion lorsqu'ils ne voyaient pas les «élèves» (et ne pouvaient être vus par eux non plus). Quand la victime était éloignée et que les sujets ne pouvaient entendre ses plaintes, presque tous obéissaient calmement jusqu'au bout. Mais lorsque l'élève se trouvait dans la même pièce que les sujets, «seulement» 40 pour cent d'entre eux se rendirent jusqu'à 450 volts. Le taux d'obéissance passait à 30 pour cent lorsque les professeurs étaient obligés de mettre de force la main de l'élève en contact avec la plaque électrifiée.

Dans la vie quotidienne, c'est la victime éloignée ou sans visage qu'il est le plus facile de malmener. Même les grandes tragédies, dans ces circonstances, n'émeuvent pas les gens. Les bourreaux dépersonnalisent les condamnés à mort en leur faisant porter une cagoule. L'éthique guerrière admet que l'on bombarde un village sans défense du haut des airs, mais elle interdit qu'on vise un villageois innocent avec une arme à feu. Face à face avec un ennemi, de nombreux soldats s'abstiennent de tirer, voire de viser. Une telle désobéissance est rare de la part de ceux qui ont reçu l'ordre de tuer au moyen d'armes à longue portée (Padgett, 1989).

En revanche, les gens témoignent une plus grande compassion aux victimes dont l'existence leur est palpable. C'est pour cette raison que les appels à l'aide diffusés au nom des personnes qui ont faim ou des fœtus sont presque toujours accompagnés de photos ou de descriptions poignantes. Dans sa *Théorie des sentiments moraux*, publiée en 1759, l'économiste écossais Adam Smith imagina que «le grand empire de Chine, avec ses myriades d'habitants, était soudainement englouti par un tremblement de terre». Smith présuma que l'Européen moyen, en apprenant la nouvelle, «exprimerait le profond chagrin que lui inspire l'infortune du malheureux peuple, ferait des réflexions mélancoliques sur la précarité de la vie humaine [...] et, après ce bel élan de philosophie, retournerait à ses affaires ou à ses plaisirs [...] comme si rien ne s'était passé». Imaginez que vous lisez les deux manchettes suivantes dans votre journal: «Les pluies torrentielles font 10 victimes dans l'est du Québec» et «Naufrage d'un traversier aux Philippines: 576 noyés». Réagiriez-vous de la même façon aux deux nouvelles?

LA PROXIMITÉ DE L'AUTORITÉ ET SA LÉGITIMITÉ: LE RESPECT DU PATRON   La présence physique de l'expérimentateur a favorisé l'obéissance chez les sujets de Milgram. Lorsque ce dernier transmettait ses ordres par téléphone, le taux d'obéissance passait à 21 pour cent. (Il faut noter, cependant, que de nombreux sujets feignaient l'obéissance.) D'autres études confirment que l'obéissance augmente quand l'ordre est donné par une personne qui se trouve à proximité des sujets. Les gens dont on effleure le bras sont plus enclins à faire l'aumône, à signer une pétition ou à goûter une nouvelle marque de pizza (Kleinke, 1977; Smith et coll., 1982; Willis et Hamm, 1980).

Obéit-on à n'importe qui?

Pour qu'ils obéissent, toutefois, les sujets doivent être convaincus de la légitimité de l'autorité. Dans une autre variante de l'expérience de base, l'expérimentateur recevait par téléphone l'ordre de sortir du laboratoire. Il disait alors au professeur de continuer sans lui, car le matériel enregistrait les données automatiquement. Une fois l'expérimentateur parti, un autre complice déguisé en employé de bureau prenait les commandes de l'expérience. Il «décidait» que l'intensité de la secousse devait augmenter d'un cran à chaque mauvaise réponse et il en donnait la consigne au professeur. Dans ces conditions, 80 pour cent des sujets refusèrent d'obéir jusqu'au bout. Le complice, outré par autant de désobéissance, allait alors s'asseoir devant la machine et essayait de prendre la place du professeur. À ce stade, la plupart des sujets désobéissants protestaient. Certains tentaient de débrancher la machine. Un homme costaud empoigna l'employé zélé, le souleva de sa chaise et le précipita à l'autre bout de la pièce. Cette rébellion contre une autorité illégitime tranchait vivement avec la déférence généralement que les sujets témoignaient à l'expérimentateur.

La rébellion ne fut pas non plus le propre d'un groupe d'infirmières qui participèrent à leur insu à une expérience (Hofling et coll., 1966). Un médecin inconnu leur téléphona et leur ordonna d'administrer à des patients une dose manifestement

141

excessive de médicament. Les chercheurs avaient parlé de l'expérience à un groupe d'infirmières et d'étudiantes en soins infirmiers et ils leur avaient demandé d'indiquer comment elles réagiraient. Presque toutes répondirent qu'elles ne donneraient pas la quantité prescrite de médicament. L'une précisa la réponse qu'elle aurait faite au médecin: «Je suis désolée, docteur, mais je ne suis pas autorisée à administrer quelque médicament que ce soit sans une ordonnance écrite, particulièrement s'il s'agit d'une dose aussi considérable et d'un médicament que je ne connais pas. Si cela m'était possible, je serais heureuse de le faire, mais ce que vous me demandez va à l'encontre de la politique de l'hôpital et de mes propres normes de conduite.» Néanmoins, 22 autres infirmières reçurent par téléphone l'ordre d'administrer la dose excessive et toutes, sauf une, obtempérèrent sans délai. (Les chercheurs les interceptèrent avant qu'elles ne se rendent au chevet des patients.) Les infirmières ne sont pas toutes aussi dociles (Rank et Jacobson, 1977), mais celles-ci se conformèrent à un principe bien ancré: le médecin (une autorité légitime) donne les ordres, et l'infirmière les exécute.

L'obéissance à l'autorité légitime se manifesta aussi dans l'étrange affaire de l'«otite rectale» (Cohen et Davis, 1981, cités par Cialdini, 1988). Un médecin prescrivit des gouttes auriculaires à un patient qui souffrait d'une infection de l'oreille droite. Sur l'ordonnance, le médecin abrégea *Place in right ear* («Mettre dans l'oreille droite») par *Place in R ear*. L'infirmière lut *rear*, c'est-à-dire «derrière» et, soumise, mit les gouttes dans le rectum du patient, non moins soumis.

LE CARACTÈRE INSTITUTIONNEL DE L'AUTORITÉ: L'IMPORTANCE DE LA RÉPUTATION   Si le prestige de l'autorité revêt autant d'importance, alors la renommée de l'université Yale a peut-être conféré aux ordres des expérimentateurs de Milgram une légitimité propre à susciter l'obéissance. Lors des entrevues réalisées à la suite de l'expérience, de nombreux sujets avouèrent que, n'eût été de la réputation de l'université, ils n'auraient pas obéi. Pour vérifier leurs dires, Milgram déménagea ses pénates à Bridgeport, petite ville industrielle du Connecticut, en Nouvelle-Angleterre. Il s'installa dans un modeste édifice commercial sous l'enseigne «Research Associates of Bridgeport». Là, il procéda à la réalisation du volet de l'expérience consacré à la «faiblesse cardiaque», avec l'aide du même personnel qu'à Yale. Selon vous, quel pourcentage des sujets obéirent pleinement? La proportion diminua quelque peu mais demeura remarquablement élevée: elle s'établit à 48 pour cent.

Le conformisme peut-il être constructif?

L'EFFET DU GROUPE: DÉSOBÉIR... COMME LES AUTRES   Les expériences classiques de Milgram nous donnent mauvaise opinion du conformisme. Vous vous souvenez peut-être d'une situation où vous avez hésité à donner suite à la colère que l'injustice d'un professeur ou les insultes de quelqu'un avaient à juste titre provoquées chez vous. Puis, une ou deux personnes ont exprimé leur ressentiment, et vous avez suivi leur exemple. Milgram révéla l'effet libérateur du conformisme en plaçant le sujet avec deux autres soi-disant professeurs chargés de l'aider. Pendant l'expérience, les deux complices de Milgram défièrent l'expérimentateur, et celui-ci ordonna ensuite au vrai sujet de continuer seul. A-t-il acquiescé? Non. Quatre-vingt-dix pour cent des sujets se libérèrent en se rangeant du côté des «rebelles».

● Quelques réflexions sur ces études classiques

Les résultats de Milgram font surgir à l'esprit une phrase maintes fois entendue dans l'histoire récente: «Je ne faisais qu'obéir aux ordres». C'est ce qu'ont plaidé Adolf Eichmann ainsi que, plus tard, le lieutenant William Calley, lequel ordonna, pendant la guerre du Vietnam, le massacre de centaines de civils innocents à My Lai[1]. C'est ce qu'invoquent aussi les gens impliqués dans les scandales gouvernementaux. Les soldats sont formés à obéir à leurs supérieurs. Aux États-Unis, les autorités militaires reconnaissent que même les Marines devraient désobéir aux ordres *inopportuns*, mais elles n'enseignent pas aux soldats à distinguer les ordres illégaux ou immoraux des ordres appropriés (Staub, 1989). C'est ainsi qu'on entend des témoignages comme celui-ci, provenant d'un soldat qui a participé au massacre de My Lai:

[Le lieutenant Calley] m'a dit de commencer à tirer. Alors, j'ai commencé à tirer, j'ai vidé environ quatre chargeurs dans le groupe. [...] Ils nous suppliaient et criaient: «Non, non!» Et les mères serraient leurs enfants contre elles et [...] Eh bien, nous avons continué à tirer. Ils agitaient les bras et nous suppliaient. (Wallace, 1969)

C'est l'intensité de la pression sociale qui distingue les expériences sur l'obéissance des autres expériences sur le conformisme. L'obéissance, en effet, y était explicitement exigée. En l'absence de l'élément de contrainte, les gens n'agissaient pas cruellement. Pourtant, il existe des points communs entre les expériences de Asch et celles de Milgram. Elles montrent comment l'obéissance peut prendre le pas sur le sens moral. Dans les deux cas, la pression était suffisante pour pousser les gens à agir contre leur conscience. La valeur de ces expériences n'est pas seulement académique: celles-ci nous sensibilisent aux conflits moraux que nous rencontrons tous dans notre propre vie. Enfin, elles illustrent et établissent des principes familiers à la psychologie sociale. Faisons un bref retour sur quelques-uns de ces principes.

Le comportement et les attitudes: la poule et l'œuf

Dans le module 8, qui traitait du comportement et des croyances, nous avons noté que les attitudes ne déterminent pas le comportement dans les situations où des influences extérieures l'emportent sur les convictions personnelles. Lorsque les sujets de Asch répondaient en secret, ils donnaient presque toujours la bonne réponse. C'était une autre histoire quand ils se retrouvaient seuls face à un groupe. Dans les expériences de Milgram, une forte pression sociale (les ordres de l'expérimentateur) venait à bout d'une pression plus faible (les protestations d'une victime lointaine). Déchirés entre les supplications

143

---

1. Plus récemment, la mort d'un jeune Somalien entacha la réputation de militaires canadiens et de l'armée canadienne.

de la victime et les ordres de l'expérimentateur, entre le désir d'éviter de blesser et le désir de se montrer bon sujets, un nombre surprenant de gens obéirent. Milgram expliqua:

Certains sujets étaient fermement convaincus que ce qu'ils faisaient était mal, [et pourtant] ils croyaient (au moins en leur for intérieur) qu'ils étaient du côté des bons. Ils ne se rendaient pas compte que les sentiments subjectifs n'ont pas beaucoup d'importance en matière de morale tant qu'ils ne se transforment pas en actions. La domination politique s'exerce par l'action. À maintes reprises au cours de l'expérience, les sujets dénigrèrent ce qu'ils faisaient, mais ils ne trouvaient pas en eux-mêmes les ressources qui leur auraient permis de traduire leurs valeurs en actions. (Milgram, 1974, p. 10)

Pourquoi les sujets étaient-ils incapables de se désister?

Imaginez que vous jouez le rôle du professeur dans une variante de l'expérience que Milgram projeta mais ne réalisa jamais. Quand l'élève donne la première mauvaise réponse, l'expérimentateur vous indique de lui envoyer une secousse de 330 volts. Vous appuyez sur le bouton et vous entendez l'élève crier, se plaindre de son malaise cardiaque et implorer votre clémence. Continuez-vous?

Je crois que vous ne continueriez pas. Rappelez-vous le phénomène du pied dans la porte que nous avons décrit dans le module 8. Lors des expériences que Milgram a concrètement effectuées, la première secousse était légère (15 volts) et elle n'engendrait aucune plainte. Sans doute accepteriez-vous aussi de donner une telle secousse. Au moment d'administrer la secousse de 75 volts et d'entendre le premier gémissement de l'élève, les sujets avaient déjà obéi cinq fois. À l'essai suivant, l'expérimentateur leur demandait de commettre un acte à peine plus grave que leurs actes précédents. Puis, à l'étape de la secousse de 330 volts, après 22 actes d'obéissance, la dissonance s'atténuait. Les sujets n'étaient pas dans le même état psychologique qu'une personne qui entamerait l'expérience à ce point. Le comportement extérieur et la disposition intérieure peuvent s'alimenter l'un l'autre, parfois en escalade. Milgram l'exprima ainsi (1974, p. 10):

Beaucoup de sujets dépréciaient sévèrement la victime parce que, justement, ils la malmenaient. Beaucoup faisaient un commentaire comme: «Il était si bête et si entêté qu'il méritait de recevoir les décharges.» Après avoir maltraité la victime, les sujets éprouvaient le besoin de la considérer comme un être indigne dont les déficiences intellectuelles et morales attiraient inévitablement les punitions.

Au début des années 70, la junte militaire qui était au pouvoir en Grèce utilisa aussi la technique de la condamnation de la victime pour former les tortionnaires (Haritos-Fatouros, 1988; Staub, 1989). En Grèce, comme dans l'Allemagne nazie, les militaires recrutaient les futurs tortionnaires parmi les candidats les plus soumis à l'autorité. Mais la soumission ne suffit pas à faire un bon tortionnaire. C'est pourquoi les militaires demandaient successivement et progressivement à leurs recrues (1) de garder les prisonniers, (2) de participer aux arrestations, (3) de frapper des détenus, (4) d'observer des séances de torture et, finalement, (5) d'infliger des sévices. Étape par étape, un individu obéissant mais honnête sur tous les autres plans se transformait en bourreau. L'obéissance avait engendré l'adhésion.

Après avoir étudié le phénomène du génocide à travers le monde, Ervin Staub (1989) montra jusqu'où peut aller le processus. Trop souvent, la critique mène au mépris, le mépris à la cruauté et, dans les circonstances propices, la cruauté conduit à la brutalité, au meurtre puis à l'élimination systématique. La modification des attitudes suit l'action autant qu'elle la justifie. Staub conclut: «Les êtres humains acquiè-rent graduellement la capacité de tuer leurs semblables comme si de rien n'était» (p. 13). Ainsi, les atrocités commises dans l'ex-Yougoslavie et au Rwanda furent l'œuvre de «gens normaux» qui se trouvaient dans des circonstances extraordinaires.

L'influence de la situation

Nous avons montré dans les modules 11 et 12 que la culture exerce sur nous une profonde influence. Dans le présent module, nous découvrons que l'effet de la situation immédiate est tout aussi puissant. Pour vous en rendre compte person-nellement, imaginez que vous commettez une petite infraction à la norme: vous vous levez debout au beau milieu d'un cours, vous chantez à tue-tête dans un res-taurant, vous venez en classe pieds nus, vous embrassez chaleureusement votre copain en classe, vous jouez au golf en habit trois pièces ou vous grignotez des Cracker Jacks pendant un récital de piano. C'est en essayant d'enfreindre les normes sociales qu'on se rend compte de leur force.

Quelques étudiants l'ont appris à leurs dépens lorsque Milgram et John Sabini (1983) leur demandèrent de les aider à étudier les effets que produit la violation d'une norme sociale simple. La tâche des étudiants consistait à prier des passagers du métro de New York de leur céder leur siège. À la grande surprise des étudiants, 56 pour cent des passagers acceptèrent, même en l'absence de toute justification. La réaction des étudiants ne fut pas moins intéressante; la plupart, en effet, trouvè-rent la tâche extrêmement difficile. Souvent, ils n'arrivaient pas à prononcer un mot et ils devaient se désister. Après avoir fait la demande et obtenu le siège, ils justi-fiaient quelquefois leur geste en faisant semblant d'être malades. Telle est la puis-sance des règles implicites qui régissent notre comportement public.

Ce pouvoir n'est nulle part aussi manifeste que dans les sociétés complexes, où les pires horreurs découlent souvent d'un enchaînement de petits méfaits. Les fonctionnaires allemands acceptèrent de s'acquitter de l'administration de l'Holo-causte avec une bonne volonté qui étonna les dirigeants nazis. Bien entendu, les employés de bureau ne tuaient pas de Juifs; ils ne faisaient que manipuler de la paperasse (Silver et Geller, 1978). Une fois fragmenté, le mal est moins difficile à faire. Milgram étudia cette compartimentation du mal en suscitant de 40 sujets une participation indirecte. Ces hommes ne donnaient pas de secousses mais faisaient simplement passer le test d'apprentissage. Cette fois, 37 d'entre eux obéirent tota-lement.

Il en va de même dans la vie quotidienne. La dérive vers le mal s'effectue généralement petit à petit, en l'absence d'intention maléfique consciente. La pro-crastination, par exemple, engendre une dérive involontaire du même type (Sabini et Silver, 1982). Un étudiant connaît dès le début de la session la date de remise d'un travail. Chaque élément de diversion pris isolément (un jeu vidéo ici, une émis-sion de télévision là) paraît sans conséquence. Graduellement, pourtant, l'étudiant se trouve devant l'impossibilité de remettre son travail, sans qu'il ait jamais pris cette option consciemment.

L'erreur fondamentale d'attribution: les bons et les méchants

Pourquoi les résultats des expériences classiques de Asch et de Milgram sont-ils si étonnants?

Nous ne sommes pas surpris qu'une personne revêche agisse de manière désagréable, mais nous nous attendons à de l'amabilité de la part des gens bien intentionnés. Les méchants agissent mal, les bons agissent bien, un point c'est tout.

En lisant les descriptions des expériences de Milgram, qu'avez-vous pensé des sujets? La plupart des gens leur attribuent des défauts. Lorsqu'on décrit un ou deux des sujets obéissants, les gens les trouvent agressifs, froids et antipathiques, même s'ils savaient que leur comportement a été typique (A.G. Miller et coll., 1973). La cruauté, présumons-nous, vient de cœurs cruels.

Günter Bierbrauer (1979) tenta d'éliminer cette sous-estimation des forces sociales (l'erreur fondamentale d'attribution). Il demanda à des étudiants d'université d'observer une reconstitution fidèle de l'expérience ou de jouer eux-mêmes le rôle du professeur obéissant. Malgré tout, les étudiants prévoyaient que leurs amis ne présenteraient qu'un degré minimal d'obéissance dans une reprise de l'expérience de Milgram. Bierbrauer en conclut que les spécialistes des sciences sociales ont beau prouver que le comportement est un produit de l'histoire sociale et du milieu actuel, la plupart des gens persistent à croire que les qualités de l'individu prévalent, que seuls les bons font le bien et seuls les méchants font le mal.

Il est tentant de supposer qu'Eichmann et les commandants du camp d'Auschwitz étaient des monstres barbares. Après une dure journée de travail, cependant, les commandants d'Auschwitz se détendaient en écoutant du Beethoven et du Schubert. Rien dans l'apparence d'Eichmann ne le distinguait des gens ordinaires qui faisaient un boulot ordinaire (Arendt, 1963). La conclusion de Milgram fait qu'il est difficile d'attribuer l'Holocauste à des traits de caractères propres au peuple allemand. «La leçon la plus fondamentale de notre étude, écrit-il, c'est que des gens ordinaires qui font tout bonnement leur travail et qui sont dénués d'hostilité particulière à l'égard d'autrui peuvent devenir les agents d'un terrible mécanisme de destruction» (Milgram, 1973, p. 6). Sous l'effet de forces sociales corrosives, même les honnêtes gens peuvent devenir mauvais.

Exercices et questions

Nous étudierons ici plus à fond le conformisme en prenant connaissance de deux expériences qui s'inscrivent dans la tradition établie par Solomon Asch. Réfléchissez ensuite à un chapitre déplorable de l'histoire des interventions de l'armée canadienne à l'étranger, l'«affaire somalienne».

1. Existe-t-il des différences liées au sexe en matière de conformisme?
2. Que peut-on conclure lorsque des chercheurs ne réussissent pas à confirmer les résultats d'une étude classique? Comment expliqueriez-vous la divergence des résultats?
3. Les soldats canadiens qui ont torturé et tué des Somaliens se conformaient-ils aux normes du groupe, obéissaient-ils à l'autorité ou étaient-ils personnellement responsables de leurs actes?

1. LE CONFORMISME CHEZ LES ÉTUDIANTES ET LES ÉTUDIANTS

Trois chercheurs (Collin et coll., 1994) de l'Université Concordia, à Montréal, ont demandé à 16 étudiantes et à 18 étudiants de déterminer les couleurs qui entraient dans la composition de certaines couleurs ambiguës. Les sujets ont exécuté la tâche individuellement ou en compagnie de complices des chercheurs qui contredisaient leurs réponses. La majorité des sujets ont modifié leur opinion, dans une certaine mesure, pour se conformer à celle des complices, mais les étudiantes ont manifesté plus de conformisme que les étudiants. Le sexe du complice n'a eu aucun effet sur les résultats. Les chercheurs concluent que les femmes sont probablement plus sensibles que les hommes à l'opinion des autres, particulièrement quand on leur demande de juger une chose ambiguë.

2. LES RÉSULTATS D'ASCH: AUCUNE CONFIRMATION

Pour étudier le conformisme, des chercheurs de l'université Bishop, à Lennoxville, ont répété l'expérience d'Asch. Ils ont cependant utilisé des lignes de longueur plus uniforme, ce qui a augmenté les probabilités de susciter le conformisme chez les 40 étudiants qui étaient leurs sujets (Lalancette et Standing, 1990). En dépit de l'intervention de complices, les chercheurs n'observèrent aucun effet de conformisme. Ils concluent que l'«effet Asch» constitue un phénomène imprévisible et non une tendance stable du comportement humain.

3. LES ÉCARTS DE L'ARMÉE CANADIENNE EN SOMALIE

En 1993, les Nations Unies confièrent aux casques bleus de l'armée canadienne la mission de surveiller la distribution de l'aide humanitaire en Somalie, pays ravagé par la guerre et la famine. En mars, un groupe du Régiment aéroporté du Canada tortura et tua Shidane Arone, un adolescent somalien.

On ne connaît pas tous les faits reliés à ces événements et nous ne les connaîtrons probablement jamais. Cependant, tentez d'imaginer des situations qui auraient pu se produire dans ce camp à cette époque et qui auraient pu inciter les soldats fautifs à agir ainsi.

Les deux voies de la persuasion

Nos opinions proviennent de quelque part. La persuasion, qu'on l'appelle éducation (quand nous l'approuvons) ou propagande (quand nous la désapprouvons), est par conséquent inévitable. De fait, la persuasion est omniprésente; c'est le nerf de la politique, du marketing, de la conquête amoureuse, de l'enseignement, de la négociation, de l'évangélisation et de la plaidoirie. Les psychologues sociaux cherchent donc à comprendre ce qui fait l'efficacité d'un message. Quels facteurs nous poussent à changer? Et quel est le meilleur moyen d'«éduquer» les autres?

Imaginez que vous dirigez une firme de marketing ou de publicité. Vous récoltez une part des 100 milliards de dollars que les entreprises nord-américaines investissent chaque année pour annoncer leurs produits et leurs services (Wachtel, 1989). Ou mettez-vous à la place d'un animateur de pastorale qui tente de cultiver l'amour et la charité chez ses élèves. Ou supposez encore que vous voulez promouvoir l'économie d'énergie, l'allaitement maternel ou la candidature d'un politicien. Que pourriez-vous faire pour devenir persuasif? Si, d'un autre point de vue, vous voulez échapper à la manipulation, de quelles tactiques devriez-vous vous méfier?

Les deux voies

Pour persuader autrui, vous avez le choix entre deux tactiques: formuler des arguments *centraux* solides ou rendre votre message attrayant en l'associant à des *indices périphériques* favorables. Richard Petty et John Cacioppo (1989), ainsi qu'Alice Eagly et Shelly Chaiken (1992) soutiennent que les gens qui ont la capacité et la motivation d'analyser une question sont surtout sensibles à l'**approche centrale** de la persuasion. Cette tactique consiste à faire valoir des arguments systématiques en vue de provoquer l'adhésion. Les annonces d'ordinateurs, par exemple, montrent rarement des étoiles du sport ou du cinéma; elles indiquent à des acheteurs à l'esprit analytique les caractéristiques hors pair de l'appareil et son prix concurrentiel[1].

Approche centrale
Manière de persuader qui consiste à présenter des arguments à un auditoire intéressé en vue de susciter chez lui des pensées favorables.

Selon Petty et Cacioppo, les personnes dotées d'un esprit analytique, celles qui aiment réfléchir et jongler avec les idées, se fient non seulement à la force des arguments mais aussi à leurs propres réponses cognitives à ces arguments. Ce ne sont pas tant les arguments qui réussissent à convaincre ces personnes que les réflexions que ceux-ci provoquent. Et lorsque la réflexion est profonde plutôt que superficielle, le changement d'attitude éventuel est habituellement permanent (Verplanken, 1991).

Approche périphérique
Manière de persuader qui consiste à miser sur des indices accessoires, comme l'attrait du communicateur.

Pour ce qui est des questions qui ne visent ni ne provoquent la réflexion, l'**approche périphérique** est la plus efficace. Plutôt que de fournir des renseignements sur le produit, par exemple, la publicité sur le tabac se contente d'associer la cigarette à des images de beauté et de plaisir. Même les gens à l'esprit analytique se forment parfois des opinions provisoires au moyen d'un raisonnement simple (Chaiken, 1987). Récemment, les citoyens de ma municipalité ont dû se prononcer sur une question complexe reliée à la propriété légale de l'hôpital local. Je n'avais ni le temps ni l'envie d'étudier la question moi-même (j'avais le présent ouvrage à écrire). Cependant, j'ai remarqué que les partisans du référendum étaient tous des gens que j'appréciais ou que je considérais comme des experts. J'ai donc employé un raisonnement (ou heuristique) simple (on peut faire confiance aux amis et aux experts) et j'ai voté comme eux. Il nous arrive à tous de faire des jugements irréfléchis en employant des approximations semblables. Si un conférencier est rigoureux et intéressant, paraît animé de bonnes intentions et présente plusieurs arguments (ou, mieux, si les arguments proviennent de différentes sources), nous empruntons la voie périphérique commode et nous acceptons le message sans trop le soupeser (figure 14.1).

Les trois facteurs de la persuasion: les trois Q

Le communicateur, le contenu du message et l'auditoire sont au nombre des ingrédients de la persuasion qu'étudient les

149

---

1. Cependant, le marché et le produit évoluant, on montre le plus en plus des familles (enfant et parent) prenant plaisir à utiliser un ordinateur.

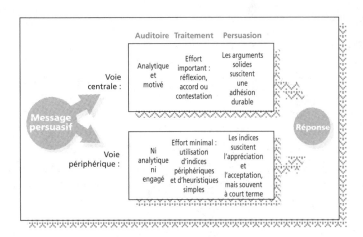

Figure 14.1

Auditoire	Traitement	Persuasion

Voie centrale : Analytique et motivé — Effort important : réflexion, accord ou contestation — Les arguments solides suscitent une adhésion durable

Voie périphérique : Ni analytique ni engagé — Effort minimal : utilisation d'indices périphériques et d'heuristiques simples — Les indices suscitent l'appréciation et l'acceptation, mais souvent à court terme

Message persuasif → **Réponse**

L'approche centrale et l'approche périphérique de la persuasion. Pour annoncer des ordinateurs, les publicitaires utilisent généralement l'approche centrale; ils supposent que leur auditoire tient à comparer systématiquement les caractéristiques et les prix. Pour vendre des boissons gazeuses, les publicitaires emploient l'approche périphérique; ils associent leur produit au prestige, au plaisir et à la joie de vivre qu'il confère.

psychologues sociaux. Autrement dit, les psychologues sociaux se demandent *qui* dit *quoi* et *à qui*. Voyons dans quelle mesure chacun de ces facteurs relève de l'approche centrale ou de l'approche périphérique de la persuasion.

Qui parle? L'influence du communicateur

Imaginez la scène suivante. Gilbert, homme d'âge mûr, regarde le bulletin de nouvelles de fin de soirée. Le premier reportage montre un petit groupe de radicaux en train de brûler l'effigie du premier ministre. L'un des manifestants crie à l'aide d'un porte-voix: «Chaque fois qu'un gouvernement devient oppressif, le peuple a le droit de le modifier ou de l'abolir. Le peuple a le droit, le devoir, de renverser un tel gouvernement!» Outré, l'homme se tourne vers sa femme et grogne: «Ces discours communistes sont écœurants!» Dans le second reportage, le chef de l'opposition prend la parole lors d'un rassemblement contre les hausses d'impôt: «L'économie devrait constituer le principe directeur des dépenses de notre gouvernement. Il faudrait faire clairement comprendre à tous les fonctionnaires que la corruption et le gaspillage sont des crimes très graves.» Enchanté, l'homme se détend et sourit: «Enfin du bon sens! Bien parlé!»

Modifions la scène. Imaginons que notre homme regarde une télésérie consacrée à la révolte des patriotes, dans laquelle le personnage de Louis-Joseph Papineau prononce les mêmes phrases révolutionnaires. Il entend ensuite un orateur communiste lire les propos sur l'économie dans le *Petit Livre rouge* de Mao Tsét'ung. Réagirait-il de la même façon?[2]

Les psychologues sociaux ont découvert que l'émetteur d'un message constitue un facteur déterminant. Lors d'une expérience, les chefs socialiste et libéral du parlement des Pays-Bas défendirent des positions identiques en employant les mêmes mots. Chacun obtint plus d'adhésion de la part des membres de son propre parti que de ceux de l'autre parti (Wiegman, 1985). Manifestement, ce n'est pas

2. En fait, la première citation est tirée de la Déclaration d'indépendance des États-Unis et la deuxième vient effectivement du petit livre rouge de Mao.

seulement le message central qui importe, mais aussi la personne qui l'émet (un *indice périphérique*).

La crédibilité

Qu'est-ce qui rend un communicateur plus persuasif qu'un autre?

Tout le monde, je présume, trouverait un message sur les bienfaits de l'exercice plus crédible s'il paraissait dans *Québec Science* plutôt que dans *Allô Police*. Les communicateurs crédibles sont ceux qui paraissent à la fois *experts* et *dignes de confiance*. Ils s'expriment sans hésitation et ils ne semblent nullement rechercher leur bénéfice personnel. Certaines réclames télévisées sont visiblement conçues pour donner du communicateur l'image d'une personne à la fois compétente et fiable. Pour annoncer les analgésiques, les laboratoires pharmaceutiques font appel à un porte-parole en blouse blanche qui déclare avec assurance que la plupart des médecins recommandent leur produit. Devant des indices périphériques semblables, les gens qui ne se donnent pas la peine d'analyser les données disponibles déduisent automatiquement que le produit est valable. D'autres publicités ne semblent pas reposer sur le principe de la crédibilité. Claude Meunier est-il vraiment un expert fiable en matière de boissons gazeuses? Vous et moi allons-nous utiliser une Mastercard parce que Julie Snyder nous le recommande?

Crédibilité
Capacité d'être cru. Un communicateur crédible est perçu comme un expert et est jugé digne de confiance.

Les effets de la **crédibilité** de la source s'estompent au bout d'un mois environ. Si un message est persuasif mais que le public oublie sa source ou le dissocie de sa source, l'influence d'un communicateur hautement crédible s'atténue. Inversement, l'influence d'un communicateur peu crédible peut *augmenter* avec le temps (si le public retient mieux le message que les raisons qu'il a de le discréditer) (Cook et Flay, 1978; Gruder et coll., 1978; Pratkanis et coll., 1988). Cet effet persuasif à retardement, qui se produit après que les gens ont oublié la source ou son rapport avec le message, est appelée **effet de rémanence**.

Effet de rémanence
Fait, pour un message, d'exercer un pouvoir de persuasion après un certain temps. Se produit lorsque nous nous rappelons un message mais oublions les raisons que nous avions de le contester.

L'attrait

La plupart des gens vous diront que la caution des étoiles du sport ou du spectacle ne les influence pas. Tout le monde sait que les vedettes sont rarement des spécialistes des produits qu'elles annoncent. En plus, nous savons fort bien que le but recherché est de nous persuader; ce n'est pas un hasard si on nous présente Claude Meunier en train de déguster un Pepsi. Les publicités où figurent des vedettes reposent sur une autre caractéristique propre au communicateur efficace: l'attrait. Nous pensons peut-être que l'humour, le charme et la célébrité ne nous influencent pas, mais les chercheurs ont prouvé le contraire. Notre engouement pour l'émetteur peut nous rendre sensibles à ses arguments (approche centrale) ou simplement susciter chez nous des associations favorables lorsque, plus tard, nous voyons le produit (approche périphérique).

Attrait
Fait de posséder les qualités qui plaisent à un auditoire. Un communicateur attrayant (c'est-à-dire, souvent, un communicateur qui ressemble à son auditoire) est particulièrement persuasif lorsqu'il est question de préférences subjectives.

L'**attrait** peut prendre plusieurs formes, dont le *charme physique*. Les arguments, et particulièrement les arguments émotifs, ont souvent plus de poids lorsqu'une personne ravissante nous les présente (Chaiken, 1979; Dion et Stein, 1978; Pallak et coll., 1983). L'attrait peut aussi prendre la forme de la ressemblance. Comme nous le verrons dans le module 27, nous avons tendance à aimer les gens qui nous ressemblent. De plus, nous subissons leur influence. Par

151

exemple, Theodore Dembroski et ses collègues (1978) présentèrent à des élèves noirs du secondaire l'enregistrement vidéo d'un message sur l'hygiène dentaire. Le lendemain, un dentiste examina les élèves pour évaluer la propreté de leurs dents. Les élèves qui avaient vu le message prononcé par un dentiste noir avaient les dents plus propres que les élèves qui avaient vu le message prononcé par un dentiste blanc. En règle générale, les gens sont plus ouverts et plus sensibles aux messages qui proviennent d'un membre de leur propre groupe (Mackie et coll., 1990; Wilder, 1990).

●Que dit-on?
Le contenu du message

Se laisserait-on vraiment convaincre de n'importe quoi par une personne en qui on a confiance?

La persuasion repose non seulement sur l'émetteur (un indice périphérique) mais aussi sur le *contenu* du message. Si vous organisiez une campagne destinée à convaincre les gens de voter pour une hausse des taxes scolaires, d'arrêter de fumer ou de faire un don pour les personnes qui ont faim, vous chercheriez probablement à élaborer une stratégie inspirée de l'approche centrale. Il faudrait alors que vous répondiez aux questions suivantes:

- Dans quelle mesure le message devrait-il diverger des opinions actuelles de l'auditoire? Provoque-t-on un changement plus marqué en défendant une position légèrement différente de celle de l'auditoire ou en soutenant un point de vue extrême? (Tout dépend de la crédibilité du communicateur. Si ce dernier est très crédible, il a intérêt à défendre une position extrême; s'il est peu crédible, il aura plus de succès en défendant des opinions proches de celles de l'auditoire.)

- Le message devrait-il exprimer seulement votre point de vue ou devrait-il présenter aussi les opinions contraires en tentant de les réfuter? (Tout dépend de l'auditoire. Lorsqu'il est déjà d'accord avec le message, qu'il ignore les arguments contraires et a peu de chances d'en tenir compte ultérieurement, l'auditoire réagit plus efficacement au message univoque. Mais si l'auditoire est informé ou s'oppose au message, il vaut mieux présenter les deux points de vue.)

- Si deux points de vue contraires sont présentés, par exemple lors d'allocutions successives, dans le cadre d'une assemblée de citoyens, est-il préférable de parler au début ou à la fin? (L'information présentée en premier lieu est souvent la plus marquante, particulièrement si elle influe sur l'interprétation des renseignements donnés par la suite. Mais si un intervalle de temps sépare les deux exposés, l'effet de la primauté diminue. Enfin, si la décision se prend juste après la présentation du second exposé, c'est ce dernier qui obtient l'avantage dans la mesure où il est frais dans l'esprit de l'auditoire.)

Répondons plus longuement à une quatrième question: Pour persuader, vaut-il mieux faire appel à la raison ou à l'émotion?

La raison contre l'émotion: le cœur a ses raisons...

Imaginez que vous sollicitez des dons pour venir en aide aux victimes de la famine. Devriez-vous présenter des arguments détaillés et citer une foule de statistiques impressionnantes? Ne vaudrait-il pas mieux que vous fassiez appel à l'émotion en racontant, par exemple, l'histoire poignante d'un enfant affamé? Bien entendu, un argument peut être à la fois logique et émouvant. On peut tout de même se demander si c'est la raison ou l'émotion qui convainc le mieux. «Aimez donc la raison, a dit Boileau; que toujours vos écrits empruntent d'elle seule et leur lustre et leur prix.» Faut-il suivre ce conseil ou croire plutôt La Rochefoucauld: «Les passions sont les seuls orateurs qui persuadent toujours»?

Encore une fois, tout dépend de l'auditoire. Les gens instruits et à l'esprit analytique sont plus sensibles aux messages rationnels que ne le sont les gens peu instruits et à l'esprit peu analytique (Cacioppo et coll., 1983; Hovland et coll., 1949). Les auditoires qui se sentent engagés cheminent sur la voie centrale; ils sont plus réceptifs aux arguments rationnels. Les auditoires indifférents, d'un autre côté, empruntent la voie périphérique; ils se laissent surtout guider par leurs sentiments à l'égard du communicateur (Chaiken, 1980; Petty et coll., 1981). Des entrevues réalisées aux États-Unis avant l'élection présidentielle de 1980 montrèrent que la campagne électorale laissait froids de nombreux électeurs. Leurs réactions émotionnelles à l'égard des candidats (et notamment à l'entrain que Ronald Reagan leur communiquait) constituaient de meilleurs prédicteurs de leur décision que leurs croyances face aux personnalités et au comportement éventuel des candidats (Abelson et coll., 1982). En 1988, de même, beaucoup d'Américains qui partageaient les idées de Michael Dukakis *aimaient* davantage George Bush et, par conséquent, votèrent pour lui.

L'EFFET DES SENTIMENTS AGRÉABLES Les messages associés à des sentiments agréables acquièrent un pouvoir de persuasion plus grand. Irving Janis et ses collègues (1965; Dabbs et Janis, 1965) constatèrent que les étudiants de l'université Yale étaient plus sensibles à des messages persuasifs s'ils les lisaient en mangeant des cacahuètes et en buvant du Pepsi (figure 14.2). De même, Mark Galizio et Clyde Hendrick (1972) découvrirent que les étudiants de la Kent State University étaient plus réceptifs aux paroles de chansons «folk» si elles étaient accompagnées d'une agréable mélodie de guitare que si elles étaient récitées sans accompagnement. Voilà qui plaira à ceux qui aiment brasser des affaires dans des restaurants luxueux où joue une douce musique d'ambiance.

Les sentiments agréables accroissent l'effet de persuasion parce qu'ils sont propices à la pensée positive (Petty et coll., 1991). Les gens d'humeur joyeuse voient le monde à travers des lunettes roses. Ils prennent des décisions plus rapides et plus impulsives; ils se fient plus aux indices périphériques qu'au raisonnement (Schwarz et coll., 1991). Comme les gens malheureux réfléchissent longuement avant d'agir, ils ne se laissent pas emporter par les arguments faibles. Alors, si vous ne pouvez être rigoureux, arrangez-vous pour mettre votre auditoire de bonne humeur et espérez qu'il accueille favorablement votre message sans qu'il soit trop porté à y réfléchir.

153

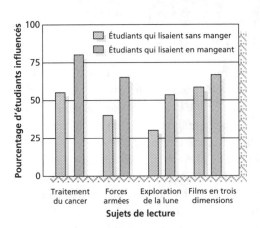

Figure 14.2

Les étudiants qui lisaient en grignotant furent plus sensibles au message que ceux qui lisaient sans grignoter. (Les données sont tirées de Janis et coll., 1965.)

Susciter la crainte ne peut-il pas créer un effet contraire à l'effet recherché?

L'EFFET DE LA PEUR   On peut aussi persuader des gens en provoquant chez eux des émotions désagréables. Pour convaincre les gens d'arrêter de fumer, de se brosser les dents régulièrement, de se faire vacciner contre le tétanos ou de conduire prudemment, il peut être efficace de leur faire peur (Muller et Johnson, 1990). Montrer aux fumeurs les horribles choses qui risquent de leur arriver ajoute au pouvoir de persuasion du message. Mais jusqu'où faut-il aller? Faut-il se contenter de faire naître une petite inquiétude, de manière à éviter que l'auditoire trouve le message si déplaisant qu'il s'en détourne? Ou faut-il carrément le terroriser? Des expériences réalisées par Howard Leventhal (1970) et ses collègues à l'université du Wisconsin ainsi que par Ronald Rogers et son équipe à l'université de l'Alabama (Robberson et Rogers, 1988) montrent que, souvent, l'intensité de la réaction est proportionnelle à la peur créée parmi l'auditoire.

La publicité sur les dangers de la cigarette, de l'alcool au volant et des comportements sexuels à risque fait souvent appel à la tactique de la peur. Dawn Wilson et ses collaborateurs (1987, 1988) demandèrent à des médecins d'envoyer une lettre à leurs patients fumeurs. Parmi ceux qui reçurent un message constructif (expliquant que l'abandon du tabac augmentait leur espérance de vie), 8 pour cent essayèrent d'arrêter de fumer. Et parmi ceux qui reçurent un message alarmant (indiquant que le tabagisme les ferait mourir prématurément), 30 pour cent tentèrent de se débarrasser de leur habitude. De même, le chercheur Claude Levy-Leboyer (1988) constata que les images dramatiques modifiaient plus efficacement les attitudes des jeunes Français à l'égard de l'alcool au volant. Par conséquent, le gouvernement français diffusa sur les ondes de la télévision des messages alarmants. Au Québec, les publicités anti-tabac et celles contre l'alcool au volant utilisent aussi ce type de stratégie.

Cependant, la tactique de la peur ne confère pas toujours aux messages un pouvoir de persuasion plus grand. Si l'on n'apprend pas aux gens comment éviter le danger, les messages alarmants peuvent devenir insupportables (Leventhal, 1970; Rogers et Mewborn, 1976). Il vaut mieux, d'une part, amener les gens à craindre la gravité et la probabilité d'un événement redouté (comme le cancer du poumon dû au tabagisme) et, d'autre part, leur montrer qu'il existe une stratégie de prévention efficace (Maddux et Rogers, 1983). De nombreux messages visant l'élimination des comportements sexuels à risque visent en même temps à effrayer les gens («Le sida tue») et à leur présenter un moyen de prévention (l'usage du condom). Pendant les années 80, la crainte du sida poussa un grand nombre d'hommes à modifier leur comportement. Une étude réalisée aux États-Unis auprès de 5000 homosexuels montra que, de 1984 à 1986, la proportion d'homosexuels qui se disaient abstinents ou monogames était passée de 14 pour cent à 39 pour cent (Fineberg, 1988).

● À qui parle-t-on? L'auditoire

Pour persuader les gens, il faut tenir compte des récepteurs du message et, en particulier, de leur *âge* et de leur *disposition mentale*.

Quel âge ont-ils?

De nos jours, les attitudes sociales et politiques des gens dépendent de leur âge. Il existe deux explications au phénomène. La première est fondée sur la notion de *cycle de vie*: les gens changent d'attitudes (ils deviennent plus conservateurs, par exemple) à mesure qu'ils vieillissent. La seconde repose sur la notion de *génération*: les gens conservent les attitudes qu'ils ont adoptées quand ils étaient jeunes; comme ces attitudes diffèrent de celles qu'adoptent les jeunes d'aujourd'hui, un fossé se creuse entre les générations.

La recherche démontre que la seconde explication est la plus juste. Lorsqu'on interroge des groupes de jeunes et de gens d'âge mûr à plusieurs reprises au cours de quelques années, on s'aperçoit presque toujours que les attitudes des vieux changent moins que celles des jeunes. Comme l'a dit David Sears (1979, 1986), les chercheurs décèlent presque invariablement des effets liés à la génération plutôt que des effets liés au cycle de vie.

Ce n'est pas que les gens d'âge mûr soient inflexibles; la plupart des quinquagénaires et des sexagénaires ont des attitudes raciales et sexuelles plus libérales que celles qu'ils avaient dans la trentaine et dans la quarantaine (Glenn, 1980, 1981). C'est plutôt que l'adolescence et le début de la vingtaine constituent une importante période de formation (Krosnick et Alwin, 1989); les attitudes adoptées à cette époque tendent à persister. Si vous avez entre 18 et 25 ans, choisissez soigneusement vos influences sociales et notamment les groupes auxquels vous vous joignez, les livres que vous lisez et les rôles que vous endossez.

Les expériences vécues au cours de l'adolescence et au début de l'âge adulte sont formatrices dans la mesure où elles laissent chez l'individu des impressions profondes et durables. Howard Schuman et Jacqueline Scott (1989) demandèrent à des gens de nommer l'événement le plus marquant des 50 dernières années. La plupart des répondants citèrent un événement qui était survenu alors qu'ils étaient adolescents ou jeunes adultes. Pour ceux qui avaient entre 16 et 24 ans pendant la grande crise de 1929 ou la Seconde Guerre mondiale, ces événements revêtaient plus d'importance que la déségrégation et l'assassinat de Kennedy (au début des années 60), que la guerre du Vietnam et la conquête de la Lune (à la fin des années 60) et que le mouvement féministe (dans les années 70). Ces événements des années 60 et 70 se sont imprimés dans l'esprit de ceux qui avaient entre 16 et 24 ans à cette époque. Nous pouvons donc présumer que la guerre du Golfe, la chute du mur de Berlin, le démantèlement de l'Union soviétique et l'inondation au Saguenay laisseront aux jeunes adultes d'aujourd'hui des souvenirs indélébiles.

Que pensent-ils?

Sur la voie centrale de la persuasion, ce n'est pas le message lui-même qui est crucial, mais les réactions qu'il provoque chez l'auditoire. Notre esprit n'est pas une éponge qui absorbe indifféremment tous les messages. Si un message évoque en nous des pensées agréables, il nous persuade. S'il nous amène à trouver des arguments qui le contredisent, il ne nous convainc pas.

UN HOMME AVERTI EN VAUT DEUX... S'IL SE DONNE LA PEINE D'ARGUMENTER   Un de ces facteurs est représenté par un communicateur peu crédible livrant un message désagréable (Perloff et Brock, 1980). Le fait d'être *averti* que quelqu'un va essayer de nous persuader en est un autre. Supposons que vous voulez annoncer à vos parents votre intention d'abandonner vos études. Vous savez au départ que vos parents essaieront de vous persuader du contraire. Vous préparez donc une liste d'arguments propres à contrer tous ceux qu'ils pourront vous présenter. Jonathan Freedman et David Sears (1965) ont démontré combien il est difficile de persuader un interlocuteur ainsi préparé. Ils ont formé deux grands groupes avec des élèves de dernière année de l'ordre d'enseignement secondaire. Ils ont averti un des groupes qu'il allait assister à un exposé intitulé «Pourquoi les adolescents ne devraient pas avoir le droit de conduire», et ils n'ont pas averti le second groupe. Contrairement aux élèves non avertis, les élèves prévenus s'en tinrent à leurs opinions.

Prendre ses interlocuteurs par surprise constitue une stratégie efficace dans le cas de gens engagés. Si on prévient ce public quelques minutes à l'avance, il se prépare une défense (Petty et Cacioppo, 1977, 1979a). Mais auprès des gens qui trouvent une question sans intérêt, même la propagande la plus évidente est efficace. Vous donneriez-vous la peine d'argumenter pour ou contre deux marques de dentifrice? De même, le fait de glisser subrepticement une prémisse dans la conversation («Pourquoi Suzanne était-elle hostile à Jean-Marc?») en favorise l'acceptation (Suzanne est hostile à Jean-Marc) (Swann et coll., 1982).

LA DIVERSION DÉSAMORCE L'OPPOSITION   Pour persuader verbalement les gens, il est utile de les distraire juste assez pour leur enlever le désir de contester (Festinger et Maccoby, 1964; Keating et Brock, 1974; Osterhouse et Brock, 1970). Les stratèges politiques emploient fréquemment cette technique dans leurs messages. Le texte vante le candidat et les images accaparent notre attention, de telle sorte que nous n'analysons pas les mots. La diversion est particulièrement efficace dans le cas de messages simples (Harkins et Petty, 1981; Regan et Cheng, 1973). Je ne peux que m'interroger devant de tels résultats. Comment la télévision façonne-t-elle le plus nos attitudes? Au moyen de messages subtils et implicites (à propos des rôles sexuels, par exemple) ou de messages directs et explicites? Après tout, un message que nous ne remarquons pas est un message que nous n'analysons et ne contestons pas.

LES AUDITOIRES INDIFFÉRENTS SE FIENT AUX INDICES PÉRIPHÉRIQUES Rappelez-vous que deux voies mènent à la persuasion: une voie centrale pavée d'arguments rationnels et une voie périphérique pavée d'indices heuristiques. Comme la rue principale d'une ville, la voie centrale est lente; elle nous oblige à peser les arguments et à formuler des réponses. Et comme l'autoroute qui encercle la ville, la voie périphérique est rapide et directe. Les gens à l'esprit analytique (ceux qui ont un fort «besoin de cognition») préfèrent la voie centrale. Les gens soucieux de leur image (ceux qui attachent moins d'importance au fait d'avoir raison ou tort qu'à l'impression qu'ils donnent) sont sensibles à des indices périphériques tels que l'attrait du communicateur et l'agrément du décor (Snyder, 1991). Mais la question en jeu a aussi de l'importance. Chacun d'entre nous réfléchit rigoureusement aux questions qui l'intéressent tout en faisant des jugements rapides à propos des sujets qui le laissent froid (Johnson et Eagly, 1990).

Cette théorie fondamentalement simple, selon laquelle notre réaction à un message est cruciale *si* nous sommes motivés à y réfléchir et aptes à le faire, éclaire plusieurs résultats de recherche. Par exemple, nous sommes enclins à croire en l'expertise des communicateurs parce qu'une source digne de confiance suscite en nous des pensées favorables et nous dissuade de contester. Devant une source peu crédible, par contre, nous avons tendance à défendre nos opinions en réfutant le message.

La théorie a donné lieu à un bon nombre de prévisions qui, pour la plupart, ont été confirmées par Petty, Cacioppo et d'autres chercheurs (Axsom et coll., 1987; Harkins et Petty, 1987; Leippe et Elkin, 1987). De nombreuses expériences ont porté sur les moyens de stimuler la réflexion: poser des *questions de pure forme*, présenter *plusieurs communicateurs* (trois communicateurs peuvent ainsi développer chacun un argument au lieu de laisser à un seul communicateur le soin d'en donner trois), amener l'auditoire à *se sentir responsable* de l'évaluation ou de la diffusion du message, adopter des postures *détendues* au lieu d'attitudes guindées, *répéter* le message et obtenir l'*attention pleine et entière* de l'auditoire. Toutes ces expériences ont donné le même résultat: chaque technique rend les messages solides encore plus persuasifs et (à cause de la contestation), les messages faibles encore moins convaincants.

La théorie trouve aussi des applications pratiques. Un communicateur efficace se préoccupe non seulement de son image et de son message, mais aussi des réactions possibles de ses auditeurs. Et ces réactions dépendent d'une part de leur intérêt pour le sujet et, d'autre part, de leurs dispositions, c'est-à-dire de leur goût pour l'analyse, de leur capacité de tolérer l'ambiguïté et de leur besoin d'être fidèles à eux-mêmes (Cacioppo et coll., 1986; Snyder et DeBono, 1987; Sorrentino et coll., 1988).

157

L'approche centrale et l'approche périphérique en psychothérapie

La psychothérapie, que le psychologue Stanley Strong considère comme «une branche de la psychologie sociale appliquée» (1978, p. 101), fait un usage constructif de la persuasion. Au début des années 90, les psychologues étaient de plus en plus nombreux à admettre que l'influence sociale (l'influence qu'exerce une personne sur une autre) est au cœur même de la relation thérapeutique.

Les premières analyses de l'influence sociale en psychothérapie portaient d'une part sur la manière dont les thérapeutes établissent leur expertise et leur crédibilité et, d'autre part, sur le rapport existant entre la crédibilité et l'influence (Strong, 1968). Les analyses récentes concernent moins le thérapeute que l'effet de l'interaction sur la pensée du client (Cacioppo et coll., 1991; McNeill et Stoltenberg, 1988; Neimeyer et coll., 1991). Les indices périphériques, par exemple la crédibilité du thérapeute, ouvrent la porte à des idées que le client, sous l'influence du thérapeute, peut être amené à considérer. Mais l'approche centrale occasionne le changement d'attitude et de comportement le plus durable. Par conséquent, les thérapeutes devraient chercher à modifier la pensée du client plutôt qu'à lui faire superficiellement approuver leurs jugements d'experts.

Heureusement, la plupart des gens qui entreprennent une thérapie sont motivés à emprunter la voie centrale et à réfléchir sérieusement à leurs problèmes, avec l'aide du thérapeute. La tâche du psychologue consiste à formuler des arguments et des questions propres à faire naître des pensées favorables. La pertinence des interventions du thérapeute importe moins que les pensées qu'elles provoquent chez le client. Le thérapeute doit présenter les choses en des termes que le client puisse entendre et comprendre, qu'il puisse approuver au lieu de contester, et de manière qu'il ait le temps et l'espace nécessaires pour y réfléchir. «Que pensez-vous de ce que je viens de dire?» est le genre de question susceptible de stimuler la réflexion du client.

Martin Heesacker (1989) cite à ce propos le cas de Dave, étudiant diplômé de 35 ans. Le psychologue s'aperçut que Dave niait son alcoolisme. Mais il avait reconnu en lui l'intellectuel rigoureux, et il recourut à la logique pour le persuader d'accepter le diagnostic et de s'inscrire à un groupe d'entraide. «D'accord, dit le psychologue. Si mon diagnostic est erroné, je me ferai un plaisir de le modifier. Alors, pour voir si j'ai raison ou tort, passons en revue les caractéristiques de l'alcoolique.» Le psychologue examina alors les critères un à un en donnant à Dave le temps de réfléchir à chacun d'eux. À la fin, Dave se renversa sur son fauteuil et s'exclama: «Je ne peux pas le croire: je suis un maudit alcoolique!»

Lors d'une expérience, John Ernst et Heesacker (1991) démontrèrent l'efficacité de l'approche centrale dans les cours d'affirmation de soi. Les participants d'un groupe reçurent la formation classique qui consiste à apprendre les principes de l'affirmation de soi et à les appliquer. Les participants d'un autre groupe apprirent les mêmes concepts, mais ils furent aussi invités à relater une situation où le manque d'assurance leur avait nui. Ils entendirent ensuite des arguments propres à susciter des pensées favorables (comme «En ne vous affirmant pas, vous enseignez aux autres à vous malmener»). À la fin de l'atelier, Ernst et Heesacker demandèrent aux participants de réfléchir quelques instants à leurs nouveaux apprentissages. Comparativement aux participants du premier groupe, ceux du second sortirent de l'atelier avec des attitudes et des intentions plus favorables à l'affirmation de soi. En outre, leurs colocataires trouvèrent, au cours des deux semaines suivantes, qu'ils avaient plus d'assurance.

Une phrase des *Pensées* montre que Pascal avait compris le principe dès 1620: «On se persuade mieux, d'ordinaire, par les raisons qu'on a soi-même trouvées, que par celles qui sont nées dans l'esprit des autres.»

Exercices et questions

Dans le module, nous avons étudié différentes façons de persuader les gens de changer d'attitudes et, surtout, de comportement. La persuasion constitue, bien entendu, la clé du succès en publicité. Examinons de plus près la crédibilité et la compétence perçue des communicateurs, et demandons-nous quelles affiches seraient les plus efficaces dans une campagne de prévention du sida.

1. Vaut-il mieux être considéré comme un expert ou comme une personne digne de confiance?
2. Quels genres d'affiches seraient les plus efficaces dans les campagnes de prévention du sida?
3. La crédibilité que nous reconnaissons à un politicien dépend-elle de notre engagement face au sujet dont il parle?

1. LES PRÊTRES, LES MÉDECINS ET LA CONFIANCE DES RELIGIEUSES

Lui et Standing (1989), deux chercheurs de l'université Bishop, à Lennoxville, firent écouter à 36 religieuses catholiques un message enregistré à propos du sida. Les chercheurs dirent à un groupe de religieuses que la voix était celle d'un médecin, à un deuxième groupe que la voix était celle d'un prêtre et à un troisième groupe que la voix était celle d'un annonceur quelconque. Les religieuses jugèrent le «prêtre» beaucoup plus digne de confiance que les autres sources et ne trouvèrent pas le «médecin» plus convaincant que l'«annonceur».

2. L'AFFICHAGE ET LA PRÉVENTION DU SIDA

Deux chercheurs de l'Alberta, Wilson et Stewin (1992), présentèrent à 131 étudiants du premier cycle universitaire huit affiches portant sur le sujet du sida et leur demandèrent d'évaluer leur contenu. Les thèmes et les messages, diversifiés, allaient de très informatifs à très humoristiques; certains faisaient référence à l'homosexualité. Les étudiants jugèrent que deux des affiches étaient plus informatives, plus rassurantes et plus décentes que les autres. La première utilisait l'approche informative, tandis que la seconde insistait sur l'importance de la responsabilité personnelle en prévention.

Croyez-vous qu'il existe une forte relation entre une telle évaluation des affiches et le comportement réel des étudiants en matière de prévention du sida? Pour répondre, tenez compte de la question des attitudes, des croyances et des comportements que nous avons traités dans le module 8.

3. LA CRÉDIBILITÉ DES MESSAGES POLITIQUES ET L'ENGAGEMENT DE L'AUDITOIRE

Jean-Charles Chebat, de l'Université du Québec à Montréal, a étudié les relations entre la crédibilité du communicateur et l'engagement de son auditoire. Il fit écouter à 381 étudiants du premier cycle universitaire un message dans lequel le communicateur reprochait au gouvernement fédéral les difficultés économiques du Québec. Il interrogea ensuite les sujets à propos de la

159

crédibilité qu'ils accordaient au communicateur et à propos de l'inquiétude que suscitait chez eux la crise économique au Québec (engagement) et de leur sentiment de pouvoir y changer quelque chose (foyer de contrôle). Les résultats indiquèrent que l'acceptation du message était fortement influencée par la crédibilité perçue du communicateur; de plus, le chercheur constata que le message avait eu autant d'efficacité chez les étudiants fortement engagés sur la question que chez les étudiants faiblement engagés.

L'endoctri-
nement et
la résistance:
virus et
vaccins

C onsciemment ou non, les êtres humains appliquent les principes de la persuasion selon des modalités qui en révèlent la puissance. Songeons, par exemple, à Joseph Goebbels, ministre de l'Information et de la Propagande de l'Allemagne nazie. Il utilisa la presse, la radio, le cinéma et les arts pour persuader les Allemands d'adhérer à l'idéologie nazie. Julius Streicher, autre éminence grise du nazisme, publiait *Der Stürmer*, hebdomadaire antisémite qui tirait à 500 000 exemplaires, le seul journal que son ami intime, Adolf Hitler, lisait de la première à la dernière page. Streicher édita aussi de la littérature enfantine antisémite et, avec Goebbels, prit la parole lors des manifestations monstres qui devinrent le fer de lance de la propagande nazie. À quel point Goebbels, Streicher et les autres propagandistes nazis furent-ils efficaces? Injectèrent-ils du poison dans l'esprit de millions de gens, comme les en accusèrent les Alliés au procès de Nuremberg (Bytwerk, 1976)? La plupart des Allemands ne se rendirent pas à leurs arguments. Mais quelques-uns nourrirent une haine féroce à l'égard des Juifs. Certains approuvèrent l'instauration de mesures antisémites. Et la majeure partie des autres furent soit assez déroutés soit assez intimidés pour fermer les yeux sur l'Holocauste.

Songeons aussi aux influences sociales qui amènent des centaines de milliers de gens à joindre les rangs d'une secte religieuse.

L'endoctrinement par les sectes

Secte

Groupe typiquement caractérisé par:
1) la pratique d'un rituel particulier destiné à la vénération d'un dieu ou d'une personne;
2) l'isolement par rapport à la culture environnante, jugée «mauvaise»;
3) la présence d'un leader charismatique.

Qu'est-ce qui persuade les gens d'adopter des croyances radicalement différentes des leurs et d'entrer dans une **secte**, groupe qui se caractérise par: 1) la pratique d'un rituel particulier destiné à la vénération d'un dieu ou d'une personne; 2) l'isolement par rapport à la culture environnante, jugée «mauvaise»; 3) la présence d'un leader charismatique? Le cheminement propre à la secte est-il un bon exemple des mécanismes de la persuasion humaine? Gardez deux choses à l'esprit: premièrement, il s'agit là d'une analyse rétrospective qui a recours aux principes de la persuasion pour expliquer, *a posteriori*, un phénomène social fascinant.

Deuxièmement, on n'aborde nullement la question de la *vérité* d'une croyance en expliquant ses *causes*. Causes et vérité constituent, sur le plan logique, des sujets distincts. Une psychologie de la religion qui pourrait expliquer *pourquoi* un croyant a la foi et pourquoi un athée ne l'a pas ne révélerait pas lequel des deux a raison. En matière de croyances, expliquer n'est pas justifier. Alors, si jamais quelqu'un essaie de discréditer vos croyances en vous disant quelque chose comme: «Tu y crois seulement parce que…», rappelez-vous la réplique de l'archevêque William Temple. Après qu'il eut prononcé une conférence à Oxford, l'un de ses auditeurs ouvrit la discussion en faisant le commentaire suivant: «Si j'ai bien compris, Monseigneur, vous croyez ce que vous croyez à cause de l'éducation que vous avez reçue.» Ce à quoi l'archevêque répondit: «Peut-être. Mais il reste que si vous croyez que je crois ce que je crois à cause de l'éducation que j'ai reçue, c'est à cause de l'éducation que vous avez reçue.»

Au cours des dernières décennies, deux sectes religieuses se sont attiré beaucoup de publicité: l'Église de l'unification de Sun Myung Moon et le Temple du peuple de Jim Jones. La doctrine de Moon, qui consiste en un amalgame de christianisme, d'anticommunisme et de glorification de Moon lui-même en tant que nouveau messie, fit des adeptes dans le monde entier. «Mes désirs doivent être vos désirs», avait déclaré Moon. Un grand nombre de gens lui obéirent, se convertirent à l'Église de l'unification et lui firent don de leur argent. Comment les avait-on persuadés?

En 1978, en Guyane, 911 disciples du révérend Jones venus de San Francisco obéirent à leur chef et burent une boisson à la fraise contenant des tranquillisants, des analgésiques et une dose mortelle de cyanure. Leur suicide horrifia le monde entier. Comment une telle chose avait-elle pu se produire? Et qu'en est-il des 85 disciples de David Koresh qui périrent dans l'incendie de leur ranch, à Waco, au Texas? Comment Koresh les avait-il convaincus de lui céder tous leurs biens et de se soumettre à son exploitation sexuelle?

Plus près de nous, comment peut-on expliquer que des gens informés, scolarisés et occupant des postes importants aient pu aller jusqu'au meurtre et au suicide à Morin Heights dans les Laurentides, et dans un petit village de Suisse, au sein de l'Ordre du temple solaire?

Les attitudes se moulent au comportement: je penserai ce que je fais

L'OBÉISSANCE ENGENDRE L'ACCEPTATION   Comme nous l'avons démontré dans le module qui portait sur le comportement et les croyances, les gens intériorisent les engagements qu'ils prennent volontairement, publiquement et fréquemment. Les chefs des sectes semblent le savoir. Les convertis ont tôt fait de découvrir qu'on ne prend pas leur engagement à la légère. On s'arrange pour qu'ils deviennent rapidement des membres actifs de l'équipe et non des observateurs passifs. On les intègre à la secte en les faisant participer aux rituels, au démarchage public et aux campagnes de souscription. De fil en aiguille, les novices se muent en apôtres zélés, comme les sujets des expériences de psychologie sociale en viennent à croire aux événements dont ils sont témoins (Aronson et Mills, 1959; Gerard et Mathewson, 1966). Et plus l'engagement personnel est grand, plus le besoin de le justifier est fort.

LE PHÉNOMÈNE DU PIED DANS LA PORTE   Notre décision de nous engager est rarement soudaine et consciente. On ne se dit pas un beau matin: «J'en ai assez de la religion traditionnelle. Je vais me trouver une secte.» Les recruteurs des sectes n'abordent pas non plus les passants en leur disant: «Salut! Je suis un adepte de Moon! Avez-vous envie de vous joindre à nous?»

Comment sommes-nous amenés à prendre des engagements?

La stratégie de recrutement mise plutôt sur le phénomène du pied dans la porte. Les recruteurs de l'Église de l'unification invitaient les gens à un dîner, puis à un amical week-end de discussion sur le sens de la vie. Pendant cette retraite, ils encourageaient les gens à participer à des chants, à des activités et à des discussions. Une fois que les recruteurs avaient repéré des adeptes potentiels, ils les incitaient à s'inscrire à des stages de formation plus longs. Petit à petit, les activités devenaient plus exigeantes; il s'agissait de demander des contributions et de travailler à recruter de nouveaux membres. Tenter de persuader d'autres personnes intensifiait l'engagement qu'avaient déjà pris les recrues[1].

Jim Jones employait la même technique auprès des membres du Temple du peuple. Au début, il leur demandait de simples offrandes volontaires. Ensuite, il exigeait d'eux une contribution équivalant à 10 pour cent de leurs revenus. La proportion passait vite à 25 pour cent. Enfin, il ordonnait aux membres de lui céder tout ce qu'ils possédaient. Grace Stoens raconte:

Rien n'était jamais radical. C'est comme ça que Jim Jones s'en tirait aussi bien. Vous donniez ceci, puis cela, puis encore un peu plus, mais c'était toujours très graduel. C'était déconcertant. De temps en temps, on se réveillait et on se disait: «Oh! J'ai donné vraiment beaucoup. J'en endure beaucoup.» Mais il allait si lentement qu'on se disait: «Je me suis déjà rendu jusqu'ici, alors quelle différence ça fait?» (Conway et Siegelman, 1979, p. 236)

---

1. Si on a déjà essayé de vous convaincre de vous joindre à une entreprise de type pyramide, vous reconnaîtrez la même stratégie. C'est aussi celle des Témoins de Jéhovah qui vous abordent en vous demandant si vous trouvez que les choses vont bien dans notre monde d'aujourd'hui.

Les éléments de la persuasion:
le retour des trois Q

Nous pouvons aussi analyser l'approche des sectes sous l'angle des facteurs décrits dans le module précédent: le communicateur (*qui parle?*), le message (*que dit-on?*) et l'auditoire (*à qui parle-t-on?*)

LE COMMUNICATEUR Les sectes prospères ont un leader charismatique, une personne qui attire et qui dirige les membres. Dans les sectes, comme dans les expériences sur la persuasion, un communicateur crédible est un communicateur que l'auditoire perçoit comme un expert et juge digne de confiance. C'était le cas du «père» Moon.

Jim Jones, dit-on, utilisait la «télépathie» pour établir sa crédibilité. Quelqu'un demandait aux nouveaux venus de s'identifier à leur entrée dans l'église. Plus tard, un des assistants de Jones appelait chez une de ces personnes et, en se faisant passer pour un sondeur, lui demandait la permission d'aller chez elle pour lui poser quelques questions. Puis un jour, pendant un service religieux, Jones nommait cette personne et disait:

M'avez-vous déjà vu? Vous vivez à tel ou tel endroit, votre numéro de téléphone est le suivant. Dans votre salon, il y a ceci et, sur votre canapé, il y a un coussin comme cela. […]
Vous rappelez-vous que je sois jamais entré chez vous? (Conway et Siegelman, 1979, p. 234)

La crédibilité repose aussi sur la confiance. Margaret Singer (1979b), qui a fait de nombreuses recherches sur les sectes, nota que les jeunes Blancs de la classe moyenne sont plus vulnérables parce qu'ils sont plus confiants. Ils n'ont pas la ruse que les jeunes défavorisés acquièrent à force de vivre dans la rue, ni la méfiance des jeunes de la classe supérieure qu'on met en garde depuis leur plus jeune âge contre les risques de kidnapping. Beaucoup de membres des sectes sont recrutés par des amis ou des parents, par des gens en qui ils ont confiance (Stark et Bainbridge, 1980).

LE MESSAGE Les messages frappants et émotifs ainsi que la chaleur et l'acceptation dont le groupe inonde les recrues peuvent exercer un attrait irrésistible sur les gens seuls et déprimés. Faites confiance au maître, joignez-vous à la famille; nous avons la réponse, «la voie». Le message se répercute à travers des canaux variés: conférences, discussions en petits groupes et pression sociale directe. Et il est transmis à forte dose pendant de longues périodes, avec l'aide des fidèles. Le message, en fait, emprunte des voies périphériques (il joue sur les émotions) en se donnant un contenu qui semble de type central (théories ésotérico-mystico-scientifiques fumeuses et séduisantes).

L'AUDITOIRE Les recrues, pour la plupart, ont moins de 25 ans; elles sont à un âge où les attitudes et les valeurs ne se sont pas encore stabilisées. Certaines, comme les disciples de Jim Jones, sont peu instruites; elles apprécient la simplicité du message et ne disposent pas des moyens de le réfuter. D'autres, plus nombreuses, viennent de la classe moyenne et ont fait des études; aveuglées par les idéaux, elles ne voient pas les contradictions chez ceux qui professent l'altruisme et pratiquent la cupidité, qui prétendent à la charité et se comportent avec cruauté (en autant que ce soit «pour la bonne cause»…).

Beaucoup de convertis potentiels se trouvent à un tournant de leur vie ou font face à une crise personnelle. Ils ont des besoins, et la secte semble leur offrir une réponse (Lofland et Stark, 1965; Singer, 1979a). Les périodes de bouleversement social et économique, par conséquent, sont particulièrement propices à l'avènement d'un gourou ou d'un «père» qui paraît solide dans le tumulte (O'Dea, 1968; Sales, 1972).

Les effets de groupe: une autoconfirmation récurrente

Le sujet des sectes illustre un phénomène sur lequel nous reviendrons dans des modules subséquents: le groupe a le pouvoir de façonner les opinions et les comportements des membres. Les membres des sectes sont généralement coupés de leurs réseaux de soutien antérieurs et isolés avec leurs coreligionnaires. Il peut alors se produire ce que Rodney Stark et William Bainbridge (1980) appellent une «implosion sociale». Les liens avec l'extérieur s'affaiblissent jusqu'à ce que le groupe se referme sur lui-même et que chaque membre n'ait plus de relations qu'avec d'autres membres. Séparé de sa famille et de ses anciens amis, le membre n'a plus aucune occasion d'entendre des arguments contraires à ses convictions. Désormais, c'est le groupe qui définit la réalité. Et puisque la secte désapprouve ou punit la contestation, le consensus apparent dissipe les derniers doutes de l'adepte.

Beaucoup de gens pensent que les sectes transforment d'infortunées victimes en robots. Cependant, les techniques utilisées par les sectes (l'engagement actif, la persuasion et l'isolement) n'ont pas une puissance illimitée. L'Église de l'unification ne réussit à recruter qu'un dixième des gens qui assistent à ses ateliers (Ennis et Verrilli, 1989). Jim Jones était obligé de recourir à l'intimidation à mesure qu'il durcissait ses exigences. Il menaçait les fugitifs, battait les récalcitrants et droguait les membres rebelles. À la fin, il était devenu un voyou autant qu'un gourou.

En outre, les techniques d'influence auxquelles les sectes ont recours ressemblent à certains égards à celles qu'utilisent des groupes mieux connus et acceptés de nous. Les confréries étudiantes de tradition anglo-saxonne[2], par exemple, ont fait le rapprochement entre la «lune de miel» que connaissent les recrues potentielles des sectes et leur propre période de probation. Pendant cette période, les anciens inondent les nouveaux d'attention et les font bénéficier d'un traitement de faveur. Les nouveaux vivent un certain isolement dans la mesure où ils se séparent de leurs amis non inscrits. Ils étudient l'histoire et les règles de leur nouveau groupe. Ils souffrent et consacrent de leur temps au groupe. Et ils doivent se conformer à toutes ses exigences. Comme de raison, ils ne tardent pas à manifester un engagement total à l'égard du groupe.

Un cheminement analogue attend les alcooliques et les toxicomanes qui entrent dans certains groupes de thérapie. Comme les sectes religieuses, les groupes d'entraide sont animés d'un zèle sans faille, ils forment un «cocon social» cohésif, ils nourrissent de profondes croyances et

165

---

2. Ces confréries ont leurs sites sur l'Internet. Pour en savoir plus long, tapez «Alpha, Kuppa, Gamma» comme référence sur un outil de recherche. Vous aurez accès à plusieurs de ces confréries.

ils exercent une influence considérable sur le comportement de leurs membres (Galanter, 1989, 1990). Les organisations terroristes appliquent quelques-uns de ces principes pour recruter et endoctriner leurs membres (McCauley et Segal, 1987).

Devrait-on mettre toutes ces organisations dans le même panier?

Je n'ai pas cité les exemples des confréries étudiantes et des groupes d'entraide pour les discréditer mais bien pour amener deux observations en guise de conclusion. Premièrement, si nous attribuons l'endoctrinement pratiqué par les sectes à la force mystique du chef ou aux faiblesses des adeptes, nous risquons de nous croire immunisés contre les techniques de contrôle social. En vérité, nos propres groupes (ainsi qu'un nombre infini de vendeurs, d'entraîneurs sportifs, de dirigeants politiques et d'autres prophètes) utilisent avec succès plusieurs de ces techniques pour nous persuader. Deuxièmement, que Jim Jones ait abusé du pouvoir de persuasion ne signifie pas que ce pouvoir soit intrinsèquement mauvais. La puissance de l'énergie nucléaire peut servir à éclairer les maisons ou à anéantir les villes. La puissance de la persuasion peut servir à édifier ou à leurrer. Nous devons en être conscients et rester aux aguets. Ces puissances ne sont en elles-mêmes ni bonnes ni mauvaises; c'est l'utilisation que nous en faisons qui les rend soit destructrices, soit constructives.

●Résister à la persuasion: l'inoculation d'attitudes

En lisant ces pages sur l'influence et la persuasion, vous vous êtes peut-être demandé s'il était possible de *résister* à une persuasion indésirable. Cela est évidemment possible. Si, éblouis par une aura de crédibilité, par un uniforme ou par un titre, nous avons déjà cédé à la persuasion, nous pouvons modifier notre attitude habituelle face à l'autorité. Nous pouvons nous informer avant de donner du temps ou de l'argent. Et nous pouvons poser des questions à propos de ce que nous ne comprenons pas.

Le renforcement de l'engagement personnel

Comment peut-on nous amener à prendre position?

Il existe un moyen de résister à la persuasion, qui consiste à prendre publiquement position avant de prêter l'oreille aux arguments des autres. Une fois que vous avez affirmé vos convictions, vous devenez moins vulnérable (ou devrait-on dire moins «réceptif») aux propos des autres.

LA CONTESTATION DES CROYANCES   Charles Kiesler (1971) a étudié les moyens dont nous disposons pour renforcer nos engagements et proposé une façon de procéder: il s'agit de contester modérément notre propre opinion. Kiesler a découvert que l'engagement augmente si nous sommes déjà convaincus et qu'on attaque juste assez fermement nos positions pour nous faire réagir, sans toutefois nous accabler. Kiesler donne l'explication suivante:

Quand vous attaquez avec une force insuffisante une personne convaincue, vous la poussez à se comporter de manière encore plus extrême pour défendre sa position. Sa conviction se raffermit, en un sens, dans la mesure où augmente le nombre d'actes conformes à ses croyances. (p. 88)

Vous avez peut-être déjà assisté ou participé à un débat où les parties en présence se sont échauffées et ont adopté progressivement des positions de plus en plus tranchées.

LA FORMULATION D'ARGUMENTS CONTRADICTOIRES   Les attaques modérées renforcent la résistance pour une seconde raison. Les arguments faibles sont comme des vaccins: ils appellent les arguments contraires et, une fois constituée, cette défense peut servir à parer une attaque plus vigoureuse. Le psychologue social William McGuire (1964) l'a démontré au moyen d'une série d'expériences. McGuire se demandait s'il était possible d'immuniser les gens contre la persuasion, un peu comme on les immunise contre un virus. L'**inoculation d'attitudes** est-elle pensable? Peut-on stimuler le système immunitaire mental de personnes élevées dans un «environnement idéologique aseptique», c'est-à-dire de personnes qui n'ont jamais remis leurs croyances en question? Peut-on leur inoculer une petite «dose» de doute pour les rendre résistantes à la persuasion future?

Inoculation d'attitudes
Processus qui consiste à critiquer faiblement les attitudes des gens afin de les préparer à contrer des attaques plus fermes.

C'est ce que McGuire a fait. Premièrement, il a dressé une liste de truismes culturels, du genre: «Il est bon de se brosser les dents après chaque repas.» Ensuite, il a démontré que les gens étaient réceptifs aux arguments crédibles contredisant ces truismes. (Par exemple, il a dit à ses sujets que, selon des experts prestigieux, un brossage excessif pouvait endommager les gencives.) Mais McGuire a aussi constaté que les gens résistaient mieux à une attaque vigoureuse si, au préalable, on les «immunisait» en ébranlant légèrement leur croyance *et* si on leur faisait lire ou écrire une réfutation de l'attaque modérée.

Les programmes d'immunisation à grande échelle: le tabac et la publicité

L'IMMUNISATION DES ENFANTS CONTRE LA PRESSION DES PAIRS EN MATIÈRE DE TABAGISME   Une équipe de recherche dirigée par Alfred McAlister (1980) donna un brillant exemple d'application des résultats de laboratoire. Les chercheurs demandèrent à des élèves de la fin du cours secondaire d'immuniser des élèves de septième année contre la pression de leurs pairs en matière de tabagisme. Devant des publicités qui sous-entendaient que les femmes libérées fument, les élèves de septième année apprirent à réagir par des commentaires comme: «Elle n'est pas vraiment libérée si elle est accrochée à la cigarette.» Les enfants participèrent aussi à des jeux de rôles au cours desquels ils se faisaient traiter de «niaiseux» s'ils refusaient une cigarette; ils répondaient alors: «Je serais un vrai niaiseux si je fumais juste pour t'impressionner.» Après quelques séances d'immunisation tenues dans les classes de septième et de huitième années, les élèves étaient deux fois moins susceptibles de commencer à fumer que des élèves non immunisés d'une autre école dont les parents fumaient autant que les leurs (figure 15.1).

D'autres équipes de recherche ont attesté que les programmes d'éducation et d'immunisation contribuent grandement à réduire le tabagisme chez les adolescents (Evans et coll., 1984; Flay et coll., 1985). La plupart des programmes de prévention actuels visent l'enseignement de stratégies pour résister à la pression sociale. Une équipe de chercheurs forma deux groupes

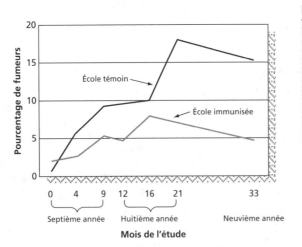

Figure 15.1

Le pourcentage de fumeurs fut beaucoup moindre dans une école secondaire «immunisée» que dans une école témoin qui utilisait un programme de prévention traditionnel. (Les données proviennent de McAlister et *al.*, 1980; Telch et *al.*, 1981.)

d'élèves de la sixième à la huitième année. Ils montrèrent à l'un de ces groupes des films sur le tabagisme et il firent participer l'autre à des jeux de rôles sur les façons de refuser une cigarette (Hirschman et Leventhal, 1989). Un an et demi plus tard, 31 pour cent des élèves qui avaient vu les films avaient commencé à fumer, mais seulement 19 pour cent de ceux qui avaient participé à des jeux de rôles en avaient fait autant. D'autres chercheurs étudièrent tous les élèves de septième année dans un échantillon diversifié de 30 écoles. Ils mirent les élèves en garde contre les incitations à fumer et à consommer des drogues et leur enseignèrent des stratégies de résistance (Ellickson et Bell, 1990). À la suite de la formation, le nombre de premiers essais de la marijuana diminua de 33 pour cent environ et l'usage déclina de 50 pour cent chez les consommateurs.

Les programmes de prévention du tabagisme et des toxicomanies reposent aussi sur les principes de la persuasion. Ils s'adressent aux jeunes par l'intermédiaire de pairs séduisants. Ils poussent les jeunes à une réflexion personnelle («Penses-y deux minutes»). Ils les incitent à s'engager publiquement (à prendre une décision rationnelle puis à en faire part, en la justifiant, à leurs camarades). Certains de ces programmes n'exigent que de deux à six périodes d'une heure et s'accompagnent de matériel imprimé et audiovisuel. Aujourd'hui, un enseignant ou le personnel d'une commission scolaire qui désire utiliser l'approche de la psychologie sociale en matière de prévention du tabagisme peut le faire facilement et à peu de frais. En retour, il est possible d'espérer une diminution marquée du nombre de fumeurs et des coûts sociaux associés au tabagisme.

L'IMMUNISATION DES ENFANTS CONTRE L'INFLUENCE DE LA PUBLICITÉ   Les chercheurs se sont aussi intéressés aux moyens d'amener les jeunes enfants à analyser et à évaluer la publicité télévisée. Des études ont en effet démontré que les enfants, particulièrement avant l'âge de huit ans: 1) ont de la difficulté à distinguer les annonces des émissions et n'en décèlent pas les intentions; 2) accordent foi au contenu de la publicité télévisée; 3) désirent les produits annoncés et harcèlent leurs parents pour les obtenir (Adler et coll., 1980; S. Feshbach, 1980; Palmer et Dorr, 1980). Les enfants, semble-t-il, constituent un public rêvé pour les publicitaires: ils sont naïfs, crédules et impressionnables. C'est pourquoi la publicité télévisée destinée aux enfants est sévèrement règlementée au Canada. Un bon exercice à faire serait d'observer et d'analyser les différences existant entre ce type de publicité à la télévision au Canada et aux États-Unis.

Les chercheurs se demandent si l'on peut enseigner aux enfants à résister à la publicité trompeuse. Ainsi, Norma Feshbach et ses collègues (1980; S. Cohen, 1980) donnèrent à de petits groupes d'écoliers de la région de Los Angeles trois leçons d'une demi-heure sur l'analyse des annonces télévisées. Par exemple, les chercheurs montrèrent une annonce de jouet aux enfants, leur fournirent le jouet annoncé et leur demandèrent de le faire fonctionner de la même façon que dans l'annonce. Les expériences de ce genre donnent aux enfants un point de vue plus réaliste face à la publicité télévisée. C'est là un des points qui distinguent beaucoup la publicité canadienne de la publicité américaine: les jouets sont montrés ici comme ils sont, alors qu'aux États-Unis on peut encore les placer dans un contexte que les enfants ne peuvent recréer.

Les corollaires de la recherche sur l'immunisation

La recherche sur l'immunisation a de surprenants corollaires. Le meilleur moyen de renforcer la résistance au lavage de cerveau ne consiste peut-être pas à donner plus de cours sur le patriotisme, comme le pensaient certains sénateurs américains après la guerre de Corée. William McGuire conseillait plutôt aux enseignants d'employer les techniques de l'immunisation, c'est-à-dire de critiquer les fondements et les principes de la démocratie et de présenter divers autres régimes, comme le communisme, afin que les élèves élaborent leur propre argumentation.

De même, les éducateurs religieux devraient éviter de créer un «milieu idéologique aseptique» dans leurs églises et leurs écoles. Une attaque, *si* elle est réfutée, a plus de chances de raffermir une position que de l'ébranler, surtout si la personne visée a la possibilité d'analyser la critique avec d'autres personnes partageant son opinion. Les sectes le savent et préviennent leurs membres contre les critiques provenant de leurs familles et de leurs amis. Le jour où les membres entendent ces critiques, ils sont déjà en mesure de les réfuter.

Par ailleurs, un argument inefficace peut faire plus de tort que le silence. Voyez-vous pourquoi? Parce qu'il immunise les objecteurs contre les arguments ultérieurs. Susan Darley et Joel Cooper (1972) l'ont démontré en invitant des étudiants à se prononcer par écrit en faveur d'un code vestimentaire rigoureux et en leur annonçant que leurs textes seraient publiés. Comme cette position était contraire à l'opinion des étudiants, tous choisirent de ne pas écrire l'essai, même ceux à qui l'on avait offert une rémunération. Après avoir refusé l'argent, ils durcirent leur position et s'opposèrent encore plus farouchement au code vestimentaire. Ils s'objectèrent au code encore plus fermement que s'ils s'y étaient publiquement opposés. De même, les fumeurs qui ont déjà refusé de mettre fin à leur habitude peuvent devenir encore plus réfractaires aux injonctions ultérieures. La persuasion inefficace, dans la mesure où elle stimule le système de défense de l'adversaire, peut aller à l'encontre du but recherché. À force de contrecarrer des arguments, on se forme une armure de plus en plus solide.

La recherche sur l'immunisation a aussi des corollaires sur le plan personnel. Voulez-vous apprendre à résister à la persua-

sion sans pour autant perdre votre ouverture d'esprit? Si oui, pratiquez l'écoute active et cultivez la pensée critique. Forcez-vous à argumenter. Après avoir entendu un discours politique, discutez-en avec d'autres personnes. Autrement dit, ne faites pas qu'écouter, réagissez. Si le message ne résiste pas à une analyse rigoureuse, tant pis. S'il tient bon, les effets qu'il aura sur vous n'en seront que plus durables.

●Exercices et questions

Nous avons vu dans le module que les sectes utilisent différentes techniques pour recruter et garder leurs membres. Le premier des paragraphes qui suivent contient une brève citation de Raël. Devrions-nous la prendre au sérieux? Le deuxième paragraphe nous amène à nous demander si ce sont bien les moyens que les sectes emploient pour endoctriner leurs membres qui posent problème à nos yeux. Enfin, nous nous demanderons si l'adhésion à une secte peut avoir un effet libérateur pour certaines femmes.

1. Comment interprétez-vous la citation de Raël? Dans quelle mesure doit-on la prendre au sérieux?
2. Le contexte dans lequel s'inscrivent les techniques d'endoctrinement influe-t-il sur notre perception de ces techniques et sur le jugement que nous portons sur elles?
3. Certaines sectes peuvent-elles donner aux femmes des occasions de se «libérer» et de tenter de nouvelles expériences sexuelles?

1. ACCÉLÉRER LA CATASTROPHE FINALE

Dans un ouvrage portant sur les sectes, le psychiatre français Jean-Marie Abgrall (1996) citait un texte de Raël, un personnage dont l'influence est assez répandue au Québec: «Nous vous proposons de nous aider à accélérer la catastrophe finale qui ne fera que purifier l'univers en détruisant les êtres qui sont le fruit d'une expérience ratée. Aidez-moi à appliquer mon plan, qui repose sur une activation des différents racismes, afin d'obtenir l'éclatement d'une guerre mondiale.»

2. LES TECHNIQUES D'ENDOCTRINEMENT NE SONT PAS LE MONOPOLE DES SECTES

Jeffrey Pfeifer, de l'université de Regina à Saskatoon, demanda à 98 étudiants du premier cycle universitaire de lire l'histoire d'un jeune homme qui s'était joint à une organisation. Le chercheur dit à certains étudiants qu'il s'agissait des Moonies, à d'autres qu'il s'agissait des Marines de l'armée américaine et à d'autres enfin qu'il s'agissait d'un séminaire catholique. Les étudiants assimilèrent les techniques d'endoctrinement à un «lavage de cerveau» dans le cas des Moonies, à une «resocialisation»

dans le cas des Marines et à une «conversion» dans le cas du séminaire catholique. Seuls les étudiants qui croyaient que l'organisation dont il était question était la secte de Moon jugèrent que le jeune homme avait fait l'objet d'une contrainte; ces étudiants critiquèrent aussi la technique d'endoctrinement utilisée, davantage que ne le firent les autres.

3. L'EFFET LIBÉRATEUR POSSIBLE DES SECTES SUR LES FEMMES

Après avoir passé en revue une série d'études sur les sectes, Susan Palmer, du collège Dawson, à Montréal, avance que les «nouveaux mouvements religieux» permettent à certaines femmes de faire l'expérience de nouvelles formes d'expression sexuelle. Selon la chercheuse, beaucoup de femmes ne restent pas longtemps membres de ces mouvements et les considèrent comme des «laboratoires d'expériences sexuelles» où elles trouvent protection et soutien et peuvent faire l'essai de nouveaux rôles sexuels. Elles se préparent ainsi à choisir, au moment de sortir du mouvement, une sexualité adulte plus gratifiante que celle qui repose sur les rôles sexuels féminins traditionnels.

La simple présence des autres

I l y a 5,4 milliards d'humains sur la Terre, mais aussi 200 États, 4 millions de villes et villages, 20 millions d'organisations économiques et des centaines de millions de groupes officiels ou officieux: des couples, des familles, des Églises, des ménages, et j'en passe. Quelle influence ces groupes exercent-ils sur les individus?

Posons tout d'abord la question la plus élémentaire de la psychologie sociale: Sommes-nous influencés par la simple présence d'un autre individu? La «simple présence» signifie que l'autre n'est pas en compétition avec nous, ne nous récompense pas, ne nous punit pas, bref, qu'il ne fait que se trouver là, comme un spectateur passif ou comme un **coacteur**. La simple présence des autres influence-t-elle notre façon de jogger, de manger, de taper à la machine ou de subir un examen? La recherche de la réponse fournit la trame d'un roman à suspense scientifique.

Coacteurs
Personnes qui exécutent simultanément mais individuellement une tâche ne présentant aucun caractère compétitif.

La présence des autres: stimulant ou nuisance?

Il y a un siècle, Norman Triplett (1898), psychologue qui s'intéressait à la course cycliste, remarqua que les cyclistes enregistraient de meilleurs temps lorsqu'ils couraient en groupe plutôt que seuls contre la montre. Avant de publier son hypothèse (la présence des autres améliore la performance), Triplett réalisa l'une des premières expériences de laboratoire en psychologie sociale. Il demanda à des enfants d'enrouler le plus vite possible du fil à pêche sur un moulinet. Les enfants s'exécutèrent plus rapidement en présence de coacteurs que seuls.

Les expériences menées au cours des décennies subséquentes révélèrent que la présence des autres augmentait la vitesse à laquelle les sujets résolvaient des multiplications simples et barraient les lettres désignées dans une liste. Les expériences montrèrent aussi que la présence des autres améliorait la précision lors de l'exécution de tâches motrices simples, comme celle qui consiste à garder une baguette de métal en contact avec un petit disque posé sur un plateau tournant (F.H. Allport, 1920; Dashiell, 1930; Travis, 1925). Les chercheurs baptisèrent le phénomène effet de **facilitation sociale** et l'observèrent aussi chez les animaux. En présence de congénères, les fourmis transportent plus de sable et les poulets mangent plus de grain (Bayer, 1929; Chen, 1937).

D'autres études effectuées à la même époque établirent que, pour certaines tâches, la présence des autres nuit à la performance. En présence de leurs semblables, les blattes, les perroquets et les pinsons mettent plus de temps à sortir d'un labyrinthe (Allee et Masure, 1936; Gates et Allee, 1933; Klopfer, 1958). Cet effet perturbateur se produit aussi chez l'être humain. La présence des autres nuit à l'apprentissage de syllabes absurdes, à l'orientation dans un labyrinthe et à la résolution de multiplications complexes (Dashiell, 1930; Pessin, 1933; Pessin et Husband, 1933).

Apprendre que la présence d'autrui améliore la performance dans certains cas et l'entrave dans d'autres constitue une réponse à peu près aussi satisfaisante qu'entendre dire qu'il peut faire beau mais qu'il risque aussi de pleuvoir. C'est pourquoi la recherche dans ce domaine cessa à compter de 1940. Vingt-cinq ans plus tard, une idée neuve réveilla les scientifiques.

Le psychologue social Robert Zajonc (zaï-ence) se demanda s'il était possible de concilier les résultats en apparence contradictoires de la recherche sur la présence des autres. Comme c'est souvent le cas en sciences, Zajonc (1965) trouva dans un domaine de la recherche la réponse à un problème relevant d'un autre domaine. La lumière lui vint d'un principe bien établi de la psychologie expérimentale, à savoir que l'activation favorise l'apparition de la réponse dominante. Ainsi, l'activation améliore la performance à des tâches faciles pour lesquelles la réponse la plus probable (la réponse dominante) est la bonne. Les gens résolvent des anagrammes faciles, comme *ahct,* plus rapidement s'ils sont anxieux. Dans les tâches complexes, pour lesquelles la bonne réponse n'est pas dominante, l'activation engendre des réponses *erronées*. Lorsque les gens sont anxieux, ils résolvent lentement les anagrammes difficiles.

Il semblait logique de supposer que la présence des autres activait ou stimulait les gens. (Nous sommes tous plus tendus ou plus excités devant un auditoire.) Si l'activation sociale facilitait les réponses dominantes, alors elle améliorait la performance dans les tâches faciles et l'entravait dans les tâches difficiles. Les résultats

Facilitation sociale
1. Sens originel: tendance à mieux exécuter les tâches simples ou bien apprises en présence d'autres personnes.
2. Sens actuel: renforcement des réponses dominantes (les plus fréquentes ou les plus probables) dû à la présence d'autres personnes.

La présence des autres améliorerait-elle notre performance?

Ce principe pouvait-il servir à déchiffrer l'énigme de la facilitation sociale?

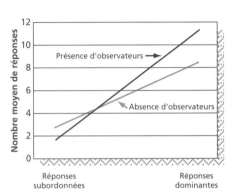

Figure 16.1

La facilitation sociale des réponses dominantes. En présence d'observateurs, les sujets «reconnurent» plus fréquemment les mots dominants (prononcés 16 fois auparavant), et moins fréquemment les mots subordonnés (prononcés seulement une fois). (Les données proviennent de Zajonc et Sales, 1966.)

ambigus devenaient clairs. Enrouler du fil à pêche, résoudre des multiplications simples et manger constituaient des tâches faciles pour lesquelles les réponses étaient bien apprises ou naturellement dominantes. Et, comme de raison, la présence d'autres individus favorisait la performance. Par ailleurs, apprendre de nouvelles données, trouver la sortie d'un labyrinthe et résoudre des problèmes mathématiques complexes constituaient des tâches difficiles pour lesquelles les bonnes réponses étaient initialement moins probables. Et, bien entendu, la présence d'autres individus augmentait le nombre de réponses *erronées*. Le même principe général (*l'activation facilite les réponses dominantes*) s'appliquait dans les deux cas. Soudain, la contradiction entre les deux séries de résultats s'évanouissait.

En découvrant la solution de Zajonc, si simple et si élégante, les autres psychologues sociaux ne purent qu'imiter Thomas H. Huxley qui, après avoir lu *L'origine des espèces* de Darwin, s'exclama: «Comme c'est profondément stupide de n'y avoir pas pensé avant!» La solution paraissait évidente... une fois trouvée. Mais n'était-ce que le biais rétrospectif qui faisait croire à une cohérence totale? (La solution allait-elle résister à des épreuves expérimentales directes?)

Après presque 300 études réalisées grâce à la participation de plus de 25 000 volontaires, la solution tient toujours (Bond et Titus, 1983; Guerin, 1986). Plusieurs expériences pour lesquelles Zajonc et ses collaborateurs fabriquèrent des réponses dominantes arbitraires confirmèrent que la présence d'un auditoire favorisait l'apparition de ces réponses. Ainsi, Zajonc et Stephen Sales (1966) demandèrent à des sujets de prononcer de 1 à 16 fois des mots absurdes. Ils dirent ensuite aux sujets que les mêmes mots apparaîtraient un à un sur un écran et qu'ils devraient les reconnaître. Lorsque les chercheurs projetaient seulement des traits noirs pendant un centième de seconde, les sujets «voyaient» surtout les mots qu'ils avaient prononcés le plus fréquemment. Ces mots étaient devenus les réponses dominantes. Les sujets qui subirent la même épreuve en présence de deux autres personnes avaient encore plus tendance à voir les mots dominants (figure 16.1).

Des expériences ultérieures confirmèrent de diverses façons que l'activation sociale facilite les réponses dominantes, qu'elles soient bonnes ou mauvaises. Peter Hunt et Joseph Hillery (1973) découvrirent que, en présence d'autres personnes, les étudiants de l'université d'Akron mettaient moins de temps à trouver la sortie d'un labyrinthe simple et plus de temps à trouver celle d'un labyrinthe complexe (les blattes avaient fait de même). James Michaels et ses collaborateurs (1982), pour leur part, constatèrent que les bons joueurs de billard de l'association étudiante du Virginia Polytechnic Institute (qui

173

avaient réussi 71 pour cent de leurs coups sous le regard d'observateurs discrets) s'améliorèrent (ils réussirent 80 pour cent de leurs coups) lorsque quatre observateurs vinrent les regarder jouer. Les mauvais joueurs (qui avaient auparavant enregistré une moyenne de 36 pour cent) empirèrent (ils passèrent à une moyenne de 25 pour cent) sous le regard d'observateurs attentifs.

●La présence d'une foule

Il est clair, donc, que les gens sont influencés par la présence des autres. Mais la présence d'observateurs est-elle vraiment stimulante? En période de stress, il peut être réconfortant d'avoir un camarade. Néanmoins, les chercheurs ont découvert qu'en présence d'autres personnes les gens transpirent plus abondamment, respirent plus rapidement, contractent leurs muscles davantage et présentent une augmentation de la pression artérielle et de la fréquence cardiaque (Geen et Gange, 1983; Moore et Baron, 1983).

L'effet qu'exercent les autres est proportionnel à leur nombre (Jackson et Latané, 1981; Knowles, 1983). Il arrive que la stimulation et la gêne créées par un vaste auditoire perturbent des comportements bien appris et automatiques tels que la parole. Les bègues ont tendance à bégayer davantage devant de grands auditoires qu'en compagnie d'une ou deux personnes seulement (Mullen, 1986b). Les joueurs de basket-ball des équipes universitaires exécutent les coups francs avec un peu *moins* de précision lorsque l'auditorium est rempli à pleine capacité (Sokoll et Mynatt, 1984). Dans l'histoire de la Série mondiale de base-ball, les équipes locales ont remporté 60 pour cent des deux premières parties, mais seulement 40 pour cent des dernières (Baumeister et Steinhilber, 1984; Heaton et Sigall, 1989, 1991). La stimulation due à la présence des partisans est bénéfique jusqu'à un certain point: au basket-ball universitaire, les équipes locales remportent les deux tiers des parties (Hirt et Kimble, 1981). Pendant la Série mondiale de base-ball, cependant, il arrive que les équipes locales craquent sous la pression; en effet, elles commettent deux fois plus d'erreurs au champ dans la dernière partie que dans les première et deuxième parties.

L'immersion *dans* une foule exacerbe les réactions, qu'elles soient bonnes ou mauvaises. La proximité rend les gens sympathiques encore plus aimables et les gens antipathiques encore plus détestables (Schiffenbauer et Schiavo, 1976; Storms et Thomas, 1977). Jonathan Freedman et ses collaborateurs (1979; 1980) demandèrent à des étudiants de l'université Columbia, à New York, et à des visiteurs du Centre des sciences de l'Ontario d'écouter un enregistrement humoristique ou de regarder un film dans une salle où se trouvait un complice des chercheurs. Lorsque les auditeurs étaient serrés les uns contre les autres, le complice parvenait plus facilement à provoquer les rires et les applaudissements. Les directeurs de théâtre et les amateurs de sport le savent, et les chercheurs l'ont attesté (Aiello et coll., 1983; Worchel et Brown, 1984): une «bonne salle» est une salle pleine.

D'ailleurs, vous avez peut-être remarqué qu'un groupe de 35 étudiants paraît plus chaleureux et plus animé dans une salle de 35 places que dans une salle de 100 places. Lorsque les autres sont près de nous, en effet, nous sommes plus susceptibles de remarquer leurs rires et leurs applaudissements et de les imiter. Gary Evans (1979) a découvert que la foule augmente aussi la stimulation. À l'université du Massachusetts, il étudia des groupes de 10 étudiants, soit dans une salle de 6 mètres sur 9 mètres, soit dans une salle de 2,5 mètres sur 3,6 mètres. Les étudiants entassés avaient une fréquence cardiaque et une pression artérielle (des indicateurs de l'activation) supérieures à celles des étudiants qui se trouvaient dans la grande salle. Ils exécutèrent correctement des tâches simples, mais ils firent plus d'erreurs dans des tâches difficiles. En Inde, Dinesh Nagar et Janak Pandey (1987) observèrent des étudiants de l'université et constatèrent aussi que l'entassement entrave uniquement la performance à des tâches complexes, comme la résolution d'anagrammes difficiles.

Pourquoi la présence des autres est-elle stimulante?

Jusqu'ici, nous avons vu qu'en présence des autres nous réussissons encore mieux ce que nous avons déjà l'habitude de bien exécuter (sauf si la stimulation est excessive et que la gêne nous inhibe). Ce que nous trouvons difficile peut nous paraître impossible dans les mêmes circonstances. Mais qu'est-ce que les autres ont donc de si stimulant? Cet effet est-il simplement dû à leur présence? La recherche fait entrevoir trois facteurs possibles.

L'appréhension de l'évaluation: que va-t-on penser de moi?

Appréhension de l'évaluation
Fait de se préoccuper du jugement des autres.

Nickolas Cottrell avança que les observateurs nous rendent anxieux parce que nous nous demandons ce qu'ils pensent de nous. Pour vérifier si l'**appréhension de l'évaluation** existait vraiment, Cottrell et ses collègues (1968) reprirent l'expérience des syllabes absurdes de Zajonc et Sales à la Kent State University, en Ohio, et y ajoutèrent une troisième condition. Ils prétendirent qu'ils préparaient une expérience sur la perception et ils bandèrent les yeux des observateurs. Contrairement à ce qui s'était produit en présence d'observateurs attentifs, la simple présence de personnes aux yeux bandés *ne* favorisa *pas* l'apparition des réponses bien apprises. D'autres expériences confirmèrent la conclusion de Cottrell: la facilitation des réponses dominantes est maximale lorsque les gens se croient en situation d'évaluation. Lors d'une expérience, des joggers qui s'entraînaient sur une piste de l'université de la Californie à Santa Barbara accéléraient lorsqu'ils passaient devant une femme assise dans l'herbe, *à condition* qu'elle ait fait face à eux au lieu d'avoir le dos tourné (Worringham et Messick, 1983).

L'appréhension de l'évaluation explique aussi pourquoi:

⟆ Les gens fournissent une meilleure performance lorsque leur coacteur leur est légèrement supérieur (Seta, 1982);

⟆ La stimulation peut diminuer lorsqu'un groupe de haut calibre est dilué par l'ajout de personnes dont les opinions nous indiffèrent (Seta et Seta, 1992);

- Les gens qui se préoccupent le plus des évaluations des autres sont les plus influencés par leur présence (Gastorf et coll., 1980; Geen et Gange, 1983);
- L'effet de facilitation sociale est à son maximum lorsque les autres sont des inconnus et qu'il est difficile de les garder à l'œil (Guerin et Innes, 1982).

La conscience de soi due à l'évaluation peut gêner des actions qui sont d'autant plus efficaces qu'elles sont automatiques (Mullen et Baumeister, 1987). Si les joueurs de basket-ball analysent leurs mouvements pendant qu'ils exécutent des coups francs qui sont critiques, ils ont plus de chances de rater le panier.

La distraction

Glenn Sanders et ses collègues (1978; Baron, 1986) ont poussé plus loin la conclusion de Cottrell à propos de l'appréhension de l'évaluation. Selon eux, le fait de s'interroger sur le rendement des coacteurs ou sur la réaction de l'auditoire distrait de la tâche. Le *conflit* entre l'attention portée aux autres et l'attention portée à la tâche surcharge le système cognitif et augmente l'**activation**. Les preuves à l'appui de l'effet stimulant de la distraction nous proviennent de chercheurs qui ont produit une facilitation sociale en exposant simplement les sujets à un élément de distraction inerte, par exemple à des éclairs de lumière (Sanders, 1981a, 1981b).

Activation
Stimulation générale de l'organisme qui le prépare à faire face à une situation qui lui apparaît presque comme étant plus ou moins exigeante ou menaçante.

La simple présence des autres

Zajonc, toutefois, croit que la simple présence des autres produit une certaine stimulation, même en l'absence d'appréhension face à l'évaluation et d'élément de distraction. Par exemple, les préférences en matière de couleurs sont plus marquées lorsque les gens se prononcent en compagnie d'autres personnes (Goldman, 1967). Pour une tâche de ce genre, il n'existe pas de «bonne» réponse que les autres pourraient évaluer; par conséquent, les gens n'ont aucune raison de craindre les réactions d'autrui.

Les animaux ne se préoccupent probablement pas de l'opinion de leurs congénères. Pourtant, l'effet de facilitation sociale se manifeste aussi dans leur cas. Cela laisse supposer que la plupart des espèces animales sont dotées d'un mécanisme inné d'activation sociale. Dans l'espèce humaine, la plupart des joggers sont stimulés par la présence à leurs côtés d'un autre jogger, même si celui-ci n'a aucune velléité de compétition ou d'évaluation.

Voilà une bonne occasion de rappeler la fonction d'une théorie. Une bonne théorie constitue en quelque sorte un abrégé scientifique: elle simplifie et résume des observations diverses. C'est le cas de la théorie de la facilitation sociale; elle résume simplement de nombreux résultats de recherche. De plus, une bonne théorie permet de faire des prévisions claires qui peuvent servir à: 1) confirmer ou modifier la théorie; 2) susciter de nouvelles recherches; 3) trouver des applications pratiques. La théorie de la facilitation sociale a certainement permis de formuler les deux premiers types de prévisions: 1) les fondements de la théorie (la présence des autres est stimulante et l'activation sociale favorise l'apparition des réponses dominantes) ont été confirmés; 2) la théorie a ravivé l'intérêt pour un domaine de recherche resté longtemps en friche.

La théorie a-t-elle aussi servi à trouver des applications pratiques?

L'application représente la dernière phase de la recherche. Les chercheurs qui étudient la facilitation sociale ont encore beaucoup à faire à ce chapitre. Profitons-en pour spéculer un peu sur les applications de la théorie. Par exemple, comme le montre la figure 16.2, beaucoup d'entreprises remplacent les bureaux particuliers par de grandes aires ouvertes équipées de cloisons basses. Conscients de la présence des autres, les employés s'acquitteront-ils mieux des tâches familières? Exécuteront-ils les tâches complexes avec moins de créativité? Pensez-vous à d'autres applications possibles?

Figure 16.2

Dans les «bureaux à aires ouvertes», les gens travaillent en présence des autres. Quel est l'effet de cet aménagement sur l'efficacité des travailleurs?

●Exercices et questions

Nous n'agissons pas de la même façon quand nous sommes seuls et quand nous sommes en présence d'autres personnes. C'est ce que l'on appelle la facilitation sociale. Ce phénomène marque-t-il nos comportements alimentaires? Dans le deuxième paragraphe, nous verrons si l'entassement frustre le besoin d'intimité.

1. Mangeons-nous davantage lorsque nous sommes en groupe?
2. Quels facteurs semblent déterminer le sentiment d'entassement dans un milieu urbain? L'entassement frustre-t-il le besoin d'intimité?

1. MANGER SEUL OU AVEC D'AUTRES

En Ontario, Janet Polivy a réalisé plusieurs recherches pour étudier les facteurs qui influent sur la quantité d'aliments que les gens consomment dans différents contextes. Elle se demandait notamment si les gens mangent plus quand ils sont seuls ou quand ils sont en groupe. Dans l'une de ses études, son échantillon était composé d'étudiantes d'université qui prenaient un souper seules, avec une camarade ou avec trois camarades. Les étudiantes placées par groupes de deux ou de quatre mangeaient davantage que les étudiantes seules. Polivy vérifia ensuite si les étudiantes des groupes de deux et de quatre personnes étaient des amies ou des étrangères. Elle constata qu'en présence d'amies, les filles mangent plus de dessert, mais pas beaucoup plus du plat principal (Clendenen et coll., 1994).

2. L'ENTASSEMENT ET L'INTIMITÉ EN MILIEU URBAIN

Deux chercheurs de l'Université de Montréal étudièrent trois quartiers de la ville d'Outremont où les types de logements diffèrent considérablement. Selon eux, le quartier sud correspond à une banlieue résidentielle, le quartier nord, à un milieu résidentiel villageois et le quartier ouest, avec ses maisons à trois logements, à un milieu urbain typique (Larocque et Morval, 1987). Les chercheurs constatèrent que la densité de population, tant à l'intérieur qu'à l'extérieur des habitations, ne semblait pas être le principal facteur du sentiment d'entassement éprouvé par les citoyens. En effet, l'écart entre le désir d'intimité et la possibilité de le satisfaire semblait revêtir plus d'importance que la densité de population réelle. Par conséquent, l'élément primordial n'est pas le milieu bâti lui-même, mais son degré de correspondance avec les différents besoins d'intimité des gens qui y vivent.

L'effort collectif et la responsabilité individuelle: un mariage difficile

Quelque part en Écosse, deux équipes de huit hommes forts s'affrontent dans une joute de souque-à-la-corde. Quel effort chacune de ces équipes déploiera-t-elle? Un effort égal à la somme des efforts individuels maximaux? Un effort supérieur dû à la facilitation sociale (le renforcement de réponses bien apprises suscité par la présence des autres)? Ou, enfin, un effort inférieur attribuable à la dispersion de la responsabilité?

Dans cette joute de souque-à-la-corde disputée aux Garnock Highland Games, en Écosse, les athlètes fournissent-ils autant d'effort qu'ils en fourniraient s'ils tiraient à un contre un? En fournissent-ils plus? En fournissent-ils moins?

La facilitation sociale se manifeste habituellement lorsque les gens poursuivent des objectifs individuels et qu'il est possible d'évaluer l'effort individuel fourni par chacun d'eux, qu'il s'agisse d'enrouler du fil à pêche ou de résoudre des problèmes mathématiques. Ces situations, que l'on observe couramment en milieu de travail, diffèrent de celles où les gens coopèrent pour atteindre un objectif *commun* et *n*'ont *pas* à répondre individuellement de leurs efforts. Cette dernière catégorie de situations comprend les joutes de souque-à-la-corde en équipe, les campagnes de financement et les travaux de groupe pour lesquels tous les membres d'une équipe reçoivent la même note. L'esprit d'équipe augmente-t-il la productivité dans ces tâches additives, dans lesquelles le rendement du groupe correspond à la somme des efforts individuels? Les maçons empilent-ils les briques plus rapidement en équipe ou seuls? L'un des moyens de répondre à de telles questions consiste à effectuer des simulations en laboratoire.

L'union fait la faiblesse

«**L'**union fait la force», dit le vieil adage. Pourtant, l'ingénieur français Max Ringelmann (cité par Kravitz et Martin, 1986) constata, il y a près d'un siècle, que l'effort déployé par les équipes de souque-à-la-corde correspondait seulement à la moitié de la somme des efforts individuels. L'exécution d'une tâche additive émoussait-elle la motivation individuelle? La piètre performance des équipes était-elle due simplement à un manque de coordination entre les athlètes? Un groupe de chercheurs du Massachusetts dirigés par Alan Ingham (1974) trancha ingénieusement la question. Ils bandèrent les yeux des sujets, les placèrent à la première position dans l'appareil montré à la figure 17.1 et leur dirent de «tirer le plus fort possible». Les sujets qui se savaient seuls tiraient 18 pour cent plus fort que ceux qui croyaient tirer avec deux à cinq autres personnes.

Figure 17.1

L'appareil de souque-à-la-corde. Les sujets qui occupaient la première position fournissaient moins d'effort quand ils croyaient tirer avec des sujets placés derrière eux. (Les données proviennent de Ingham et *coll.*, 1974. Photo d'Alan G. Ingham.)

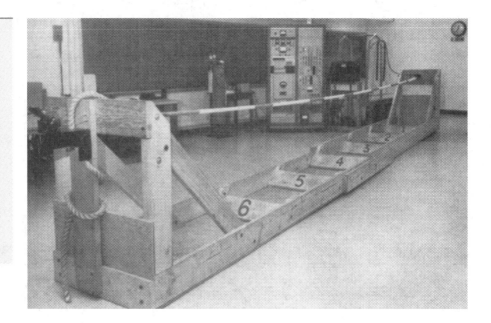

Flânerie collective
Tendance des gens à fournir moins d'effort lorsqu'ils visent un objectif commun que lorsqu'ils sont individuellement responsables de leur rendement.

Dans un groupe, aurions-nous tendance à surestimer notre effort individuel?

À l'Ohio State University, Bibb Latané et ses collègues (Latané et coll., 1979; Harkins et coll., 1980) imaginèrent une autre façon d'étudier le phénomène, qu'ils baptisèrent **flânerie collective**. Ils observèrent que le bruit produit par six personnes criant et applaudissant «le plus fort possible» n'équivalait même pas au triple du bruit produit par une seule personne. Or, l'inefficacité du groupe peut nuire à la production de bruit comme elle gêne la tâche des équipes de souque-à-la-corde. Latané et ses collaborateurs suivirent donc l'exemple d'Ingham et firent croire aux sujets qu'ils agissaient à plusieurs, alors qu'en réalité ils s'exécutaient seuls.

Les chercheurs bandèrent les yeux de six personnes, les placèrent en demi-cercle et leur firent porter des casques d'écoute à travers lesquels ils diffusèrent à plein volume des cris et des applaudissements enregistrés au préalable. Les sujets ne pouvaient pas entendre leur propre bruit, et encore moins celui des autres. Dans une série d'essais, les chercheurs demandèrent aux sujets de crier ou d'applaudir seuls ou avec le groupe. Des gens qui avaient été informés de l'expérience présumèrent que les sujets seraient moins gênés en groupe et qu'ils crieraient plus fort (Harkins, 1981). Que s'est-il passé? Encore une fois, la flânerie collective produisit son effet. Lorsque les sujets pensaient que cinq autres personnes criaient ou applaudissaient en même temps qu'eux, ils produisaient 33 pour cent moins de bruit que lorsqu'ils se croyaient seuls. (Curieusement, ceux qui applaudissaient tantôt seuls, tantôt en groupe ne s'apercevaient pas de la différence; ils croyaient applaudir aussi fort dans les deux situations. La même chose se produit lorsque des étudiants font un travail d'équipe pour lequel ils recevront une note collective. Williams mentionne que tout le monde reconnaît l'existence de la flânerie collective... chez les autres. Personne n'admet sa propre indolence. La flânerie collective se manifesta même chez des meneurs de claque d'écoles secondaires qui croyaient applaudir seuls ou en groupe (Hardy et Latané, 1986).

181

John Sweeney (1973), politologue qui s'intéressait aux conséquences politiques de la flânerie collective, obtint des résultats semblables à l'issue d'une expérience qu'il réalisa à l'université du Texas. Il demanda à des étudiants d'utiliser des vélos d'exercice et mesura leur rendement en fonction de l'électricité produite. Il constata que les étudiants pédalaient plus énergiquement lorsqu'ils se savaient mesurés individuellement que lorsqu'ils croyaient que leur rendement était additionné à celui d'autres cyclistes. En groupe, les étudiants étaient tentés d'agir en quelque sorte en **profiteurs**, c'est-à-dire de bénéficier de l'effort collectif sans y contribuer pleinement.

Cette expérience et une cinquantaine d'autres (figure 17.2) nous ramènent à la notion d'appréhension de l'évaluation que nous avons abordée dans le module 16. Au cours des expériences sur la flânerie collective, les individus se croient évalués seulement lorsqu'ils agissent seuls. La présence du groupe (souque-à-la-corde, cris, etc.) *atténue* donc chez eux l'appréhension de l'évaluation; lorsque les gens n'ont pas à répondre personnellement de leurs actes et ne peuvent évaluer leur propre effort, la responsabilité se disperse entre tous les membres du groupe (Harkins et Jackson, 1985; Kerr et Bruun, 1981). Les expériences sur la facilitation sociale, inversement, augmentent l'appréhension de l'évaluation. Lorsque les gens deviennent le centre de l'attention, ils surveillent étroitement leur propre comportement (Mullen et Baumeister, 1987). Le principe est donc le suivant: Lorsque nous nous savons observé, l'appréhension de l'évaluation augmente et provoque la facilitation sociale, tandis que lorsque nous sommes confondus avec tous les membres d'un groupe, l'appréhension de l'évaluation diminue et provoque la flânerie collective.

Pour motiver les membres d'un groupe, par conséquent, on peut employer la stratégie qui consiste à rendre le rendement individuel reconnaissable. Ainsi, certains entraîneurs de football filment et évaluent chacun des joueurs. Les chercheurs de l'Ohio State University firent porter des microphones individuels aux membres d'un groupe qui devaient crier ensemble (Williams et coll., 1981). Que les gens se trouvent en groupe ou seuls, ils déploient plus d'effort si leur rendement individuel est discernable. Les membres des équipes universitaires de natation nagent plus rapidement dans les courses de relais si quelqu'un mesure et annonce leurs temps individuels (Williams et coll., 1989).

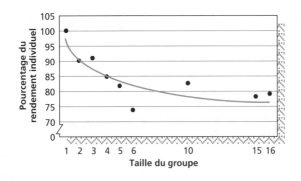

Figure 17.2

Une compilation statistique de 49 études auxquelles avaient participé plus de 4000 sujets révéla que l'effort individuel est inversement proportionnel à la taille du groupe (ou la flânerie collective augmente avec la taille du groupe). Chaque point représente les données d'ensemble provenant de l'une de ces études. (Tiré de Jackson et Williams, 1988.)

La flânerie collective dans la vie quotidienne

Ce phénomène est-il répandu?

En laboratoire, le phénomène de la flânerie collective se manifeste non seulement chez les gens qui tirent sur des câbles, pédalent, crient et applaudissent, mais aussi chez ceux qui actionnent une pompe à eau ou à air, évaluent des poèmes ou des éditoriaux, émettent des idées, tapent à la machine et détectent des signaux. Peut-on généraliser ces résultats à la productivité des travailleurs?

Dans les fermes collectives instaurées sous le régime communiste, les paysans russes travaillaient dans un champ un jour et dans un autre le lendemain; ils n'étaient directement responsables d'aucun champ en particulier. Pour leur usage personnel, ils recevaient de petites parcelles privées. Une analyse révéla que, bien qu'elles ne représentaient que 1 pour cent des terres arables, les terres privées fournissaient 27 pour cent de la production agricole de l'Union soviétique (H. Smith, 1979). En Hongrie, les parcelles privées couvraient seulement 13 pour cent des terres arables, mais constituaient le tiers de la production agricole totale (Spivak, 1979). En Chine, où les agriculteurs ont maintenant le droit de vendre le surplus des cultures qu'ils doivent à l'État, la production alimentaire a augmenté de 8 pour cent par année à compter de 1978, ce qui représente 2,5 fois le taux d'augmentation des 26 années précédentes (Church, 1986). Cette mesure n'a pas réglé le problème...

En Amérique du Nord, on trouve des travailleurs qui négligent de payer leurs cotisations ou de faire du bénévolat, mais qui profitent quand même des avantages que leur syndicat ou leur association professionnelle leur procure. De même, aux États-Unis, beaucoup de téléspectateurs aiment regarder la télévision de service public, mais négligent de contribuer aux campagnes de financement de ces entreprises privées. On entrevoit là une autre explication possible à la flânerie collective. Lorsque le fruit du travail est réparti également, sans égard à la contribution individuelle, il devient plus avantageux pour chaque personne de ne pas fournir son plein rendement et de se fier à l'effort collectif. C'est pourquoi les gens sont tentés de se laisser aller lorsque leurs efforts ne sont pas mesurés ni récompensés individuellement.

Peut-on travailler ensemble tout en étant efficaces?

Certes, l'effort «collectif» ne se traduit pas toujours par une réduction du rythme de travail. Il arrive que l'objectif soit si enthousiasmant et le dépassement personnel si capital que l'esprit d'équipe maintient ou intensifie l'effort. Dans une compétition olympique d'aviron, les athlètes rament-ils moins vigoureusement en équipes de huit que seuls ou en équipes de deux?

Mon petit doigt me dit que non. Des expériences ont démontré que les membres des groupes ont moins tendance à flâ-

183

ner lorsque la tâche est *difficile, attrayante* ou *captivante* (Brickner et coll., 1986; Jackson et Williams, 1985). Confrontés à une tâche difficile, les gens perçoivent probablement que leur effort est indispensable (Harkins et Petty, 1982; Kerr, 1983; Kerr et Bruun, 1983). En outre, ils travaillent plus dur s'ils estiment que leurs coéquipiers ne sont ni fiables ni compétents (Vancouver et coll., 1991; Williams et Karau, 1991). Enfin, on peut accroître l'effort collectif en instaurant des mesures incitatives ou en fixant au groupe des objectifs stimulants (Harkins et Szymanski, 1989; Shepperd et Wright, 1989). On peut voir, ici, une parenté avec la façon dont l'activation sociale est liée à la performance (voir module 16). Une tâche trop facile ou qui ne présente aucun intérêt produit peu d'activation alors qu'une tâche trop difficile en produit trop.

Latané souligne qu'en Israël la production des fermes collectives a dépassé celle des fermes privées (Leon, 1969). Pour leur part, Williams (1981) ainsi que Loren Davis et ses collaborateurs (1984) mentionnent que les groupes d'amis ont moins tendance à réduire leur rythme de travail que les groupes d'étrangers. Serait-ce que la cohésion intensifie l'effort? Si tel était le cas, on pourrait présumer que la flânerie collective n'existe pas dans les cultures collectivistes. Pour vérifier cette hypothèse, Latané et ses collaborateurs (Gabrenya et coll., 1985) répétèrent leurs expériences sur la production de bruit au Japon, en Thaïlande, à Taiwan, en Inde et en Malaisie. Et qu'ont-ils découvert? Que la flânerie collective se manifeste aussi dans ces pays. La Chine communiste, cependant, fait exception parmi les cultures collectivistes (Early, 1989). Comme je l'ai mentionné dans le module 11, la loyauté à la famille et au groupe de travail est une valeur fondamentale des sociétés collectivistes. Malgré les tendances observées dans les groupes de laboratoire à caractère temporaire, l'esprit d'équipe pousse au dépassement de soi dans les milieux de travail japonais et dans les familles d'immigrants asiatiques.

Certains de ces résultats rappellent ceux des études portant sur les groupes de travail dans la vie quotidienne. Quand les groupes ont des objectifs stimulants, quand ils sont récompensés pour leur succès collectif et quand ils sont animés par un esprit d'équipe, leurs membres travaillent fort (Hackman, 1986). Alors, bien que le travail collectif et la dispersion de la responsabilité incitent à la flânerie collective, il arrive que l'union fasse la force.

●Exercices et questions

Il est fréquent de voir certains individus tirer parti, à des fins purement personnelles, des activités de groupe. Vous avez sûrement rencontré ce phénomène dans le contexte des équipes de travail à l'école ou au cégep. Nous en traitons dans le premier des paragraphes qui suivent. Dans le second, nous nous penchons sur la dispersion de la responsabilité chez les politiciens.

1. Donnez les cinq caractéristiques qui, selon vous, décrivent le mieux le «profiteur» dans une équipe de travail. (Il pourrait s'agir de vous-même...)
2. Selon vous, qui faut-il blâmer pour la fermeture d'hôpitaux au Québec? Tout le monde a un coupable en tête. Même si les décideurs n'ont jamais constitué un groupe à proprement parler, croyez-vous qu'il s'agit d'un autre cas de dispersion de la responsabilité?

1. LE PROFIT PERSONNEL TIRÉ DU TRAVAIL D'ÉQUIPE

Si vous avez déjà fait partie d'une équipe de travail qui comptait plus de quatre étudiants, vous avez certainement connu un «profiteur», c'est-à-dire, une personne (vous-même, peut-être) qui n'accomplit pas sa juste part du travail collectif. Posez-vous les questions suivantes à son sujet. (Les chiffres entre parenthèses correspondent aux numéros des chapitres qui traitent des concepts en italique.) Le membre du groupe *adaptait-il son comportement aux attentes des autres*, sous-estimant *l'exactitude de ses propres jugements* (4)? Avait-il une faible *estime de lui-même?* Manifestait-il peu de désir de *maintenir un faux consensus?* Était-il moins *fier* que les autres? Cédait-il au *biais de complaisance* (6)? Était-il victime de l'*impuissance acquise?* Avait-il un *foyer de contrôle externe?* Avait-il un faible sentiment d'*autoefficacité* (7)? Était-il aux prises avec la *dissonance cognitive* (8)? Souffrait-il de *dépression* et d'*anxiété sociale* (9)? Se sentait-il *différent des autres sur le plan culturel?* Était-il plus *individualiste* que *collectiviste* (11)? Se conformait-il à son *rôle sexuel* (12)? Était-il considéré comme peu *crédible* ou peu *digne de confiance* (14)? Était-il peu *obéissant* (15)?

2. LA FERMETURE DES HÔPITAUX, UN CAS DE DISPERSION DE LA RESPONSABILITÉ?

Au milieu des années 90, le gouvernement fédéral diminua ses paiements de transfert aux provinces, ce qui se traduisit notamment par une diminution des fonds accordés aux systèmes de santé provinciaux. Le gouvernement cherchait ainsi à réduire la dette nationale et à équilibrer son budget, comme l'exigeaient les marchés financiers internationaux. Le gouvernement du Québec se fixa un objectif semblable et réduisit l'enveloppe budgétaire de plusieurs secteurs importants, dont la santé et l'éducation. Les Régies régionales de la santé durent déterminer les coupures à effectuer. À Montréal, on décida de fermer cinq hôpitaux communautaires, dont trois s'adressaient principalement à la communauté anglophone. Il incomba aux directeurs des hôpitaux touchés de communiquer officiellement la décision aux employés.

Qui, alors, fut responsable de la décision de fermer les hôpitaux?

Le comportement en groupe et la perte de la conscience de soi

E n 1991, quatre policiers de Los Angeles frappèrent à plus de 50 reprises un citoyen non armé du nom de Rodney King[1], sous l'œil indifférent de 23 autres agents. À l'aide de leurs matraques, ils lui brisèrent des dents et lui infligèrent neuf fractures du crâne qui causèrent des lésions cérébrales. Un témoin oculaire filma toute la scène. La diffusion de la bande vidéo déclencha aux États-Unis et ailleurs un débat houleux sur la brutalité policière et la violence collective. Qu'était-il advenu de l'humanité des policiers? Qu'avaient-ils fait de leurs normes de conduite professionnelle? Quelle force mauvaise avait donné libre cours à un tel comportement?

---

1. Tapez "Rodney King" sur un moteur de recherche Internet pour trouver un grand nombre de sites consacrés à l'affaire. On en trouve un en français (L'affaire Rodney King) dont le ministère de la Justice du Canada est responsable. Plus près de nous, on se souviendra de l'affaire Richard Barnabé qui a défrayé la chronique ces dernières années; ce chauffeur de taxi, victime de brutalité policière, est décédé de ses blessures après 2 ans de coma.

La désindividualisation: groupe, anonymat et distractions

Les expériences sur la facilitation sociale montrent que le groupe a un effet stimulant sur ses membres. Les expériences sur la flânerie collective, par ailleurs, révèlent que le groupe engendre une dispersion de la responsabilité. La conjonction de la stimulation et de la dispersion de la responsabilité atténue les inhibitions qui sont normalement présentes chez l'individu, donnant lieu à un processus appelé **désinhibition**. Il s'ensuit des actes qui vont d'un léger relâchement de la retenue (lancer de la nourriture dans la salle à manger, huer un arbitre, crier pendant un concert rock) à l'autogratification impulsive (vandalisme collectif, orgies, vols) et à la frénésie destructrice (brutalité policière, émeutes, lynchages). La désinhibition est à l'origine des émeutes consécutives aux événements sportifs qui suscitent un fort investissement émotionnel de la part des spectateurs. Ainsi, après la dernière partie des éliminatoires de la coupe Stanley, la probabilité d'une émeute est plus grande si notre équipe l'emporte (maintien de l'activation) que si elle perd (dissipation de l'énergie). La désinhibition eut aussi des effets tragiques en 1967, lorsque 200 étudiants de l'université de l'Oklahoma se rassemblèrent autour d'un camarade perturbé qui menaçait de se jeter du haut d'une tour. Ils se mirent à scander: «Saute! Saute!» L'étudiant obéit et se tua (UPI, 1967).

Ces comportements débridés ont un point commun: ils sont d'une manière ou d'une autre provoqués par la puissance du groupe. Les groupes peuvent donner à leurs membres l'excitante sensation d'être englobés dans une entité plus grande qu'eux-mêmes. Il est difficile d'imaginer un seul amateur de rock en train de crier à pleins poumons lors d'un concert privé, un seul étudiant de l'Oklahoma en train d'inciter quelqu'un au suicide ou même un seul policier en train de rouer de coups un automobiliste sans défense. Certaines situations de groupe conduisent à l'abandon de la retenue, à la perte du senti-

Désinhibition
Perte des inhibitions sociales habituelles ou des entraves à l'expression des sentiments; se produit dans un contexte très stimulant ou à la suite de la consommation d'alcool.

187

ment de responsabilité individuelle, bref à ce que Leon Festinger et ses collègues (1952) ont appelé la **désindividualisation**.

Désindividualisation
Perte de la conscience de soi et de l'appréhension de l'évaluation; se produit dans les situations de groupe qui engendrent l'anonymat et qui détachent l'attention de l'individu.

Quelles circonstances font naître cet état psychologique?

La taille du groupe: se perdre dans la foule

Le groupe a non seulement un effet stimulant sur ses membres, mais il a aussi la propriété de masquer leur identité. Les huées de la foule dissimulent celles de l'amateur de basket-ball pris isolément. La bande donne à chaque lyncheur l'impression qu'il pourra échapper à la justice; chacun attribue l'action au *groupe*. Fondus dans la cohue, les émeutiers se sentent libres de piller. Leon Mann (1981) a analysé 21 cas où une foule entourait une personne qui menaçait de se jeter d'un édifice ou d'un pont, et il a découvert d'intéressantes tendances. Si la foule était peu nombreuse et agissait en plein jour, les gens n'essayaient généralement pas de pousser le désespéré au suicide. Mais lorsqu'ils formaient un grand groupe et bénéficiaient de l'obscurité, les badauds raillaient la personne et l'encourageaient à sauter. Brian Mullen (1986a) a décelé un effet semblable en se basant sur des rapports d'événements impliquant des bandes de lynchage. Plus la foule est nombreuse, plus ses membres perdent leur conscience d'eux-mêmes et tendent à commettre des atrocités comme brûler, lacérer et démembrer la victime. Dans tous ces exemples, chez les amateurs de sport comme chez les lyncheurs, l'appréhension de l'évaluation s'évanouit. Et, puisque «tout le monde le fait», chacun peut attribuer son comportement à la situation plutôt qu'à son libre arbitre.

Philip Zimbardo (1970) supposa que l'immensité des villes densément peuplées engendrait l'anonymat et, du même coup, des normes qui permettaient le vandalisme. Pour vérifier son hypothèse, il acheta deux vieilles voitures et les laissa, le capot ouvert et sans plaque d'immatriculation, l'une dans une rue du Bronx, à New York, et l'autre dans une rue de Palo Alto, une petite ville de la Californie. À New York, les premiers vandales mirent moins de 10 minutes à apparaître et à s'emparer de la batterie et du radiateur. Après trois jours et 23 vols et actes de vandalisme (commis par des Blancs bien vêtus), il ne restait de la voiture qu'une carcasse de métal cabossée et inutilisable. À Palo Alto, en revanche, la seule personne à toucher la voiture en une semaine fut un passant qui ferma le capot quand il commença à pleuvoir.

L'anonymat physique: l'habit fait le moine

Qu'est-ce qui nous prouve que, parmi toutes les différences entre les deux villes choisies par Zimbardo, le facteur déterminant soit l'anonymat du Bronx?

Des recherches ont été menées pour vérifier si l'anonymat réduit véritablement les inhibitions. Zimbardo (1970) eut à ce propos une idée ingénieuse. Il habilla des femmes de l'université de New York de blouses et de cagoules identiques qui ressemblaient à la tenue des membres du Ku Klux Klan (figure 18.1); il leur demanda ensuite d'administrer des secousses électriques à une autre femme. Elles appuyèrent sur le bouton deux fois plus longtemps que ne le firent les femmes qui avaient le visage découvert et qui portaient de grands insignes affichant leur nom.

Une équipe de recherche dirigée par Ed Diener (1976) démontra astucieusement l'effet que produisent la présence du groupe *et* l'anonymat physique. Les chercheurs observèrent 1352 enfants de Seattle durant l'halloween. Lorsque, seuls ou en groupe, les enfants sonnaient à l'une des 27 maisons dispersées dans la ville, un

Figure 18.1

Anonymes bien que manifestement sûres d'elles-mêmes, ces femmes administrèrent plus de secousses électriques à des victimes sans défense que ne le firent des femmes identifiables.

expérimentateur les accueillait chaleureusement, les invitait à «prendre *un* des bonbons» et sortait de la pièce. Des observateurs cachés notèrent que les enfants regroupés avaient deux fois plus tendance que les enfants seuls à prendre plus d'un bonbon. En outre, les enfants anonymes désobéirent deux fois plus souvent que les enfants à qui l'on demandait de s'identifier. Le taux de transgression était donc fortement relié à la situation. Comme le montre la figure 18.2, la conjonction de l'immersion dans le groupe et de l'anonymat créait une désindividualisation telle que le taux de transgression atteignait presque 60 pour cent.

Devant ces résultats, je m'interroge sur l'effet que produit le port de l'uniforme. Robert Watson (1973) a étudié les documents archéologiques et découvert que les sociétés où les guerriers étaient dépersonnalisés (par le port du masque ou de peintures faciales) étaient aussi celles qui torturaient, tuaient ou mutilaient leurs ennemis. La dépersonnalisation a des effets semblables, quoique plus bénins, sur le comportement des enfants à l'halloween. L'anonymat que leur confère le masque les incite en effet à se montrer aussi «terrifiants» que possible. Les policiers en uniforme qui battirent Rodney King à Los Angeles étaient stimulés par leur appréhension de la victime, ils agissaient entre camarades et ils ignoraient que des étrangers allaient voir leurs actions. Oubliant leurs normes de conduite habituelles, ils succombèrent à leurs pires impulsions.

Dans le roman *Sa Majesté des Mouches*, de l'écrivain britannique William Golding (1954), des garçons qui se sont perdus sur une île retournent graduellement à l'état sauvage. Un brave garçon qui n'arrivait pas à abattre un porc pour se nourrir finit par le faire sans sourciller, puis il assassine un de ses camarades après avoir peint son visage et son corps. (Zimbardo m'a confié que c'est en lisant ce passage qu'il a eu l'idée de l'expérience sur la désindividualisation réalisée à l'université de New York.)

L'anonymat physique déchaîne-t-il *toujours* nos pires instincts?

Il est important de préciser que le contexte dans lequel se sont déroulées certaines des expériences que nous venons de

189

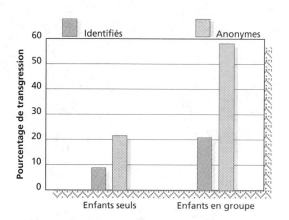

Figure 18.2

Lors d'une expérience réalisée un soir d'halloween, l'anonymat et l'immersion dans un groupe poussèrent les enfants à transgresser la consigne qui leur avait été donnée à propos de la quantité de bonbons à prendre. La désindividualisation créée par la conjonction des deux facteurs entraîna le plus fort pourcentage de transgression.

décrire comportait des indices antisociaux clairs. Robert Johnson et Leslie Downing (1979) soulignent que les tenues des sujets de Zimbardo ont peut-être favorisé l'hostilité, dans la mesure où elles s'apparentaient à celles du Ku Klux Klan. Dans une expérience réalisée à l'université de la Géorgie, Johnson et Downing demandèrent à des femmes de revêtir un uniforme d'infirmière avant de les inviter à déterminer l'intensité des secousses qu'elles administreraient. Lorsque ces femmes étaient anonymes, elles montraient *moins* d'agressivité que lorsque leurs identités étaient mises en évidence, ce qui est contraire à ce que nous venons de voir. Manifestement, l'anonymat réduit la conscience de soi mais augmente aussi la sensibilité aux indices de la situation, qu'ils soient négatifs (comme les uniformes du Ku Klux Klan) ou positifs (comme les uniformes d'infirmière). En présence d'indices altruistes, les gens désindividualisés font même des dons plus généreux (Spivey et Prentice-Dunn, 1990).

C'est pourquoi les uniformes noirs, qui sont traditionnellement associés au mal et à la mort (pensez aux bourreaux du Moyen Âge, à Darth Vader et aux guerriers Ninja) ont un effet contraire à celui des uniformes d'infirmière. Mark Frank et Thomas Gilovich (1988) rapportent que, à commencer par les Raiders de Los Angeles et les Flyers de Philadelphie, les équipes dont l'uniforme est noir se sont régulièrement classées dans les premiers rangs des Ligues nationales de football et de hockey pour le nombre de pénalités données entre 1970 et 1986. Les recherches complémentaires effectuées en laboratoire indiquent que le simple fait de porter un chandail noir peut provoquer une augmentation de l'agressivité.

Même si l'anonymat laisse libre cours à notre impulsivité et nous rend plus réceptifs aux indices sociaux, nous devons nous rappeler que nos impulsions ne sont pas toutes sinistres. Citons à ce propos le réconfortant résultat d'une expérience menée par trois chercheurs du Swarthmore College, Kenneth Gergen, Mary Gergen et William Barton (1973). Imaginez que vous êtes un de leurs sujets. Vous devez passer une heure (à moins que vous ne vous désistiez) dans une pièce complètement obscure, en compagnie de sept inconnus des deux sexes. On vous donne les renseignements suivants: «Il n'existe aucune règle à propos de ce que vous devez faire ensemble. À la fin de la période, vous serez conduit seul à la sortie et vous quitterez seul le lieu de l'expérience. Vous ne rencontrerez jamais (officiellement) les autres participants.»

Les sujets du groupe témoin, qui passèrent l'heure dans une salle normalement éclairée, choisirent simplement de s'asseoir et de bavarder. À l'opposé, la conjonction de l'anonymat, de l'obscurité et d'attentes ambiguës fut propice à l'intimité et à l'affection chez les sujets du groupe expérimental. Ils parlèrent moins, mais de choses plus «importantes». Quatre-vingt-dix pour cent d'entre eux touchèrent volontairement quelqu'un et 50 pour cent d'entre eux se firent une chaleureuse accolade. Rares furent ceux qui trouvèrent l'anonymat désagréable; la plupart la goûtèrent beaucoup et se portèrent volontaires pour recommencer l'expérience, même si aucune rémunération n'était prévue. L'anonymat avait «libéré» en eux le penchant pour l'intimité et la fantaisie.

Les activités stimulantes et distrayantes

Les accès d'agressivité des grands groupes sont souvent précédés par des actions qui, bien qu'elles soient en apparence banales, stimulent les gens et détournent leur attention. Les cris, les slogans, les applaudissements et la danse servent à la fois à galvaniser les gens et à réduire leur conscience d'eux-mêmes. Un des disciples de Moon décrit l'effet désindividualisant du chant:

Tous les frères et sœurs se tenaient par la main et chantaient crescendo: «Choo-choo-choo, choo-choo-choo, CHOO-CHOO-CHOO! YÉ! YÉ! POW!!!» Ce chant nous rassemblait, comme si, bizarrement, nous avions tous vécu ensemble quelque chose d'important. Le pouvoir du chant m'effrayait, mais il me mettait à l'aise et il y avait quelque chose de très relaxant à accumuler l'énergie puis à la libérer. (Zimbardo et coll., 1977, p. 186)

Dans *Sa Majesté des Mouches*, les garçons faisaient quelquefois précéder leurs atrocités par des activités de groupe; par exemple, ils dansaient en cercle et criaient: «Tue la bête! Tranche-lui la gorge! Répands son sang!» Ce faisant, le groupe devenait un «organisme unique».

Les expériences de Diener (1976, 1979) ont montré que des actions comme lancer des pierres et chanter en groupe pavent la voie à des comportements plus désinhibés. Accomplir un acte impulsif tout en regardant les autres faire de même apporte un autorenforcement. À voir les autres agir comme nous, nous croyons qu'ils éprouvent la même chose que nous et nous sommes confortés dans nos sentiments (Orive, 1984). De plus, l'action collective impulsive absorbe notre attention. Quand nous invectivons l'arbitre, nous ne pensons pas à nos valeurs: nous réagissons à la situation immédiate. Plus tard, lorsque nous nous arrêtons pour réfléchir à nos gestes et à nos paroles, nous avons quelquefois des regrets. Quelquefois. Car il nous arrive aussi de rechercher les expériences de désindividualisation (les occasions de danser, de prier, de chanter en groupe) qui nous procurent des émotions intenses agréables ainsi qu'un sentiment d'intimité avec les autres.

La diminution de la conscience de soi

Les actions de groupe qui atténuent la conscience de soi tendent à rompre le lien existant entre le comportement et les attitudes. Les expériences de Diener (1980) ainsi que celles de Steven Prentice-Dunn et de Ronald Rogers (1980, 1989) révèlent que les gens désindividualisés manifestent moins de retenue et d'autodiscipline, qu'ils tendent à agir sans penser à leurs propres valeurs et qu'ils sont plus sensibles à la situation. Ces résultats complètent et étayent les expériences sur la *conscience de soi*. La conscience de soi se situe

à l'opposé de la désindividualisation. Chez les gens dont on éveille la conscience de soi, en les faisant agir devant un miroir ou une caméra de télévision, par exemple, on observe une *augmentation* de la maîtrise de soi; on constate de plus, que leurs actions sont plus conformes à leurs attitudes. Ces individus sont moins enclins à tricher (Beaman et coll., 1979; Diener et Wallbom, 1976). Il en va de même des gens qui se perçoivent généralement comme des individus distincts et indépendants (Nadler et coll., 1982). La cohérence entre les valeurs affirmées en dehors d'une situation et les gestes accomplis dans le feu de l'action est plus grande chez les gens qui ont, naturellement ou à la suite d'une intervention spécifique, une forte conscience d'eux-mêmes.

Par conséquent, les facteurs qui affaiblissent la conscience de soi, parmi lesquels figure la consommation d'alcool (Hull et coll., 1983), augmentent la désindividualisation. Inversement, la désindividualisation diminue sous l'effet de facteurs qui augmentent la conscience de soi, comme les miroirs, les caméras, les petites villes, les lumières intenses, les grands insignes porte-nom, le calme total, les vêtements personnels et les maisons individuelles (Ickes et coll., 1978). Ainsi, lorsqu'un adolescent se rend à une surprise-partie, ses parents seraient avisés de lui dire: «Amuse-toi bien et rappelle-toi qui tu es.» Autrement dit, tire plaisir du groupe, mais ne perds pas la conscience que tu as de toi-même; ne te laisse pas désindividualiser.

●Exercices et questions

Pour répondre aux questions qui suivent, vous devrez vous imaginer dans les situations décrites, les «vivre dans votre tête». Chacune comporte un élément de désindividualisation, qui constitue le sujet principal du module. Que feriez-vous et comment vous sentiriez-vous dans chaque situation?

1. VIVE LA SAINT-JEAN-BAPTISTE!

Vous vous rendez en voiture avec vos amis à la fête de la Saint-Jean-Baptiste. Vous portez des masques à l'effigie de politiciens québécois populaires et vous avez noué autour de votre tête un fichu bleu. (Vous vous sentez un peu mal à l'aise, ainsi affublé, mais vous faites comme tout le monde.) Vous avez bu deux ou trois bières avant de partir. Sur votre chemin, vous traversez une banlieue anglophone. De grands drapeaux fleurdelisés sortent des fenêtres de la voiture. Vous apercevez un groupe d'anglophones qui vous huent et qui font des gestes insultants à votre endroit. Que feriez-vous dans de telles circonstances?

2. DES POLICIERS EN CULOTTES COURTES À LA FÊTE DE LA SAINT-JEAN-BAPTISTE

Les policiers sont habitués à jouir d'un certain anonymat. En effet, ils portent tous le même uniforme et conduisent tous des voitures semblables. Certains ont soutenu qu'une telle désindividualisation est un facteur de tension entre la police et la collectivité, particulièrement lors des grands rassemblements. La police est autoritaire et le public s'attend à ce qu'elle le soit. Qu'arriverait-il si, à la prochaine célébration de la Saint-Jean-Baptiste, les policiers étaient obligés de porter des culottes courtes ainsi qu'un grand insigne les identifiant, et de circuler à bicyclette plutôt qu'en voiture aux abords de la manifestation? Comment vous sentiriez-vous si vous étiez policier? Selon vous, est-ce que cette «individualisation» augmenterait ou diminuerait les frictions?

3. LE PORT DU CASQUE ET LE SENTIMENT DE RESPONSABILITÉ PERSONNELLE

Vous êtes un adepte de la motocyclette. Vous portez un casque aérodynamique muni d'une visière noire. Vous allez en toute hâte à un rendez-vous. Un accident se produit devant vous; un homme est couché sur la route. Quelques voitures circulent dans la même voie que vous, mais aucune ne s'arrête. Si vous ne portiez pas de casque (ce qui serait illégal, mais faites un effort d'imagination), seriez-vous plus susceptible de vous arrêter? Pourquoi?

Les groupes et leurs décisions

Q u'engendrent le plus souvent les interactions de groupe? La brutalité policière et la violence collective attirent notre attention sur les effets destructeurs de ces interactions. Pourtant, les animateurs de groupes de soutien, les conseillers en gestion et les théoriciens de l'éducation en vantent les mérites. Les dirigeants sociaux et religieux, quant à eux, exhortent leurs adeptes à développer des liens entre eux pour raffermir leur identité. Comment y voir clair?

À l'aide de la recherche. L'étude des petits groupes, en effet, dévoile un principe qui explique tant les effets destructeurs que les effets constructifs des interactions de groupe: La discussion de groupe renforce souvent les inclinations initiales des membres, qu'elles soient bonnes ou mauvaises. La recherche sur l'effet de polarisation et sur la pensée de groupe a connu une évolution qu'il n'est pas rare d'observer en sciences. Elle a montré une fois de plus qu'une découverte intéressante peut mener les chercheurs à des conclusions hâtives et erronées qui, à la longue, sont heureusement remplacées par des conclusions plus justes. Je peux traiter en connaissance de cause de cet épisode scientifique, car j'en ai moi-même été l'un des protagonistes.

● L'adoption d'une attitude plus audacieuse

Tout a commencé avec James Stoner (1961), étudiant du Massachusetts Institute of Technology, alors qu'il rédigeait son mémoire de maîtrise en gestion industrielle. Stoner voulait vérifier si, comme le veut la croyance populaire, les groupes sont plus prudents que les individus. Il ne se doutait pas alors que sa découverte donnerait lieu à plus de 300 études.

Stoner présenta à ses sujets une série de dilemmes auxquels étaient confrontés des personnages fictifs. La tâche des sujets consistait à conseiller les personnages quant au risque à prendre. Mettez-vous à leur place et dites ce que vous auriez recommandé au personnage dans la situation suivante.

Hélène est une écrivaine qui, dit-on, est fort talentueuse mais qui, jusqu'à présent, a confortablement gagné sa vie à écrire des romans-westerns minables. Il y a quelque temps, elle a trouvé le sujet d'un roman sérieux. Si elle parvient à écrire et à faire publier cet ouvrage, elle pourrait laisser sa marque dans le monde littéraire et donner un lustre considérable à sa carrière. Par contre, si elle ne réussit pas à concrétiser son idée ou si le roman fait un four, elle aura consacré énormément de temps et d'énergie à une tâche qui ne lui aura rien rapporté financièrement.

Supposez que vous ayez à conseiller Hélène. Indiquez en cochant à l'endroit approprié le niveau de probabilité de succès qui vous semblerait acceptable pour que Hélène réalise son projet. Hélène devrait écrire son roman si ses chances de succès sont d'au moins:

___ 1 sur 10	___ 4 sur 10	___ 7 sur 10	___ 10 sur 10 (Cochez ici si vous
___ 2 sur 10	___ 5 sur 10	___ 8 sur 10	jugez qu'Hélène doit être assurée de son succès pour entreprendre
___ 3 sur 10	___ 6 sur 10	___ 9 sur 10	la rédaction du roman.)

Prenez votre décision, puis devinez celle que prendrait le lecteur moyen du présent ouvrage.

Après s'être prononcés sur une dizaine de cas de ce genre, les sujets formaient des groupes de cinq personnes et discutaient de chaque situation en vue de parvenir à un consensus. Selon vous, comment se sont caractérisées les décisions de groupe par rapport à la moyenne des décisions individuelles? Ont-elles été plus audacieuses? Plus prudentes? Identiques?

Au grand étonnement de tous, les décisions de groupe étaient généralement *plus audacieuses*. Le phénomène, baptisé «adoption d'une attitude plus audacieuse», fit l'objet d'une foule d'études. Elles indiquèrent que ce phénomène se produisait non seulement quand un groupe prenait une décision unanime, mais aussi après une brève discussion entre des individus. Qui plus est, les chercheurs obtinrent le même résultat que Stoner en faisant l'expérience dans une dizaine de pays avec des gens de professions et d'âges divers.

L'adoption d'une attitude audacieuse était constante, inattendue et inexplicable. L'énigme ne manquait pas d'intérêt. Quelles influences, au sein du groupe, produisaient cet effet? Et quelle en était l'étendue? Les discussions poussaient-elles aussi à l'audace les membres de jurys, de comités de gestion et d'organismes militaires?

Après avoir passé plusieurs années à retourner la question sous toutes ses coutures, nous nous sommes aperçus que la manifestation d'une attitude plus audacieuse n'était pas universelle. Nous étions capables d'inventer des dilemmes que les gens tranchaient plus *prudemment* à l'issue d'une discussion. L'un de ces dilemmes concernait «Roger», jeune homme marié ayant deux enfants d'âge scolaire et un emploi stable, mais mal payé. Roger peut se procurer le nécessaire, mais peu de biens de luxe. Il entend dire qu'une obscure société lancera bientôt un nouveau produit; la valeur des actions triplera si le produit est populaire, mais elle diminuera considérablement dans le cas contraire. Roger n'a pas d'économies; alors, pour investir dans la société, il songe à vendre sa police d'assurance-vie.

Existe-t-il un principe général permettant de prévoir que les gens opteront pour l'audace après avoir discuté du cas d'Hélène et pour la prudence après avoir discuté du cas de Roger? Oui. Si vous êtes comme la plupart des gens, vous conseillerez plus d'audace à Hélène qu'à Roger et ce, avant même d'avoir parlé aux autres. Il s'avère en effet que la discussion a fortement tendance à renforcer les penchants initiaux des gens.

Nous nous sommes donc rendu compte que la discussion ne conduisait pas nécessairement à une attitude plus audacieuse, mais bien qu'elle *renforçait* les inclinations initiales des individus. C'est ainsi que les chercheurs ont supposé l'existence de l'**effet de polarisation**, terme créé par Serge Moscovici et Marisa Zavalloni (1969).

Effet de polarisation
Renforcement des tendances préexistantes des membres d'un groupe; il s'agit d'une consolidation de la tendance *moyenne* des membres et non d'une division au sein du groupe.

● Les groupes intensifient-ils les opinions?

Les recherches sur l'effet de polarisation: qui s'assemble se ressemble et finit par se ressembler encore plus...

Stimulés par l'hypothèse de la polarisation, les chercheurs entamèrent de nouvelles recherches. Ils demandèrent à des sujets de discuter d'énoncés que la plupart d'entre eux approuvaient ou désapprouvaient. La discussion allait-elle renforcer les inclinations initiales comme elle l'avait fait lors des expériences où l'on présentait des dilemmes aux sujets? C'est ce que l'hypothèse de la polarisation laissait entrevoir (figure 19.1).

Des dizaines d'études confirmèrent l'existence de l'effet de polarisation. Moscovici et Zavalloni constatèrent que, chez les étudiants français, la discussion renforçait l'attitude initialement favorable à l'égard du président de la République et l'attitude initialement défavorable à l'égard des Américains. Mititoshi Isozaki (1984) découvrit pour sa part que les étudiants japonais rendaient des verdicts de culpabilité plus catégoriques après avoir discuté de cas d'infractions au code de la route. Glen Whyte (1992), quant à lui, rapporta que la prise de décision collective exacerbait la coûteuse tendance des gestionnaires à persévérer dans les investissements inopportuns («Nous avons trop investi pour lâcher maintenant»). Il demanda à des étudiants canadiens en administration de se prononcer à propos d'un nouvel investissement destiné à compenser les pertes encourues à la suite d'opérations ratées (par exemple, contracter un prêt très risqué pour protéger un investissement antérieur). Les étudiants n'échappèrent pas à l'effet habituel. En effet, 72 pour cent d'entre eux optèrent pour le nouvel investissement, chose qu'ils n'auraient pas faite s'ils avaient évalué froidement la situation. Puis, lorsque les étudiants prirent la décision en groupe, 94 pour cent d'entre eux approuvèrent le nouvel investissement.

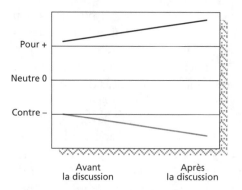

Figure 19.1

Selon l'hypothèse de la polarisation, la discussion renforce l'attitude que partagent les membres du groupe. Si, initialement, les membres tendent à favoriser l'audace, par exemple, leur tendance est encore plus marquée à l'issue de la discussion. S'ils tendent à s'opposer à l'audace, ils la rejettent encore plus vigoureusement après la discussion.

D'autres chercheurs choisirent des questions à propos desquelles les opinions étaient divisées, puis regroupèrent les gens de même opinion. La discussion entre personnes du même avis renforce-t-elle l'opinion commune? Élargit-elle le fossé qui sépare les deux camps? Telles sont les questions que George Bishop et moi nous posions.

Nous avons donc formé des groupes d'élèves d'écoles secondaires en fonction du fait qu'ils avaient beaucoup ou peu de préjugés et nous leur avons demandé de répondre (avant et après en avoir discuté entre eux) à des questions reliées aux attitudes raciales (Myers et Bishop, 1970). Nous avons découvert que la discussion entre élèves de même opinion élargissait effectivement le fossé préexistant entre les deux groupes (figure 19.2).

L'effet de polarisation dans les situations quotidiennes

Dans la vie quotidienne, les individus se regroupent principalement avec des gens qui ont des attitudes semblables aux leurs. (Pensez à votre propre cercle

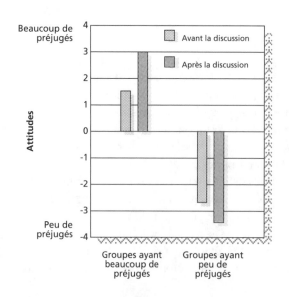

Figure 19.2

L'effet de polarisation. La discussion sur les questions raciales a intensifié les préjugés chez des élèves de l'ordre d'enseignement secondaire qui en avaient déjà beaucoup et les a atténués chez des élèves qui en avaient peu. (Les données proviennent de Myers et Bishop, 1970.)

d'amis.) Alors, les interactions de groupe avec des personnes de même opinion que soi amplifient-elles les attitudes déjà présentes? Dans les contextes naturels, il est difficile de démêler les causes et les effets. Néanmoins, le phénomène observé en laboratoire trouve des échos dans le quotidien.

L'un de ces échos correspond à ce que les chercheurs en éducation appellent le «phénomène d'accentuation». Au fil du temps, on assiste à une accentuation des différences initiales entre les étudiants des diverses universités. Si les étudiants de l'université X sont initialement plus intellectuels que les étudiants de l'université Y, la différence a alors de fortes chances d'augmenter au cours des études universitaires. De même, les étudiants indépendants ont des attitudes politiques plus libérales que n'en ont les membres des clubs sociaux étudiants, et la différence s'accroît au fil des années passées à l'université (Pascarella et Terenzini, 1991). Les chercheurs croient que le phénomène est dû, entre autres facteurs, au renforcement des inclinations communes dans les groupes (Chickering et McCormick, 1973; Feldman et Newcomb, 1969; Wilson et coll., 1975).

La polarisation se manifeste aussi dans le domaine sociopolitique. En période de conflit, les gens de même opinion s'unissent de plus en plus étroitement, et leurs tendances communes s'en trouvent amplifiées. Les crimes commis par des bandes résultent d'un processus de renforcement mutuel entre des individus issus d'un même milieu ethnique et socioéconomique (Cartwright, 1975). Après avoir analysé les organisations terroristes du monde entier, Clark McCauley et Mary Segal (1987) ont constaté que le terrorisme n'apparaît pas soudainement, mais qu'il naît chez des personnes que des doléances communes rapprochent. À force d'interagir à l'écart des influences modératrices, ces personnes cheminent progressivement vers l'extrémisme. Elles se livrent alors à des actes violents qu'elles n'auraient peut-être jamais pensé commettre si elles étaient demeurées en dehors du groupe.

Les phénomènes de cohésion vécus dans les sectes seraient-ils plus courants qu'on ne le croit?

● Les causes de la polarisation: informations et normes

Les chercheurs espéraient jeter de la lumière sur le phénomène de l'influence sociale en étudiant celui de la polarisation. En effet, la solution de casse-tête simples fournit parfois des indices permettant de résoudre des problèmes complexes.

Parmi toutes les explications proposées à l'effet de polarisation, deux d'entre elles ont résisté à l'examen scientifique. La première touche les arguments présentés pendant une discussion; elle repose sur ce que Morton Deutsch et Harold Gerard (1955) ont appelé l'**influence informationnelle** (l'influence résultant de l'acceptation de l'information provenant d'autrui et qui traite de la réalité). La seconde est reliée à la façon dont les membres d'un groupe se perçoivent par rapport aux autres; elle repose sur le concept d'**influence normative** (l'influence fondée sur le désir d'être accepté ou admiré par les autres).

Influence informationnelle
Influence qui résulte de l'acceptation de l'information fournie par autrui et qui porte sur la réalité.

Influence normative
Conformisme découlant du désir de satisfaire les attentes des autres ou d'être accepté par eux.

L'influence informationnelle

Selon l'explication la mieux étayée, la discussion de groupe provoque une mise en commun des idées, dont la plupart favorisent le point de vue dominant. Ces idées peuvent comprendre des arguments persuasifs que certains membres du groupe n'avaient pas considérés antérieurement (Stasser, 1991). Ainsi, à propos d'Hélène, l'écrivaine, quelqu'un pourrait dire: «Elle devrait foncer parce qu'elle n'a pas grand-chose à perdre. Si son roman ne marche pas, elle pourra toujours recommencer à écrire des romans-westerns médiocres.» De tels énoncés réunissent souvent de l'information sur les *arguments* formulés par la personne et des indices de son *opinion* sur la question. Mais lorsque les gens entendent des arguments pertinents sans connaître les positions particulières des autres, ils modifient quand même leur opinion (Burnstein et Vinokur, 1977; Hinsz et Davis, 1984). Les *arguments*, en eux-mêmes et par eux-mêmes, sont déterminants.

L'influence normative

Comparaison sociale
Fait d'évaluer ses propres opinions et aptitudes en les comparant à ceux des autres.

D'après la seconde explication, la polarisation suppose une comparaison. Comme Leon Festinger (1954) l'a énoncé dans son importante théorie de la **comparaison sociale**, nous sommes naturellement portés à évaluer nos opinions et nos aptitudes et, pour ce faire, nous pouvons comparer nos points de vue à ceux des autres. Ce sont surtout les membres des groupes auxquels nous nous identifions qui ont un effet persuasif sur nous (Abrams et coll., 1990; Hogg et coll., 1990). De plus, comme nous voulons être aimés, nous avons tendance à durcir nos opinions après avoir découvert que les autres pensent comme nous.

Vous vous êtes peut-être déjà trouvé dans un groupe où chacun est resté sur son quant-à-soi jusqu'à ce que quelqu'un brise la glace et dise: «Eh bien, pour être parfaitement honnête, je dirais que...» Rapidement, vous avez été surpris de constater que vos opinions étaient largement partagées. Les gens à qui l'on demande (comme on vous l'a demandé) de prévoir la réponse des autres à une question (comme le dilemme d'Hélène) font typiquement preuve d'ignorance sociale. Autrement dit, ils ne se doutent pas que les autres penchent pour l'option préférée socialement (écrire le roman, dans le cas d'Hélène). L'individu moyen conseillera à Hélène d'écrire le roman, même si ses chances de succès ne sont que de 4 sur 10, mais il s'imaginera que les autres placent la barre à 5 ou 6 sur 10. Lorsque la discussion débute, la plupart des gens découvrent à leur grand étonnement qu'ils n'ont rien d'exceptionnel et qu'il s'en trouve même de plus téméraires qu'eux. Une fois que disparaît cette fausse perception de la norme, les gens se sentent à l'aise d'exprimer plus catégoriquement leur opinion.

La théorie de la comparaison sociale donna lieu à des expériences au cours desquelles les chercheurs présentèrent aux sujets les positions des autres, mais non leurs arguments. La situation est équivalente à celle que nous rencontrons quand nous lisons les résultats d'un sondage. Les gens qui apprennent les opinions des autres (en dehors d'une discussion) adaptent-ils leurs réponses pour conserver une position acceptable socialement? En réalité, lorsque notre idée n'est pas faite, l'information relative aux réponses des autres engendre une faible polarisation. (Goethals et Zanna, 1979; Sanders et Baron, 1977). La polarisation consécutive à la simple comparaison sociale est généralement plus faible que la polarisation produite par une discussion animée. Il est surprenant tout de même que les gens durcissent leur position même s'ils ne connaissent pas les arguments invoqués par les autres, au lieu de se conformer simplement à la moyenne du groupe.

La recherche portant sur l'effet de polarisation traduit la complexité de l'enquête en psychologie sociale. Autant nous aimons les explications simples, autant il est rare qu'une théorie unique rende compte de toutes les données d'un phénomène. L'être humain est complexe et les phénomènes sont souvent causés par plus d'un facteur. Dans les groupes, les arguments persuasifs prévalent lorsque la discussion porte sur des faits («Est-elle coupable du crime?»). Par contre, la comparaison sociale détermine les réponses lorsque la discussion porte sur des jugements de valeur («Quelle devrait être sa sentence?») (Kaplan, 1989). Et dans les nombreux cas où la discussion porte à la fois sur des faits et sur des valeurs, les deux facteurs interviennent. Le fait de découvrir que les autres pensent comme nous (comparaison sociale) nous pousse à avancer des arguments (influence informationnelle) en faveur de ce que tout le monde pense secrètement.

La pensée de groupe: solidarité, imperméabilité, directivité

Les phénomènes de psychologie sociale que nous avons étudiés jusqu'ici se produisent-ils dans des groupes distingués, comme les conseils d'administration et les conseils de ministres? Ces groupes succombent-ils à l'autojustification et au biais de complaisance? Sont-ils animés d'un «esprit de clique» qui les pousse au conformisme et au rejet de la dissidence? L'engagement public engendre-t-il la résistance au changement et la polarisation? Le psychologue social Irving Janis (1971, 1982) se demandait si de tels phénomènes pouvaient expliquer les décisions bonnes et mauvaises qu'avaient prises les présidents américains et leurs conseillers dans l'histoire récente. Pour le déterminer, il analysa les processus de prise de décision qui ont abouti à quelques fiascos retentissants:

- *L'attaque de Pearl Harbor.* En décembre 1941, l'attaque de Pearl Harbor marqua l'entrée des États-Unis dans la Seconde Guerre mondiale. Au cours des semaines précédant le bombardement, les autorités militaires d'Hawaï furent régulièrement informées que les Japonais préparaient une attaque quelque part dans le Pacifique. Puis le service du renseignement militaire perdit le contact radio avec les porte-avions japonais, qui se dirigeaient tout droit vers Hawaï. Les escadrons de reconnaissance aérienne auraient pu les repérer ou, au moins, donner l'alerte quelques minutes à l'avance. Or, les commandants jugèrent de telles précautions superflues. Résultat: l'alerte ne fut donnée qu'au moment où l'aviation japonaise commença à bombarder les navires et les terrains d'aviation.
- *L'invasion de la baie des Cochons.* En 1961, le président Kennedy et ses conseillers tentèrent de renverser Fidel Castro en envoyant à Cuba 1400 exilés cubains entraînés par la CIA. Résultat: presque tous les envahisseurs furent rapidement tués ou capturés, les États-Unis essuyèrent une cuisante humiliation et Cuba resserra ses liens avec l'URSS. «Comment avons-nous pu être aussi stupides?» demanda Kennedy en constatant l'ampleur des dégâts.

§ *La guerre du Vietnam*. De 1964 à 1967, le président Lyndon Johnson et son groupe de conseillers politiques cautionnèrent l'escalade militaire au Vietnam. Ils supposaient que les bombardements aériens, la défoliation et les opérations de nettoyage amèneraient le Vietnam du Nord à la table de négociation et consolideraient l'appui de la population sud-vietnamienne. Ils s'en tinrent à leurs plans, en dépit des avertissements des experts de l'espionnage et de presque tous les alliés des États-Unis. Résultat: 46 500 Américains et plus de 1 million de Vietnamiens furent tués, Johnson perdit la présidence et les États-Unis accumulèrent un déficit budgétaire qui fut une des causes de l'inflation dans les années 70.

Janis croit que ces gaffes ont découlé de la tendance des décideurs à réprimer la dissidence pour préserver l'harmonie du groupe, phénomène appelé **pensée de groupe**. Dans les groupes de travail, la cohésion et la camaraderie favorisent la productivité (Evans et Dion, 1991). Mais cette solidarité a un prix lorsque vient le moment de prendre une décision. Le terrain propice à l'émergence de la pensée de groupe est composé des éléments suivants: un groupe *solidaire*, une relative *imperméabilité* aux points de vue opposés et un *leader directif* qui fournit des indicateurs sur la décision qu'il favorise. Au moment où Kennedy, nouvellement élu, planifia avec ses conseillers l'invasion de la baie des Cochons, tous étaient unis par un fort esprit de corps. L'équipe du président rejetait ou cachait les arguments contraires au plan, et Kennedy lui-même ne tarda pas à approuver l'invasion.

Il n'est pas difficile de trouver des exemples de la présence de la pensée de groupe dans la vie quotidienne. Dans les discussions familiales, souvent, chacun essaie de ne contrarier personne, tant et si bien que la décision du membre dominant (le père, dans bien des cas) prévaut même si les autres la savent inopportune. Personne ne veut «faire de vagues». Pensez aussi aux travaux d'équipe que vous effectuez au cégep ou à l'université. Les étudiants discutent-ils *vraiment* avant de prendre une décision ou ne font-ils que se ranger du côté de la première personne à émettre des suggestions? On peut facilement, aussi, observer ce phénomène dans les assemblées syndicales ou les associations étudiantes.

Les symptômes de la pensée de groupe: fermeture, uniformité, rejet...

Après avoir consulté des documents historiques et des autobiographies de participants et d'observateurs, Janis dégagea les huit symptômes de la pensée de groupe. Ces symptômes constituent une forme collective de réduction de la dissonance qui se manifeste lorsqu'une menace plane sur la cohésion du groupe (Turner et coll., 1992). Les deux premiers symptômes conduisent les membres à *surestimer le pouvoir et la légitimité du groupe*.

§ *L'illusion d'invulnérabilité*. Les groupes que Janis a étudiés présentaient tous un optimisme excessif qui les rendait sourds aux mises en garde. Quand l'amiral Kimmel, principal officier de marine de la base de Pearl Harbor, apprit que ses hommes avaient perdu le contact radio avec les porte-avions japonais, il lança à la blague que les Japonais s'apprêtaient peut-être à encercler le Diamond Head d'Honolulu. En ridiculisant l'idée d'une attaque, Kimmel lui retirait toute vraisemblance.

Pensée de groupe
«Mode de pensée qu'adoptent les membres d'un groupe solidaire lorsque la recherche de l'unanimité tend à primer sur l'évaluation réaliste des autres orientations possibles» (Janis, 1971).

☾ *La croyance incontestée en la moralité du groupe*. Les membres sont convaincus de la moralité de leur groupe et ne se préoccupent aucunement des questions éthiques et morales. Le groupe de Kennedy savait que le conseiller Arthur Schlesinger J^r et le sénateur J. William Fullbright avaient des scrupules à envahir un petit pays voisin. Le groupe ne discuta pas pour autant de l'aspect moral du projet.

Les membres des groupes se laissent aussi gagner par l'*étroitesse d'esprit*:

☾ *La rationalisation*. Les groupes parent les critiques en justifiant leurs décisions. L'équipe du président Johnson a passé beaucoup plus de temps à rationaliser sa décision (à l'expliquer et à la justifier) qu'à la soupeser et à la réévaluer. Elle transformait chacune de ses initiatives en une action à défendre et à justifier.

☾ *La vision stéréotypée de l'adversaire*. Les membres des groupes voient leurs ennemis comme des êtres si malfaisants qu'ils ne valent pas la peine qu'on négocie avec eux. De même, ils les jugent trop faibles ou trop stupides pour se défendre. Le groupe de Kennedy se persuada que l'armée cubaine était si faible et Castro si impopulaire qu'une seule brigade parviendrait à renverser le régime.

Enfin, le groupe *impose l'uniformité à ses membres*:

☾ *Le conformisme imposé*. Les groupes étudiés par Janis rabrouèrent les dissidents et, dans certains cas, recoururent non pas à des arguments mais au sarcasme. Un jour, l'assistant de Lyndon Johnson, Bill Moyers, arriva en retard à une réunion. Le président lança: «Tiens, voici M. Arrêtons-les-bombardements!» Pour échapper à la désapprobation, la plupart des gens qui font l'objet de railleries rentrent dans le rang.

☾ *L'autocensure*. Comme les désaccords semblaient rompre la belle unanimité des groupes, les membres taisaient ou minimisaient leurs objections. Au cours des mois qui suivirent l'invasion de la baie des Cochons, Arthur Schlesinger (1965, p. 255) se reprocha d'être demeuré si silencieux pendant les discussions cruciales tenues dans la salle du Cabinet. «Cependant, écrivit-il, je savais que mes objections n'auraient servi qu'à me faire une réputation de gêneur et cela tempérait mes sentiments de culpabilité.»

☾ *L'illusion d'unanimité*. L'autocensure et l'obligation de préserver le consensus créent une illusion d'unanimité. Qui plus est, le consensus apparent conforte le groupe dans sa décision. On trouve cette apparence de consensus dans les trois situations désastreuses étudiées par Janis ainsi que dans nombre de fiascos antérieurs et ultérieurs. Albert Speer (1971), conseiller d'Adolf Hitler, raconta que l'atmosphère qui régnait dans l'entourage du führer étouffait dans l'œuf toute velléité d'opposition. L'absence de dissidence créait une illusion d'unanimité:

Dans des circonstances normales, les gens qui se détournent de la réalité sont vite ramenés à l'ordre par les moqueries et les critiques de leur entourage, et ils se rendent compte qu'ils ont perdu leur crédibilité. Dans le IIIe Reich, nul ne faisait l'objet de telles admonestations, en particulier dans la plus haute sphère du pouvoir. Bien au contraire, chaque aveuglement était multiplié

comme par des miroirs déformants et devenait l'image mille fois confirmée d'un monde fantastique qui perdait toute ressemblance avec la triste réalité du monde extérieur. Dans ces miroirs, je ne voyais rien d'autre que mon propre visage reproduit à l'infini. Aucun facteur extérieur ne troublait l'uniformité de ces centaines de visages figés, qui tous étaient miens. (p. 379)

§ *La protection de la pensée.* Certains membres protègent le groupe de l'accès à l'information susceptible de soulever un doute sur le bien-fondé ou la moralité de ses décisions. Avant l'invasion de la baie des Cochons, Robert Kennedy prit Schlesinger à part et lui dit: «Ne pousse pas plus loin.» Le secrétaire d'État Dean Rusk dissimula les mises en garde des experts de la diplomatie et de l'espionnage. Robert Kennedy et Rusk remplirent donc sur le plan des idées le rôle dont s'acquittent les gardes du corps sur le plan physique: ils protégèrent le président contre des attaques néfastes.

La pensée de groupe en action: la catastrophe de Challenger

Les symptômes de la pensée de groupe entravent la prise de décision dans la mesure où ils empêchent la recherche et l'examen d'informations contradictoires et de solutions de rechange (figure 19.3). Chaque fois qu'un leader fait valoir une idée et qu'un groupe se ferme aux opinions contraires, la pensée de groupe devient une menace (McCauley, 1989).

La pensée de groupe marqua tragiquement le processus qui conduisit à la décision de la NASA de lancer la navette spatiale *Challenger*, en janvier 1986 (Esser et Lindoerfer, 1989). Les ingénieurs de la firme Morton Thiokol, qui fabriquait les fusées auxiliaires, et de Rockwell International, qui fabriquait l'orbiteur, s'opposaient au lancement. Les ingénieurs de Thiokol estimaient que le froid risquait d'endommager les joints de caoutchouc placés entre les quatre sections de la fusée et de causer des fuites de gaz. Plusieurs mois avant la mission, l'expert principal de la firme avait écrit dans une note de service que la résistance des joints n'avait rien de certain et qu'une défaillance «entraînerait une catastrophe d'une extrême ampleur» (Magnuson, 1986).

Lors d'une conférence téléphonique tenue la veille du lancement, les ingénieurs exposèrent leur point de vue à leurs patrons indécis et aux responsables de

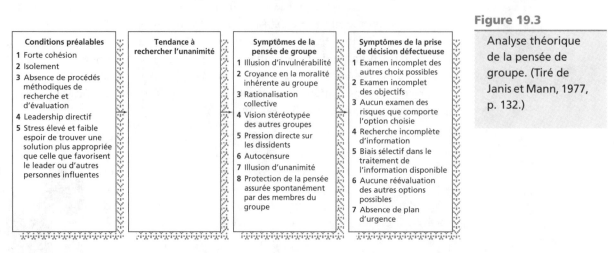

Figure 19.3

Analyse théorique de la pensée de groupe. (Tiré de Janis et Mann, 1977, p. 132.)

Conditions préalables
1 Forte cohésion
2 Isolement
3 Absence de procédés méthodiques de recherche et d'évaluation
4 Leadership directif
5 Stress élevé et faible espoir de trouver une solution plus appropriée que celle que favorisent le leader ou d'autres personnes influentes

Tendance à rechercher l'unanimité

Symptômes de la pensée de groupe
1 Illusion d'invulnérabilité
2 Croyance en la moralité inhérente au groupe
3 Rationalisation collective
4 Vision stéréotypée des autres groupes
5 Pression directe sur les dissidents
6 Autocensure
7 Illusion d'unanimité
8 Protection de la pensée assurée spontanément par des membres du groupe

Symptômes de la prise de décision défectueuse
1 Examen incomplet des autres choix possibles
2 Examen incomplet des objectifs
3 Aucun examen des risques que comporte l'option choisie
4 Recherche incomplète d'information
5 Biais sélectif dans le traitement de l'information disponible
6 Aucune réévaluation des autres options possibles
7 Absence de plan d'urgence

la NASA, lesquels étaient impatients de procéder au lancement, qui avait déjà été retardé. Plus tard, l'un des dirigeants de Thiokol fit le témoignage suivant: «Nous nous sommes persuadés que nous cherchions une façon de leur prouver que [la fusée] ne fonctionnerait pas. Nous ne pouvions pas prouver hors de tout doute qu'elle ne fonctionnerait pas.» C'est ce manque de preuves qui provoqua une *illusion d'invulnérabilité*.

Les décideurs furent aussi poussés au *conformisme*. Un responsable de la NASA maugréa: «Bon Dieu, Thiokol, quand voulez-vous que je fasse ce lancement, en avril prochain?» Le directeur de Thiokol déclara: «Nous devons prendre une décision administrative.» Il demanda ensuite au vice-président à l'ingénierie «d'enlever son chapeau d'ingénieur et de coiffer son chapeau de gestionnaire».

Pour créer une *illusion d'unanimité*, le directeur de Thiokol résolut de consulter les seuls gestionnaires et de se passer de l'avis des ingénieurs. Une fois le feu vert donné, l'un des ingénieurs enjoignit tardivement un responsable de la NASA de différer encore le lancement. «Si quelque chose arrivait à cette mission, dit-il prophétiquement, je ne voudrais certainement pas être la personne qui devra justifier la décision devant une commission d'enquête.»

Enfin, à cause de la *protection de la pensée*, le dirigeant de la NASA qui prit la décision finale ne fut jamais informé des doutes des ingénieurs, ni de ceux des dirigeants de la firme Rockwell. Confiant, il autorisa le lancement de *Challenger*, qui explosa en plein ciel quelques minutes après le décollage.

La prévention de la pensée de groupe: ouverture, diversité, tolérance...

Notre sombre analyse implique-t-elle que la prise de décision collective soit intrinsèquement défectueuse? Existe-t-il des cas où plusieurs têtes valent mieux qu'une?

Janis étudia aussi deux décisions de groupe qui eurent d'heureux résultats: l'instauration du plan Marshall pour le rétablissement de l'Europe, après la Seconde Guerre mondiale et la stratégie de l'administration américaine face à l'installation de bases de missiles soviétiques à Cuba en 1962. Pour recommander des façons de prévenir la pensée de groupe, Janis (1962) s'inspira des judicieuses méthodes utilisées par les équipes des présidents Truman et Kennedy:

- Renseigner les membres sur la pensée de groupe, ses causes et ses conséquences.
- Être impartial; ne souscrire d'emblée à aucune position.
- Inciter tous les membres à faire preuve de sens critique; les encourager à des remises en question.
- Donner à un des membres le rôle de l'avocat du diable.
- À l'occasion, subdiviser le groupe, tenir des réunions en sous-groupes et permettre l'expression des divergences.
- Après une discussion préliminaire, inviter les dissidents à s'exprimer.

203

  § Demander à des experts de l'extérieur d'évaluer les décisions du groupe.

  § Encourager les membres à parler des délibérations du groupe avec des personnes de confiance et à demander leur opinion.

Ces mesures ralentissent peut-être la prise de décision mais, à la longue, elles sont le gage de sa rectitude et de son efficacité.

●Exercices et questions

Nous examinerons ici deux situations hypothétiques. La première est analogue aux dilemmes que James Stoner présenta à ses sujets pour étudier l'audace chez les groupes et les individus. La seconde situation porte sur la pensée de groupe en politique.

1. Cochez la probabilité qui vous pousserait à changer vos projets, dans la première situation. Indiquez aussi celle que, selon vous, un groupe choisirait, et justifiez votre réponse.

2. Se pourrait-il que la pensée de groupe influe sur le résultat d'un éventuel référendum sur la souveraineté du Québec? Est-ce que tous les aspects de la pensée de groupe auraient un rôle à jouer dans ce cas?

1. URGENCE-NEIGE

Vous passez le week-end avec des amis dans un chalet des Laurentides. Dimanche soir, vous ferez un feu de foyer et vous préparerez un bon repas pour célébrer votre 22e anniversaire. Vous devrez être revenu à Montréal à 11 h lundi matin, car vous devez passer un examen important. Dimanche après-midi, à 15 h, vous ouvrez la radio et vous entendez qu'on prévoit une importante chute de neige pendant la nuit; les routes vers Montréal seront peut-être fermées lundi matin. L'annonceur exprime sous forme d'un rapport sur 10 la probabilité que les routes soient fermées.

À partir de quelle probabilité de fermeture des routes décideriez-vous de partir dimanche soir au lieu de lundi matin?

___ 1 sur 10   ___ 4 sur 10   ___ 7 sur 10   ___ 10 sur 10

___ 2 sur 10   ___ 5 sur 10   ___ 8 sur 10

___ 3 sur 10   ___ 6 sur 10   ___ 9 sur 10

2. LA PENSÉE DE GROUPE AU CABINET

Nous avons vu dans le module que les conditions propices à l'émergence de la pensée de groupe sont l'existence d'un groupe *solidaire*, d'une relative *imperméabilité* aux points de vue opposés et d'un *leader fort* qui indique la décision qu'il favorise.

Imaginez que le Cabinet du gouvernement du Québec est formé de membres du Parti québécois et dirigé de main ferme par le premier ministre. Les ministres décident de s'isoler pendant deux jours dans un chalet situé au nord de Québec pour préparer les prochaines élections. Tous les ministres sont, bien entendu, confiants, mais certains sont plus prudents que les autres. Les décisions qu'ils doivent prendre, en effet, auront une importance cruciale, le choix des thèmes qu'ils vont mettre de l'avant a une grande influence sur le résultat du vote. Traitez de l'importance que prendra chacun des aspects suivants de la pensée de groupe lors de la réunion.

1. L'illusion d'invulnérabilité
2. La croyance incontestée en la moralité du groupe
3. La rationalisation
4. Le conformisme imposé
5. L'autocensure
6. L'illusion d'unanimité
7. La protection de la pensée

Le pouvoir de l'individu

Il y a des vérités anodines et de grandes vérités, déclara le physicien danois Niels Bohr. Le contraire d'une vérité anodine est tout simplement faux. Mais le contraire d'une grande vérité est vrai. Les modules de cet ouvrage qui sont consacrés à l'étude de l'influence sociale sont porteurs d'une grande vérité: les situations sociales nous déterminent. Voilà qui suffirait à expliquer notre comportement si nous avions la passivité de feuilles mortes que le vent emporte de-ci de-là. Or, nous ne faisons pas qu'errer au gré des circonstances. Nous agissons, nous réagissons et nous provoquons des réactions. Nous avons la capacité de résister aux situations sociales, voire de les changer. C'est pourquoi nous pouvons d'emblée affirmer le pouvoir de l'individu.

La lecture des modules qui traitent de la puissance des influences sociales a peut-être provoqué chez vous un certain malaise. Peu d'entre nous, en effet, aiment se faire dire que des forces extérieures régissent leur comportement; nous nous percevons comme des êtres libres, comme les auteurs de notre destin (de nos bonnes actions, à tout le moins). Nous hésitons à admettre l'existence du déterminisme social, de peur de sombrer dans ce que le philosophe français Jean-Paul Sartre appelait la mauvaise foi, attitude qui consiste à rejeter la responsabilité de son destin sur quelqu'un ou quelque chose.

En réalité, il n'existe pas plus de contradiction entre la force de la situation et la force de l'individu qu'entre les explications biologiques et les explications culturelles du comportement social. Les deux approches se valent puisque nous sommes à la fois les créateurs et les créatures de nos mondes sociaux. Il se pourrait fort bien que nous soyons les produits de nos gènes et de notre milieu. Il n'en demeure pas moins que l'avenir nous appartient. Nos choix d'aujourd'hui façonnent notre milieu de demain.

Des personnes et des situations en interaction: perception, choix, création

Les situations sociales influent profondément sur les individus. Mais les individus influent aussi sur les situations sociales. Les individus et les situations sont en *interaction.* Chercher à établi si ce sont les situations extérieures ou les dispositions intérieures qui déterminent le comportement équivaut à se demander si c'est la longueur ou la largeur qui détermine l'aire d'un champ.

L'interaction s'établit d'au moins trois façons (Snyder et Ickes, 1985). Premièrement, une situation sociale donnée n'exerce pas une influence uniforme sur tout le monde. Comme chacun perçoit la réalité à sa manière, chacun réagit à une situation en fonction de l'interprétation qu'il en fait. Et certaines personnes sont plus réceptives que les autres aux situations sociales (M. Snyder, 1983). Les Japonais, par exemple, sont plus sensibles que les Britanniques aux exigences sociales (Argyle et coll., 1978).

Deuxièmement, les gens peuvent choisir de participer ou non à une situation donnée (Ickes et coll., 1990). Les individus sociables, lorsqu'ils ont le choix, privilégient les situations qui suscitent des interactions sociales. Lorsque vous avez choisi votre programme d'études au cégep ou à l'université, vous avez aussi choisi de vous exposer à un ensemble particulier d'influences sociales. On a peu de chances de voir un militant socialiste travaillant à la promotion des droits des personnes assistées sociales s'établir à Westmount, se joindre à la Chambre de commerce et fréquenter l'hôtel Ritz. On le verra plutôt s'installer dans un quartier populaire, participer à des manifestations syndicales et prendre ses repas au restaurant du coin. Autrement dit, nous choisissons un milieu social qui fait écho à nos inclinations.

Troisièmement, les gens créent souvent eux-mêmes les situations qu'ils vivent. Rappelez-vous une fois de plus l'effet Rosenthal. Si nous nous attendons à ce qu'une personne soit extravertie, hostile, féminine ou sexy, nos actions à son égard peuvent provoquer le comportement attendu. Et de quoi est composée une situation sociale, sinon d'individus? Un milieu socialiste est créé par des socialistes. L'ambiance du Ritz est créée par les clients. Le milieu social n'est pas un facteur sur lequel nous n'avons aucune maîtrise, comme la pluie et le beau temps. Il est comme notre maison, à notre image.

Étant donné l'action réciproque qui se produit entre les situations et les personnes, nous pouvons considérer soit les *actions* des gens sur leur milieu, soit leurs *réactions* à ce milieu. Les deux points de vue sont valables, car nous sommes à la fois les architectes et les produits de nos mondes sociaux. Mais l'un est-il plus judicieux que l'autre? En un sens, il est sage de nous percevoir comme les produits de notre milieu (nous évitons ainsi de trop nous enorgueillir de nos réalisations et, à l'opposé, de nous juger trop sévèrement) et de percevoir les autres comme des êtres libres (nous résistons ainsi à la tentation du paternalisme et de la manipulation).

Ne sommes-nous pas, nous aussi, des êtres libres?

Cependant, nous serions avisés d'adopter la démarche inverse plus souvent, c'est-à-dire de nous percevoir comme des êtres libres et de considérer les autres comme des produits de leur milieu. D'une part, nous en tirerions un sentiment d'efficacité personnelle et, d'autre part, nous rechercherions la compréhension et la justice dans nos rapports sociaux. (Si nous reconnaissons l'influence que les situations exercent sur les autres, nous devenons capables d'empathie; les comportements inopportuns ne nous apparaissent plus comme l'œuvre d'êtres «immoraux», «sadiques», ou «paresseux».) La plupart des religions encouragent leurs adeptes à admettre la responsabilité de leurs propres actes et à s'abstenir de juger les autres. Serait-ce que nous sommes naturellement enclins à trouver des excuses pour nos erreurs et à blâmer les autres pour les leurs?

● La résistance à la pression sociale

La psychologie sociale fournit nombre d'exemples du pouvoir de l'individu. Nous ne sommes pas des boules de billard. Le fait de savoir que quelqu'un essaie de nous contraindre peut nous pousser dans la direction *opposée*.

La réactance: couper les fils (comme Pinocchio...)

Agirions-nous dans le sens contraire uniquement pour nous affirmer?

Les individus tiennent à leur sentiment de liberté et d'autoefficacité (Baer et coll., 1980). Alors, quand la pression sociale s'intensifie au point de devenir pour eux une menace, ils se rebellent. Pensez à Roméo et Juliette, les personnages de Shakespeare dont l'amour était attisé par l'opposition des familles. Ou pensez aux enfants qui affirment leur liberté et leur indépendance en faisant le contraire de ce que leur demandent les parents. Les parents astucieux ne commandent pas à leurs enfants, ils leur donnent des choix: «C'est le temps de te laver. Veux-tu prendre un bain ou une douche?»

Réactance
Désir de préserver ou de rétablir un sentiment de liberté, perçu comme menacé.

Les chercheurs prouvent l'existence de la **réactance** psychologique (les actions visant à préserver le sentiment de liberté) en montrant que les tentatives de contrainte ont souvent un «effet boomerang» (Brehm et Brehm, 1981). Supposez qu'on vous accoste dans la rue et qu'on vous demande de signer une pétition en faveur d'une cause qui vous tient modérément à cœur. Pendant que vous réfléchissez, on vous dit qu'une certaine personne croit que «les gens ne devraient absolument pas avoir le droit de faire circuler ou de signer des pétitions». Selon la théorie de la réactance, une telle entrave à la liberté augmente la probabilité que vous décidiez d'endosser cette cause. C'est précisément ce qu'a constaté Madeline Heilman (1976) quand elle en fit l'expérience dans les rues de New York. Les psychologues cliniciens ont quelquefois recours au principe de la réactance: ils ordonnent à des clients récalcitrants d'assumer le comportement à éliminer (Brehm et Smith, 1986; Seltzer, 1983). Les clients résistent au thérapeute et font un pas vers la guérison.

La réactance est probablement l'un des facteurs qui poussent les mineurs à consommer de l'alcool. Aux États-Unis, où il est illégal de vendre de l'alcool aux personnes de moins de 21 ans, une enquête menée auprès de 3375 étudiants dans 56 établissements d'enseignement a révélé que le taux d'abstinence était de 25 pour cent chez les étudiants de plus de 21 ans, mais de seulement 19 pour cent chez les moins de 21 ans. Les chercheurs, Ruth Engs et David Hanson (1989), ont aussi découvert que la proportion de gros buveurs était de 15 pour cent chez les étudiants de plus de 21 ans et de 24 pour cent chez les moins de 21 ans. Engs et Hanson croient que ces chiffres traduisent une réactance contre l'interdiction. Ils estiment aussi que l'influence des pairs a probablement un rôle à jouer dans ce comportement. En matière de consommation d'alcool et de drogues, les pairs influent sur les attitudes, fournissent la substance recherchée et créent le contexte propice à la consommation. C'est pourquoi les étudiants d'université, qui évoluent dans un milieu où la consommation d'alcool est acceptée et où les occasions y incitent, boivent davantage que leurs pairs qui ne fréquentent pas l'université (Atwell, 1986).

La réactance peut-elle aller jusqu'à la rébellion sociale?

Comme l'obéissance, la rébellion peut être provoquée et observée à des fins expérimentales. William Gamson et ses collègues (1982), par exemple, se firent passer pour des experts en recherche commerciale; ils invitèrent des citoyens de petites villes situées près d'une université à une «discussion de groupe portant sur les normes de la société». Une fois arrivés à la salle où se tenait la rencontre, les gens apprirent que les discussions seraient filmées et que les bandes seraient remises à une grande société pétrolière. Cette société, leur dit-on, poursuivait en justice le gérant d'une station-service locale qui avait protesté publiquement contre les prix élevés de l'essence. Au cours de la première discussion, presque tous les participants prirent parti pour le gérant de la station-service. Le «représentant de la société pétrolière», espérant convaincre le tribunal que la collectivité l'appuyait, entreprit alors de rallier les participants à sa cause. Il les incita à se liguer contre le gérant et leur demanda de signer un affidavit donnant à la société le droit de faire un montage à partir des bandes et de les utiliser en cour. L'expérimentateur sortait de la pièce de temps en temps, fournissant ainsi aux participants plusieurs occasions de se rendre compte de l'injustice de la situation et d'y réagir.

La plupart des participants se rebellèrent et refusèrent qu'on déforme leurs opinions pour aider la société pétrolière. Certains groupes allèrent jusqu'à se mobiliser pour dénoncer le stratagème. Ils projetèrent de communiquer avec des journalistes, le Bureau d'éthique commerciale, un avocat ou le tribunal.

En orchestrant de petites rébellions sociales, les chercheurs purent observer comment naît une révolte. Ils constatèrent qu'une résistance efficace se forme souvent très rapidement. En effet, plus un groupe obtempère à des demandes injustes, plus il a de difficulté à s'en libérer par la suite. Quelqu'un doit donc rapidement amorcer le processus en exprimant les objections que les autres partagent mais taisent.

Ces expressions rassurantes de la réactance attestent que les gens ne sont pas des marionnettes. Le sociologue Peter Berger (1963) l'a exposé en des termes éloquents:

Nous voyons les marionnettes danser sur leur scène miniature, tressauter au bout de leurs fils, se conformer docilement à leurs divers petits rôles. Nous apprenons à comprendre la logique de ce théâtre et nous nous y retrouvons. Nous nous repérons dans la société et nous reconnaissons la position que nous imposent ses ficelles subtiles. Pendant un instant, nous nous voyons en effet comme de simples marionnettes. Mais aussitôt, nous saisissons la différence cruciale existant entre le théâtre de marionnettes et notre propre drame. Contrairement aux marionnettes, nous avons la possibilité de nous immobiliser, de lever les yeux et d'apercevoir la machinerie qui nous a actionnés. Cet acte constitue le premier pas vers la liberté. (p. 176)

L'affirmation de l'unicité:
unique, oui mais pas trop...

Chercherions-nous à nous percevoir comme différents?

Imaginez un monde où tous les individus seraient absolument identiques. Ferait-il bon vivre dans ce monde? Puisque le non-conformisme peut être source de malaise, l'uniformité apporte-t-elle le confort?

Les gens se sentent mal à l'aise quand ils paraissent trop différents des autres. D'un autre côté, au moins dans les sociétés occidentales, ils ne se sentent pas mieux quand ils paraissent identiques aux autres. Comme l'ont démontré C.R. Snyder et Howard Fromkin (1980; voir aussi Duval, 1976), les gens se sentent bien quand ils ont l'impression d'être uniques. De plus, ils agissent de manière à affirmer leur individualité. Snyder (1980) fit croire à un groupe d'étudiants d'université que leurs 10 attitudes les plus importantes différaient de celles de 10 000 autres étudiants. Il fit croire à un deuxième groupe d'étudiants que leurs attitudes étaient presque identiques à celles de 10 000 autres étudiants. Ensuite, il soumit les deux groupes à une expérience sur le conformisme. Les étudiants privés de leur sentiment d'unicité furent les plus enclins à affirmer leur individualité au moyen du non-conformisme. Dans une autre expérience, les sujets qui avaient entendu des gens exprimer des attitudes identiques aux leurs modifièrent leurs positions pour conserver leur sentiment d'unicité.

Le sentiment d'unicité se manifeste également dans le «concept de soi spontané». William McGuire et ses collègues (McGuire et Padawer-Singer, 1978; McGuire et coll., 1979) affirment que les enfants invités à «parler d'eux-mêmes» ont tendance à mentionner leurs caractéristiques distinctives. Les enfants nés à l'étranger sont plus portés que les autres à indiquer leur lieu de naissance. Les enfants aux cheveux roux sont plus susceptibles que les enfants aux cheveux noirs ou aux cheveux bruns de mentionner la couleur de leurs cheveux. Les enfants très frêles ou très costauds sont les plus nombreux à parler de leur poids. Les enfants issus des minorités, pour leur part, sont les plus nombreux à faire état de leur origine ethnique. De même, nous avons une conscience plus aiguë de notre féminité ou de notre masculinité lorsque nous nous trouvons avec des personnes du sexe opposé (Cota et Dion, 1986).

Selon McGuire, l'on est conscient de soi dans la mesure où l'on est différent. «Si je suis une femme noire, écrit-il, parmi un groupe de femmes blanches, je tends à me voir moi-même comme une Noire; si je me joins à un groupe d'hommes noirs, la couleur de ma peau passe au second plan et je me focalise sur ma féminité» (McGuire et coll., 1978). Ce principe nous aide à comprendre la conscience aiguë que les groupes minoritaires ont de leurs caractères distinctifs et des réactions que ces traits provoquent chez la majorité. Le groupe majoritaire, moins sensible à l'élément racial, peut juger le groupe minoritaire «susceptible à l'excès». C'est ainsi que certains immigrants récents sont embarrassés de parler avec un accent, tandis que la majorité québécoise ne comprend pas cette gêne.

Il semble donc que nous n'aimions pas différer beaucoup des autres mais qu'en même temps nous désirions tous nous sentir uniques. Or, comme le démontre clairement la recherche sur le biais de complaisance, nous n'aspirons pas à n'importe quelle distinction. Nous ne voulons pas être simplement différents de la moyenne, nous voulons lui être *supérieurs*.

L'influence de la minorité : constance, assurance, défection

Jusqu'ici, nous avons vu que les situations sociales nous façonnent, mais qu'en revanche nous les créons et les choisissons. Nous avons indiqué que les pressions sociales peuvent obscurcir notre jugement, mais que la contrainte flagrante peut nous inciter à affirmer notre individualité et notre liberté. Enfin, nous avons démontré que les forces de la persuasion sont puissantes, mais que nous pouvons y résister en nous prononçant publiquement et en nous prémunissant contre les tentatives de persuasion par une préparation adéquate. Voyons maintenant comment les individus peuvent influencer leur groupe.

À l'origine de presque tous les mouvements sociaux, on trouve une petite minorité qui convertit la majorité et qui, dans certains cas, finit par former elle-même la majorité. «L'histoire entière, écrivit le philosophe américain Ralph Waldo Emerson au xix\ siècle, est une chronique du pouvoir qu'ont les groupes minoritaires et les minorités formées d'une seule personne.» Pensez à Copernic, à Galilée, à Christophe Colomb et aux suffragettes (qui luttèrent pour le droit de vote des femmes au début du siècle) ou, plus près de nous, à la fondation du Parti québécois à partir d'une minorité dissidente du Parti libéral du Québec, à la fin des années 60. L'histoire de la technologie, de même, est celle de minorités innovatrices. Quand l'ingénieur et inventeur américain Robert Fulton mit au point le bateau à vapeur, il fit l'objet de sarcasmes incessants. «Jamais, dit-il, je n'ai trouvé sur mon chemin une remarque encourageante, une lueur d'espoir, un souhait chaleureux» (Cantril et Bumstead, 1960).

Qu'est-ce qui rend une minorité persuasive ?

Des expériences réalisées à Paris par Serge Moscovici ont révélé que les déterminants de l'influence de la minorité sont la constance, l'assurance et la défection de membres de la majorité.

La constance : tenir son bout

Une minorité qui conserve sa position coûte que coûte est plus influente qu'une minorité à l'opinion changeante. Moscovici et ses collaborateurs (1969, 1985) ont découvert que si une minorité affirme toujours que des diapositives bleues sont vertes, les membres de la majorité seront quelquefois du même avis qu'elle. Mais si la minorité oscille et dit «bleues» pour le tiers des diapositives et «vertes» pour le reste, presque aucun membre de la majorité ne répondra qu'elles sont «vertes».

La nature de l'influence de la minorité fait encore l'objet de débats (Clark et Maass, 1990 ; Levine et Russo, 1987). Moscovici croit que le ralliement d'une minorité à la majorité traduit généralement un simple acquiescement public, mais que l'inverse découle d'une acceptation authentique (la majorité se rappelle vraiment que la diapositive bleue était verdâtre). Une minorité nous influence en nous poussant à réfléchir en profondeur ; une majorité, elle, peut nous influencer en nous intimidant ou en nous fournissant une heuristique («Tout ce beau monde ne peut pas avoir tort») (Burnstein et Kitayama, 1989 ; Mackie, 1987). Par

conséquent, la minorité doit, pour persuader, recourir à l'approche centrale axée sur la réflexion.

Les recherches révèlent (et l'expérience le confirme) que le non-conformisme, et particulièrement le non-conformisme persistant, est souvent douloureux (Levine, 1989). Si vous comptez former une minorité à vous seul, préparez-vous à être ridiculisé, surtout si vous défendez un point de vue qui touche personnellement les membres de la majorité et si le groupe veut trancher une question (Kruglanski et Webster, 1991; Trost et coll., 1992). Les gens attribueront peut-être votre dissension à des travers comme le dogmatisme (Papastamou et Mugny, 1990). Charlan Nemeth (1979) infiltra un jury simulé, avec deux de ses collaborateurs qui avaient pour mission de s'opposer aux opinions de la majorité. Son duo s'attira les foudres des autres. Toutefois, la majorité admit que la persévérance des deux comparses l'avait plus que tout autre facteur poussée à remettre ses positions en question. Tel est le moyen par lequel une minorité peut stimuler la pensée créatrice lors des tâches de résolution de problèmes (Mucchi-Faina et coll., 1991; Nemeth, 1992). Grâce à la dissidence interne, les gens absorbent plus d'information, y réfléchissent de manière innovatrice et, souvent, prennent de meilleures décisions. Convaincu qu'il n'est pas nécessaire de se faire des amis pour influencer les gens, Nemeth cite l'écrivain britannique Oscar Wilde: «Nous détestons les désaccords, quels qu'ils soient; ils sont toujours vulgaires et souvent convaincants.»

Une minorité persévérante, faute d'être populaire, est persuasive parce qu'elle accapare rapidement l'attention (Schachter, 1951). La personne qui se place au centre de la conversation a la possibilité de fournir un nombre disproportionné d'arguments. Et, toujours selon Nemeth, dans les expériences sur l'influence de la minorité comme dans les études sur l'effet de polarisation, c'est le point de vue défendu par le plus grand nombre d'arguments qui l'emporte généralement. Les individus loquaces sont habituellement influents dans les groupes (Mullen et *coll.*, 1989), mais la pensée de groupe fait qu'il est difficile de s'exprimer pour qui défend un point de vue minoritaire.

L'assurance: en imposer

La constance et la persévérance dénotent l'assurance. Nemeth et Joel Wachtler (1974) ont aussi affirmé que, chez une minorité, tout comportement qui exprime la confiance en soi (par exemple occuper le siège principal à une table) tend à ébranler la majorité. La fermeté et l'aplomb de la minorité sont les signes d'une assurance qui peut inciter la majorité à réviser ses positions.

La défection de membres de la majorité: changer de camp

Une minorité tenace anéantit l'illusion d'unanimité. Lorsqu'une majorité est sans cesse contestée, ceux de ses membres qui se seraient autrement autocensurés se sentent libres d'exprimer leurs doutes, voire d'adopter l'opinion minoritaire. Lors d'une recherche menée auprès d'étudiants, John Levine (1980) découvrit qu'une personne minoritaire ayant rompu avec la majorité était plus persuasive qu'une personne ayant toujours appartenu à la minorité. En réalisant ses expériences avec des jurys simulés, Nemeth a constaté qu'une première défection fait souvent boule de neige. Aux États-Unis, durant les mois qui précédèrent les élections présidentielles de 1980, la popularité du président sortant, Jimmy Carter, déclinait. Quelques-uns de ses anciens partisans commencèrent à chercher de nouveaux candidats auxquels s'affilier. (Les gens, semble-t-il, veulent avoir l'impression de choisir un gagnant et non d'appuyer une candidature perdue d'avance.) Carter perdit l'investiture à la direction du Parti démocrate. Compte tenu des expériences que nous venons de décrire, l'on peut supposer que les défections ont éveillé des doutes chez les délégués qui étaient restés fidèles au président.

Selon Sharon Wolf et Bibb Latané (1985; Wolf, 1987) les mêmes forces sociales jouent en faveur des minorités comme des majorités. Si la constance, l'assurance et les défections de membres de la partie adverse renforcent la minorité, elles renforcent aussi la majorité. L'impact social d'une opinion (qu'elle soit celle de la majorité ou de la minorité) repose sur la fermeté, la vitesse de réaction et le nombre de ses partisans. Si les minorités ont moins d'influence que les majorités, c'est simplement parce qu'elles comptent moins de membres.

Néanmoins, Anne Maass et Russel Clark (1984, 1986) pensent, comme Moscovici, que les minorités ont plus de chances que les majorités d'amener les gens à *accepter* leurs points de vue. Nemeth (1986) croit aussi que le stress associé au statut minoritaire tranche avec l'apparence décontractée de la majorité. Enfin, après avoir analysé l'évolution des groupes, John Levine et Richard Moreland (1985) concluent que les recrues d'un groupe n'exercent pas le même type d'influence minoritaire que les membres de longue date. Les nouveaux venus entraînent les autres par l'attention qu'ils suscitent, ce qui éveille chez les vétérans une conscience du groupe. Les anciens, par contre, se sentent ainsi plus libres de faire dissidence et d'exercer du leadership.

Le nouvel intérêt porté à l'influence des individus sur le groupe a quelque chose de délicieusement ironique. Il n'y a pas si longtemps, les psychologues sociaux qui croyaient en la possibilité qu'une minorité convainque une majorité étaient eux-mêmes minoritaires. Mais, à force de défendre leurs idées avec constance et fermeté, Moscovici, Nemeth et d'autres, surtout des Européens, ont persuadé la majorité des chercheurs que l'influence de la minorité constitue un phénomène digne d'être étudié.

Les facteurs de l'influence de la minorité sont-ils exclusifs aux minorités?

Le leadership est-il une forme d'influence de la minorité?

Le leadership, c'est-à-dire l'aptitude à mobiliser et à guider les groupes, fournit un exemple du pouvoir que possède l'individu. Certains leaders sont nommés ou élus officiellement; d'autres émergent naturellement au fil des interactions du groupe. Les éléments d'un bon leadership varient selon les situations; ainsi, la personne la plus apte à diriger une équipe d'ingénieurs n'est pas nécessairement la plus apte à diriger une équipe de représentants. Certaines personnes sont particulièrement douées pour le *leadership centré sur la tâche*, qui consiste à organiser le travail, à établir des normes et à focaliser les énergies sur

Leadership
Aptitude à motiver et à guider un groupe. Les leaders centrés sur la tâche organisent le travail, établissent des normes et se concentrent sur les objectifs. Les leaders centrés sur les relations cultivent l'esprit d'équipe, arbitrent les conflits et donnent du soutien aux membres du groupe.

213

l'objectif visé. D'autres excellent au *leadership centré sur les relations*, qui consiste à cultiver l'esprit d'équipe, à arbitrer les conflits et à donner du soutien aux membres du groupe.

Les leaders centrés sur la *tâche* se caractérisent souvent par un style directif, et cela leur réussit s'ils sont assez brillants pour donner des ordres judicieux (Fiedler, 1987). Comme ces leaders sont tout entiers tournés vers leur objectif, ils canalisent l'attention et l'énergie du groupe. Des recherches montrent que la conjonction d'objectifs précis et stimulants et de rapports périodiques motive les groupes au dépassement (Locke et Latham, 1990).

Les leaders centrés sur les *relations*, quant à eux, se caractérisent souvent par un style démocratique; ils délèguent l'autorité et sont ouverts aux suggestions des membres de l'équipe. De nombreuses recherches révèlent que le leadership centré sur les relations est bénéfique pour le moral des troupes. Généralement, les membres du groupe éprouvent plus de satisfaction lorsqu'ils participent à la prise de décision (Spector, 1986; Vanderslice et coll., 1987). Les travailleurs qui jouissent d'une grande latitude sont plus motivés à se surpasser (Burger, 1987). Par conséquent, le leadership démocratique convient à merveille aux gens qui aiment travailler dans des équipes unies et qui tirent une grande fierté de leurs réalisations.

On peut observer le leadership démocratique en action dans la «gestion participative», méthode de gestion répandue en Suède et au Japon (Naylor, 1990; Sundstrom et coll., 1990). Paradoxalement, c'est à un psychologue social du Massachusetts Institute of Technology, Kurt Lewin, que l'on doit cette méthode «à la japonaise». Lors d'expériences réalisées en laboratoire et en usine, Lewin et ses étudiants démontrèrent les avantages que comporte la participation des travailleurs à la prise de décision. Peu de temps avant la Seconde Guerre mondiale, Lewin visita le Japon et expliqua ses découvertes à des chefs de file de l'industrie et de la recherche universitaire (Nisbett et Ross, 1991). Étant donné leurs valeurs collectivistes, les Japonais accueillirent favorablement les idées de Lewin à propos du travail d'équipe. Avec le temps, ces idées se propagèrent jusqu'en Amérique du Nord. La boucle était bouclée.

Les leaders sont-ils des individus exceptionnels?

En matière de leadership, la «théorie des êtres d'exception», selon laquelle les grands leaders partagent certains traits, est tombée en désuétude. Nous savons aujourd'hui que les styles de leadership efficaces varient en fonction des situations. Depuis quelque temps, cependant, les psychologues sociaux recommencent à se demander s'il existe des qualités qui font un bon leader dans toutes sortes de situations (Mumford, 1986). Selon deux psychologues sociaux britanniques, Peter Smith et Monir Tayeb (1989), des études réalisées en Inde, à Taiwan et en Iran ont révélé que les chefs d'équipe les plus efficaces dans les mines de charbon, les banques et la fonction publique obtiennent des scores élevés aux épreuves visant à mesurer le leadership centré sur la tâche de même qu'aux épreuves visant à mesurer le leadership centré sur les relations. Ces personnes font preuve d'une sensibilité à l'égard des besoins de leurs subordonnés *et* elles s'occupent activement de la bonne marche du travail.

Certaines études démontrent aussi que de nombreux leaders efficaces, dans les groupes de laboratoire, les équipes de travail et les grandes entreprises, présentent les comportements susceptibles de favoriser l'influence de la minorité. Ils engendrent la confiance en ne perdant jamais de vue leurs objectifs. Souvent, ils respirent une assurance qui nourrit la fidélité de leurs troupes (Bennis, 1984; House et Singh, 1987). Les leaders charismatiques ont typiquement une *vision* exaltante du but à atteindre, ils réussissent à la *communiquer* aux autres dans un langage clair et simple et ils sont animés d'assez d'optimisme et de confiance en leur groupe pour *insuffler* leur détermination aux autres membres.

Certes, les groupes influencent aussi leurs leaders. Pour devenir capitaine, il suffit souvent de flairer le cap que l'équipage avait déjà pris. Les candidats politiques savent comment interpréter les sondages d'opinion. Un leader qui s'écarte trop radicalement des normes du groupe s'expose au rejet. Les leaders astucieux se moulent habituellement à la majorité et exercent leur influence avec circonspection. Néanmoins, les leaders efficaces sont à l'image des minorités, c'est-à-dire qu'ils stimulent et guident la majorité du groupe.

⬤ Exercices et questions

La première étude que nous présentons ci-dessous a trait au leadership en milieu de travail et, la seconde, à l'influence de la situation sur les sentiments de bien-être. Avant de lire les descriptions de ces études, tentez de répondre aux questions qui suivent. Vos réflexions vous aideront à mieux en apprécier les résultats.

1. Quels sont les effets du leadership tyrannique en milieu de travail, tant sur le patron lui-même que sur ses subordonnés? Pourquoi peut-on dire que tout le monde est désavantagé dans un milieu de travail où le patron pratique un leadership tyrannique?

2. Comment les personnes atteintes de cancer réagissent-elles à l'ambiance des salles d'attente des cliniques d'oncologie? Quelles améliorations pourrait-on apporter aux salles d'attente des hôpitaux et des cliniques? L'ambiance qui y règne explique-t-elle en partie le malaise que ressentent les patients? La *situation* qui y prévaut a-t-elle vraiment de l'importance pour les patients?

1. LES EFFETS DU LEADERSHIP TYRANNIQUE

Dans un article traitant du leadership, Blake Ashforth (1994), de la faculté de commerce et d'administration de l'Université Concordia, avance qu'un patron tyrannique crée une ambiance qui l'incite à devenir encore plus dominateur. Typiquement, un patron tyrannique se comporte comme suit: il dirige les membres de son personnel de manière arbitraire, il diminue les gens qui forment son entourage, il manque de considération pour eux, il résout les conflits à sa manière et il donne des punitions sans tenir compte de l'intention des coupables. Le leadership tyrannique naît à la fois de facteurs personnels et de facteurs situationnels. Ses effets sur les subordonnés sont la baisse de l'estime de soi, la diminution du rendement, l'absence de solidarité au sein de l'équipe de travail, le manque

de soutien de la part du leader, la frustration, le stress, l'impuissance et l'aliénation. Or, selon Ashforth, on a des raisons de croire que ces effets déclenchent un cercle vicieux et renforcent les comportements tyranniques.

2. LES SALLES D'ATTENTE DANS LES ÉTABLISSEMENTS DE SANTÉ

Une personne atteinte de cancer doit consulter des professionnels de la santé répartis dans plusieurs services d'un hôpital. Certes, elle reçoit des traitements qui sont à la fine pointe de la technologie, mais elle doit aussi passer beaucoup de temps dans des salles d'attente. Louise Bouchard (1993), de la faculté des sciences infirmières de l'Université de Montréal, interro-

gea 55 patients qui attendaient d'obtenir un traitement ou qui se présentaient pour une visite de suivi dans une clinique de chimiothérapie de Montréal. Elle leur demanda ce qu'ils pensaient du lieu où ils devaient attendre de vivre une expérience angoissante. Les patients se plaignirent principalement du manque de confidentialité lié à la transmission de l'information qui les touchait personnellement et de l'inconfort de la salle d'attente, où flottaient des odeurs désagréables, des relents de désinfectants, par exemple.

LES RELATIONS SOCIALES

Le mépris de la diversité

I l existe toutes sortes de préjugés: contre les «bons à rien d'assistés sociaux», contre les «snobs de la classe supérieure», contre les Arabes «terroristes», contre les chrétiens «fondamentalistes», contre les personnes petites, obèses ou maigres. Prenez connaissance des faits suivants:

En 1961, Charlayne Hunter, aujourd'hui présentatrice de nouvelles au réseau PBS, dut se présenter devant un tribunal fédéral pour forcer l'université de la Géorgie à l'admettre (en tant qu'étudiante noire). Une semaine après son entrée à l'université, des fonctionnaires de l'État demandèrent au tribunal s'ils étaient également obligés de la laisser prendre ses repas sur le campus (Menand, 1991).

Certains préjugés contre les femmes sont subtils, d'autres sont tragiques. Nulle part dans le monde moderne ne laisse-t-on les nouveau-nés de sexe féminin sur une colline pour qu'ils y meurent de froid, comme les Grecs de l'Antiquité le faisaient parfois. Néanmoins, le taux de mortalité infantile est plus élevé pour les filles que pour les garçons dans de nombreux pays en voie de développement. Pendant la famine qui affligea le Bangladesh en 1976 et en 1977, la malnutrition touchait davantage les filles d'âge préscolaire que les garçons (Bairagi, 1987). En Corée du Sud, où beaucoup de futurs parents demandent que l'on détermine le sexe du fœtus, il naît 14 pour cent plus de garçons que de filles. En Chine, où le gouvernement a institué une politique de l'enfant unique, les hommes célibataires sont aujourd'hui beaucoup plus nombreux que les femmes célibataires (*Time*, 1990).

Yoshio, qui fait partie d'un groupe d'étudiants japonais en visite à mon université, annonce posément à ses camarades japonais qu'il est un Burakumin. Il s'agit de l'un des peuples du Japon qui vivent dans des ghettos et dont les ancêtres exerçaient une occupation jugée impure. Ses pairs se couvrent la bouche de leurs mains et froncent les sourcils en signe de stupeur. Bien que leurs caractéristiques physiques ne permettent aucunement de les distinguer des autres Japonais, les Burakumin sont confinés depuis des générations dans les bidonvilles de leur pays, ils n'accèdent qu'à des emplois subalternes et ils ne peuvent se marier avec les autres Japonais. Comment se fait-il qu'un garçon aussi brillant, séduisant et ambitieux que Yoshio soit un Burakumin?

●Qu'est-ce qu'un préjugé?

Préjugé, stéréotype, discrimination, racisme, sexisme, les significations de ces termes se chevauchent. Avant d'essayer de comprendre ce qu'est un préjugé, commençons par préciser notre vocabulaire. Chacune des situations que nous avons évoquées précédemment supposait une évaluation défavorable d'un groupe. Et telle est l'essence du **préjugé**: il s'agit d'une attitude négative injustifiable à l'égard d'un groupe et de ses membres. Avoir un préjugé, le mot le dit, c'est juger à l'avance; c'est discréditer une personne du seul fait de son appartenance à un groupe en particulier.

Un préjugé est une attitude. Et une attitude est un amalgame de sentiments (affectivité), de dispositions à l'action (comportement) et de croyances (cognition). Une personne qui a des préjugés *n'aime pas* (affectivité) les Burakumin et *se comporte* (comportement) de manière discriminatoire envers eux, car elle les *croit* (cognition) ignorants et dangereux.

Les évaluations défavorables qui caractérisent les préjugés peuvent découler d'associations émotionnelles, du besoin de justifier le comportement ou de croyances inopportunes appelées **stéréotypes** (Stroebe et Insko, 1989; Zanna et coll., 1990). Un stéréotype est une généralisation. Pour simplifier le monde complexe dans lequel nous vivons, nous faisons constamment des généralisations: les Britanniques sont réservés, les Américains sont sociables, les savants sont distraits, les femmes mariées qui gardent leur nom de jeune fille ont plus d'assurance et sont plus ambitieuses que celles qui prennent le nom de leur mari (Dion, 1987; Dion et Cota, 1991; Dion et Schuller, 1991). Les généralisations contiennent parfois un fond de vérité.

Les stéréotypes soulèvent un problème lorsqu'ils constituent une *généralisation excessive* ou véhiculent carrément des faussetés. Vous m'annoncez que je ferai bientôt la connaissance de Michel, fervent adepte du jardinage organique. Je me fais l'image d'un type vêtu d'une salopette, qui porte la barbe soigneusement taillée et qui appose sur le pare-chocs de sa fourgonnette un autocollant proclamant: «À bas les armes à feu». Je ne m'attends certes pas à voir arriver en Cadillac un gars en complet trois pièces bleu marine qui porte à la boutonnière l'épinglette d'un groupe de pression favorable aux armes à feu. Mon stéréotype contient peut-être un soupçon de vérité, tout comme les croyances que les gens entretiennent à propos du taux de chômage, du taux de criminalité et du taux de naissances hors mariage dans les différents groupes raciaux reflètent parfois des statistiques véritables (McCauley et Stitt, 1978). Pourtant, mon stéréotype peut probablement être qualifié de généralisation excessive. Il existe peut-être des adeptes du jardinage organique qui s'habillent de manière conservatrice et conduisent des Cadillac. Mais si jamais j'en rencontrais un, je passerais outre en me disant: «C'est l'exception qui confirme la règle.»

Un *préjugé* est une *attitude* défavorable, tandis que la **discrimination** est un *comportement* défavorable. Un comportement discriminatoire découle souvent d'un préjugé, mais ce n'est

---

Préjugé
Attitude négative injustifiable à l'égard d'un groupe et de ses membres.

Stéréotype
Croyance relative aux caractéristiques personnelles des membres d'un groupe. Les stéréotypes peuvent constituer des généralisations excessives, être inexacts et résiste à l'apport d'information nouvelle.

Le stéréotype n'est-il pas inévitable?

Discrimination
Comportement défavorable injustifiable à l'égard d'un groupe ou de ses membres.

219

1) Attitudes préjudiciables et comportement discriminatoire à l'égard des personnes d'une race donnée. 2) Pratiques institutionnelles (ne reposant pas nécessairement sur des préjugés) entraînant la subordination des personnes d'une race donnée.

Sexisme

1) Attitudes préjudiciables et comportement discriminatoire à l'égard des personnes d'un sexe donné. 2) Pratiques institutionnelles (ne reposant pas nécessairement sur des préjugés) entraînant la subordination des personnes d'un sexe donné.

Peut-on faire de la discrimination tout en étant de bonne foi?

pas nécessairement le cas. Comme nous l'avons mentionné dans un des modules précédents, il n'existe pas toujours de lien étroit entre les attitudes et les comportements, car le comportement traduit plus que les convictions intérieures. Les attitudes préjudiciables n'engendrent pas toujours des actes hostiles, pas plus que l'oppression ne résulte toujours des préjugés. Le **racisme** et le **sexisme** sont des pratiques institutionnelles à caractère discriminatoire qui ne naissent pas toujours d'une intention malveillante.

Supposons qu'un corps de police exige que tous ses agents mesurent au moins 1,75 m. Si cette condition n'avait aucun lien avec l'efficacité au travail et tendait à exclure les Latino-Américains, les Asiatiques et les femmes, quelqu'un pourrait la qualifier de raciste et de sexiste. Soulignons qu'on pourrait faire cette allégation même si le corps de police n'avait aucune intention discriminatoire. Supposons de même qu'une entreprise dont tout le personnel est blanc ait un système de recrutement fondé sur le bouche à oreille. Si cette pratique a pour effet d'exclure les candidats non blancs, on pourrait la qualifier de raciste, même si l'employeur a l'esprit ouvert et n'a nullement l'intention de faire de la discrimination. Les politiques racistes et sexistes ne reposent pas nécessairement sur des attitudes racistes et sexistes.

Quelle est l'ampleur des préjugés?

Les préjugés sont-ils inévitables? Pouvons-nous les éliminer? Considérons les préjugés raciaux et les préjugés contre les femmes qui existent aux États-Unis, pays qui a fait l'objet d'innombrables études.

Les préjugés raciaux

À l'échelle mondiale, toutes les races sont des minorités. Les Blancs non hispaniques, par exemple, représentent seulement le cinquième de la population mondiale et ils n'en constitueront plus que le huitième dans 50 ans. En raison des déplacements et des migrations qui ont marqué les deux derniers siècles, les races sont aujourd'hui le résultat de mélanges et ont entre elles des rapports tantôt hostiles, tantôt amicaux.

LES PRÉJUGÉS RACIAUX SONT-ILS EN VOIE D'EXTINCTION? À en juger d'après les réponses que donnent les Américains aux maisons de sondage, les préjugés raciaux contre les Noirs ont considérablement diminué depuis le début des années 40. En 1942, la plupart des Américains se disaient d'accord avec l'énoncé suivant: «Il devrait y avoir des sections réservées aux nègres dans les tramways et les autobus» (Hyman et Sheatsley, 1956). Aujourd'hui, on trouverait la question saugrenue. En 1942, moins de 1 Blanc sur 3 (1 sur 50 dans les États du Sud) approuvait l'intégration scolaire; en 1980, la proportion était passée à 9 sur 10. Compte tenu du court laps de temps écoulé depuis 1942, et même depuis l'époque de l'esclavage, le changement est radical.

Les attitudes des Noirs américains ont aussi changé depuis les années 40. À cette époque, Kenneth Clark et Mamie Clark (1947) démontrèrent qu'un grand nombre de Noirs avaient des préjugés contre les Noirs. Au moment de déclarer anticonstitutionnelle la ségrégation scolaire, en 1954, la Cour suprême des États-Unis jugea bon de mentionner que, dans les études des Clark, les enfants noirs qui avaient le choix entre des poupées blanches et des poupées noires choisissaient pour la plupart les blanches. Dans les études réalisées aux États-Unis entre les années 50 et les années 70, le nombre d'enfants noirs qui préféraient les poupées noires augmenta constamment. Et les adultes noirs en vinrent à juger que les Noirs et les Blancs étaient égaux en matière d'intelligence, de paresse et de fiabilité (Jackman et Senter, 1981; Smedley et Bayton, 1978).

Alors, devrions-nous conclure que les préjugés raciaux ont disparu aux États-Unis? Non. Ils ne sont plus à la mode, mais ils existent toujours, et ils réapparaissent quand leur expression ne comporte aucun risque.

Les préjugés se manifestent chez la minorité d'Américains blancs qui, comme le montre la figure 21.1, affirment ouvertement qu'ils détestent les Noirs. Depuis la fin des années 80, les «crimes haineux» (insultes, vandalisme et violence physique) ont fait un nombre croissant de victimes parmi les Noirs, les gais et les lesbiennes aux États-Unis (Goleman, 1990; Herek, 1990; Levine, 1990). Dans d'autres sociétés, les conflits ethniques ouverts sont monnaie courante; ils opposent, par exemple, les Palestiniens et les Juifs en Israël, les protestants et les catholiques en Irlande du Nord, les Serbes et les Croates dans l'ancienne Yougoslavie, les Hutus et les Tutsis au Rwanda, au Burundi et au Zaïre.

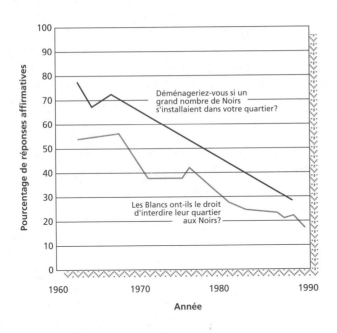

Figure 21.1

Les attitudes raciales exprimées par les Américains blancs, de 1963 à 1990. (Les données proviennent de Gallup et Hugick, 1990; Niemi et coll., 1989; Smith, 1990.)

Les questions qui portent sur les contacts interraciaux intimes font encore ressortir l'existence des préjugés. Un énoncé comme «Je me sentirais probablement mal à l'aise de danser avec une personne noire dans un endroit public» permet de détecter le racisme mieux que ne le fait un énoncé comme «Je me sentirais probablement mal à l'aise de me trouver avec une personne noire dans un autobus». Lors d'une enquête, seulement 3 pour cent des Blancs affirmèrent qu'ils ne voudraient pas que leur enfant fréquente une école intégrée (où les Blancs et les Noirs se côtoient); cependant, 57 pour cent

221

d'entre eux admirent qu'ils seraient mécontents si leur enfant *épousait* une personne noire (*Life*, 1988). Les préjugés s'accentuent dans le domaine des rapports intimes, et il semble que le phénomène soit universel. En Inde, par exemple, les gens qui acceptent les préjugés engendrés par le système des castes laissent généralement entrer chez eux un membre d'une caste inférieure, mais ils ne songeraient même pas à épouser une telle personne (Sharma, 1981).

LES FORMES SUBTILES DE PRÉJUGÉS   Il existe un racisme de fond. La plupart des préjugés restent cachés jusqu'à ce que des circonstances particulières les débusquent. Les étudiants blancs qui énoncent leurs attitudes raciales se prétendent généralement dépourvus de préjugés, sauf quand on les relie à un soi-disant détecteur de mensonges (Jones et Sigall, 1971). Des chercheurs ont invité des gens à évaluer le comportement d'une personne, blanche ou noire. Ainsi, Birt Duncan (1976) demanda à des étudiants blancs de l'université de la Californie à Irvine de regarder un film vidéo montrant un homme qui en poussait légèrement un autre pendant une brève altercation. Lorsqu'ils voyaient un Blanc bousculer un Noir, 13 pour cent seulement des observateurs considéraient l'acte comme un «comportement violent»; à leurs yeux, l'homme «s'amusait» ou «dramatisait» la situation. Les opinions changeaient si l'on présentait un Noir qui bousculait un Blanc; dans ce cas-là, 73 pour cent des étudiants jugeaient l'acte «violent».

On a réalisé de nombreuses expériences en vue d'évaluer le *comportement* des gens à l'égard des Noirs et des Blancs (Gaertner et Dovidio, 1977, 1986). Les Blancs sont serviables pour n'importe quelle personne dans le besoin, sauf si elle est éloignée (s'il s'agit, par exemple, d'une personne qui compose un faux numéro, qui parle avec un accent typique des Noirs et qui demande qu'on transmette son message). De même, les Blancs à qui l'on demande d'infliger des secousses électriques pour «enseigner» une tâche ne donnent pas plus de secousses à un Noir qu'à un Blanc, sauf s'ils sont en colère ou si l'«élève» n'a aucun moyen d'user de représailles contre eux ou de les identifier (Crosby et coll., 1980; Rogers et Prentice-Dunn, 1981) (figure 21.2). Bref, le comportement discriminatoire émerge non pas dans les situations où il porterait clairement préjudice à quelqu'un, mais plutôt lorsque l'individu peut rationaliser ce comportement en le justifiant par des motifs autres que les préjugés.

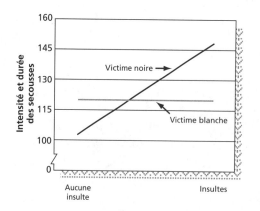

Figure 21.2

La colère active-t-elle les préjugés latents? Des étudiants blancs à qui l'on demanda d'administrer des secousses électriques dans le contexte d'une «expérience sur la modification du comportement» manifestèrent moins d'agressivité à l'égard d'une victime noire docile qu'à l'égard d'une victime blanche. Mais quand la victime insultait les sujets, ceux-ci se montraient plus agressifs si elle était noire. (Les données proviennent de Rogers et Prentice-Dunn, 1981.)

Si les préjugés flagrants disparaissent, les réactions émotionnelles automatiques subsistent. Patricia Devine et ses collègues (1989, 1991) estiment que les réactions automatiques sont parfois semblables chez ceux qui sont imbus de préjugés et chez ceux qui en sont pratiquement dépourvus. Ce qui les différencie, c'est que ces derniers répriment consciemment les pensées et les sentiments empreints de préjugés. Selon Devine, cela revient à essayer de se débarrasser d'une mauvaise habitude. Thomas Pettigrew (1987, p. 20) résume la situation: «Beaucoup de gens m'ont avoué [...] que même s'ils n'ont plus l'impression d'entretenir des préjugés à l'égard des Noirs, ils ont encore un petit frisson de dégoût quand ils serrent la main d'un Noir.» Ces sentiments sont le résidu de leur éducation. On voit donc que le préjugé s'assimile à une réaction émotionnelle inconsciente (Greenwald, 1990). Comme c'est le cas des expériences constituées de bousculades, de secousses électriques et de faux numéros de téléphone, les préjugés inconscients se manifestent surtout lorsque les gens réagissent à une personne pour la première fois. Dans cette situation, leur attention consciente est centrée sur autre chose que la race de la personne.

En résumé, on peut dire que le tableau s'est amélioré. Au cours des 40 dernières années, les préjugés évidents contre les Noirs américains ont presque disparu. Les attitudes raciales des Blancs sont beaucoup plus égalitaires qu'elles ne l'étaient il y a une génération. On se doit toutefois de souligner une ombre au tableau, qui concerne les personnes de couleur, y compris les autochtones et les Latino-Américains (Ramirez, 1988; Trimble, 1988). Le ressentiment et la partialité se tapissent encore sous une attitude en apparence ouverte et tolérante. Dans un monde encore et toujours déchiré par les tensions ethniques, les haines anciennes ont la vie dure.

Les préjugés contre les femmes

Dans le module 12, nous avons étudié les rôles sexuels, c'est-à-dire les normes relatives au comportement que les hommes et les femmes *devraient* avoir. Ici, nous nous pencherons sur les *stéréotypes* sexuels, c'est-à-dire les croyances relatives au comportement que les hommes et les femmes *ont*.

Quelle est l'ampleur des préjugés existant envers les femmes?

LES STÉRÉOTYPES SEXUELS: LES AUTRES, OUI; MOI, NON...   La recherche portant sur les stéréotypes fournit deux conclusions incontestables. Il existe des stéréotypes sexuels tenaces et, comme cela se produit souvent, les membres du groupe qui en font l'objet les acceptent. Les hommes et les femmes conviennent que l'on peut juger une personne à son sexe. Mary Jackman et Mary Senter (1981) ont analysé les réponses qui avaient été données lors d'une enquête réalisée à l'université du Michigan. Elles ont découvert que les stéréotypes sexuels sont beaucoup plus forts que les stéréotypes raciaux. Ainsi, 22 pour cent seulement des hommes pensaient que les hommes et les femmes étaient aussi «émotifs» les uns que les autres. Parmi les 78 pour cent restants, ceux qui croyaient les femmes plus émotives étaient 15 fois plus nombreux que ceux qui croyaient les hommes plus émotifs. Et que pensaient les femmes? À 1 pour cent près, leurs réponses étaient identiques à celles des hommes.

Voyons aussi les résultats d'une étude de Natalie Porter, Florence Geis et Joyce Jennings Walstedt (1983). Les chercheuses montrèrent à des étudiants des photos «d'un groupe d'étudiants diplômés travaillant en équipe à un projet de recherche» (figure 21.3). Elles vérifièrent ensuite les «premières impressions» de leurs sujets en leur demandant de deviner quel membre était le pilier de l'équipe. Quand le groupe comprenait uniquement des hommes ou uniquement des femmes, l'immense majorité des étudiants choisissait la personne assise au bout de la table. Quand le groupe était mixte, la majorité des étudiants faisait de même, si la personne était un homme. Mais lorsqu'une femme occupait cette place, très peu d'étudiants la choisissaient. Chacun des hommes qui apparaissent dans la figure 21.3 fut choisi plus souvent que les trois femmes réunies! Le stéréotype du leader masculin avait cours chez les hommes comme chez les femmes et aussi chez les féministes comme chez les non-féministes. Quelle est l'ampleur des stéréotypes sexuels? Considérable.

Figure 21.3

Selon vous, laquelle de ces personnes est le pilier du groupe? Des étudiants dirent que c'était l'un des deux hommes. Les étudiants à qui l'on montra un groupe formé de personnes du même sexe choisirent en majorité la personne assise au bout de la table.

Rappelez-vous que les stéréotypes sont des généralisations à propos d'un groupe de personnes; ils peuvent constituer des vérités, des faussetés, ou des exagérations à partir d'un fond de vérité. Comme nous l'avons expliqué dans les modules précédents, l'homme moyen et la femme moyenne diffèrent quelque peu en matière de relations sociales, d'agressivité et d'initiative sexuelle.

Devrions-nous conclure alors que les stéréotypes sexuels sont justifiés?

Toutefois, les stéréotypes sont souvent des généralisations excessives. Carol Lynn Martin (1987) fut encline à le croire après avoir interrogé des visiteurs de l'université de la Colombie-Britannique. Elle leur demanda de cocher, parmi une liste de traits de caractère, ceux qu'ils possédaient, puis d'estimer le pourcentage d'hommes et de femmes nord-américains qui possédaient chacun de ces traits. Les hommes furent *un peu* plus nombreux que les femmes à se dire assurés et dominateurs et *un peu* moins nombreux à se dire tendres et compatissants. Or, les gens exagérèrent considérablement les différences réelles entre les hommes et les femmes. Selon eux, il existait presque deux fois plus d'individus sûrs d'eux-mêmes et dominateurs et environ deux fois moins d'individus tendres et compatissants parmi les hommes que parmi les femmes. Conclusion: les différences réelles entre les sexes sont faibles, mais les stéréotypes sont forts. On imagine chez les autres des différences qu'on ne perçoit pas chez soi.

Les stéréotypes (croyances) ne sont pas des préjugés (attitudes). Les stéréotypes peuvent cependant servir d'assises aux préjugés. Mais encore là, il est possible que l'on croie, sans faire preuve de préjugés, que les hommes et les femmes sont différents mais égaux. Voyons donc comment les chercheurs détectent les préjugés manifestés contre les femmes.

LES ATTITUDES À L'ÉGARD DES FEMMES   À en juger d'après ce que les gens disent aux enquêteurs, les attitudes à l'égard des femmes ont évolué aussi rapidement que les attitudes raciales. En 1937, 3 Américains sur 10 environ affirmaient que, si leur parti nommait une femme compétence comme candidate à la présidence, ils voteraient pour elle; en 1988, la proportion était passée à 9 sur 10. En 1967, aux États-Unis, 56 pour cent des étudiants de première année d'université convenaient que «les activités de la femme mariée devraient se limiter au foyer et à la famille»; en 1990, on ne trouvait plus que 25 pour cent d'étudiants qui se disaient d'accord avec cet énoncé (Astin et coll., 1987a, 1991). En 1990, la moitié des Américains appuyait les «mesures visant à améliorer la situation de la femme» et l'autre moitié s'y opposait. À la fin de la décennie, les Américains approuvaient cette revendication féministe dans une proportion supérieure à 2 contre 1 (figure 21.4). Et puis, «à travail égal, les hommes et les femmes devraient-ils recevoir un salaire égal?» (NBC, 1977) Oui, répondirent les hommes et les femmes, dans un rapport de 16 contre 1, c'est-à-dire à peu près unanimement.

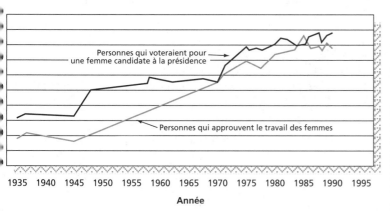

1935 1940 1945 1950 1955 1960 1965 1970 1975 1980 1985 1990 1995

Année

Figure 21.4

Les préjugés contre les femmes ont-ils disparu? Aux États-Unis, on a constaté, depuis le milieu des années 30, une augmentation constante du pourcentage de gens qui approuvent qu'une femme mariée ait un emploi rémunéré si son mari est apte au travail ainsi que du pourcentage de gens qui éliraient une femme compétente à la présidence. (Les données proviennent de Niemi et coll., 1989; Tom Smith, 1990, correspondance personnelle.)

Alice Eagly et ses collaborateurs (1991) rapportent aussi que les gens n'ont pas, face aux femmes, les réticences viscérales qu'ils présentent face à certains autres groupes. Ainsi, ils évaluent les femmes plus favorablement que les hommes, en raison principalement de l'idée courante voulant que les femmes soient plus aimables, plus compréhensives et plus serviables.

D'autres bonnes nouvelles attendent ceux que le biais sexiste irrite. On assiste en effet à la disparition d'un préjugé qui, à l'époque de sa découverte, avait fait beaucoup parler. Philip Goldberg (1968) avait demandé à des étudiantes du Connecticut College de porter un jugement sur quelques courts articles. Un même article pouvait être attribué à un homme (John T. McKay, par exemple) ou à une femme (Joan T. McKay, par exemple). En général, les étudiantes évaluèrent moins favorablement les articles attribués à une femme. La marque historique de l'oppression, c'est-à-dire la dévalorisation de soi, se manifestait une fois de plus. Les femmes avaient des préjugés contre les femmes.

Voulant démontrer la subtilité des préjugés contre les femmes, j'obtins le matériel de Goldberg et je répétai l'expérience en mettant à contribution mes propres étudiants. Ceux-ci n'eurent aucune tendance à déprécier le travail des femmes. Alors, Janet Swim, Eugene Borgida, Geoffrey Maruyama et moi-même (1989) avons dépouillé la documentation et communiqué avec les chercheurs afin d'en savoir le plus possible à propos des études portant sur le biais sexiste se manifestant dans l'évaluation du travail des hommes et des femmes. Non sans surprise, nous avons constaté que les biais occasionnellement observés étaient aussi souvent dirigés contre les hommes que contre les femmes. Mais le résultat le plus fréquent qui se dégageait de 104 études rassemblant près de 20 000 sujets était l'*absence de différence*. Dans la plupart des comparaisons, l'attribution du travail à un homme ou à une femme n'influait pas sur les évaluations.

Pourquoi alors accorde-t-on foi à des résultats qui insistent sur la présence de préjugés?

L'attention et la publicité dont font l'objet les études portant sur les préjugés contre les femmes nous rappellent une vérité connue: les spécialistes des sciences sociales transposent leurs valeurs dans leurs conclusions. Les auteurs des études qui ont connu un grand retentissement ont fait ce qu'ils avaient à faire en diffusant leurs résultats. Néanmoins, mes collègues et moi avons accepté et rapporté plus volontiers les résultats qui confirmaient nos idées préconçues que ceux qui les réfutaient.

Est-ce à dire que les préjugés contre les femmes sont en voie de disparition? Le féminisme pourra-t-il bientôt déposer les armes? Non. Comme les préjugés raciaux, les préjugés contre les femmes sont en déclin, mais des biais subtils subsistent. Les hommes qui croient qu'un expérimentateur peut lire leurs véritables attitudes avec un détecteur de mensonges expriment moins de sympathie pour les droits des femmes. Même en dépouillant les réponses à des tests papier-crayon, Janet Swim et ses collègues (1991) ont découvert l'existence d'un sexisme subtil analogue au racisme subtil. L'un et l'autre se manifestent dans le fait que les gens nient pratiquer la discrimination, tout en s'opposant aux mesures de rétablissement de l'égalité.

On peut aussi détecter le biais sexiste dans le comportement. C'est ce qu'ont fait des chercheurs dirigés par Ian Ayres (1991). Ils ont visité 90 concessionnaires d'automobiles de la région de Chicago et utilisé partout la même stratégie pour négocier le prix d'une voiture qui coûtait environ 11 000 $ au marchand. Le prix moyen obtenu s'établit à 11 362 $ pour les hommes blancs, à 11 504 $ pour les femmes blanches, à 11 783 $ pour les hommes noirs et à 12 237 $ pour les femmes noires.

La plupart des femmes connaissent l'existence de préjugés contre les femmes. Elles croient que la discrimination fondée sur le sexe touche la majorité des travailleuses, car elles connaissent les statistiques: les femmes reçoivent des salaires inférieurs à ceux des hommes et les postes généralement occupés par des femmes, dans le domaine des services à l'enfance notamment, sont les moins bien payés.

Curieusement, toutefois, Faye Crosby et ses collègues (1989) ont constaté à maintes reprises que la plupart des femmes n'ont pas l'impression de faire personnellement l'objet de discrimination. La discrimination, à leurs yeux, frappe les *autres* femmes. Leur employeur n'est pas malveillant. Leur situation est meilleure que celle de la moyenne des femmes. Et comme elles ne se plaignent pas, les patrons (même ceux des entreprises où sévit la discrimination) peuvent se persuader que la justice règne. Le même phénomène se produit chez les chômeurs, les lesbiennes déclarées, les Noirs américains et les membres des minorités canadiennes: ces personnes nient faire personnellement l'objet d'injustice tout en percevant une discrimination à l'égard de leur groupe (Taylor et coll., 1990).

Concluons en disant que les préjugés manifestes contre les personnes de couleur et les femmes sont beaucoup moins répandus aujourd'hui qu'ils ne l'étaient il y a 40 ans. Bien que les stéréotypes subsistent, les préjugés racistes et sexistes flagrants ont à toutes fins utiles disparu. Néanmoins, les techniques de détection des préjugés subtils révèlent encore l'existence de biais considérables.

● Exercices et questions

Nous étudierons ici trois formes de discrimination. Nous traitons premièrement de la représentation qui est faite des minorités ethniques du Québec dans les médias. Ensuite, nous résumons une étude portant sur l'influence que l'origine ethnique d'un accusé a sur les opinions des jurés. Enfin, nous présentons les résultats d'une étude sur les personnes victimes d'homophobie (crainte irrationnelle ressentie à l'égard des gais et des lesbiennes). Avant de lire ces compte-rendus, tentez de répondre aux questions qui suivent, vos réflexions vous aideront à mieux les apprécier.

1. La situation des minorités n'est pas du tout la même au Québec qu'aux États-Unis. Notre société colporte tout de même de nombreux stéréotypes à leur endroit. Quelle est la responsabilité des médias dans cette situation?
2. En quoi l'origine ethnique de la victime d'un viol influe-t-elle sur la perception qu'en ont les jurés?
3. Comment expliquez-vous l'homophobie qui a cours dans notre société? Pourquoi les gais deviennent-ils des boucs émissaires?

1. Un journaliste s'élève contre les stéréotypes

Dans un article publié dans *La Presse* (1996), Claude Masson écrit: «...parler des Italiens et de la mafia, des Chinois et de la malpropreté [dans les cuisines de leurs restaurants] et des Jamaïcains comme des fauteurs de trouble est presque naturel. Il est difficile de se départir de notre vision ancestrale.» Ensuite, Masson déplore la situation et prêche en faveur d'une multiplication des contacts entre les communautés. Il cite Nick Pierni, le président du Congrès national des Italo-Canadiens du Québec: «La pègre n'a pas de race, ni de couleur, ni de religion. [...] Si les journalistes consacraient autant d'espace et d'importance à l'apport économique, social et culturel que la communauté italienne donne à ce grand pays, on parlerait bien de nous quotidiennement.»

227

2. L'ORIGINE ETHNIQUE DE LA VICTIME ET L'IMPARTIALITÉ DES JURÉS

Bagby et Rector (1992) distribuèrent à 102 étudiants francophones d'une université canadienne la retranscription d'un procès pour viol. Les chercheurs donnèrent le même texte à tous les sujets, mais ils dirent à certains que l'accusé était canadien-anglais et à d'autres, qu'il était canadien-français. De même, ils indiquèrent à certains sujets que la victime était canadienne-anglaise et à d'autres, qu'elle était canadienne-française. Ils constituèrent ainsi quatre groupes de sujets. Comme les chercheurs l'avaient prévu, les sujets furent plus sévères à l'égard de l'accusé canadien-anglais s'ils croyaient que la victime était canadienne-française plutôt que canadienne-anglaise.

3. LA VICTIMISATION DE LA COMMUNAUTÉ GAIE

Neil Pilkington et Anthony D'Augelli (1995), de l'Université McGill, interrogèrent 194 lesbiennes, gais et bisexuels de 15 à 21 ans pour déterminer si leur orientation sexuelle avait entraîné leur victimisation. Les chercheurs demandèrent aux sujets s'ils avaient fait l'objet d'agressions verbales et physiques, dans quel contexte ces agressions avaient eu lieu (dans la famille, à l'école, au travail ou dans la rue), s'ils craignaient pour leur sécurité et s'ils essayaient de cacher leur orientation sexuelle. La majorité des répondants avaient subi une forme de discrimination; ils y étaient exposés dans tous les contextes. Les plus vulnérables étaient les jeunes qui avaient affirmé très tôt leur orientation sexuelle et ceux dont l'apparence physique traduisait le plus clairement l'orientation sexuelle.

Les racines des préjugés: calmer sa propre insécurité

En Irlande du Nord, les hostilités entre les protestants d'origine britannique et les catholiques d'origine irlandaise ont fait 3000 morts depuis 1969. (À l'échelle de la population canadienne, le chiffre serait de 40 000.) Les tensions ethniques ont déchiré de nombreux autres pays et notamment la Yougoslavie, l'Union soviétique et l'Iraq. La migration et les moyens de transport modernes provoquent un brassage culturel dans la plupart des pays. Les Albanais se mélangent aux Italiens, les Pakistanais aux Britanniques et les Turcs aux Allemands. Le Canada et les États-Unis comptent maintenant dans leur population des personnes de descendance africaine, asiatique et hispanique.Comment naissent les préjugés dans de telles sociétés?

Les préjugés proviennent de plusieurs sources, car ils ont plusieurs fonctions (Herek, 1986, 1987). Ils nous aident à exprimer notre sentiment d'identité et ils peuvent nous valoir l'acceptation sociale. Ils peuvent protéger notre concept de soi contre l'anxiété qui découle de l'insécurité ou du conflit intérieur. Enfin, ils servent nos intérêts en cautionnant ce qui nous apporte du plaisir et en s'opposant à ce qui nous déplaît. Dans ce module, nous étudierons les racines sociales, émotionnelles et cognitives des préjugés. Nous verrons d'abord comment ces derniers nous sont utiles pour défendre notre position sociale.

Les sources sociales des préjugés: inégalité, rejet, conformisme

L'inégalité et les préjugés: j'ai raison de croire en ma supériorité

Le premier principe à retenir est le suivant: *l'inégalité engendre les préjugés*. Aux yeux des maîtres, les esclaves sont paresseux, irresponsables et apathiques et, de ce fait, ils méritent leur condition. Les historiens ne s'entendent pas sur les facteurs qui sont à l'origine de l'inégalité. Une fois l'inégalité installée, cependant, les préjugés contribuent à justifier la supériorité économique et sociale des riches et des puissants. Par conséquent, les préjugés et la discrimination se renforcent mutuellement: la discrimination fait naître les préjugés et les préjugés légitiment la discrimination.

En période de conflit, nous avons tendance à adapter nos attitudes à notre comportement. Les gens considèrent leurs ennemis comme étant des «sous-hommes» et les dépersonnalisent en leur accolant une étiquette. Pendant la Seconde Guerre mondiale, les Américains appelaient les Japonais les «Japs». Après le conflit, les Américains se prirent d'admiration pour ce «peuple intelligent et industrieux». Les attitudes sont incroyablement adaptables.

Les stéréotypes sexuels, de même, servent à justifier les rôles sexuels. Après avoir étudié les stéréotypes sexuels dans le monde entier, John Williams et Deborah Best (1990a) notèrent que si ce sont les femmes qui s'occupent des jeunes enfants, il est donc rassurant de croire qu'elles sont par nature maternelles. Et si ce sont les hommes qui dirigent les entreprises, qui chassent et qui se battent à la guerre, il est réconfortant de supposer qu'ils sont agressifs, indépendants et audacieux. Des recherches démontrent que les gens perçoivent chez les membres des groupes qui leur sont inconnus des traits de caractère appropriés aux rôles qu'ils occupent (Hoffman et Hurst, 1990).

Les conséquences de la discrimination: l'effet Rosenthal

Il se peut que les attitudes coïncident avec l'ordre social non seulement parce qu'elles en sont la rationalisation, mais aussi parce que la discrimination a un effet sur les pesonnes qui en sont victimes. «On ne peut s'acharner inlassablement sur quelqu'un sans que son caractère ne s'en ressente» écrivit Gordon Allport (1958, p. 139). Dans son célèbre ouvrage *The Nature of Prejudice*, Allport recense 15 réactions possibles à la victimisation. Selon lui, ces réactions se ramènent à deux types fondamentaux: celles qui consistent à se blâmer soi-même (comme le repli sur soi, la haine de soi et l'agression contre les membres de son propre groupe) et celles qui consistent à attribuer sa situation à des causes extérieures (comme la vengeance, la méfiance et l'arrogance d'un groupe). Si le résultat global est négatif (et prend par exemple la forme d'un taux de criminalité élevé), les gens l'invoquent pour justifier la discrimination, ce qui en perpétue le résultat. «Si nous laissons ces gens s'installer dans notre agréable quartier, la valeur des propriétés va chuter.»

La discrimination a-t-elle les effets que suppose Allport? Nous devons nous garder de trop insister sur ce point, car nous donnerions corps à l'idée que les «victimes» des préjugés ont nécessairement des déficiences sur le plan social. La culture noire constitue pour beaucoup de gens un précieux héritage, et non pas simplement une réaction à la victimisation (Jones, 1983). Les différences culturelles n'impliquent pas nécessairement des déficits sociaux.

Devient-on vraiment conforme à l'image que l'on a de nous?

Néanmoins, les croyances sociales peuvent se confirmer elles-mêmes, comme l'ont démontré deux astucieuses expériences réalisées par Carl Word et ses collègues (1974). Lors de la première, des étudiants blancs de l'université Princeton interrogèrent des Blancs et des Noirs qui postulaient un emploi. Si le candidat était noir, les interrogateurs s'assoyaient plus loin, terminaient l'entrevue 25 pour cent plus tôt et faisaient 50 pour cent plus d'erreurs d'élocution que si le candidat était blanc. Imaginez que vous êtes interrogé par une personne qui s'assoit loin de vous, qui bégaie et qui expédie l'entrevue. Ces conditions auraient-elles un effet sur votre performance ou sur vos sentiments à l'égard de la personne?

Pour le déterminer, les chercheurs firent une autre expérience. Ils demandèrent à des intervieweurs spécialisés de traiter les étudiants de la façon dont les intervieweurs de la première expérience avaient traité les candidats blancs ou noirs. Lorsque les chercheurs regardèrent les enregistrements vidéo des entrevues, ils constatèrent que les étudiants qui avaient été traités comme les Noirs semblaient plus nerveux et moins efficaces. De plus, les étudiants interrogés eux-mêmes sentaient une différence; ceux qui avaient reçu le même traitement que les Noirs trouvèrent leurs interrogateurs moins compétents et moins amicaux. Les chercheurs conclurent: «Le "problème" de la performance des Noirs n'est pas dû seulement aux Noirs, mais plutôt aux conditions de l'interaction.»

L'endogroupe et l'exogroupe: Dieu est avec nous (pas avec vous)

Définir ce que vous êtes socialement (votre race, votre religion, votre sexe, votre programme d'études), implique que vous définissiez aussi ce que vous n'êtes pas. Le cercle auquel nous appartenons (l'**endogroupe**) exclut les «autres» (l'**exogroupe**). Par conséquent, le simple fait d'appartenir à un groupe peut donner lieu au **biais de l'endogroupe**. Posez la question suivante à des enfants: «Quels élèves sont les meilleurs, ceux de votre école ou ceux de l'école voisine?» Presque tous vous répondront que les élèves de leur école sont les meilleurs.

Endogroupe
Groupe de personnes qui partagent un sentiment d'appartenance, un sentiment d'identité commune; «nous».

Exogroupe
Groupe de personnes que nous percevons commune étant différentes ou exclues du groupe auquel nous appartenons; «eux».

Biais de l'endogroupe
Tendance à favoriser le groupe auquel on appartient.

Dans une série d'expériences, les psychologues sociaux britanniques Henri Tajfel et Michael Billig (1974; Tajfel, 1970, 1981, 1982) découvrirent qu'il faut vraiment peu de chose pour provoquer le favoritisme envers *nous* et l'injustice envers *eux*. Les chercheurs constatèrent que, même si la différence entre «nous» et «eux» est négligeable, les gens favorisent quand même leur propre groupe. Tajfel et Billig demandèrent à des adolescents britanniques de juger des tableaux abstraits, puis ils leur dirent qu'eux et «quelques autres jeunes» avaient préféré les œuvres de Paul Klee à celles de Wassily Kandinsky. Ensuite, sans avoir jamais rencontré certains des membres de leur propre groupe, les

231

adolescents divisèrent une somme d'argent entre les membres de leur groupe et les «quelques autres» qui préféraient Klee, comme eux. Expérience après expérience, même ce mode anodin de formation des groupes entraîna le favoritisme. David Wilder (1981) résume comme suit ce résultat: «Lorsque les sujets ont l'occasion de diviser 15 points [représentant de l'argent], ils en accordent généralement 9 ou 10 à leur propre groupe et 5 ou 6 à l'autre groupe.» Ce biais se manifeste chez les individus des deux sexes, provenant de tous les groupes d'âges et de toutes les nationalités, mais il est particulièrement marqué chez les gens issus de sociétés individualistes (Gudykunst, 1989). (Les membres des sociétés collectivistes s'identifient davantage à l'ensemble de leurs pairs et ils ont plus tendance à accorder un traitement égal à tout le monde.)

Serait-ce ainsi qu'un groupe menacé se protège?

Si nous appartenons à un petit groupe enclavé dans un grand exogroupe, nous sommes plus vulnérables au biais de l'endogroupe (Mullen, 1991). En outre, nous avons une conscience plus aiguë de notre appartenance. Le statut d'étudiant étranger ou d'étudiant noir dans une université dont la majorité est blanche ou le statut d'étudiant blanc dans une université dont la majorité est noire (comme il s'en trouve plusieurs aux États-Unis) rend l'individu plus conscient de son identité sociale et l'amène à réagir en conséquence.

Même les groupes formés selon des critères *absurdes* (à pile ou face, par exemple) cèdent dans une certaine mesure au biais de l'endogroupe (Billig et Tajfel, 1973; Brewer et Silver, 1978; Locksley et coll., 1980). Dans le roman *Slapstick* de Kurt Vonnegut, les ordinateurs donnent un second prénom à chaque personne; tous les «Jonquille-11» se sentent unis les uns aux autres et étrangers aux «Framboise-13». Voilà une nouvelle manifestation du biais de complaisance; dans ce cas-ci, il sert à rehausser l'identité sociale. «Nous» sommes supérieurs aux «autres», même si les ressemblances entre «nous» et «les autres» sont très fortes.

Puisque nous fondons nos autoévaluations sur nos appartenances, le fait de considérer nos groupes comme supérieurs nous procure une satisfaction personnelle. En outre, notre concept de soi (l'image que nous nous faisons de nous-mêmes) comprend non seulement notre identité personnelle (la perception que nous avons de nos attributs et de nos attitudes) mais aussi notre *identité sociale* (Hogg et Abrams, 1988). Le sentiment d'appartenance raffermit le concept de soi. C'est un *sentiment* agréable. À tel point, rapportent Charles Perdue et ses collaborateurs (1990), qu'une syllabe absurde comme *yof* paraît plus agréable quand elle est associée au mot «nous» que quand elle est associée aux mots «ils» et «eux».

Le conformisme: aimez-moi, je suis comme vous.

Une fois établis, les préjugés subsistent surtout en vertu de la force d'inertie. Si les préjugés constituent une norme sociale, beaucoup de gens suivent la loi du moindre effort et se conforment à la mode. Ce n'est pas tant le besoin de détester qui guide leur comportement que le besoin d'être aimé et accepté.

Les études de Thomas Pettigrew (1958) sur les Blancs d'Afrique du Sud et du sud des États-Unis révélèrent que, pendant les années 50, les gens qui se conformaient le plus aux normes sociales étaient aussi ceux qui avaient le plus de préjugés; les moins conformistes étaient les moins perméables aux préjugés courants. À Little Rock, en Arkansas, où la déségrégation fut instituée à la suite d'une décision de la Cour suprême, en 1954, les ministres du culte ne connaissaient que trop bien le prix du non-conformisme. La plupart d'entre eux étaient favorables à l'intégration, mais ils ne l'affichaient pas publiquement, craignant de perdre des fidèles et des contributions (Campbell et Pettigrew, 1959). Les métallurgistes de l'Indiana et les mineurs de la Virginie-Occidentale firent face à un dilemme semblable. Ils appuyaient l'intégration, mais leurs voisins pratiquaient une ségrégation stricte (Minard, 1952; Reitzes, 1953). Dans ces contextes, les préjugés *n'*étaient visiblement *pas* des manifestations de «déviance», mais bien le reflet des normes qui étaient en vigueur.

C'est le conformisme, aussi, qui entretient les préjugés fondés sur le sexe. «Si nous en sommes venus à considérer la chambre d'enfants et la cuisine comme le domaine naturel de la femme, écrivit le dramaturge irlandais George Bernard Shaw, en 1891, c'est que nous avons pensé exactement comme les enfants anglais, qui finissent par croire que la cage est le domaine naturel de la perruche parce qu'ils n'ont jamais vu de perruche ailleurs.» Les enfants qui *ont* vu des femmes ailleurs (les enfants des travailleuses) ont des perceptions moins stéréotypées des hommes et des femmes (Hoffman, 1977).

Les préjugés répandus dans la société obtiennent souvent la faveur des dirigeants politiques, des éducateurs et des journalistes. Les publicitaires, les photographes et les artistes qui montrent des visages d'hommes et des corps de femmes cèdent à une forme de sexisme qui fait paraître les hommes plus intelligents et plus ambitieux (Archer et coll., 1983; Schwarz et Kurz, 1989).

Il y a dans tout cela une lueur d'espoir. Puisque les préjugés ne sont pas profondément enracinés dans la personnalité, ils sont susceptibles de s'atténuer à mesure que les modes changent et que les normes évoluent. Et c'est précisément ce qui est arrivé.

●Les sources émotionnelles des préjugés

Bien que les préjugés soient engendrés par les situations sociales, des facteurs émotionnels jettent souvent de l'huile sur le feu. La frustration et l'agression, de même que des traits de personnalité comme le besoin de prestige social et l'autoritarisme, peuvent alimenter les préjugés. Voyons comment.

La frustration et l'agression: la théorie du bouc émissaire

La douleur et la frustration (que nous ressentons quand on nous empêche d'atteindre un objectif) provoquent souvent l'hostilité. Quand la cause de notre frustration est intimidante ou imprécise, il arrive que nous dirigions notre hostilité vers une autre cible. Ce phénomène de «déplacement de l'agression» a probablement été l'une des causes du lynchage de Noirs dans le sud des États-Unis après la guerre de Sécession. Entre 1882 et 1930, on a enregistré une augmentation du nombre de lynchages pendant les années où les prix du coton

233

étaient faibles et où, vraisemblablement la frustration économique était à son comble (Hepworth et West, 1988; Hovland et Sears, 1940). C'est comme si, exaspérée par des événements contre lesquels elle ne pouvait rien, la population se défoulait sur ceux qui ne pouvaient se défendre. C'est souvent le cas des enfants et des femmes.

Les cibles de ce déplacement de l'agression varient. Après la Première Guerre mondiale, beaucoup d'Allemands rejetèrent sur les Juifs la responsabilité du chaos économique engendré par la défaite. Bien avant qu'Hitler ne prenne le pouvoir, un dirigeant allemand s'exprima comme suit: «Le Juif tombe à point. [...] S'il n'y avait pas de Juifs, les antisémites devraient les inventer» (cité par G.W. Allport, 1958, p. 325). Jadis, les sorcières fournissaient un exutoire à la peur et à l'hostilité des gens et elles étaient quelquefois brûlées ou noyées sur la place publique. Aujourd'hui, on attribue les problèmes économiques à des coupables comme «les bons à rien d'assistés sociaux» et les «grandes sociétés dénuées de scrupules».

Une célèbre expérience de Neal Miller et Richard Bugelski (1948) a confirmé la théorie du bouc émissaire. Les chercheurs demandèrent à des étudiants qui travaillaient dans un camp d'été d'énoncer leurs attitudes à l'égard des Japonais et des Mexicains. Un soir, certains étudiants furent forcés de demeurer au camp pour subir des tests et ne purent donc assister à une représentation gratuite qu'ils attendaient depuis longtemps au cinéma local. Ces étudiants répondirent aux questions des chercheurs avant et après la soirée. Comparativement au groupe témoin qui n'avait pas éprouvé de frustration, ces étudiants exprimèrent davantage de préjugés. La frustation avait alimenté leurs préjugés.

La compétition engendre la frustration. Lorsque deux groupes se disputent des emplois, des logements ou du prestige social, la satisfaction de l'un fait la frustration de l'autre. Selon la **théorie des conflits réels**, les préjugés naissent lorsque deux groupes rivalisent pour s'approprier des ressources peu abondantes. Un principe équivalent en écologie, la loi de Gauss, veut que la compétition existant entre les espèces ayant les mêmes besoins atteigne un niveau maximum. En Europe occidentale, par exemple, on trouve des gens qui sont d'accord avec l'énoncé suivant: «Au cours des cinq dernières années, la situation économique des gens comme vous a été pire que celle des [nom du groupe minoritaire du pays].» On observe parmi une proportion relativement élevée de ces gens frustrés des préjugés flagrants (Pettigrew et Meertens, 1991). Les chercheurs ont toujours observé les préjugés raciaux les plus forts chez les Blancs qui se situent le plus près des Noirs dans l'échelle socioéconomique (Greeley et Sheatsley, 1971; Pettigrew, 1978; Tumin, 1958). Lorsque les intérêts s'opposent, les préjugés sont commodes, au moins pour certains. C'est ainsi que des gens qui expriment habituellement des attitudes favorables à l'égard des immigrants changent soudainement d'opinion quand ils perdent leur emploi: «Ils nous volent nos emplois!» De là à affirmer que les immigrants obtiennent de l'aide sociale par des moyens frauduleux, font le trafic de la drogue et remplissent les prisons, il n'y a qu'un pas qu'un bon nombre franchissent.

La dynamique de la personnalité

Deux personnes qui ont autant de raisons l'une que l'autre de se sentir frustrées ou menacées n'ont pas nécessairement les mêmes préjugés. Serait-ce que les préjugés ne servent pas uniquement à la promotion de nos intérêts? Comme

Théorie des conflits réels
Théorie selon laquelle les préjugés naissent de la compétition que se livrent les groupes pour l'appropriation de ressources limitées.

Sigmund Freud l'a dit, les croyances et les attitudes satisfont quelquefois des besoins inconscients.

LE BESOIN DE PRESTIGE SOCIAL   Le statut social a un caractère relatif. Pour que nous puissions percevoir notre statut comme supérieur, nous avons besoin de situer des gens au-dessous de nous. À l'instar de toutes les hiérarchies, les préjugés apportent un bénéfice psychologique: ils procurent à l'individu un sentiment de supériorité. Qui ne s'est jamais réjoui secrètement de la déconfiture d'un autre, d'un frère ou d'une sœur qui se faisait réprimander ou d'un camarade de classe qui échouait à un examen? De telles comparaisons raffermissent l'estime de soi. Les préjugés, par conséquent, sont souvent plus forts chez ceux qui occupent le bas de l'échelle socioéconomique, chez ceux qui baissent d'échelon et chez ceux dont l'image de soi est menacée (Lemyre et Smith, 1985; Thompson et Crocker, 1985). Lors d'une étude menée à l'université Northwestern, les membres des clubs étudiants féminins les moins prestigieux montraient plus de mépris à l'égard des autres clubs que ne le faisaient les membres des clubs prestigieux (Crocker et coll., 1987). Les gens dont le statut social est assuré éprouvent peut-être moins le besoin de se sentir supérieurs.

D'autres facteurs associés à un statut inférieur peuvent aussi expliquer les préjugés. Imaginez que vous êtes l'un des étudiants qui participèrent à une expérience de Robert Cialdini et Kenneth Richardson (1980). Vous marchez seul sur le campus. Quelqu'un vous aborde et vous demande de lui consacrer cinq minutes pour une enquête. Vous acceptez. Le chercheur vous fait subir un court «test de créativité», puis il vous annonce que vous avez obtenu «une note relativement faible». Ensuite, il vous pose des questions d'évaluation à propos de votre université et de sa rivale de toujours. Vos sentiments d'échec influeront-ils sur votre évaluation? Comparativement aux étudiants du groupe témoin, dont l'estime de soi n'était pas menacée, les étudiants qui avaient connu un échec donnèrent de plus hautes cotes à leur université et de plus faibles à sa rivale. Il semble que le fait de vanter son propre groupe et de dénigrer les autres gonfle l'*ego*.

James Meindl et Melvin Lerner (1984) constatèrent qu'une expérience humiliante (comme renverser accidentellement la précieuse pile de cartes informatiques[1] de quelqu'un) poussa des étudiants canadiens anglophones à exprimer une hostilité accrue à l'égard des étudiants canadiens francophones. Teresa Amabile et Ann Glazebrook (1982), pour leur part, découvrirent que des étudiants du collège Dartmouth chez qui on avait fait naître un sentiment d'insécurité jugeaient plus sévèrement le travail des autres. Le fait de penser à notre propre mortalité (en écrivant un court essai sur la mort et sur les émotions suscitées par une telle réflexion) provoque assez d'insécurité pour intensifier le favoritisme à l'égard de l'endogroupe et les préjugés à l'égard de l'exogroupe (Greenberg et coll.,1990).

LA PERSONNALITÉ AUTORITAIRE   On dit que les besoins émotionnels qui favorisent l'apparition des préjugés prédominent dans la **personnalité autoritaire**. Dans les années 40, des chercheurs de l'université Berkeley, en Californie (dont deux avaient fui l'Allemagne nazie), se donnèrent

235

_____

1.   Les cartes informatiques étaient anciennement utilisées pour alimenter les ordinateurs en données. L'ordre dans lequel elles étaient placées était donc très important.

une mission urgente. Ils se proposèrent de dévoiler les racines psychologiques de l'antisémitisme, une attitude si pernicieuse qu'elle avait causé le massacre de six millions de Juifs et transformé les autres Européens en spectateurs indifférents. En étudiant les adultes américains, Adorno et ses collègues (1950) découvrirent que l'antisémitisme coexistait souvent avec l'hostilité exprimée à l'égard d'autres minorités. De plus, les personnes **ethnocentriques** manifestaient des tendances autoritaires, et notamment un mépris de la faiblesse, une attitude punitive et un respect servile des autorités de leur endogroupe. Ainsi, ces personnes se disaient d'accord avec des énoncés comme: «L'obéissance et le respect de l'autorité sont les principales vertus que les enfants devraient apprendre.»

Un bon nombre des personnes autoritaires avaient été élevées très rigoureusement, ce qui, apparemment, les avait poussées à contenir leur hostilité et leurs impulsions et à les «projeter» sur les exogroupes. L'insécurité semblait les avoir prédisposées à éprouver un besoin excessif de pouvoir et de prestige social et à adopter un mode de pensée inflexible et dualiste qui tolérait difficilement l'ambiguïté. Par conséquent, ces gens se soumettaient à leurs supérieurs et agressaient ou punissaient leurs inférieurs.

Certains psychologues sociaux ont reproché aux chercheurs de Berkeley d'avoir trop insisté sur l'autoritarisme de la droite et d'avoir négligé l'autoritarisme dogmatique de la gauche. Néanmoins, leur conclusion a subsisté: les tendances autoritaires, qui se traduisent quelquefois par des tensions ethniques, émergent pendant les périodes inquiétantes de récession économique et de bouleversement social (Doty et coll., 1991; Sales, 1973). De plus, des études sur l'autoritarisme de droite réalisées récemment par le psychologue Bob Altemeyer (1988, 1992), de l'université du Manitoba, confirment qu'il *existe* des individus dont les peurs et les hostilités hypocrites prennent corps sous forme de préjugés. Le sentiment de supériorité morale est peut-être indissociable de la brutalité envers ceux que l'on perçoit comme inférieurs. En Afrique du Sud, les préjugés qui alimentaient l'apartheid (aboli en 1991) naissaient peut-être des inégalités sociales, de la socialisation et du conformisme (Louw-Potgieter, 1988), mais les plus fervents partisans de la ségrégation avaient généralement des attitudes autoritaires (van Staden, 1987). Dans les régimes répressifs du monde entier, les gens qui deviennent tortionnaires affichent habituellement une prédilection pour les hiérarchies et un mépris pour les faibles ou les récalcitrants (Staub, 1989). De plus, différents préjugés (à l'égard des Noirs, des homosexuels et des lesbiennes, des femmes et des personnes âgées) tendent sans contredit à coexister chez les mêmes individus (Bierly, 1985; Snyder et Ickes, 1985). Comme le conclut ironiquement Altemeyer, les autoritaires de droite croient à l'égalité des chances en matière de discrimination.

●Les sources cognitives des préjugés

La plupart des explications que nous avons fournies jusqu'ici sur les préjugés pourraient avoir été écrites dans les années 60. Celles qui suivent, cependant, jettent sur le phénomène un éclairage nouveau, conforme au nouvel esprit de la recherche portant sur la pensée sociale. Le principe fondamental est le suivant: les stéréotypes et les préjugés découlent non seulement du conditionnement social et du déplacement et de la projection de l'hostilité, mais aussi des opérations normales de la pensée. Beaucoup de stéréotypes naissent moins de la malice que de notre tendance à simplifier notre monde complexe. Les stéréotypes sont comme les illusions perceptives: ils découlent de notre don pour la simplification.

La catégorisation: à chacun son comportement

L'un des moyens de simplifier notre environnement consiste à catégoriser, c'est-à-dire à répartir les objets en groupes. Les biologistes classent les plantes et les animaux afin de comprendre la nature. Nous, nous classons les gens pour simplifier notre réflexion à leur sujet. Si les personnes qui forment un groupe se ressemblent, il est alors plus facile de connaître les caractéristiques de ce groupe. C'est ainsi que l'on enseigne aux inspecteurs des douanes et aux agents des escouades anti-détournement le «profil» des individus louches (Kraut et Poe, 1980). La catégorisation fournit de l'information utile moyennant un minimum d'effort. Quand on est pressé (Kaplan et coll., 1992), préoccupé (Gilbert et Hixon, 1991), fatigué (Bodenhausen, 1990) ou trop jeune pour apprécier la diversité (Biernat, 1991), il est facile et efficace de fonder son jugement sur des stéréotypes.

L'ethnie et le sexe constituent, dans le monde actuel, de puissants critères de catégorisation. Imaginez Jean-Louis, agent immobilier de 40 ans d'origine haïtienne qui vit à Laval, dans la banlieue de Montréal. Je soupçonne que, dans votre esprit, l'image «homme noir» prime sur les catégories «âge mûr», «homme d'affaires» et «lavallois». Les expériences, du reste, confirment que nous catégorisons spontanément les gens d'après leur race. Les sujets qui observent différentes personnes pendant qu'elles formulent des énoncés oublient souvent qui a dit quoi; pourtant, ils se rappellent la race de l'auteur de chaque énoncé (Hewstone et coll., 1991; Stroessner et coll., 1990; Taylor et coll.,1978). La catégorisation ne relève pas en soi du préjugé, mais elle fournit un terrain propice à son émergence.

LES RESSEMBLANCES ET LES DIFFÉRENCES PERÇUES   Représentez-vous des pommes, des chaises et des crayons.

Les gens ont fortement tendance à trouver parmi les objets d'un groupe plus d'uniformité qu'il n'en existe réellement. Vos pommes étaient-elles toutes rouges? Vos chaises avaient-elles toutes un dossier droit? Vos crayons étaient-ils tous jaunes? Le même phénomène se reproduit avec les humains. Une fois que nous avons classé les gens (les athlètes, les étudiants en théâtre, les professeurs de mathématiques), nous sommes enclins à exagérer les ressemblances entre les membres des groupes ainsi que les différences entre les groupes (S.E. Taylor, 1981; Wilder, 1978). Le simple fait de classer les gens peut créer un **effet d'homogénéité de l'exogroupe**, c'est-à-dire une impression qu'*ils* sont «tous pareils» et différents de «nous» et de «notre» groupe (Allen et Wilder, 1979). Comme nous aimons les gens que nous croyons semblables à nous et déprécions ceux que nous percevons comme différents, nous succombons naturellement au biais de l'endogroupe (Byrne et Wong, 1962; Rokeach et Mezei, 1966; Stain et coll., 1965).

Effet d'homogénéité de l'exogroupe
Fait de percevoir plus de ressemblances entre les membres de l'exogroupe qu'entre les membres de l'endogroupe. «Ils se ressemblent tous, pas nous.»

237

Nous avons plus de facilité à percevoir les différences entre les membres de notre propre groupe. Par contre, les Québécois francophones reconnaissent sans peine les «leaders anglophones» censés parler au nom de tous les Anglo-Québécois, et les journalistes francophones jugent parfois pertinent de mentionner que «la communauté anglophone est divisée» face à un sujet ou à un autre. Apparemment, les francophones présument que leur propre groupe linguistique est plus diversifié. Ils ne présupposent pas qu'il existe des «leaders francophones» capables de s'exprimer au nom des Franco-Québécois, et ils n'estiment pas non qu'il vaille la peine de mentionner que ceux-ci n'ont pas tous la même opinion sur une question. (On n'a jamais trouvé de manchette comme «Les leaders francophones sont divisés à propos de la souveraineté)». En général, mieux nous connaissons un groupe social, plus nous percevons sa diversité (Linville et coll., 1989). Les stéréotypes sont proportionnels à notre ignorance d'un groupe.

Vous êtes-vous déjà dit que les membres des groupes raciaux autres que le vôtre se ressemblaient tous physiquement? Beaucoup de gens commettent l'impair de confondre deux personnes d'un autre groupe racial; certains se font alors répondre quelque chose comme: «Vous pensez que nous nous ressemblons tous.» Des expériences réalisées par John Brigham, June Chance, Alvin Goldstein et Roy Malpass aux États-Unis et par Hayden Ellis en Écosse révèlent que les gens des autres races nous paraissent en effet se ressembler davantage que les gens de notre propre race (Brigham et Williamson, 1979; Chance et Goldstein, 1981; Ellis, 1981). Les étudiants blancs à qui l'on montre quelques visages de Blancs et quelques visages de Noirs et à qui l'on demande ensuite de retrouver ces visages parmi une série de photos reconnaissent mieux les visages des Blancs que ceux des Noirs.

Je suis blanc. En lisant les résultats que je viens de présenter, je me suis dit: «Bien sûr! La diversité physique est plus grande chez les Blancs que chez les Noirs!» Or, il semble bien que ma réaction n'ait constitué qu'une manifestation de plus du phénomène. Car si ma réflexion avait été juste, les Noirs aussi reconnaîtraient mieux un visage de Blanc dans une série de photos de Blancs qu'un visage de Noir dans une série de photos de Noirs. Mais non: les Noirs sont plus habiles que les Blancs à reconnaître les Noirs (Bothwell et coll., 1989). Et les Hispaniques reconnaissent mieux un autre Hispanique qu'un Anglo-saxon qu'ils ont vu deux heures plus tôt (Platz et Hosch, 1988).

Ce curieux «biais ethnocentrique» semble constituer un phénomène cognitif automatique, car il n'est, en général, aucunement relié aux attitudes raciales du sujet (Brigham et Malpass, 1985). L'expérience, cependant, joue peut-être un rôle à cet égard. June Chance (1985) affirme que les étudiants blancs ont de la difficulté à distinguer les visages japonais (bien que les traits des Japonais soient aussi diversifiés que ceux des Blancs). Or, la reconnaissance des visages japonais s'améliore de façon marquée si, au cours d'une série de séances de formation, les étudiants blancs voient des paires de visages japonais qu'ils doivent apprendre à différencier. Chance pense que l'expérience permet aux gens de s'habituer aux types de visages. C'est pourquoi les Noirs vivant dans des milieux blancs sont un peu plus habiles que les Blancs à distinguer les visages des personnes d'une autre race (Anthony et coll., 1992). Telle est aussi la raison pour laquelle je trouve que toutes les poupées Bout'chou se ressemblent, alors qu'elles sont toutes différentes aux yeux de ma fille de neuf ans et de ses amies.

Les signes distinctifs

LES GENS DIFFÉRENTS ATTIRENT L'ATTENTION Les stéréotypes ne naissent pas seulement de notre penchant pour la catégorisation. Les gens différents ainsi que les événements saisissants ou extraordinaires attirent notre attention et déforment nos jugements.

Vous est-il déjà arrivé d'être, dans un groupe, la seule personne de votre sexe, de votre race ou de votre nationalité? Si oui, votre différence a probablement attiré l'attention sur vous. Un Noir dans un groupe de Blancs, un homme dans un groupe de femmes et une femme dans un groupe d'hommes paraissent plus importants et plus influents; leurs qualités et leurs défauts semblent plus marqués (Crocker et McGraw, 1984; S.E. Taylor et coll., 1979). En effet, lorsqu'un individu se démarque du groupe, nous avons tendance à lui attribuer tous les événements (Taylor et Fiske, 1978). Si, dans un groupe, nous observons plus particulièrement une personne, même si elle n'est qu'un membre ordinaire du groupe, celle-ci nous semblera exercer sur le groupe une influence supérieure à la moyenne. Les gens qui attirent notre attention paraissent avoir une plus grande responsabilité que les autres dans le cours des événements.

Percevons-nous, alors, des choses qui n'existent pas?

Ellen Langer et Lois Imber (1980) demandèrent à des étudiants de l'université Harvard de regarder une vidéo qui montrait un homme en train de lire. Les chercheuses s'aperçurent que les étudiants à qui elles avaient fait croire que l'homme sortait de l'ordinaire (qu'il était cancéreux, homosexuel ou millionnaire) étaient plus attentifs que les autres. Ils trouvaient à l'homme des caractéristiques que les autres ne décelaient pas et ils l'évaluaient de manière plus intense. Ainsi, ceux qui pensaient que l'homme avait le cancer remarquèrent ses mouvements et ses traits distinctifs et, plus que les autres spectateurs, ils le jugèrent «différent des autres personnes». Le surcroît d'attention que nous accordons aux personnes qui ressortent de la masse nous porte à exagérer leurs différences. Si les gens pensaient que vous aviez le quotient intellectuel d'un génie, ils remarqueraient probablement chez vous des traits qui, autrement, passeraient inaperçus.

Cependant, il nous arrive quelquefois de penser que les autres réagissent à notre différence alors qu'ils n'en font rien. C'est ce que constatèrent Robert Kleck et Angelo Strenta (1980) au collège Dartmouth. Ils firent croire à des femmes qu'ils étudiaient les réactions des gens face à une cicatrice. Avec du maquillage de théâtre, un expérimentateur dessina sur la joue droite des femmes une cicatrice s'étendant de l'oreille à la bouche. En réalité, les chercheurs voulaient étudier la manière dont les femmes elles-mêmes, se croyant défigurées, percevaient le comportement des autres à leur égard. Après avoir appliqué le maquillage, l'expérimentateur donna un petit miroir à chaque femme afin qu'elle puisse voir la cicatrice en apparence authentique dont elle était affublée. Puis, lorsque la femme posait le miroir, l'expérimentateur appliquait un peu de «crème hydratante» pour «empêcher le maquillage de craqueler». En fait, la «crème hydratante» éliminait le maquillage, et, donc, la cicatrice.

L'expérience donna lieu à une scène poignante. Chaque jeune femme, embarrassée par sa supposée cicatrice, dut bavarder avec une autre femme qui, bien entendu, ne voyait aucune cicatrice. S'il vous est déjà arrivé d'éprouver de la gêne (à cause d'un handicap physique, de boutons d'acné ou simplement de «cheveux affreux»), vous comprenez sûrement comment les femmes se sentaient. Comparativement aux femmes du groupe témoin (qui croyaient que leur interlocutrice les pensait simplement atteintes d'une allergie), les femmes «défigurées» devinrent extrêmement sensibles au regard de l'autre. Elles jugèrent leur interlocutrice plus tendue, plus distante et plus condescendante. En vérité, les observateurs qui analysèrent par la suite les enregistrements vidéo des interactions ne décelèrent rien de particulier dans le comportement des interlocutrices. Les femmes «défigurées» avaient décodé en fonction de leur différence des attitudes et des commentaires qu'elles n'auraient pas remarqués autrement.

Les cas exceptionnels: l'exception qui fait la règle

Pour juger les groupes, nous utilisons aussi la simplification qui consiste à se fonder sur les situations exceptionnelles. Les Noirs sont-ils de bons athlètes? «Eh bien, il y a Bruny Surin, Donovan Bailey et Michael Jordan. Ouais... Je le pense.» Notez les processus mentaux qui sont à l'œuvre ici. Nous nous rappelons des exemples d'une catégorie, puis nous généralisons. Le problème, c'est que les cas saisissants, bien que mémorables et, de ce fait, persuasifs, sont rarement représentatifs du groupe dans son ensemble. Les athlètes exceptionnels, même s'ils laissent des souvenirs inoubliables, ne constituent pas le meilleur critère qui soit pour juger de la distribution du talent athlétique parmi un groupe ethnique entier.

Myron Rothbart et ses collègues (1978) montrèrent comment les gens extraordinaires nourrissent les stéréotypes. Ils montrèrent à des étudiants d'université 50 diapositives où apparaissait la taille de l'homme photographié. Les étudiants d'un groupe virent 10 des hommes mesurant un peu plus de 1,80 m (jusqu'à 1,90 m). Les étudiants d'un autre groupe virent 10 hommes dépassant de beaucoup 1,80 m (et mesurant jusqu'à 2,07 m). Plus tard, les chercheurs demandèrent aux étudiants combien d'hommes parmi les diapositives présentées, mesuraient plus de 1,80 m. Les étudiants qui avaient vu des exemples d'hommes plutôt grands en surestimèrent le nombre de 5 pour cent. Les étudiants qui avaient vu des exemples d'hommes exceptionnellement grands en exagérèrent le nombre de 50 pour cent. Lors d'une expérience complémentaire, les étudiants lurent des textes décrivant les actions de 50 hommes, dont 10 avaient commis soit des crimes non violents (comme des fraudes), soit des crimes violents (comme des viols). La plupart des étudiants qui avaient lu des descriptions de crimes violents exagérèrent le nombre d'actes criminels.

Comme les cas extrêmes se démarquent de la masse, ils sont plus faciles à retenir; et comme ils font la manchette, ils déterminent l'image que nous nous faisons des différents groupes. C'est notamment à cause du fait que les cas extrêmes et exceptionnels frappent l'imagination que les gens de la classe moyenne exagèrent tellement les différences qui existent entre eux et les moins bien nantis. Contrairement à ce que veut le stéréotype, les assistés sociaux ne roulent pas en Cadillac; ils ont les mêmes aspirations que les gens de la classe moyenne et ils aimeraient mieux subvenir eux-mêmes à leurs besoins que de s'en remettre à l'aide sociale (Cook et Curtin, 1987). Moins nous connaissons un groupe, plus nous subissons l'influences d'un ou deux cas exceptionnels (Quattrone et Jones, 1980). Voir, c'est croire.

L'attribution: le monde est-il juste?

Il nous arrive fréquemment de commettre l'erreur fondamentale d'attribution en expliquant les actions des autres. Nous attribuons tellement leur comportement à leurs dispositions intérieures que nous négligeons le rôle important que jouent les situations. L'erreur vient du fait que nous concentrons notre attention sur les personnes elles-mêmes et non sur les situations qu'elles vivent. La race et le sexe d'une personne sont des attributs frappants, tandis que les influences situationnelles qui s'exercent sur la personne sont moins visibles. On a souvent attribué le comportement des esclaves à leur nature, en négligeant l'esclavage en tant que facteur explicatif. Il n'y a pas si longtemps encore, on expliquait de la même façon les différences perçues entre les hommes et les femmes. Comme les contraintes des rôles sexuels étaient difficiles à déceler, on attribuait le comportement des hommes et des femmes uniquement à leurs dispositions innées.

Dans une série d'expériences, Melvin Lerner et ses collègues (Lerner et Miller, 1978; Lerner, 1980) découvrirent que le simple fait d'*observer* une personne innocente dans une situation de victime suffisait à la rendre indigne à nos yeux. Imaginez que vous êtes au nombre des sujets qui participent à une étude sur la perception des indices émotionnels (Lerner et Simmons, 1966). L'un des sujets, qui est complice des chercheurs, est choisi au hasard pour effectuer une tâche de mémorisation. Cette personne reçoit des secousses électriques douloureuses chaque fois qu'elle donne une mauvaise réponse. Vous et les autres l'observez et notez ses réactions émotionnelles. Ensuite, l'expérimentateur vous demande d'évaluer la personne. Comment la jugez-vous? Avec compassion? Bien sûr, vous dites-vous. Comme l'a écrit Ralph Waldo Emerson: «Le martyr ne peut être déshonoré.» En réalité, les expériences révélèrent que les observateurs qui n'avaient aucun moyen de modifier le sort de la victime la rejetaient et la dénigraient. Juvénal, poète satirique latin, avait pressenti ce résultat: «La plèbe romaine court après la Fortune [...] et conspue ceux qui ont été condamnés.»

Aurions-nous tendance à rejeter les victimes?

Hypothèse de la justice du monde
Tendance à croire que le monde est juste et que les gens obtiennent ce qu'ils méritent et méritent ce qu'ils obtiennent.

Linda Carli et ses collaborateurs (1989, 1990) soutiennent que l'**hypothèse de la justice du monde** colore notre perception des victimes de viol. Carli fit lire à ses sujets des descriptions détaillées d'interactions se déroulant entre un homme et une femme. Certains sujets lurent un scénario qui finissait bien: «Puis il m'a menée jusqu'au canapé. Il m'a pris la main et m'a demandé de l'épouser.» Rétrospectivement, ces sujets trouvèrent la fin prévisible et admirèrent les traits de caractère de l'homme et de la femme. D'autres sujets lurent un scénario qui se terminait différemment: «Mais à ce moment-là, il est devenu très brusque et il m'a poussée sur le canapé. Il m'a tenue couchée et il m'a violée.» Ces sujets jugèrent la fin inévitable et reprochèrent à la femme le même comportement qui était jugé irréprochable quand le scénario finissait bien.

De la même façon, les gens se disent que, puisque les Noirs et les Juifs ont été persécutés, c'est qu'ils doivent l'avoir mérité d'une manière ou d'une autre. À la fin de la Seconde Guerre mondiale, les Britanniques escortèrent un groupe de civils allemands dans le camp de concentration de Bergen-Belsen. L'un des Allemands s'écria: «Ces prisonniers ont dû commettre des crimes terribles pour mériter un tel traitement!»

Lerner (1980) croit que le dénigrement des victimes naît de notre besoin de croire en la justice: «Je suis une personne juste vivant dans un monde juste, dans un monde où l'on a ce que l'on

241

mérite.» Dès notre plus tendre enfance, selon lui, nous apprenons que le bien est récompensé et le mal, puni. Le travail assidu et la vertu rapportent; la paresse et l'immoralité ne paient pas. De là à supposer que les gens prospères sont bons et que les affligés méritent leur sort, il n'y a qu'un petit pas. L'histoire de Job, dans l'Ancien Testament, est un exemple classique de ce raisonnement. Job est un homme bon qui vit de terribles malheurs. Convaincus que le monde est juste, ses amis se disent qu'il a dû faire quelque chose d'horrible pour s'attirer autant de souffrances.

L'on déduit de ce qui précède que les gens sont indifférents à l'injustice sociale non pas parce qu'ils la cautionnent, mais parce qu'ils ne la *voient* pas. Croire en la justice du monde, croire, comme beaucoup de gens, que les victimes de viol ont provoqué leur agresseur (Borgida et Brekke, 1985), que les femmes battues se sont attiré les coups (Summers et Feldman, 1984), que les pauvres ne valent rien (Furnham et Gunter, 1984), que les malades sont responsables de leur maladie (Gruman et Sloan, 1983) permet aux gens prospères de se convaincre qu'ils méritent leur bonne fortune. Les gens riches et bien portants peuvent se rassurer en pensant que tant leur propre bonheur que le malheur des autres sont mérités. Associer la chance à la vertu et la malchance à la faiblesse morale permet aux privilégiés de s'enorgueillir de leurs réalisations et d'éluder leurs responsabilités à l'égard des malheureux.

Les psychologues sociaux ont été plus habiles à expliquer les préjugés qu'à les éliminer. Étant donné que les préjugés résultent d'une multitude de facteurs interdépendants, il n'existe pas de méthode simple pour les faire disparaître. Nous pouvons néanmoins songer à des techniques susceptibles de les atténuer. Si l'inégalité engendre les préjugés, nous pouvons alors chercher à établir des relations de coopération et de solidarité. Si les préjugés servent souvent à justifier la discrimination, nous pouvons alors forcer l'élimination de la discrimination. Si les exogroupes semblent plus différents de notre groupe qu'ils ne le sont en réalité, nous pouvons alors nous efforcer de donner un visage à leurs membres. Voilà quelques antidotes possibles contre le poison des préjugés.

Depuis la fin de la Seconde Guerre mondiale, en 1945, on a eu recours à un certain nombre de ces antidotes et les préjugés fondés sur la race et sur le sexe ont effectivement diminué. L'avenir nous dira si le progrès continuera ou si, nourris par l'accroissement démographique et l'épuisement des ressources, les antagonismes dégénéreront encore en conflits ouverts.

⬤ Exercices et questions

Les trois études que nous résumons ici portent respectivement sur les préjugés raciaux observés chez les enfants, sur le lien existant entre le fondamentalisme religieux et l'autoritarisme, et enfin, sur la délicate question de l'antisémitisme au Québec. Avant de lire les descriptions de ces études, tentez de répondre aux questions qui suivent. Vos réflexions vous aideront à mieux en apprécier les résultats.

1. Les préjugés raciaux ont-ils tendance à augmenter ou à diminuer entre l'âge de six ans et l'âge de neuf ans? Tentez d'expliquer les résultats de l'étude.
2. Les fondamentalistes religieux ont-ils plus de préjugés que les autres personnes? Quel lien établissez-vous entre l'autoritarisme et les divers préjugés?
3. Croyez-vous qu'il existe un problème d'antisémitisme au Québec? Quels sont les facteurs de l'antisémitisme, selon vous et selon les chercheurs dont nous résumons l'étude?

1. Les préjugés raciaux chez les enfants

Doyle et Aboud (1995) étudièrent 47 enfants (dont 28 de race blanche) qui fréquentaient des écoles publiques anglophones de la banlieue de Montréal. Ils les interrogèrent à l'âge de six ans et à l'âge de neuf ans pour déterminer si leurs préjugés contre les Noirs s'étaient modifiés entre la maternelle et la troisième année. Ils découvrirent que les enfants de la maternelle avaient de forts préjugés, mais que ceux-ci diminuaient au cours des années subséquentes. À l'âge de neuf ans, les enfants en général évaluaient encore les Blancs de manière favorable et les Noirs de manière défavorable, mais ils admettaient que certains Blancs étaient méchants et que certains Noirs étaient meilleurs qu'ils ne le pensaient auparavant. Bref, ils reconnaissaient que les gens d'une même race ne sont pas identiques. Les enfants qui soutenaient le contraire étaient ceux qui avaient le plus de préjugés à six ans et à neuf ans.

2. Le fondamentalisme religieux, l'autoritarisme et les préjugés dans les Prairies

Linda Wylie et James Forest (1992), de l'université du Manitoba, à Winnipeg, se demandaient si le fondamentalisme religieux (beaucoup plus répandu dans les provinces des Prairies qu'au Québec) était corrélé avec l'autoritarisme et avec diverses formes de préjugés. Les réponses des 75 Manitobains interrogés révélèrent l'existence d'une forte corrélation entre ces facteurs. L'autoritarisme, en particulier, était relié à l'homophobie, aux préjugés raciaux et ethniques ainsi qu'à l'approbation de peines de prison sévères.

3. L'antisémitisme au Québec

Lors d'une étude fort controversée, une équipe de recherche dirigée par le sociologue Paul Sniderman (1993), de l'université Stanford (en Californie), interrogea par téléphone 2084 personnes pour déterminer les causes de l'antisémitisme et de l'ethnocentrisme au Québec. Ces deux phénomènes sont plus marqués au Québec qu'ailleurs au Canada. Les résultats indiquèrent que ces attitudes ne sont pas dues à des caractéristiques psychologiques mais à des facteurs socioculturels. (On ne trouva pas de corrélation entre l'antisémitisme et le souverainisme.) Sniderman postula que l'attitude défavorable envers les Juifs naissait de la grande valeur accordée au conformisme dans la culture québécoise. Les Québécois ne sont pas antisémites au sens fort du terme, mais ils ont tendance à accepter des descriptions négatives des Juifs, sans les remettre en question.

243

L'agression: nature et culture

Le comportement que nous adoptons les uns à l'égard des autres est parfois étrangement destructeur. Même si la prédiction étrange de Woody Allen, comédien et metteur en scène américain reconnu pour son humour cinglant, selon qui l'enlèvement serait le principal mode d'interaction sociale en 1990, ne s'est pas réalisée, il n'en reste pas moins qu'aux États-Unis les chances d'être victime d'un crime violent ont quintuplé depuis 1960. Aux États-Unis également, on enregistre chaque année plus d'un million de cas de voies de fait. À l'échelle mondiale, les dépenses militaires s'élèvent à presque trois milliards de dollars par jour, trois milliards de dollars qui pourraient être affectés à l'alimentation, à l'éducation et à la protection de l'environnement, sur une planète où les démunis se comptent par centaines de millions.

Les psychologues sociaux définissent l'**agression** comme un comportement qui vise à blesser ou à détruire. Cette définition exclut les accidents, les traitements dentaires et l'agressivité de l'arriviste. Cependant, elle englobe les gifles, les insultes et les médisances, qu'elles soient dictées par le calcul (et visent une fin précise) ou par l'emportement. Les Iraquiens qui tuèrent des Koweitiens en envahissant leur pays tout autant que les forces alliées qui tuèrent 100 000 Iraquiens en le reprenant l'ont fait parce qu'ils avaient un objectif précis: conquérir le territoire. Leur comportement n'en était pas moins agressif.

L'agression, à l'instar des autres comportements humains, naît à la fois de la nature et de la culture. Pour qu'un canon fasse feu ou pour qu'une personne s'emporte, il faut que quelqu'un appuie sur la détente. Certaines personnes, comme certaines armes, ont la détente sensible. Examinons les facteurs biologiques qui déterminent la vitesse de notre réaction et les facteurs psychologiques qui la suscitent.

Agression
Comportement physique ou verbal visant à blesser quelqu'un.

Les facteurs biologiques de l'agression: cerveau, génétique et biochimie

L'agression est-elle un instinct?

Les philosophes ont longuement hésité entre deux conceptions opposées de la nature humaine. La première, née au XVIIIe siècle sous la plume du philosophe français Jean-Jacques Rousseau, veut que l'homme naisse bon et que ce soit la société qui le corrompe. La seconde, proposée par le philosophe anglais Thomas Hobbes (1599-1679), présente l'être humain comme une brute que la société doit contenir par des règles et des interdits. C'est à cette dernière conception qu'ont adhéré, au XXe siècle, Sigmund Freud à Vienne et l'éthologiste Konrad Lorenz, en Allemagne. Selon eux, l'agressivité est innée et, par le fait même, inévitable.

Freud supposait que nos instincts de survie coexistaient avec un instinct de mort, autodestructeur. Il croyait que nous libérions l'énergie de cette pulsion primitive en la détournant dans des activités socialement acceptées comme le sport ou que nous la déplacions vers les autres sous forme d'agressions. Lorenz, de même, pensait que l'énergie agressive s'accumulait jusqu'à ce qu'elle fût libérée. Bien que les gestes de soumission inhibent l'agression, disait-il, donner libre cours à l'«instinct de lutte» sans y parer par les inhibitions peut avoir des conséquences catastrophiques.

Les scientifiques renoncèrent à considérer l'agression comme un «instinct» quand la liste des soi-disant instincts humains s'allongea au point de comprendre à peu près tous les comportements humains imaginables, et quand les chercheurs s'aperçurent de l'incroyable diversité des comportements d'un individu à l'autre et d'une société à l'autre. On abandonna donc l'idée, même trop limitée, d'instinct humain. Pourtant, il est clair que la biologie influe sur le comportement. L'édifice de la culture est érigé sur les fondations que lui fournit la nature. Nos expériences entrent en interaction avec notre système nerveux, qui est le produit de nos gènes.

Le système nerveux: le noyau de l'agression?

L'agression est un comportement dont l'origine est complexe, et elle n'est pas régie par une seule zone précise du cerveau. Or, les chercheurs ont trouvé, tant chez les humains que chez les animaux, des systèmes neuronaux qui facilitent l'agression. L'hostilité augmente lorsque ces régions du cerveau sont activées, et elle diminue lorsqu'elles sont désactivées. On peut donc provoquer la férocité chez des animaux dociles et la soumission chez des animaux féroces.

Peut-on contrôler l'humeur des animaux?

Ainsi, des chercheurs ont pris un singe dominateur et ont placé une électrode dans une région du cerveau qui inhibe l'agression. Ils ont installé dans la cage d'un petit singe un bouton qui activait l'électrode; l'animal a appris à appuyer sur le bouton chaque fois que le singe féroce devenait agressif. Les scientifiques ont observé des phénomènes semblables chez des humains. Par

245

exemple, après qu'on eut appliqué une stimulation électrique indolore au noyau amygdalien (qui constitue une partie du centre du cerveau) une femme fut prise de rage et fracassa sa guitare contre le mur, manquant de peu la tête du psychiatre (Moyer, 1976).

L'influence génétique: une prédisposition

Dans toutes les espèces animales, la sensibilité du système nerveux aux déclencheurs de l'agression varie d'un individu à l'autre. L'une des causes de cette variation est l'hérédité. L'on sait depuis longtemps qu'il est possible de produire des animaux agressifs par un processus de sélection. On le fait parfois pour des raisons «pratiques» (comme l'élevage des coqs de combat et des chiens pit-bulls). On le fait aussi à des fins scientifiques. Kirsti Lagerspetz (1979), psychologue finlandaise, prit des souris albinos et croisa les plus agressives entre elles et les moins agressives entre elles. Au bout de 26 générations, la chercheuse a obtenu un ensemble de souris agressives et un ensemble de souris placides.

Ce qu'on observe chez les coqs et les souris s'applique-t-il aux humains?

L'agressivité varie aussi chez les primates et chez les humains (Asher, 1987; Olweus, 1979). Le tempérament (le degré d'intensité et de sensibilité) est influencé par la réactivité du système nerveux sympathique et il est donc en partie inné (Kagan, 1989). Les traits qu'une personne présente pendant l'enfance subsistent tout au long de sa vie (Larsen et Diener, 1987; Wilson et Matheny, 1986). Les vrais jumeaux que l'on interroge séparément sont plus nombreux que les faux jumeaux à admettre tous deux qu'ils ont «un tempérament violent» (Rushton et coll., 1976).

La biochimie: j'ai ça dans le sang...?

La sensibilité du système nerveux à la stimulation agressive dépend de facteurs biochimiques. Les expériences de laboratoire et les dossiers de la police indiquent que, chez les gens que l'on provoque, l'alcool affaiblit les barrières qui jugulent l'agression (Bushman et Cooper, 1990; Taylor et Leonard, 1983). Aux États-Unis, les responsables du ministère de la Justice estiment que près du tiers des 523 000 détenus du pays avaient consommé de grandes quantités d'alcool avant de commettre des viols, des cambriolages et des voies de fait (Desmond, 1987). (On pourrait aussi dire, toutefois que la consommation d'alcool fut l'une des raisons pour lesquelles ces criminels furent capturés, et non les autres qui étaient sobres.) L'alcool intensifie l'agressivité en réduisant la conscience de soi et la capacité de réfléchir aux conséquences des actes que l'on accomplit (Hull et Bond, 1986; Steele et Southwick, 1985). Il désindividualise et désinhibe.

Comme l'alcool, l'hypoglycémie (faible concentration de sucre dans le sang) peut favoriser l'agressivité. L'hormone sexuelle mâle, la testostérone, en fait autant (Moyer, 1983). Bien que les influences hormonales semblent beaucoup plus fortes chez les animaux que chez les humains, les médicaments qui abaissent les concentrations de testostérone chez les hommes violents atténuent aussi leurs tendances agressives. La concentration de testostérone décline à compter de l'âge de 25 ans. La proportion de criminels violents diminue elle aussi parmi la population mâle de plus de 25 ans. Chez les détenus *des deux sexes* condamnés pour des crimes violents qu'ils n'ont pas provoqués, la concentration de testostérone tend à être plus élevée que chez les détenus condamnés pour des crimes non violents (Dabbs et coll., 1988). Et parmi la population d'adolescents et d'hommes adultes en général, les individus qui ont une forte concentration de testostérone sont plus portés que les autres à pratiquer la délinquance, à faire usage de drogues dures et à réagir de façon agressive à la provocation (Archer, 1991; Dabbs et Morris, 1990; Olweus et coll., 1988).

Est-on agressif parce qu'on «a ça dans le sang»?

Bref, il existe d'importants facteurs neuronaux, génétiques et biochimiques qui interviennent dans l'agression. Mais l'agression fait-elle partie de la nature humaine au point de rendre la paix impossible? Refusant de le croire, le Conseil des représentants de l'American Psychological Association et les directeurs du Conseil international des psychologues se sont joints à d'autres organismes pour entériner une «déclaration sur la violence» rédigée par des scientifiques d'une douzaine de pays (Adams, 1991). «Il est scientifiquement faux, lit-on dans la déclaration, de prétendre que la guerre ou tout autre comportement violent est génétiquement programmé dans la nature humaine ou que la guerre est causée par un "instinct" ou par toute autre motivation isolée.» Nous verrons en effet qu'il existe des moyens de réduire les agressions humaines.

● Les facteurs psychologiques de l'agression

La frustration et l'agression: la colère est un pont

La soirée est chaude. Fatigué et assoiffé après deux heures d'entraînement avec votre équipe de basket, vous vous dirigez vers la machine distributrice de boissons gazeuses la plus proche. Pendant que la machine avale vos dernières pièces, vous pouvez presque sentir sur votre langue le goût rafraîchissant de la boisson gazeuse. Vous appuyez sur le bouton, mais rien ne se produit. Vous appuyez de nouveau. Puis vous enfoncez le bouton qui commande à la machine de rendre la monnaie. Toujours rien. Vous avez la gorge en feu. Vous appuyez encore sur les boutons. Vous cognez dessus: rien. Vous retournez à vos coéquipiers d'un pas lourd, les mains et les poches vides. Les autres membres de l'équipe devraient-ils se tenir sur leurs gardes? Êtes-vous plus susceptible que tout à l'heure d'être violent au jeu?

Oui, selon l'une des premières théories psychologiques de l'agression, la populaire théorie de la frustration-agression. Dollard et ses collègues (1939) définirent la **frustration** comme tout élément qui (comme la distributrice défectueuse) entrave l'atteinte d'un objectif. La frustration surgit lorsque la motivation est très forte, que l'on s'attend à une gratification et que l'obstacle est insurmontable.

Frustration
Tout élément qui entrave l'atteinte d'un objectif.

Pourquoi, alors, être plus violent avec mes adversaires?

Comme le montre la figure 23.1, l'énergie agressive ne s'oriente pas nécessairement vers la source de la frustration. Nous apprenons en effet à éviter la riposte directe, particulièrement

247

Figure 23.1

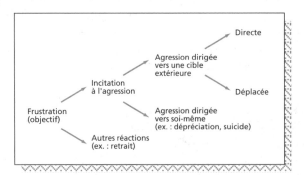

dans les situations où nous sommes passibles de désapprobation ou de punition et lorsque le responsable (la maladie, par exemple) ne peut être atteint directement. Nous *déplaçons* alors notre hostilité, c'est-à-dire que nous la réorientons vers des cibles plus sûres. Connaissez-vous l'histoire de l'homme qui se fait réprimander par son patron? Arrivé à la maison, cet homme réprimande sa femme, qui crie contre son fils, lequel donne un coup de pied au chien, qui se lance à la poursuite du chat. Cette vieille anecdote est un bon exemple de **déplacements** en cascade[1].

Les vérifications expérimentales de la théorie de la frustration-agression donnent des résultats ambigus. La frustration intensifie l'agressivité dans certains cas et non dans d'autres. Si, par exemple, la frustration est compréhensible, elle engendre l'irritation mais non l'agression. Ce fut le cas dans une expérience réalisée par Eugene Burnstein et Philip Worchel (1962), au cours de laquelle un complice des chercheurs perturba le processus de résolution de problème dans un groupe parce que son appareil auditif fonctionnait mal (et non en raison de son inattention).

Sachant que la théorie originale exagérait le lien entre la frustration et l'agression, Leonard Berkowitz (1978, 1989) la rectifia. Il postula que la frustration produisait la colère, à savoir une disposition émotionnelle au comportement agressif. La colère monte lorsqu'une personne qui nous frustre aurait pu choisir d'agir autrement (Averill, 1983; Weiner, 1981). Un individu frustré est particulièrement susceptible de s'emporter lorsque des indices agressifs font exploser une colère contenue. Il arrive que la colère se déclenche en l'absence de tels indices. Il n'en reste pas moins que les indices associés à l'agression amplifient l'agression (Carlson et coll., 1990).

Berkowitz (1968, 1981) et d'autres chercheurs ont constaté que la vue d'une arme constitue un indice d'agression. Lors d'une expérience, des enfants qui venaient de jouer avec des pistolets jouets avaient plus tendance à renverser les cubes d'un autre enfant. Dans une autre expérience effectuée à l'université du Wisconsin, un complice des chercheurs tourmentait des étudiants jusqu'à ce qu'ils se mettent en colère. Si une carabine et un revolver se trouvaient dans la salle (censément oubliés par d'autres chercheurs), les étudiants donnaient plus de secousses électriques au complice que s'ils avaient près d'eux des raquettes de badminton (Berkowitz et LePage, 1967). Berkowitz, par conséquent, ne s'étonne pas que la

Déplacement
Réorientation de l'agression vers un objet autre que la source de la frustration, générale- ment moins menaçant, plus disponible ou plus acceptable sur le plan social.

---

1. À ce sujet, je vous suggère l'excellent film de Alain Resnais *Mon oncle d'Amérique*. On y illustre les thèses de Henri Laborit, chercheur français décédé en 1995, sur les aspects positifs et négatifs du déplacement.

moitié des meurtres perpétrés aux États-Unis soient commis avec des armes de poing et que les armes conservées dans les maisons servent à tuer beaucoup plus de membres du ménage que d'intrus. «Non seulement les armes à feu rendent-elles la violence possible écrit Berkowitz, ils la favorisent. Le doigt appuie sur la détente, mais la détente tire probablement aussi sur le doigt». On comprend mieux, ainsi, le sens et la portée des lois qui visent un contrôle plus strict des armes personnelles.

Berkowitz ne serait pas surpris non plus d'apprendre que les pays où les armes de poing sont interdites affichent les plus faibles taux d'homicide. La Grande-Bretagne, par exemple, compte 4 fois moins d'habitants que les États-Unis, mais il s'y commet 16 fois moins de meurtres. Chaque année, on enregistre 10 000 homicides impliquant des armes de poing aux États-Unis et environ 10 en Grande-Bretagne. Vancouver, en Colombie-Britannique, et Seattle, dans l'État de Washington, ont des populations, des climats, des économies et des taux de criminalité semblables. À Vancouver, cependant, où la possession d'armes de poing est sévèrement réglementée, on déplore cinq fois moins de meurtres perpétrés à l'aide d'armes de poing qu'à Seattle. De ce fait, le taux global d'homicide est de 40 pour cent moins élevé à Vancouver qu'à Seattle (Sloan et coll.,1988). Quand la ville de Washington adopta une loi limitant la possession d'armes de poing, les nombres de meurtres et de suicides reliés aux armes à feu diminuèrent d'environ 25 pour cent. Les autres méthodes de meurtre et de suicide étaient demeurées au même niveau; par ailleurs, la baisse ne s'est pas produite dans les régions avoisinantes où la loi ne s'appliquait pas (Loftin et coll., 1991).

Non seulement les armes à feu constituent-elles des indices d'agression, mais elles instaurent aussi une distance psychologique entre l'agresseur et la victime. Comme nous l'ont enseigné les expériences de Milgram sur l'obéissance, l'éloignement de la victime favorise la cruauté. On peut tuer à coups de couteau, mais il est plus facile et plus probable qu'on tire sur quelqu'un de loin avec une arme à feu puisqu'on «participe» très peu à la souffrance de la victime.

L'apprentissage de l'agression: tirer ou pousser?

Les théoriciens qui expliquent l'agression par l'instinct et par la frustration supposent que les émotions «poussent» naturellement l'agression vers l'extérieur. Les psychologues sociaux prétendent en plus que l'apprentissage «tire» cette agression hors de nous.

LES BÉNÉFICES DE L'AGRESSION L'expérience et l'observation nous apprennent que l'agression est souvent profitable. En laboratoire, une série de combats victorieux suffisent à transformer des animaux dociles en combattants féroces, tandis que des défaites cuisantes engendrent la soumission (Ginsburg et Allee, 1942; Kahn, 1951; Scott et Marston, 1953).

Les êtres humains aussi peuvent apprendre à tirer profit de l'agression. Un enfant qui réussit à intimider les autres enfants par ses actes agressifs a de fortes chances de devenir de plus en plus agressif (Patterson et coll.,1967). Les joueurs de hockey agressifs (ceux qui sont le plus souvent punis pour rudesse) marquent plus de buts que les joueurs non agressifs (McCarthy et Kelly, 1978a,

1978b). Ici même, les joueurs de hockey adolescents dont les pères applaudissent le jeu empreint d'agressivité physique sont ceux qui affichent les attitudes et le style de jeu les plus agressifs (Ennis et Zanna, 1991). Dans tous ces cas, l'agression favorise l'obtention de certaines gratifications. Du reste, une commission d'enquête du gouvernement du Québec sur la violence dans le hockey amateur concluait ainsi son rapport, il y a 20 ans: «Le hockey amateur tolère la violence comme moyen de parvenir à un but.»

Les pratiques telles que coups de coude, dardages, coups de bâton, tactiques d'intimidation de toutes sortes, bravades et participation à des bagarres individuelles et générales sont si répandues qu'elles caractérisent le comportement de la plupart des joueurs de hockey. De tels comportements sont durement punis lorsqu'ils surviennent dans la société; ils sont pourtant institutionnalisés dans la structure même du hockey. (Néron, 1977, p. 180)

La violence collective comporte aussi des avantages. Après l'émeute qui, en 1980, souleva Liberty City, à Miami, le président Carter fit une visite dans le quartier pour rassurer personnellement les citoyens et leur promettre une aide fédérale. Après l'émeute de 1967, à Détroit, la société Ford redoubla d'efforts pour embaucher des travailleurs issus des minorités. En 1985, les émeutes qui faisaient rage en Afrique du Sud devinrent si meurtrières que le gouvernement abolit les lois qui interdisaient les mariages mixtes, proposa de rétablir les droits des Noirs (à l'exception du droit de vote) et abrogea les lois qui limitaient les déplacements des Noirs. Je ne sous-entends pas que les gens planifient consciemment les émeutes en vue d'atteindre un objectif; je souligne simplement que l'agression présente quelquefois des avantages. Elle a au moins le mérite d'attirer l'attention.

Il en va de même des actes terroristes, qui permettent à des groupes dénués de pouvoir de faire connaître leurs revendications au monde entier. «Tuez une personne, vous en effraierez dix mille», dit un vieux proverbe chinois. En cette ère des communications, le meurtre de quelques personnes peut en terrifier des dizaines de millions d'autres. C'est d'ailleurs ce qui s'est produit aux États-Unis où, en 1985, la mort de 25 Américains aux mains de terroristes alarma plus de voyageurs que les 46 000 décès dus aux accidents de la circulation. Privé de ce que Margaret Thatcher appelait «l'oxygène de la publicité», le terrorisme déclinerait certainement, conclut Jeffrey Rubin (1986). Dans les années 70, les «nuvites» (gens qui traversaient tout nus un terrain de football pour attirer pendant quelques secondes l'objectif des caméras) disparurent lorsque les réseaux de télévision décidèrent de les ignorer.

L'APPRENTISSAGE PAR L'OBSERVATION Albert Bandura, père de la **théorie de l'apprentissage social**, croit que nous apprenons l'agression non seulement en récoltant ses bénéfices mais aussi en observant les autres. Nous apprenons l'agression, comme de nombreux comportements sociaux, en regardant les autres agir et en notant les conséquences de leurs actes.

Bandura (1979) pense que, dans la vie quotidienne, les modèles agressifs se trouvent dans: 1) la famille; 2) la sous-culture; 3) les médias. Les enfants qui font l'objet de punitions corporelles tendent à utiliser des comportements semblables dans leurs relations interpersonnelles. Les parents qui ont des adolescents violents et ceux qui maltraitent leurs enfants sont souvent issus de familles où on employait les châtiments physiques (Bandura et Walters, 1959; Strauss et Gelles, 1980). Les chercheurs américains ont constaté que 30 pour cent des enfants maltraités deviennent eux-mêmes des parents violents; cette proportion est quatre fois moindre dans

Théorie de l'apprentissage social
Théorie selon laquelle l'apprentissage des comportements sociaux est fondé sur l'observation et l'imitation ainsi que sur les récompenses et les punitions.

la population américaine en général (Kaufman et Zigler, 1987; Widom, 1989). Dans les familles, la violence engendre souvent la violence.

Le milieu social à l'extérieur du foyer fournit aussi des modèles. Dans les collectivités où l'image du «macho» est valorisée, l'agression se transmet de génération en génération (Cartwright, 1975; Short, 1969). La sous-culture violente des bandes d'adolescents, par exemple, propose à ses membres une profusion de modèles agressifs. Lors des événements sportifs (et particulièrement des matches de soccer disputés en Europe), la plupart des altercations entre spectateurs sont précédées de bagarres entre les joueurs (Goldstein, 1982).

La famille et la sous-culture offrent peut-être des modèles en matière d'agression, mais la télévision les surpasse en proposant une diversité de modèles. Comme nous le verrons dans le module suivant, les émissions violentes ont tendance à: 1) accroître l'agressivité; 2) désensibiliser les spectateurs à la violence; 3) influencer leurs conceptions de la réalité sociale.

En résumé, les gens apprennent des réactions agressives par l'expérience et par l'observation. Mais quand les réactions agressives se manifestent-elles concrètement? Bandura (1979) prétend que les actes agressifs sont motivés par diverses expériences désagréables, telles la frustration, la douleur et les insultes (figure 23.2). Ces expériences haussent notre niveau d'activation sur le plan émotionnel. Or, l'apparition d'actes agressifs dépend des conséquences que nous prévoyons. La probabilité de l'agression est à son maximum lorsqu'il y a activation *et* que l'agression paraît sans danger et profitable.

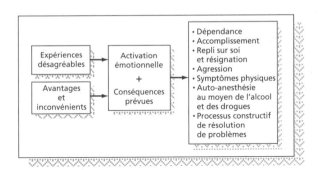

Figure 23.2

L'agression, d'après la théorie de l'apprentissage social. La stimulation émotionnelle résultant d'une expérience désagréable pousse à l'agression. La manifestation de cette agression ou de toute autre réaction dépend cependant des conséquences que la personne a appris à prévoir. (D'après Bandura, 1979.)

Les facteurs environnementaux: douleur, chaleur, attaque et entassement.

La théorie de l'apprentissage social nous ouvre un point de vue à partir duquel nous pouvons examiner des facteurs particuliers de l'agression. Quelles conditions sont les plus favorables à l'agression? Quelles influences environnementales nous aident à appuyer sur la gâchette?

LA DOULEUR Le chercheur Nathan Azrin se demandait si deux rats cohabiteraient plus pacifiquement si on cessait de leur envoyer des secousses électriques dans les pieds. Azrin comptait administrer des secousses aux rats et les interrompre dès que les animaux s'approcheraient l'un de l'autre. À sa grande surprise, l'expérience se révéla impossible. Aussitôt que les rats sentaient de la douleur, ils se jetaient l'un sur l'autre, ne laissant même pas à l'expérimentateur le temps de couper le courant.

Les rats sont-ils les seuls animaux à présenter ce comportement? Les chercheurs ont découvert que, chez diverses espèces, la cruauté que les animaux infligent à leurs semblables correspond exactement à la cruauté qu'on leur fait subir. (Aujourd'hui, les normes relatives au bien-être des animaux de laboratoire sont plus rigoureuses qu'autrefois.) Azrin (1967) expliqua que la réaction d'attaque consécutive à la douleur se produisait:

[...] chez différentes lignées de rats. Ensuite, nous avons découvert que les secousses provoquaient des attaques lorsque deux animaux des espèces suivantes partageaient la même cage: certaines variétés de souris, les hamsters, les opossums, les ratons laveurs, les marmousets, les renards, les ragondins, les chats, les tortues hargneuses, les singes-écureuils, les furets, les écureuils roux, les coqs nains, les alligators, les écrevisses, les amphibiens et plusieurs espèces de serpents, dont le boa constrictor, le crotale, le serpent ratier, le mocassin d'eau, le mocassin à tête cuivrée et la couleuvre noire. L'attaque consécutive à la secousse se produisait manifestement chez toutes sortes d'animaux. Dans toutes les espèces où les secousses provoquaient une attaque, la réaction était rapide et constante, aussi «automatique» que chez les rats.

Les animaux ne se montraient pas difficiles quant au choix des cibles. Ils attaquaient non seulement leurs congénères, mais aussi des animaux d'autres espèces, des poupées de chiffon et même des balles de tennis.

Azrin et ses collègues varièrent les sources de la douleur et constatèrent que les secousses électriques n'étaient pas les seuls stimuli susceptibles de provoquer une attaque. La chaleur intense et la «douleur psychologique» (imposée par exemple en ne récompensant pas des pigeons affamés qui avaient été habitués à recevoir du grain après avoir donné des coups de bec sur un disque) suscitaient la même réaction. La «douleur psychologique» dont il est question ici équivaut, bien entendu, à la frustration.

La douleur augmente aussi l'agressivité chez les humains. Qui ne s'est jamais senti agressif après s'être frappé un orteil? Leonard Berkowitz et ses collaborateurs le démontrèrent en demandant à des étudiants de l'université du Wisconsin de plonger une main dans de l'eau tiède ou dans de l'eau glacée. Ceux qui avaient plongé une main dans l'eau glacée exprimèrent plus d'irritabilité et d'agacement que les autres, et ils furent plus enclins à faire entendre un bruit fort et déplaisant à d'autres personnes. À la lumière de tels résultats, Berkowitz (1983, 1989) croit que la stimulation désagréable, et non la frustration, constitue le premier déclencheur de l'agression. Certes, la frustration n'a rien de plaisant. Mais n'importe quel événement pénible, qu'il s'agisse d'une déception, d'une insulte personnelle ou de la douleur physique, peut provoquer un orage émotionnel. Même les tourments de la dépression prédisposent au comportement agressif.

Avons-nous, nous aussi, ces tendances?

LA CHALEUR Une ambiance inconfortable exacerbe aussi les tendances agressives. Les chercheurs ont trouvé un lien entre, d'une part, les odeurs nauséabondes, la fumée de cigarette et la pollution atmosphérique et, d'autre part, le comportement agressif (Rotton et Frey, 1985). Or, l'irritant environnemental qui a fait l'objet du plus grand nombre d'études est la chaleur. William Griffitt (1970; Griffitt et Veitch, 1971) a découvert que, comparativement aux étudiants qui répondaient à des questionnaires dans une salle où la température était normale, ceux qui s'exécutaient dans une salle surchauffée (où la température dépassait les 32°C) se disaient plus fatigués et plus agressifs et exprimaient davantage d'hostilité à l'égard d'un inconnu. Les expériences complémentaires révélèrent que la chaleur déclenche aussi des actions vindicatives (Bell, 1980; Rule et coll., 1987).

La chaleur intense favorise-t-elle l'agression dans le monde réel comme elle le fait en laboratoire? Les quelques faits qui suivent sont révélateurs à ce propos:

- Les émeutes qui se sont produites dans 79 villes des États-Unis entre 1967 et 1971 ont éclaté en majorité durant des journées chaudes.
- À Houston, au Texas, le nombre de crimes violents augmente quand il fait chaud. Le même phénomène s'est vérifié à Des Moines, en Iowa (Cotton, 1981), à Dayton, en Ohio (Rotton et Frey, 1985), à Indianapolis, en Indiana (Cotton, 1986), et à Dallas, au Texas (Harries et Stadler, 1988).
- Non seulement les crimes violents sont plus fréquents durant les jours chauds, mais ils le sont aussi pendant les saisons les plus chaudes de l'année et pendant les étés particulièrement chauds (Anderson, 1989).
- À Phoenix, en Arizona, où le climat est torride, les automobilistes dont les voitures ne sont pas équipées d'un climatiseur sont plus enclins que les autres à klaxonner quand ils rencontrent une voiture immobilisée (Kenrick et MacFarlane, 1986).
- Au cours des saisons de 1986 à 1988 de la ligue majeure de base-ball, le nombre de frappeurs touchés par un lancer au cours des parties jouées à plus de 32 °C était de 66 pour cent plus élevé qu'au cours des parties disputées à moins de 27 °C (Reifman et coll., 1991). Les lanceurs maîtrisaient leurs lancers aussi efficacement que pendant les journées chaudes: ils n'accordaient pas plus de buts sur balle et n'exécutaient pas plus de mauvais lancers. Ils atteignaient simplement les frappeurs plus souvent.

LES ATTAQUES Le fait de subir une attaque incite particulièrement à l'agression. Les expériences de Stuart Taylor (Taylor et Pisano, 1971), réalisées à la Kent State University, celles de Harold Dengerink (Dengerink et Myers, 1977) à la Washington State University et celles de Kennichi Ohbuchi et Toshihiro Kambara (1985) à l'université d'Osaka attestent que les attaques délibérées donnent lieu à des représailles. La plupart de ces expériences prenaient la forme d'un concours portant sur leur temps de réaction à l'agression. Après chaque essai, le gagnant déterminait l'intensité de la secousse à administrer au perdant. En réalité, les sujets affrontaient un complice des chercheurs, qui augmentait à chaque fois la force des secousses. Les vrais sujets réagissaient-ils charitablement «en présentant la joue gauche»? Non, loin de là. Disons, pour nous en tenir aux expressions bibliques, qu'ils appliquaient plutôt la loi du talion: «Œil pour œil, dent pour dent». À la suite d'une attaque, les sujets ripostaient en augmentant d'autant leurs décharges.

253

Entassement
Sensation subjective de manquer d'espace.

L'ENTASSEMENT La sensation d'**entassement** ou, autrement dit, de manque d'espace, est un facteur de stress. Le fait d'être serrés à l'arrière d'un autobus bondé, immobilisés dans un embouteillage ou pressés dans une foule qui attend une vedette de rock accusant un retard considérable, peut nous amener à

perdre tout empire sur nous-mêmes (Baron et coll., 1976; McNeel, 1980). Ces situations nous rendent-elles aussi plus agressifs?

Chez les animaux, le stress associé à la vie dans un milieu restreint accroît l'agressivité (Calhoun, 1962; Christian et coll., 1960). Mais de là à généraliser aux citadins les observations faites sur les rats entassés dans une cage ou de cerfs confinés sur une île, il y a un pas qu'on ne peut franchir trop vite. Il n'en reste pas moins que le taux de criminalité et de détresse émotionnelle est plus élevé dans les zones urbaines densément peuplées (Fleming et coll.,1987; Kirmeyer, 1978). Même dans les grandes villes qui n'enregistrent pas un taux de criminalité particulièrement élevé, les citadins sont plus craintifs. Le taux de criminalité est, du moins selon les statistiques officielles, quatre fois plus élevé à Toronto qu'à Hong-Kong. Pourtant, les habitants de Hong-Kong, où la densité de population est quatre fois plus élevée qu'à Toronto, sont plus craintifs dans les rues de leur ville que les Torontois (Gifford et Peacock, 1979).

●La réduction de l'agression

Jusqu'ici, nous avons examiné des théories qui expliquaient le comportement agressif par l'instinct, la frustration et l'apprentissage social, et nous avons étudié les facteurs à l'origine de l'agressivité. Pouvons-nous dégager de cette analyse des moyens permettant de réduire l'agression? La théorie et la recherche nous ouvrent-elles des pistes à ce propos?

La *catharsis*: évacuer la vapeur?

«Il faut enseigner aux jeunes à exprimer leur colère.» Tel est le conseil que donne Ann Landers (1973). Fritz Perls (1973), éminent psychiatre, affirmait, pour sa part: «Si une personne réprime sa colère, nous devons lui trouver un exutoire. Nous devons lui procurer un moyen de libérer sa tension.» Ces deux affirmations s'appuient sur le «modèle hydraulique», selon lequel l'énergie agressive accumulée, qu'elle provienne d'impulsions instinctuelles ou de frustrations, est comme l'eau que retient un barrage: il est nécessaire de l'évacuer.

On attribue généralement à Aristote, philosophe grec de l'Antiquité, le concept de ***catharsis***, qui consiste à libérer l'émotion par l'action ou le fantasme. Aristote n'a jamais parlé de l'agression, mais il a tout de même avancé que nous pouvions nous purger de nos émotions en les vivant par personne interposée et que la représentation dramatique provoquait chez le spectateur une *catharsis*, c'est-à-dire une évacuation de la pitié et de la peur. Selon Aristote, il suffisait d'activer une émotion pour s'en libérer. (Butcher, 1951). L'hypothèse de la *catharsis* s'est élargie au point d'englober la purification émotionnelle suscitée non seulement par le théâtre mais aussi par le rappel et la réitération d'événements passés au moyen de diverses techniques.

La *catharsis* se produit quelquefois. Les confidences, comme nous l'avons mentionné dans un des modules précédents, sont salutaires à la fois pour l'âme et le corps. Même l'expression de la colère peut nous calmer temporairement *à condition* qu'elle ne provoque chez nous ni un sentiment de culpabilité ni la crainte de représailles (Geen et Quanty, 1977; Hokanson et Edelman, 1966). À la longue,

Catharsis
Libération des émotions au moyen de l'action ou du fantasme. Selon certains, la pulsion agressive diminue lorsque l'énergie agressive est «libérée», par un acte agressif ou par un fantasme d'agression.

Comment peut-on libérer cette tension sans déboucher sur un comportement agressif?

cependant, l'expression de la colère ne contribue qu'à alimenter davantage la colère. Robert Arms et ses collègues avancent que, au Canada et aux États-Unis, les amateurs de football, de lutte et de hockey manifestent *plus* d'hostilité après un match qu'avant (Arms et coll., 1979; Goldstein et Arms, 1971; Russell, 1983). Même la guerre ne semble pas favoriser l'évacuation de l'agressivité. Après un conflit armé, en effet, le taux de criminalité a tendance à monter en flèche (Archer et Gartner, 1976).

En laboratoire, de même, l'agression engendre l'agression. Ebbe Ebbesen et son équipe (1975) ont interrogé 100 ingénieurs et techniciens peu de temps après qu'on leur eut signifié leur congédiement. Les chercheurs posèrent à certains d'entre eux des questions qui leur permettaient d'exprimer de l'hostilité à l'égard de leur employeur ou de leur supérieur: «Pouvez-vous vous rappeler des situations où l'entreprise a été injuste envers vous?» Par la suite, les sujets répondirent à un questionnaire destiné à mesurer leurs attitudes vis-à-vis de l'entreprise et de leur supérieur. Ayant eu l'occasion de «se défouler», les sujets étaient-ils devenus moins hostiles? Pas du tout, ils l'étaient davantage. L'expression de l'hostilité alimente l'hostilité.

Ces propos vous disent-ils quelque chose? Rappelez-vous le module 8, qui portait sur le comportement et les croyances; nous y mentionnions que les actes cruels engendrent des attitudes cruelles. De plus, comme nous le soulignions dans notre analyse des expériences de Milgram sur l'obéissance, les petites agressions peuvent engendrer leur propre justification. Les agresseurs dénigrent leur victime et justifient ainsi le maintien de l'agression. Même si la vengeance réduit quelquefois (à court terme) la tension, à long terme, elle atténue les inhibitions. Nous pouvons supposer que le phénomène est particulièrement marqué lorsque, comme c'est souvent le cas, la force de l'agression est démesurée par rapport à la provocation qui l'a suscitée.

Devrions-nous en conclure qu'il vaut mieux réprimer notre colère et notre agressivité? La bouderie silencieuse n'est pas plus efficace que l'agression, car elle ne nous sert qu'à ruminer nos doléances. Heureusement, il existe d'autres moyens pacifiques d'exprimer nos sentiments et d'informer les autres des effets que leurs comportements ont sur nous. Des phrases comme «Je suis en colère» ou «Je me sens irrité quand tu parles comme ça» communiquent nos sentiments d'une manière qui incite l'interlocuteur à changer sa façon d'être plutôt qu'à monter d'un cran dans l'agression. Il est possible de s'affirmer sans agresser autrui.

L'approche de l'apprentissage social: devenir non violent

Si le comportement agressif est appris et non instinctif, on peut considérer qu'il y a de l'espoir. Passons brièvement en revue les facteurs qui favorisent l'agression et interrogeons-nous sur les moyens de les éliminer.

Nous avons vu que les attentes frustrées prédisposent à l'agression. Par conséquent, évitons d'instiller des attentes fausses et irréalisables dans l'esprit des gens. Le fait de connaître à l'avance les bénéfices et les coûts d'une action limitent le comportement agressif lié à la poursuite d'un objectif. C'est donc dire que nous devrions récompenser les comportements coopératifs. Dans

255

le cadre d'expériences, les enfants deviennent moins agressifs quand les autres ne font aucun cas de leur comportement agressif (au lieu de le récompenser en y prêtant attention) et renforcent leur comportement non agressif (Hamblin et coll.,1969).

L'observation de modèles agressifs peut atténuer les inhibitions et susciter l'imitation. Voilà une bonne raison d'éliminer les scènes brutales et déshumanisantes au cinéma et à la télévision, comme on a déjà réduit les scènes racistes et sexistes. Tandis qu'on y est, on pourrait en profiter pour immuniser les enfants contre les effets de la violence présente dans les médias. Désespérant que les réseaux de télévision n'en viennent jamais «à faire face à la réalité et à modifier leur programmation», Eron et Huesmann (1984) enseignèrent à 170 enfants de la ville de Oak Park, en Illinois, que la télévision décrit le monde de façon irréaliste, que l'agression est moins répandue que la télévision ne le laisse supposer et que le comportement agressif est indésirable. (S'inspirant de la recherche sur les attitudes, Eron et Huesmann encouragèrent les enfants à faire eux-mêmes ces déductions et à s'approprier ce point de vue.) Les chercheurs étudièrent les enfants deux ans plus tard et constatèrent qu'ils étaient moins influencés par la violence à la télévision que les enfants qui n'avaient pas reçu cette formation.

Étant donné que l'agression résulte aussi de stimuli agressifs, l'on pourrait songer à réglementer rigoureusement la possession d'armes. En 1974, la Jamaïque lança un vaste programme de lutte contre le crime. Le gouvernement adopta des lois sévères en matière de possession d'armes à feu et censura les scènes des émissions de télévision et des films où apparaissaient des armes à feu (Diener et Crandall, 1979). Au cours de l'année qui suivit l'implantation du programme, le nombre de cambriolages diminua de 25 pour cent et celui des tirs non mortels, de 37 pour cent. En Suède, par ailleurs, les fabricants de jouets ont cessé de vendre des jouets guerriers. Le Service suédois de l'information (1980) exprime la position du pays: «Jouer à la guerre, c'est apprendre à régler les différends par des méthodes violentes.»

De telles mesures peuvent concourir à réduire l'agression. Mais, compte tenu de la complexité des causes de l'agression et des difficultés que pose leur élimination, comment partager l'optimisme d'Andrew Carnegie? «Au xxe siècle, écrivit-il en substance en 1900, l'acte de tuer un homme provoquera autant de répugnance que l'acte d'en manger un en suscite aujourd'hui.» Depuis que Carnegie a écrit ces lignes, quelque 200 millions d'êtres humains ont été tués. Nous sommes mieux renseignés que jamais sur l'agression, mais la dimension inhumaine de l'humanité n'a pas été réduite pour autant. Triste ironie.

Exercices et questions

Ce chapitre traitait de la violence et de l'agression. Les études que nous présentons ici portent sur deux aspects différents de l'agression. La première étude a trait aux explications que donnent les adolescents de la violence observée dans leurs couples. La deuxième examine la relation entre l'écoute de films pornographiques et l'acceptation du viol. Avant de lire les descriptions de ces études, tentez de répondre aux questions qui suivent. Vos réflexions vous permettront de mieux évaluer les résultats.

1. Comment les adolescentes et les adolescents expliquent-ils la violence présente dans les relations amoureuses entre les gens de leur âge? Quel lien peut-on établir entre les attributions et les rôles sexuels dans notre société (voir module 12)?
2. Les films à contenu sexuel agressif rendent-ils les spectateurs indifférents face aux victimes de viol? Ces films ont-ils le même effet sur les hommes et sur les femmes?

1. LA VIOLENCE DANS LES COUPLES D'ADOLESCENTS

Marie-Hélène Gagné et Francine Lavoie (1993), de l'Université du Québec à Montréal, demandèrent à des filles et à des garçons de 14 à 17 ans d'expliquer les facteurs qui sont à l'origine de la violence dans les couples d'adolescents. Les jeunes leur répondirent que la jalousie était la principale cause de la violence physique. Ils attribuaient la violence des garçons à des problèmes de comportement plus généraux, à la consommation de drogue ou d'alcool ou à un désir de domination. Par ailleurs, ils attribuaient la violence des filles à des provocations provenant du partenaire, à un désir de vengeance ou à une réaction d'autodéfense. Les filles dirent que les garçons utilisaient la violence pour intimider leur partenaire, tandis que les garçons affirmèrent qu'ils étaient provoqués par les filles. En revanche, les filles et les garçons furent d'accord pour dire que la violence féminine est habituellement causée par des facteurs extérieurs.

2. LES EFFETS DE LA PORNOGRAPHIE SUR LES ATTITUDES ENVERS LE VIOL

Deux psychologues de Montréal (Weisz et Earls, 1995) formèrent quatre groupes d'étudiants des deux sexes et leur projetèrent un film qui montrait une agression sexuelle contre un homme, un film qui montrait une agression sexuelle contre une femme, un film qui montrait une agression physique ou un film à contenu neutre et non violent. Ensuite, les sujets assistèrent à une reconstitution d'un procès pour viol et répondirent à des questions à ce propos. Les garçons apparurent moins perturbés par l'agression sexuelle (qu'elle ait été dirigée contre un homme ou contre une femme), trouvèrent plus normale la violence interpersonnelle, furent moins bouleversés par le viol, se montrèrent moins sympathiques à la victime du viol et furent moins enclins à trouver le défendeur coupable. Le film montrant l'agression sexuelle intensifia cette tendance chez les garçons, mais non chez les filles.

Les médias et notre comportement social: une influence?

Aux États-Unis, le taux de crimes violents a quintuplé et le taux de viols a quadruplé depuis 1960. À quoi ces changements sont-ils dus? Quelles forces sociales ont déclenché cette explosion de la violence?

Comme nous venons de le voir, l'alcool est un facteur de l'agression. Or, la consommation d'alcool a légèrement *diminué* depuis 1960 (Gallup et Newport, 1990). Qu'est-ce donc qui attise la violence? La montée de l'individualisme et du matérialisme? Les disparités croissantes entre les riches et les pauvres, entre les puissants et les démunis? La violence et le sexe dans les médias? Cette dernière question se pose, car l'augmentation des crimes violents et des délits à caractère sexuel a concordé avec une multiplication des contenus violents et sexuels dans les médias. Cette corrélation historique n'est-elle rien de plus qu'une coïncidence? Dans quel sens doit-on l'interpréter? Doit-on considérer que les médias décrivent la société ou que la société est influencée par les médias? Quels sont les effets de la violence au cinéma et à la télévision? Et quelles sont les conséquences sociales de la pornographie?

La télévision: une école cathodique?

La scène suivante s'est déroulée au cours d'une des expériences d'Albert Bandura (Bandura et coll., 1961). Une élève d'une maternelle de Stanford, en Californie, commence une intéressante activité d'arts plastiques. Une adulte se trouve dans une autre partie de la pièce et elle a devant elle un jeu de construction, un marteau et une grosse poupée gonflée d'air. L'adulte joue avec le jeu de construction pendant un moment puis elle se lève et, pendant presque 10 minutes, malmène la poupée. Elle la frappe avec le marteau, lui donne des coups de pied et la lance en criant: «Écrase-lui le nez. Assomme-la. Donne-lui un coup de pied.»

Après avoir observé cet éclat, l'enfant entre dans une autre pièce remplie de jouets très attrayants. Mais l'expérimentatrice l'interrompt au bout de deux minutes; elle lui dit que ce sont là ses meilleurs jouets et qu'il faut les «garder pour les autres enfants». Frustrée, l'enfant entre dans une troisième pièce où se trouvent des jouets destinés au jeu agressif et au jeu non agressif, et notamment une poupée et un marteau.

Parmi les enfants qui n'avaient pas vu l'adulte manifester de l'agressivité, rares furent ceux qui manifestèrent de l'agressivité dans leurs jeux et dans leurs paroles. Ils jouaient calmement, en dépit de leur frustration. Mais ceux qui avaient observé l'adulte agressive furent nombreux à s'emparer du marteau et à abîmer la poupée. L'observation du comportement agressif de l'adulte avait réduit leurs inhibitions. De plus, beaucoup d'enfants imitèrent les actes du modèle et répétèrent ses paroles. L'observation du comportement agressif n'avait pas qu'atténué leurs inhibitions, elle leur avait permis d'apprendre des façons d'agresser.

L'observation de modèles agressifs présentés à la télévision a-t-elle le même effet? Citons quelques statistiques relatives à l'écoute de la télévision. En 1945, la maison de sondage Gallup (1972, p. 551) posa la question suivante à des Américains: «Savez-vous ce qu'est la télévision?» Aujourd'hui, aux États-Unis comme dans la plupart des pays industrialisés, 98 pour cent des ménages possèdent un téléviseur (la proportion est moindre pour ce qui est des baignoires et des téléphones). Dans le foyer moyen, le téléviseur fonctionne sept heures par jour; l'individu moyen regarde la télévision quatre heures par jour.

Quels comportements sociaux nous sont présentés pendant toutes ces heures? George Gerbner et d'autres chercheurs (1990) de l'université de la Pennsylvanie ont commencé dès 1967 à analyser les émissions de divertissement diffusées aux États-Unis durant les heures de grande écoute ainsi que le samedi matin. Qu'ont-ils découvert? Que sept émissions sur dix contenaient de la violence (définie comme «une action à caractère physique qui constitue une menace de blessure ou de meurtre ou qui vise expressément à blesser ou à tuer»). On comptait en moyenne 5 actes de violence à l'heure dans les émissions diffusées aux heures de grande écoute et 25 à l'heure dans les émissions pour enfants diffusées le samedi matin. Depuis 1967, les taux annuels de violence télévisée ne se sont jamais écartés de plus de 30 pour cent de la moyenne calculée pour la période entière. Après avoir passé 22 ans à dénombrer des actes cruels, Gerbner (ouvrage sous presse) s'exprime ainsi: «L'humanité a connu des périodes plus sanguinaires que la nôtre, mais aucune n'a été aussi prodigue en *images* de violence. Nous sommes submergés dans un océan de représentations violentes telles que le monde n'en a jamais vu [...] Chaque foyer est inondé par des séquences explicites où la brutalité est mise en scène avec expertise.»

Bref, chaque personne passe plus de 1000 heures par année devant le petit écran, et le régime télévisuel typique contient une forte dose d'agression. Ces deux faits nous poussent à nous interroger sur les effets cumulatifs de l'écoute de la télévision. Les scènes violentes diffusées au heures de grande écoute incitent-elles à l'imitation? Ou, au contraire, provoquent-elles une identification du téléspectateur avec les personnages qui sert d'exutoire à l'énergie agressive?

Serait-ce un peu comme la *catharsis* dont nous venons de parler au module 23?

Cette dernière idée, qui constitue une variante de l'hypothèse de la *catharsis*, veut que les drames violents permettent aux spectateurs d'évacuer l'hostilité qu'ils ont refoulée. Les défenseurs des médias invoquent fréquemment cette théorie et plaident que la violence existait avant la télévision. Dans un débat hypothétique auquel participerait l'un des détracteurs de la télévision, le défenseur des médias pourrait arguer: «La télévision n'a joué aucun rôle dans l'extermination des Juifs et des autochtones. La télévision ne fait que refléter et flatter nos goûts.» «D'accord, répondrait l'objecteur, mais les crimes violents ont augmenté à un rythme beaucoup plus rapide que la population depuis l'avènement de la télévision. Vous ne croyez certainement pas que les arts populaires sont de simples reflets inertes et qu'ils n'influencent aucunement la conscience du public.» Le défenseur des médias répliquerait: «L'épidémie de violence découle de nombreux facteurs. La télévision peut même réduire l'agression, car elle incite les gens à rester chez eux et elle leur permet de se défouler sans faire de mal.»

Les effets de la télévision sur le comportement

Les téléspectateurs imitent-ils les modèles violents qu'on leur montre? Il ne manque pas d'exemples de gens qui ont calqué des crimes vus à la télévision. Lors d'une enquête improvisée menée auprès de 208 détenus, 9 sur 10 admirent qu'ils avaient appris des «trucs du métier» en regardant des séries policières. Et 4 sur 10 avouèrent qu'ils avaient tenté de commettre des crimes décrits à la télévision (*TV Guide*, 1977).

Ces gens n'auraient-ils pas commis un crime de toute façon?

L'ÉCOUTE DE LA TÉLÉVISION ET LE COMPORTEMENT: UNE CORRÉLATION? Ces résultats ne constituent pas des preuves scientifiques. Ils ne nous renseignent pas non plus sur les effets qu'exerce la télévision sur les gens qui n'ont jamais commis de crimes violents. Par conséquent, les chercheurs procèdent à des études corrélationnelles et à des études expérimentales pour scruter les effets de la violence télévisée. L'une de leurs techniques, fréquemment employée auprès des écoliers, consiste à vérifier si les habitudes d'écoute des sujets sont prédictives de leur agressivité. Elles le sont dans une certaine mesure. Plus les émissions qu'un enfant regarde sont violentes, plus l'enfant est agressif (Eron, 1987; Turner et coll., 1986). La corrélation est modeste, mais constante aux États-Unis, en Europe et en Australie.

Pouvons-nous conclure alors que les émissions violentes nourrissent l'agression?

Ne pourrions-nous pas dire qu'il s'agit là d'une corrélation et que la relation de cause à effet agit dans le sens inverse? Les enfants agressifs préfèrent peut-être les émissions agressives. Ou peut-être un troisième facteur, sous-jacent celui-là, une intelligence inférieure par exemple, prédispose-t-il certains enfants à regarder des émissions agressives et à agir agressivement.

Des chercheurs ont trouvé deux façons d'examiner ces explications possibles. Ils vérifient l'explication à l'aide d'un «troisième facteur caché», en éliminant statistiquement l'influence de quelques-uns des facteurs envisageables. Par exemple, le chercheur britannique William Belson (1978; Muson, 1978) étudia 1565 garçons londoniens. Comparativement à ceux qui regardaient peu d'émissions violentes, ceux qui en regardaient beaucoup (et particulièrement des émissions réalistes plutôt que des dessins animés) avouèrent avoir commis 50 pour cent plus d'actes violents au cours des six mois précédents (par exemple, «J'ai démoli le téléphone dans une cabine téléphonique»). Belson examina aussi 22 facteurs possibles classés au troisième rang, par exemple, la taille de la famille, et en élimina l'effet sur ses résultats. Les deux groupes de garçons différaient encore. Belson postula donc que les grands amateurs d'émissions violentes étaient en effet plus violents *à cause* de leurs habitudes de télévision.

Dans le même ordre d'idées, Leonard Eron et Rowell Huesmann (1980, 1985) découvrirent que l'écoute d'émissions violentes chez 875 enfants de 8 ans était corrélée avec l'agressivité, même après l'élimination statistique de plusieurs des troisièmes facteurs possibles qui apparaissaient évidents. Les chercheurs allèrent jusqu'à étudier les mêmes individus 11 ans plus tard. Ils constatèrent alors que l'écoute d'émissions violentes à l'âge de 8 ans prédisait de façon modeste leur agressivité à l'âge de 19 ans, mais que l'agressivité manifestée à l'âge de 8 ans *n*'était *pas* prédictive de l'écoute d'émissions violentes à 19 ans. L'agressivité succédait à l'écoute, mais l'inverse n'était pas vrai. Eron et Huesmann confirmèrent ces résultats en réalisant des études complémentaires auprès de 758 jeunes de la région de Chicago et de 220 jeunes Finlandais (Huesmann et coll., 1984). Qui plus est, Eron et Huesmann (1984) examinèrent les dossiers criminels des membres de leur échantillon initial quand ceux-ci atteignirent l'âge de 30 ans. Les chercheurs constatèrent que les hommes qui avaient regardé beaucoup d'émissions violentes dans leur enfance étaient les plus susceptibles d'avoir commis un crime grave (figure 24.1).

La télévision semble même avoir une influence sur le taux d'homicides. Au Canada et aux États-Unis, ce taux a doublé de 1957 à 1974, période au cours de laquelle les émissions violentes se sont multipliées. Dans les régions où la télévision est arrivée plus tard, on a aussi enregistré plus tard une augmentation du taux d'homicides. Chez les Blancs d'Afrique du Sud, qui n'ont obtenu la télévision qu'en 1975, le taux d'homicides n'a doublé qu'après 1975 (Centerwall, 1989). Et dans une petite ville canadienne fort étudiée où la télévision est entrée tardivement, les agressions dans les terrains de jeu ont doublé peu de temps après l'avènement de la télévision (Williams, 1986).

Ces descriptions d'études montrent comment les chercheurs utilisent des résultats corrélationnels pour *suggérer* l'existence d'une causalité. Néanmoins, une infinité de troisièmes facteurs possibles pourraient engendrer une simple relation de coïncidence entre la violence télévisée et l'agression. Heureusement, la méthode expérimentale permet de contrôler ces facteurs accessoires. Si on répartit au hasard des enfants entre deux groupes et qu'on montre un film violent à l'un et un film non violent à l'autre, on pourra attribuer toute différence d'agressivité ultérieurement observée entre les deux groupes au seul facteur qui les distingue: le type de film qu'ils ont regardé.

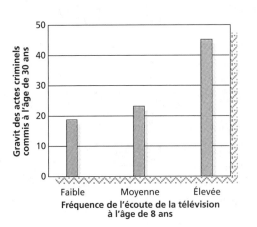

Figure 24.1

L'écoute de la télévision chez les enfants et l'activité criminelle ultérieure. L'écoute d'émissions violentes à l'âge de 8 ans était prédictive de la perpétration d'un acte criminel grave à l'âge de 30 ans. (Les données proviennent de Eron et Huesmann, 1984.)

L'ÉCOUTE DE LA TÉLÉVISION: UNE APPROCHE EXPÉRIMENTALE   Dans certaines des expérimentations d'avant-garde d'Albert Bandura et de Richard Walters (1963), les enfants observèrent un adulte agressif non pas en chair et en os mais sur film. L'effet, pourtant, fut sensiblement le même. Par la suite, Leonard Berkowitz et Russell Geen (1966) s'aperçurent que des étudiants en colère qui avaient regardé un film violent agissaient plus agressivement que des étudiants aussi furieux qui avaient regardé un film exempt de violence. Ces résultats, de même que l'inquiétude croissante du public, poussèrent le responsable des services de santé des États-Unis à commander 50 nouvelles études au début des années 70. En général, ces études confirmèrent que la violence télévisée amplifiait l'agression.

Lors d'expériences ultérieures, des équipes de recherche dirigées par Ross Parke (1977) aux États-Unis et par Jacques Leyens (1975) en Belgique montrèrent à des délinquants américains et belges vivant en détention une série de films commerciaux soit violents, soit non violents. Le résultat fut toujours le même: «Les films violents [...] entraînèrent une augmentation de l'agression chez les spectateurs.» Chez les garçons qui virent des films violents, le nombre d'attaques physiques augmenta considérablement par rapport à la semaine qui avait précédé la projection.

LA CONVERGENCE DES RÉSULTATS   La recherche sur la télévision a reposé sur des méthodes diverses et requis la participation de toutes sortes de gens. Une chercheuse déterminée, Susan Hearold (1986), compila les résultats de 230 études corrélationnelles et expérimentales portant sur plus de 100 000 personnes. Elle conclut que l'écoute d'émissions à caractère antisocial était en effet associée à un comportement antisocial. L'effet n'est pas renversant; dans certains cas, il est même si faible que certains doutent de son existence (Freedman, 1988; McGuire, 1986). En outre, l'agression provoquée dans les expériences ne prend pas la forme de voies de fait mais plutôt de bousculades dans la file d'attente à la cafétéria, de commentaires cruels et de gestes de menace.

Néanmoins, la convergence des résultats est saisissante. Les études expérimentales éclairent les relations de cause à effet, mais elles pèchent par manque de réalisme (par exemple, les sujets doivent appuyer sur un bouton pour faire mal à quelqu'un). De plus, les expériences ne donnent qu'un aperçu des effets cumulatifs qu'ont les quelque 100 000 épisodes violents et 20 000 scènes de meurtre qu'un petit Américain moyen regarde avant de devenir un adolescent américain moyen

(Murray et Lonnborg, 1989). Les études corrélationnelles, en revanche, rendent compte de ces effets cumulatifs, en dépit des difficultés que posent les influences incontrôlées.

Pourquoi la télévision influe-t-elle sur le comportement?

Plusieurs expérimentations ont montré que l'écoute prolongée d'émissions violentes a deux effets sur la pensée. Premièrement, elle désensibilise à la cruauté. (Les gens s'endurcissent et disent: «Ça ne me dérange pas du tout.») Deuxièmement, elle déforme les perceptions de la réalité. (Les gens exagèrent la fréquence de la violence et deviennent craintifs.) Mais pourquoi la violence télévisée influe-t-elle aussi sur le *comportement?* Selon le gouvernement américain et les chercheurs, la télévision *n'est pas* la principale cause de la violence sociale, pas plus que les cyclamates ne sont la principale cause du cancer. La télévision, d'après eux, est *une* des causes, un ingrédient parmi tant d'autres dans la recette complexe de la violence. Or, il s'agit d'un ingrédient dont on peut limiter la consommation, comme on le fait pour les cyclamates. Étant donné la convergence des résultats corrélationnels et expérimentaux, des chercheurs ont tenté de comprendre *pourquoi* la violence télévisée a un tel effet.

Ces chercheurs ont émis trois hypothèses (Geen et Thomas, 1986). Selon la première, ce n'est pas le contenu violent en soi qui cause la violence sociale, mais l'activation produite par l'action trépidante (Mueller et coll., 1983; Zillmann, 1989). Les expériences montrent que l'activation peut susciter une émotion ou une autre, suivant la manière dont elle est interprétée et étiquetée (Schachter et Singer, 1962). Lorsque nous sommes enflammés (que ce soit par l'exercice physique, par la stimulation sexuelle ou par la colère), notre stimulation peut dévier vers une autre émotion. De même, les personnes ayant un fort niveau d'activation répondent à la provocation avec une colère et une agressivité accrues. Un type de stimulation peut engendrer des comportements d'un type différent.

Deuxièmement, certaines recherches révèlent que la violence télévisée entraîne une *désinhibition*. Dans l'expérience de Bandura, l'adulte qui frappait sur la poupée paraissait légitimer de tels actes et cette caution atténuait les inhibitions de l'enfant. La violence télévisée dispose le spectateur au comportement agressif en activant chez lui des pensées reliées à la violence (Berkowitz, 1984; Bushman et Geen, 1990; Josephson, 1987).

Troisièmement, les personnages présentés à la télévision suscitent l'*imitation*. Les enfants des expériences de Bandura reproduisaient les comportements dont ils avaient été témoins. Même la diffusion d'une scène de suicide, réelle ou fictive, est suivie d'une hausse marquée des suicides (Jonas, 1991; Phillips et coll., 1985, 1989). L'industrie de la télévision commerciale est en mauvaise posture pour réfuter l'idée que les gens imitent ce qu'ils voient à la télévision. Si elle le faisait, elle perdrait ses commanditaires. Les détracteurs de la télévision s'inquiètent de voir la télévision montrer quatre assauts pour un acte affectueux et de constater que, à cet égard comme à d'autres, elle décrit un monde irréel. Dans les séries policières, les agents ouvrent le feu presque à chaque épisode, alors que les policiers de Chicago ne tirent qu'une fois par 27 ans en moyenne (Radecki,

263

1989). Près de la moitié des boissons que consomment les personnages des émissions sont des boissons alcoolisées. Dans la vraie vie, un sixième seulement des boissons consommées sont alcoolisées (NCTV, 1988).

Puisque les téléspectateurs, et particulièrement les jeunes, imitent les rapports interpersonnels et les méthodes de résolution de problèmes qu'ils voient à la télévision, il devrait donc être bénéfique de leur présenter des exemples de **comportement prosocial** (opportun et utile). Tel est le cas, heureusement. On peut employer l'influence subtile de la télévision pour donner des leçons de conduite aux enfants. Susan Hearold (1986) a combiné statistiquement les résultats de 108 études qui consistaient à comparer l'effet d'émissions prosociales, d'émissions neutres et de l'absence d'émissions sur les sujets. Elle a découvert que «si le spectateur regardait des émissions prosociales au lieu d'émissions neutres, il passerait [au moins temporairement] du 50ᵉ au 74ᵉ centile en matière de comportement prosocial, ce qui correspond à l'altruisme».

Dans une des études compilées par Hearold, Lynette Friedrich et Aletha Stein (1973; Stein et Friedrich, 1972) montrèrent à des élèves de la maternelle 20 épisodes de *Mister Rogers' Neighborhood*, à raison d'un épisode par jour pendant quatre semaines. (*Mister Rogers* est une émission éducative qui vise le développement social et émotionnel des jeunes enfants.) Au cours des quatre semaines, les enfants issus de parents peu instruits devinrent plus coopératifs, plus serviables et plus enclins à exprimer leurs sentiments. Lors d'une étude complémentaire, les tout-petits qui avaient regardé quatre épisodes de *Mister Rogers* furent capables d'exposer le contenu prosocial de l'émission, que ce soit en répondant à un test ou en manipulant des marionnettes (Friedrich et Stein, 1975; Coates et coll., 1976).

La pornographie: de faux messages qui sont des ferments de violence

L'exposition répétée à l'érotisme fictif a plusieurs effets. Elle peut atténuer l'attirance envers le partenaire réel (Kenrick et coll., 1989). Elle peut aussi favoriser l'acceptation des relations sexuelles extraconjugales et de la soumission sexuelle des femmes aux hommes (Zillmann, 1989). De même, les vidéoclips où des machos dominent des femmes subjuguées faussent les perceptions que les spectateurs ont des hommes et des femmes (Hansen, 1989; Hansen et Hansen, 1988, 1990; St. Lawrence et Joyner, 1991). Or, c'est aux représentations de la violence sexuelle que les chercheurs en psychologie sociale se sont surtout intéressés.

Une scène de violence sexuelle montre habituellement un homme qui pénètre une femme de force. Au début, elle résiste et essaie de repousser son assaillant. Peu à peu, son excitation sexuelle monte et sa résistance flanche. À la fin, la femme atteint l'extase et en redemande. Elle résiste, il persiste. Nous avons tous vu ou lu des versions non pornographiques de cette séquence. Un homme impétueux empoigne une femme et l'embrasse en dépit de ses protestations. En l'espace d'un moment, les bras qui tantôt repoussaient l'homme l'étreignent passionnément. S'abandonnant à la passion, la femme renonce à toute résistance. Dans *Autant en emporte le vent*, Scarlett O'Hara jette les hauts cris pendant que Rhett Butler la transporte jusque dans le lit, et elle s'éveille en chantant.

Les psychologues sociaux soutiennent que les scènes où l'on voit un homme à la fois dominer et exciter une femme peuvent: 1) engendrer des idées fausses quant à la réaction des femmes à la contrainte sexuelle; 2) accroître les agressions contre les femmes, au moins en laboratoire.

Les perceptions erronées de la réalité en matière de sexualité

Les scènes de violence sexuelle donnent-elles du crédit au mythe selon lequel les femmes désirent être violées et disent «non» en pensant «oui»? Pour répondre à cette question, Neil Malamuth et James Check (1981) montrèrent à des étudiants de l'université du Manitoba deux films à contenu non sexuel ou deux films contenant une violence sexuelle modérée. Une semaine plus tard, un autre expérimentateur interrogea les étudiants; ceux qui avaient vu les films à contenu sexuel modéré toléraient plus que les autres la violence contre les femmes. Les films mettant en scène des meurtriers psychopathes ont un effet semblable. Les hommes à qui l'on montra des films comme *Texas Chainsaw Massacre* se désensibilisèrent à la brutalité et furent plus enclins à dénigrer les victimes de viol (Linz et coll., 1988, 1989). À la lumière de ces résultats, 21 chercheurs en sciences sociales qui assistaient à un atelier du chef des services de santé américains (Koop, 1987) déclarèrent unanimement: «La pornographie qui montre les agressions sexuelles comme agréables pour la victime accroît chez les spectateurs l'acceptation du recours à la contrainte dans les relations sexuelles.» Aux dires des chercheurs Edward Donnerstein, Daniel Linz et Steven Penrod (1987), il n'existe pas de meilleur moyen, pour un esprit démoniaque, d'amener les gens à réagir calmement à la torture et à la mutilation des femmes que de leur présenter une série de films pornographiques de plus en plus violents.

L'agression contre les femmes

On peut changer les attitudes, mais peut-on vraiment modifier le comportement?

Les données tendant à démontrer que la pornographie peut disposer les hommes à agresser les femmes sont de plus en plus nombreuses. Les études corrélationnelles pointent dans cette direction. John Court (1984) souligne que la pornographie s'est répandue au cours des années 60 et 70 et que, pendant la même période, le taux de viols déclarés a monté en flèche dans le monde entier – à l'exception des pays et des régions où la pornographie était interdite. (Les exceptions comme le Japon, où la pornographie violente est accessible mais où le taux de viols est faible, nous rappellent que d'autres facteurs jouent un rôle important.) À Hawaï, le nombre de viols déclarés s'est multiplié par 9 entre 1960 et 1974; il a diminué quand on a temporairement limité la pornographie, puis il a augmenté de nouveau quand on a levé les restrictions.

À l'occasion d'une autre étude corrélationnelle, Larry Baron et Murray Straus (1984) découvrirent que les ventes de revues légèrement pornographiques, dites «soft-core» (comme *Hustler* et *Playboy*, dans chacun des 50 États américains étaient corrélées

265

avec le taux de viols enregistrés dans ces États. La corrélation demeura après que les chercheurs eurent contrôlé d'autres facteurs, tel le pourcentage de jeunes hommes dans chaque État. L'Alaska se classait au premier rang pour la vente de revues érotiques et pour le taux de viols. Le Nevada se classait au deuxième rang pour les deux mesures.

Les violeurs sont-ils des amateurs de pornographie?

Au Canada et aux États-Unis, les délinquants sexuels qu'on interroge à ce propos admettent être des consommateurs de pornographie. William Marshall (1989) indique que les violeurs et les pédophiles de l'Ontario consomment beaucoup plus de pornographie que les hommes qui n'ont jamais commis de crimes sexuels. Une étude du FBI révèle également que les tueurs en série sont friands de pornographie (Ressler et coll., 1988). Bien entendu, cette *corrélation* ne peut prouver que la pornographie est une *cause* du viol. La consommation de pornographie chez les criminels n'est peut-être qu'un symptôme de leur déviance.

Bien que limitées aux comportements à court terme qu'il est possible d'étudier en laboratoire, les expériences contrôlées révèlent que (et je reprends les propos des 21 chercheurs déjà cités) «l'exposition à la pornographie violente accroît le comportement punitif à l'égard des femmes» (Koop, 1987). L'un des auteurs de cette déclaration, Edward Donnerstein (1980), montra à 120 étudiants de l'université du Wisconsin un film neutre, un film érotique ou un film érotique violent (contenant des scènes de viol). Ces étudiants, lors de ce qu'ils crurent être une expérience distincte, «enseignèrent» à un complice ou à une complice du chercheur quelques syllabes absurdes; ils choisissaient eux-mêmes l'intensité de la secousse électrique à administrer à la suite d'une réponse erronée. Les hommes qui avaient vu le film érotique violent infligèrent des secousses beaucoup plus intenses, mais presque exclusivement aux femmes (figure 24.2).

Si les études de ce genre vous paraissent contraires à l'éthique, rassurez-vous. Les chercheurs n'ignorent pas qu'ils s'exposent à la critique et qu'ils font vivre à leurs sujets une expérience troublante. C'est pourquoi ils prennent soin d'annoncer aux sujets ce qu'ils sont susceptibles de voir. Et ceux-ci ne participent aux études qu'après avoir donné leur consentement éclairé. Après les études, en outre, les chercheurs dissipent toutes les idées fausses que les films ont pu inspirer. Ces interventions suffisent-elles à convaincre les sujets que l'euphorie d'une victime de viol n'est qu'une illusion? Il semble que oui, d'après des études menées auprès d'étudiants de l'université du Manitoba et de l'université de Winnipeg par James Check et Neil Malamuth (1984; Malamuth et Check, 1984). Les sujets qui avaient lu des

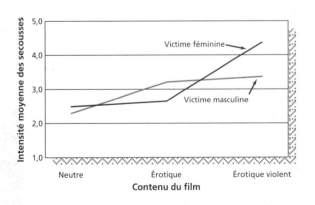

Figure 24.2

Après la projection d'un film érotique violent, des étudiants administrèrent des secousses électriques plus intenses, mais presque exclusivement aux femmes.

récits érotiques violents *et* qui avaient ensuite reçu de l'information critique croyaient *moins* que les étudiants qui n'avaient pas vu le film le mythe selon lequel «les femmes aiment être violées». De même, Donnerstein et Berkowitz (1981) constatèrent que les étudiants de l'université du Wisconsin qui avaient vu le film pornographique *et* qui avaient reçu de l'information critique furent ultérieurement moins enclins que les autres étudiants à se dire d'accord avec un énoncé comme: «Beaucoup de femmes trouvent excitant de se faire malmener.»

Les expériences de ce genre se justifient non seulement sur le plan scientifique mais aussi sur le plan humanitaire. Aux États-Unis, en 1990, quelque 103 000 femmes (soit une toutes les cinq minutes) ont connu l'horreur du viol. Trente ans plus tôt, la proportion était quatre fois moindre (FBI *Uniform Crime Reports*, 1971 à 1990). Ces chiffres ne font-ils que traduire une augmentation du nombre de déclarations de viol? Selon le National Crime Survey, enquête effectuée sur une base annuelle par le gouvernement américain, le pourcentage de viols signalés à la police *n'a pas* augmenté (Koss, 1992). Aujourd'hui, les femmes de moins de 45 ans (les plus vulnérables) sont de deux à trois fois plus nombreuses que les femmes de plus de 65 ans à indiquer qu'elles ont *déjà* été violées (Sorenson et coll., 1987). (Les femmes qui ont aujourd'hui plus de 65 ans ont été jeunes à une époque où, si l'on en croit leurs réponses, le viol était beaucoup moins fréquent.) Enfin, le taux de viol a quadruplé, alors que le taux de crimes violents a quintuplé. Il semble donc que la violence sexuelle a effectivement augmenté.

Lors d'enquêtes menées auprès de 6200 étudiantes de l'université dans l'ensemble des États-Unis et auprès de 2200 travailleuses de l'Ohio par Mary Koss et ses collègues (1988, 1980, 1990), 28 pour cent des femmes dirent avoir vécu une expérience qui correspondait à la définition juridique du viol ou de la tentative de viol. (Néanmoins, la plupart de ces femmes avaient eu affaire à un ami ou à une connaissance et n'employaient pas le mot «viol».) Les femmes n'avaient déclaré qu'un nombre infime des viols commis par une connaissance et elles n'avaient signalé que le quart des viols commis par un étranger. Par conséquent, le taux de viols connu est *grandement* inférieur au taux de viols réel. De nombreuses autres femmes, par ailleurs – 50 pour cent, selon une enquête récente menée auprès d'étudiantes d'université (Sandberg et coll.,1985) – disent avoir subi une forme d'agression sexuelle lors d'un rendez-vous. Et des femmes plus nombreuses encore ont été confrontées à la contrainte sexuelle verbale ou au harcèlement (Craig, 1990; Pryor, 1987). Au Canada, une enquête approfondie (échantillon de 12,000 femmes) de Statistique Canada confirme ces résultats chez nous. Ainsi, environ la moitié des femmes ont subi au moins une agression physique ou sexuelle depuis l'âge de 16 ans (Johnson, H., 1994)

Le risque d'être victimes de viol ou de harcèlement sexuel augmente pour les femmes, et Malamuth, Donnerstein et Zillmann font partie des chercheurs que cette situation alarme. Selon eux, il faut se garder de simplifier à l'excès les causes du viol, car, comme le cancer, ce phénomène ne peut être attribué à un facteur unique. Néanmoins, ils concluent que les représentations de la violence, et particulièrement de la violence sexuelle, peuvent avoir des effets antisociaux. Tout comme la majorité des Allemands a toléré sans mot dire les images antisémites qui ont entretenu l'Holocauste, la majorité des gens tolèrent aujourd'hui les images de la femme qui incitent les hommes au harcèlement sexuel, aux mauvais traitements et au viol.

267

Irait-on jusqu'à promouvoir la censure?

La plupart des gens sont favorables à la censure dans les cas où le droit à la libre expression de l'un est incompatible avec les droits de l'autre (c'est le cas de la pornographie enfantine, de la diffamation et de la publicité trompeuse). En 1992, par exemple, la Cour suprême du Canada maintint une loi qui interdisait la diffusion de matériel jugé contraire au droit des femmes à l'égalité. La Cour déclara: «Si nous voulons atteindre une véritable égalité entre les hommes et les femmes, nous ne pouvons passer outre à la menace pour l'égalité qui résulte de la distribution de certains types de matériel violent et dégradant.»

Entre les droits individuels et les droits collectifs, cependant, la plupart des pays occidentaux choisissent les droits individuels. C'est pourquoi de nombreux psychologues sont d'avis qu'il faut remplacer la censure par l'éducation. Rappelez-vous que les chercheurs ont réussi à resensibiliser les sujets et à leur enseigner les véritables réactions des femmes face à la violence sexuelle. Les éducateurs peuvent-ils développer aussi le sens critique des spectateurs? En sensibilisant le public à l'image des femmes que véhicule la pornographie, au harcèlement sexuel et à la violence, l'on devrait pouvoir démentir le mythe voulant que les femmes aiment la brutalité. «Notre espoir utopique et, peut-être, naïf, écrivirent Donnerstein, Linz et Penrod (1987, p. 196), est que prévale la vérité révélée par une science rigoureuse et que le public comprenne que ces images avilissent autant les personnes qu'elles dépeignent que celles qui les regardent.»

Est-ce vraiment là un espoir naïf?

Considérez, à ce sujet, les faits suivants. Aux États-Unis, sans même qu'il y ait prohibition, la mentalité du public a changé en matière de santé et de consommation d'alcool, si bien qu'entre 1978 et 1990, la proportion d'abstinents est passée de 29 pour cent à 43 pour cent (Gallup et Newport, 1990). Sans même qu'on interdise la vente de cigarettes (mais seulement la publicité télévisée sur le tabac), le pourcentage de fumeurs est passé de 43 pour cent en 1972 à 27 pour cent en 1989 (Gallup Organization, 1989). Sans même qu'on censure le racisme, les médias ont cessé de dépeindre les Noirs comme des bouffons puérils et superstitieux. À mesure qu'évoluait la conscience du public, les scénaristes, les producteurs et les dirigeants des médias ont compris que les images dégradantes des minorités ne se vendaient plus. Récemment, ils ont décidé que les drogues n'étaient plus «branchées», comme le sous-entendaient beaucoup de films et de chansons dans les années 60 et 70, mais dangereuses. Et la proportion d'élèves du secondaire qui disaient avoir consommé de la marijuana au cours du mois précédent est passée, de 1979 à 1991, de 37 pour cent à 14 pour cent (Johnson et coll., 1992). Nous souviendrons-nous un jour avec honte de l'époque où l'on se divertissait en regardant des films présentant des scènes d'exploitation, de mutilation et de viol?

Exercices et questions

Nous étudierons ici trois des aspects du phénomène télévisuel: la quantité d'émissions de télévision que nous regardons, la question de la catharsis (voir chapitre 23) et le succès apparent des campagnes qui visaient à réduire la violence dans les dessins animés.

1. Quelles questions les données contenues dans le premier résumé soulèvent-elles? Quelles conclusions tirez-vous à propos du genre d'émissions que le public préfère et du nombre d'heures qu'il passe devant la télévision?
2. Selon la majorité des études, la violence à la télévision a-t-elle un effet cathartique? Tenez compte dans votre réponse des phénomènes de désensibilisation et de désinhibition dont il a été question dans le module.
3. La production d'une version censurée des «Power Rangers» résout-elle le problème de la violence à la télévision?

1. LES HABITUDES DE TÉLÉVISION DES QUÉBÉCOIS

Jean-Paul Baillargeon et ses collègues (1994) ont présenté des données sur les habitudes de télévision des Québécois francophones. Les voici résumées sous forme de tableau.

Nombre d'heures que les Québécois francophones consacrent chaque semaine à la télévision (y compris les émissions enregistrées sur vidéocassettes), par groupe d'âge – Données pour 1989

Groupe d'âge	Heures par semaine		Moyenne pour les deux sexes
	Hommes	**Femmes**	
2-6 ans	–*	–	20,0
7-11 ans	–	–	20,3
12-17 ans	–	–	18,3
18-24 ans	14,4	19,4	16,9
25-34 ans	21,3	27,1	24,2
35-49 ans	22,8	27,5	25,2
50-59 ans	26,2	30,8	28,5
60 ans et plus	31,3	38,7	35,0

* Le sexe des spectateurs de moins de 17 ans n'était pas précisé.

Selon les données publiées vers la fin des années 80 (Baillargeon et coll., 1994), la catégorie d'émissions la plus populaire chez les Québécois francophones était les drames, y compris ceux qui comportent de l'action, c'est-à-dire de la violence dans bien des cas. Les spectateurs du groupe des 18 à 24 ans (composé de 45 % d'hommes et de 55 % de femmes) apprécient particulièrement les drames: ils passent 50 % de leurs heures de télévision à en écouter. Les jeunes spectateurs sont encore plus friands de drames: ce genre représente 64 % des émissions regardées par les enfants de 7 à 11 ans.

2. LA VIOLENCE DANS LES MÉDIAS A-T-ELLE UN EFFET CATHARTIQUE?

Gordon Russel (1992), de l'université de Lethbridge, en Alberta, compila des études pour déterminer si la recherche confirmait ou non la croyance populaire voulant que la violence dans les médias (les dessins animés violents, les séries policières et les sports de combat) est inoffensive ou qu'elle nous permet de libérer nos tensions (comme le postule l'hypothèse de la catharsis). Quelques études confirmaient cette hypothèse, mais la grande majorité indiquait que le comportement violent augmente après l'écoute d'émissions violentes.

269

3. LES POWER RANGERS AU PILORI

À la suite de protestations du public, la société Global Television, de Toronto, et le réseau TVA acceptèrent, en 1992, d'interrompre la diffusion du dessin animé qui mettait en vedette les personnages appelés Power Rangers. Global Television produisit une version expurgée des scènes les plus violentes. Mais comme les stations américaines continuèrent de présenter la version non censurée, les spectateurs du Québec qui le désiraient purent quand même continuer de la regarder.

Les causes des conflits: une question de perception

I l est un discours que bien des peuples ont entendu. Son contenu se résume à ce qui suit: «Les intentions de notre pays sont totalement pacifiques. Néanmoins, nous ne pouvons passer outre à l'instabilité mondiale et au fait que d'autres pays nous menacent à l'aide de leurs nouvelles armes. Par conséquent, nous devons nous prémunir contre les attaques. Ce faisant, nous préserverons notre mode de vie et nous assurerons la paix» (L.F. Richardson, 1969). Presque tous les pays jurent qu'ils ne veulent que la paix, mais ils se méfient des autres et fourbissent leurs armes. Tant et si bien que l'on compte 8 soldats pour 1 médecin dans les pays en développement et 51 000 armes nucléaires dans les arsenaux du monde (Sivard, 1991).

Les éléments du **conflit** (l'incompatibilité perçue entre des actions ou des objectifs) sont partout pareils, en politique internationale, dans les relations de travail comme dans la vie conjugale. Examinons-les.

Conflit
Incompatibilité perçue entre des actions ou des objectifs.

Les dilemmes sociaux: coopération ou compétition

Plusieurs des problèmes qui pèsent le plus lourdement sur l'avenir de l'humanité (tels les armes nucléaires, l'effet de serre, la pollution, la surpopulation et l'épuisement des ressources naturelles) viennent du fait que diverses parties recherchent leur propre bénéfice mais, paradoxalement, le font au détriment du bien-être collectif. N'importe qui peut se dire: «Il coûterait très cher d'installer des dispositifs antipollution. Et puis, je ne pollue pas beaucoup.» Comme beaucoup d'autres raisonnent de la même façon, l'air et l'eau de la planète sont contaminés. Les choix qui sont profitables sur le plan individuel deviennent néfastes sur le plan collectif quand tout le monde les fait. Nous sommes donc confrontés à un épineux dilemme: comment concilier le bien-être des individus (respecter leur droit de veiller librement à leurs intérêts particuliers) et celui de la collectivité?

Pour isoler et illustrer ce dilemme, les psychologues sociaux ont recours à des jeux de laboratoire qui révèlent le nœud de nombreux conflits sociaux réels. En montrant comment des gens bien intentionnés se prennent au piège de l'adoption de comportements mutuellement destructeurs, ces jeux éclairent quelques-uns des paradoxes les plus fascinants et les plus troublants de l'existence humaine. Nous en étudierons deux ici: le dilemme du prisonnier et la tragédie du terrain communal.

Le dilemme du prisonnier: un pour tous ou l'un contre l'autre?

Dans le dilemme du prisonnier, on imagine que deux suspects (qui, en fait, sont coupables) sont interrogés séparément par un procureur de la couronne (Rapoport, 1960). Les deux hommes sont coupables du même crime, mais le procureur n'a en main que les preuves nécessaires pour les inculper d'un délit moins grave. Il invente alors un stratagème pour inciter chaque homme à faire des aveux. Si l'un des deux seulement passe aux aveux, le procureur lui accordera l'immunité (et utilisera sa déposition pour inculper l'autre du délit grave). Si les deux avouent leur crime, chacun recevra une sentence modérée. Si aucun n'avoue, enfin, les deux recevront une sentence légère. Que feriez-vous si vous étiez l'un des suspects? Idéalement, les deux devraient se faire confiance, coopérer en ne faisant pas d'aveux et bénéficier ainsi d'une sentence légère.

Beaucoup de gens reconnaîtraient leurs délits afin de réduire leur sentence, même si les peines entraînées par des aveux doubles sont plus sévères que les peines entraînées par le silence des deux suspects. Nous ne prenons pas le risque de coopérer avec l'autre en lui faisant confiance. Lors de quelque 2000 études (Dawes, 1991), des chercheurs ont présenté à des étudiants d'université des variantes du dilemme du prisonnier dans lesquelles les peines d'emprisonnement étaient remplacées par des jetons, de l'argent ou des points. La figure 25.1 montre que le suspect, en avouant, profite de la tentative de coopération d'un autre et se protège contre la délation d'un autre. Or, et c'est là le point crucial, l'absence de coopération a pour les deux suspects des conséquences bien pires que la confiance mutuelle. Ce dilemme place les parties en présence sur des charbons ardents:

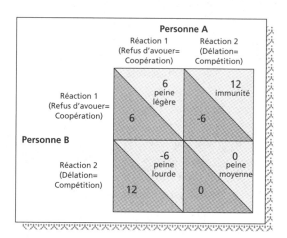

Figure 25.1

Variante de laboratoire du dilemme du prisonnier. Les nombres représentent un bénéfice, sous forme d'argent, par exemple. Dans chaque case, le nombre situé au-dessus de la ligne diagonale correspond au résultat obtenu par la personne A.

elles comprennent qu'elles *pourraient* toutes deux bénéficier de la coopération, mais la méfiance qu'elles se portent les «condamne» à la non-coopération.

La tragédie du terrain communal: ça ne fait de mal à personne...

Beaucoup de dilemmes sociaux déchirants concernent non pas deux mais plusieurs parties. L'effet de serre est principalement causé par la déforestation et par les émissions de dioxyde de carbone provenant des voitures, des brûleurs à mazout et des centrales thermiques. De même, chaque personne qui pollue et qui exploite les ressources naturelles limitées porte une petite part de la responsabilité de la pollution mondiale; les actes de chacun nuisent à un grand nombre de personnes. Pour représenter de telles situations sociales, les chercheurs ont inventé des dilemmes de laboratoire qui font intervenir plusieurs personnes.

L'écologiste Garrett Hardin (1968) illustre le caractère insidieux des dilemmes sociaux avec la «tragédie du terrain communal». Au sens propre, le terme «terrain communal» désigne les champs où les fermiers des villages européens d'antan pouvaient faire paître leurs troupeaux. Hardin, lui, l'emploie pour désigner des ressources communes et limitées, comme l'air, l'eau, les baleines ou les biscuits dans un garde-manger familial. Si tout le monde consomme une ressource avec modération, elle se renouvellera à mesure qu'elle sera récoltée. L'herbe poussera et les baleines se reproduiront. De même, le stock de biscuits se maintiendra (grâce au réapprovisionnement).

Imaginez que 100 fermiers ont accès à un terrain communal où 100 vaches peuvent brouter. Si les fermiers y placent chacun une vache, ils utilisent le champ commun de façon optimale. Mais l'un des fermiers se dit: «Si je mets une deuxième vache dans le champ, je multiplie ma production par deux et je déduis un pourcentage insignifiant (1 %) de surpâturage.» Le fermier ajoute donc une vache. Les autres ont tôt fait de l'imiter. Et quel est l'inévitable résultat? C'est la tragédie: le terrain communal se transforme en un champ de boue stérile.

273

La métaphore de Hardin s'applique à un grand nombre de situations réelles. La pollution mondiale est la somme d'innombrables dégradations mineures de l'environnement; pour chaque pollueur, il est beaucoup plus avantageux de causer une petite dégradation à l'environnement que de s'abstenir de polluer. Nous salissons les lieux publics (les salons étudiants, les parcs et les jardins zoologiques), mais nous nettoyons scrupuleusement nos espaces personnels. Et nous épuisons les ressources naturelles parce que les avantages personnels que nous tirons d'un acte malavisé comme prendre une longue douche à l'eau très chaude nous semblent supérieurs à ses inconvénients. Les baleiniers se disaient que, s'ils restaient au port, d'autres pêcheraient les baleines à leur place et que la prise de quelques baleines ne pouvait pas faire de tort à l'espèce. Le même raisonnement a eu les effets désastreux que l'on connaît sur les réserves de morue et sur l'économie de Terre-Neuve dans les années 90. Telle est la tragédie. L'affaire de tout le monde (la conservation) n'est l'affaire de personne.

Les chercheurs ont isolé les éléments du dilemme du terrain communal dans des jeux de laboratoire. Mettez-vous à la place des étudiants de l'Arizona State University qui ont joué au jeu des noix inventé par Julian Edney (1979). Vous êtes assis en compagnie de quelques camarades autour d'un bol contenant 10 noix. L'expérimentateur vous explique que le but du jeu est d'amasser le plus de noix possible. Chaque joueur peut, à n'importe quel moment, prendre autant de noix qu'il le désire; toutes les 10 secondes, on doublera le nombre de noix qui restent dans le bol. Laisseriez-vous les noix dans le bol afin que la réserve augmente et que chacun en récolte davantage?

Vous ne le feriez probablement pas.

Soixante-cinq pour cent des groupes d'Edney ne se rendirent même pas au bout du premier délai de 10 secondes. Sauf quand on donna aux étudiants le temps d'élaborer et d'adopter une stratégie de conservation. Les sujets renversèrent souvent le bol en tentant de s'emparer des noix.

Le bol de noix me rappelle le pot de biscuits qu'il y a chez moi. Je sais que nous *devrions* étirer notre stock jusqu'au jour des emplettes afin que chaque membre de la famille puisse grignoter deux ou trois biscuits quotidiennement. Mais nous n'avons pas de règle concernant la consommation de biscuits et nous craignons tous que les autres membres de la famille n'accaparent la ressource. Alors, chacun maximise sa consommation individuelle en s'empiffrant sans retenue. Au bout de 24 heures, par conséquent, l'orgie de biscuits se termine, le pot est vide et nous en sommes réduits à attendre une fois de plus le jour des emplettes.

Serait-ce parce que nous ne faisons pas confiance aux autres?

Il existe des points communs entre les jeux inspirés par le dilemme du prisonnier et par celui du terrain communal. Dans les deux cas, premièrement, les gens sont tentés d'expliquer leur propre comportement en fonction de la situation («Je devais éviter de me faire exploiter par mon adversaire») et celui de leur adversaire en fonction de ses dispositions («Elle était cupide», «Il n'était pas fiable»). La plupart des gens ne se rendent jamais compte que leurs adversaires commettent la même erreur fondamentale d'attribution qu'eux.

Deuxièmement, les motifs du comportement des gens changent. Au début, les sujets veulent réaliser un gain facile; ensuite, ils cherchent à minimiser leurs pertes et, finalement, ils s'efforcent de sauver la face et d'éviter la défaite (Brockner et coll., 1982; Teger, 1980). Cette modification des motifs n'est pas sans rappeler l'attitude du président Johnson pendant l'escalade de la guerre du Vietnam et qu'on retrouve presque systématiquement dans des situations de conflit armé. Dans ses premiers discours, Johnson évoquait les idéaux américains de démocratie, de liberté et de justice. Quand le conflit s'intensifia, son souci devint la sauvegarde de l'honneur des États-Unis et la nécessité d'éviter l'humiliation nationale qu'une défaite aurait représentée.

Troisièmement, la plupart des conflits réels constituent, comme les dilemmes du prisonnier et du terrain communal, des **jeux à somme non nulle**. Le total des gains et des pertes des deux adversaires ne doit pas nécessairement égaler zéro. Les deux peuvent gagner et les deux peuvent perdre. Chaque situation oppose les intérêts immédiats des individus au bien-être du groupe. Chacune forme un piège social qui montre la possibilité que des conséquences désastreuses découlent d'un comportement individuel «rationnel». Personne n'a jamais fomenté de plan maléfique pour exterminer les bélugas du Saint-Laurent, réduire le Vietnam en cendres et étouffer la Terre sous une couche de dioxyde de carbone.

Les comportements égocentriques ne mènent pas tous à la catastrophe collective. Dans un monde où le terrain communal est vaste et riche (comme le monde du XVIIIe siècle où vivait l'économiste capitaliste Adam Smith), il peut arriver que les individus contribuent au bien de la collectivité en recherchant leur profit personnel. «Ce n'est pas à la charité du boucher, du brasseur ou du boulanger que nous devons notre dîner, mais à leur recherche de l'intérêt personnel» (Smith, 1976, p. 18).

> **Jeux à somme non nulle**
> **Jeux** dont le résultat ne doit pas nécessairement égaler zéro. La coopération peut permettre aux deux adversaires de gagner, tandis que la compétition peut les faire perdre tous deux. (Aussi appelés *situations à motivation mixte.*)

La résolution des dilemmes sociaux

Comment peut-on inciter les gens à coopérer en vue du mieux-être commun?

L'étude des sujets confrontés à des dilemmes en laboratoire a permis de dégager quelques méthodes pour faire naître la coopération.

LA RÉGLEMENTATION   Si l'impôt n'avait aucun caractère obligatoire, combien de gens paieraient leur dû intégralement? Ils seraient certes peu nombreux, et c'est pourquoi les sociétés modernes ne s'en remettent pas à la bonne volonté des contribuables pour financer, par exemple, leurs programmes sociaux. Elles édictent des lois et des règlements en vue du bien commun. De même, la Commission baleinière internationale établit des quotas de pêche afin de favoriser la multiplication des cétacés. C'est pourquoi aussi votre professeur fixe des exigences quant aux travaux et examens à réussir dans le cadre du cours.

LA FORMATION DE PETITS GROUPES   Dans les jeux de laboratoire, les membres des petits groupes coopèrent davantage que les membres des groupes importants (Dawes, 1980). Si le terrain communal est petit, chaque personne se sent responsable et utile, et estime qu'elle contribue au succès du groupe (Kerr, 1989). Bien qu'il soit plus facile de s'identifier à un petit groupe qu'à un groupe de grande envergure, tout ce qui confère aux gens un sentiment d'appartenance (ne serait-ce que quelques minutes de discussion ou le fait de croire qu'ils ont des points communs avec d'autres membres du groupe) accroît la coopération, même dans les groupes plus importants (Brewer, 1987; Orbell et coll., 1988). Sur l'île de Puget Sound où j'ai grandi, les 15 foyers de notre voisinage s'approvisionnaient en eau au même réservoir. L'été, quand le niveau du réservoir descendait, une lumière s'allumait pour signaler aux 15 familles qu'elles devaient économiser l'eau. Comme nous nous sentions responsables les uns vis-à-vis des autres et que nous pensions que notre conduite personnelle

275

importait, chaque famille réduisait sa consommation. Le réservoir n'a jamais été vide. Dans les grands terrains communaux, les villes par exemple, il est plus rare de voir les citoyens pratiquer le rationnement volontaire.

LA COMMUNICATION Pour qu'ils puissent se sortir d'une situation sociale complexe, les gens doivent communiquer. En l'absence de communication, ceux qui s'attendent que les autres ne coopèrent pas refusent généralement de le faire eux-mêmes (Messé et Sivacek, 1979; Pruitt et Kimmel, 1977). Les méfiants sont en pratique obligés de ne pas coopérer (pour se protéger contre l'exploitation). La non-coopération, à son tour, alimente la méfiance. («Que pouvais-je faire d'autre? C'est une jungle où les loups se mangent entre eux.») Les résultats de recherche démontrent que la communication atténue la méfiance et permet aux sujets d'établir des ententes en vue du mieux-être commun.

LA MODIFICATION DES BÉNÉFICES La coopération augmente quand les expérimentateurs modifient la matrice des bénéfices de façon à accroître les avantages de la coopération et à réduire ceux de l'exploitation (Komorita et Barth, 1985; Pruitt et Rubin, 1986). La modification des bénéfices permet aussi de résoudre des dilemmes réels. Certaines villes, par exemple, sont aux prises avec le *smog* et les embouteillages parce que les gens préfèrent voyager seuls dans leur voiture. Beaucoup de ces villes ont donc décidé d'encourager le covoiturage en réservant des voies aux automobilistes qui le pratiquent.

LES APPELS À L'ALTRUISME Lorsque la coopération sert manifestement le bien public, l'appel à la responsabilité sociale des gens peut se révéler une stratégie efficace. Ainsi, les joueurs de hockey peuvent renoncer à un bon lancer pour permettre à un coéquipier d'en faire un meilleur. À l'époque de la lutte pour les droits civils, aux États-Unis de nombreux manifestants ont consenti de plein gré, pour le bien de leur groupe, au harcèlement, aux coups et à l'emprisonnement. En temps de guerre, les citoyens font de grands sacrifices personnels pour le bien de leur collectivité. Lors de la bataille d'Angleterre, pendant la Seconde Guerre mondiale, les actions des pilotes de la Royal Air Force furent, comme l'a souligné Winston Churchill, authentiquement altruistes. Des milliers de gens durent la vie et la liberté aux pilotes qui livrèrent bataille malgré les risques immenses auxquels ils s'exposaient.

En résumé, nous pouvons éviter de tomber dans le piège des dilemmes sociaux en établissant des règles qui balisent la recherche de l'intérêt personnel, en formant de petits groupes, en favorisant la communication, en augmentant les bénéfices de la coopération et en incitant les gens à l'altruisme.

⬤ La compétition: s'inventer un ennemi

Dans le module qui portait sur les préjugés, nous avons souligné que les hostilités raciales naissaient souvent de la compétition pour les emplois et les logements. Le conflit surgit du choc des intérêts.

Mais la compétition
provoque-t-elle en elle-
même des conflits?

Si la compétition est effectivement un facteur de conflit, alors on devrait pouvoir provoquer le conflit au cours d'une expérience. L'on pourrait former deux groupes au hasard, les amener à rivaliser pour l'obtention d'une ressource limitée et noter ce qui se produit. C'est précisément ce qu'ont fait Muzafer Sherif (1966) et ses collègues dans une série d'expériences saisissantes auxquelles participèrent à leur insu des garçons de 11 et 12 ans. Sherif trouva son inspiration dans un événement dont il avait été témoin dans sa jeunesse, l'invasion de la Turquie par les Grecs, en 1919.

Ils se mirent à tuer les gens de tous côtés. [Cela] me fit grande impression. C'est alors que je commençai à m'intéresser aux raisons pour lesquelles ces choses se produisaient chez les êtres humains. [...] Je voulais acquérir les connaissances ou la spécialisation qui me permettrait de comprendre cette sauvagerie observée entre les groupes. (Cité par Aron et Aron, 1989, p. 131.)

Sherif étudia donc les facteurs à l'origine de la sauvagerie et, pour les recréer en situation réelle, organisa des camps d'été d'une durée de trois semaines. À une occasion, il répartit 22 garçons en deux groupes, les amena à un camp scout dans des autobus séparés et les installa dans des baraques situées à environ 1 km de distance l'une de l'autre. Pendant la majeure partie de la première semaine, chaque groupe ignora l'existence de l'autre. Les membres de chacun des groupes formèrent rapidement des liens étroits en coopérant à des activités comme la préparation des repas, le camping, l'aménagement d'un étang pour la baignade et la construction d'un pont de corde. Les groupes se donnèrent des noms: les «Rattlers» et les «Eagles». Les garçons se sentaient si bien au camp qu'on vit apparaître dans une baraque un panneau portant l'inscription «Home Sweet Home» (La douceur du foyer).

L'identité de groupe ainsi établie, tout était en place pour l'émergence du conflit. À la fin de la première semaine, les Rattlers surprirent l'autre groupe sur «leur» terrain de base-ball. Les animateurs proposèrent alors un tournoi d'activités compétitives (base-ball, souque-à-la-corde, inspections des baraques, chasses au trésor, etc.), et les deux groupes acceptèrent avec enthousiasme. Il s'agit d'une situation gagnant-perdant, ou d'un jeu à somme nulle. Le butin (médailles, couteaux) reviendrait entièrement au vainqueur.

Qu'est-il arrivé? Le camp se transforma graduellement en champ de bataille. On aurait dit une scène de *Sa Majesté des Mouches*, roman dans lequel William Golding décrit la désintégration sociale d'un groupe de garçons abandonnés sur une île. D'abord, les garçons s'échangèrent des mots désobligeants pendant les activités compétitives. Ensuite, ils se lancèrent des restes de table dans la salle à manger, brûlèrent les drapeaux, saccagèrent les baraques et se battirent même à coups de poing. Lorsqu'on demandait aux garçons de décrire ceux de l'autre groupe, ils employaient les termes «hypocrites», «prétentieux» et «salauds», mais ils jugeaient leurs coéquipiers «courageux», «braves» et «amicaux».

La compétition totale avait engendré un conflit intense, corrompu l'image de l'exogroupe et créé une cohésion et une fierté extrêmes dans l'endogroupe (à tel point que l'étude ne serait probablement plus réalisable aujourd'hui étant donné les normes éthiques actuelles). Tout cela s'était produit en l'absence de différences culturelles, physiques et économiques entre les deux groupes et chez des garçons qui représentaient l'«élite» de leur collectivité. Sherif nota

277

qu'un visiteur qui se serait présenté au camp à ce stade aurait cru se trouver devant «des bandes de jeunes malfaisants et perturbés» (1966, p. 85). En réalité, le comportement mauvais des garçons découlait d'une situation viciée. Nous verrons dans le module 26 que Sherif ne s'est heureusement pas contenté de transformer des étrangers en ennemis, mais qu'il a par la suite métamorphosé les ennemis en amis.

● L'injustice perçue: un taux d'intérêt trop faible...

«Ce n'est pas juste! «C'est de l'exploitation!» «Nous méritons mieux!» Les exclamations de ce genre s'entendent lors des conflits engendrés par l'injustice perçue. Mais qu'est-ce au fait que la justice? Selon certains théoriciens de la psychologie sociale, les gens assimilent la justice à l'équité, notion selon laquelle chacun reçoit une part proportionnelle à sa contribution (Walster et coll., 1987). Si vous et moi avons une relation (d'employeur à employé, de professeur à étudiant, de mari à femme, de collègue à collègue), nous percevons cette relation comme équitable à condition que:

$$\frac{\text{Mes bénéfices}}{\text{Ma contribution}} = \frac{\text{Vos bénéfices}}{\text{Votre contribution}}$$

Si votre contribution est supérieure à la mienne et que vos bénéfices sont inférieurs aux miens, vous vous sentirez exploité et irrité; moi, je me sentirai peut-être profiteur et coupable. Selon toute probabilité, vous serez plus sensible que moi à l'iniquité (Greenberg, 1986; Messick et Sentis, 1979).

Nous pouvons convenir de fonder la définition de la justice sur la notion d'équité, mais diverger d'opinion quant à l'équité de notre relation. Si deux personnes sont des collègues, qu'est-ce que chacune considérera comme une contribution valable? La personne la plus âgée voudra que l'on calcule la rémunération en fonction des années de service et l'autre, en fonction de la productivité actuelle. Quel critère prévaudra? Plus souvent qu'autrement, les gens qui possèdent le pouvoir social se convainquent eux-mêmes et convainquent les autres qu'ils méritent ce qu'ils ont (Mikula, 1984). Karl Marx, philosophe du XIXe siècle qui élabora la doctrine du matérialisme historique, l'avait pressenti: «La classe, qui constitue la force matérielle dominante de la société, en constitue aussi la force intellectuelle dominante» (Walster et coll,.1978, p. 220). Voilà bien une règle d'or, mais celui qui possède l'or établit les règles.

Est-ce ainsi qu'on transforme l'iniquité réelle en justice perçue?

L'exploiteur, par conséquent, peut soulager sa culpabilité en surévaluant sa contribution, de manière à justifier les résultats existants. Certains hommes trouvent équitable que les femmes aient un salaire inférieur étant donné la «moindre importance» de leur contribution. Les tortionnaires, par ailleurs, blâment leurs victimes et alimentent ainsi leur croyance en un monde juste.

Et qu'en est-il des exploités? Comment réagissent-ils? Elaine Hatfield et ses collègues (1978) dégagent trois possibilités. Les exploités, selon ces chercheurs, peuvent accepter et justifier leur position inférieure («Nous sommes pauvres; c'est ce que nous méritons, mais nous sommes heureux»). Ils peuvent exiger compensation, parfois en harcelant, en embarrassant ou même en fraudant leur exploiteur. Et si tout le reste échoue, ils peuvent tenter de rétablir l'équité par la riposte.

La théorie de l'équité a un intéressant corollaire (qui fut d'ailleurs démontré expérimentalement): plus les gens se sentent compétents et valables (plus ils valorisent leur contribution), plus ils jugent leur bénéfice insuffisant et plus ils ripostent (Ross et coll., 1971). Les grandes protestations sociales germent habituellement au sein de groupes qui estiment leur sort indigne de leur valeur. Depuis 1970, les possibilités de carrière ont considérablement augmenté pour les femmes. Paradoxalement (mais logiquement, aux yeux d'un adepte de la théorie de l'équité), les gens sont plus nombreux qu'avant à juger que la situation des femmes est *in*équitable (tableau 25.1).

Tableau 25.1   Intensification des perceptions de l'inégalité entre les sexes d'après des sondages Gallup

Tout bien considéré, qui a la vie la plus facile dans notre pays, les hommes ou les femmes?

	1975	1989
Hommes	32 %	49 %
Femmes	28	22
Hommes et femmes également	31	21
Sans opinion	9	8

Source: DeStefano et Colasanto, 1990.

Tant que les femmes ont comparé leurs chances d'avancement et leur rémunération à celles des autres femmes, elles ont été généralement satisfaites (Jackson, 1989; Major, 1989). Mais maintenant qu'elles se voient comme les égales des hommes, leur sentiment d'être désavantagées s'est accru. Si le secrétariat et la conduite d'un camion ont une «valeur comparable» (sur le plan des habiletés nécessaires à l'exercice de ces fonctions), alors les deux activités professionnelles méritent une rémunération comparable; c'est ainsi que les partisans de l'équité salariale définissent cette équité (Lowe et Wittig, 1989).

⬤ Les perceptions erronées: un pléonasme?

Rappelez-vous qu'un conflit est une incompatibilité *perçue* entre des actions ou des objectifs. De nombreux conflits sont formés d'un petit noyau d'objectifs vraiment incompatibles et d'une épaisse enveloppe de perceptions erronées des intentions et des objectifs de l'autre. Les Eagles et les Rattlers avaient effectivement quelques objectifs vraiment incompatibles. Mais leurs perceptions subjectives ont magnifié leurs différences (figure 25.2).

279

Il vaut la peine de souligner que la perception, c'est-à-dire notre manière d'interpréter tout ce qui nous entoure, est au cœur de la psychologie sociale. Nous jugeons les intentions des autres d'après leur comportement, nous voyons les événements à travers le filtre de nos expériences passées, de nos besoins et de nos états

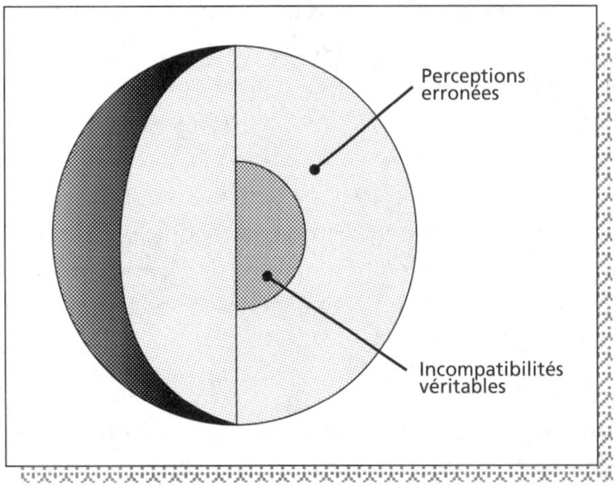

Figure 25.2

La plupart des conflits sont constitués d'un noyau d'objectifs vraiment incompatibles et d'une épaisse enveloppe de perceptions erronées.

Perceptions erronées

Incompatibilités véritables

émotionnels. De fait, les perceptions biaisées sont la règle plutôt que l'exception, puisque la majorité des faits de la vie comportent une part d'ambiguïté. Qui peut dire quelle est la «bonne» perception?

Nous avons déjà étudié quelques-unes des causes des perceptions fautives. Ainsi, le *biais de complaisance* amène les individus et les groupes à s'accorder le mérite de leurs bonnes actions et à rejeter sur d'autres la responsabilité de leurs mauvais coups, sans même leur accorder le bénéfice du doute. De plus, la tendance à l'*autojustification* pousse les gens à nier la méchanceté de leurs mauvaises actions qu'ils ne peuvent imputer à d'autres. Étant donné l'*erreur fondamentale d'attribution*, chaque partie voit dans l'hostilité de l'autre le reflet d'une disposition malveillante. Chacune filtre alors l'information et l'interprète en fonction de ses propres *idées préconçues*. Souvent, les groupes *polarisent* les tendances à la complaisance et à l'autojustification. La *pensée de groupe* se manifeste notamment par une tendance à percevoir son propre groupe comme moral et fort et l'adversaire, comme immoral et faible. Les actes terroristes relèvent de l'ignominie pour les uns mais de la «guerre sainte» pour les autres. Du reste, le simple fait de se trouver dans un groupe prédispose au *biais de l'endogroupe*. Une fois formés, enfin, les *stéréotypes* négatifs résistent souvent aux faits démontrant leur inadéquation par rapport à la réalité.

Étant donné ces facteurs, les perceptions erronées que les adversaires ont les uns des autres ne devraient pas nous étonner mais nous pousser à réfléchir. Au demeurant, les formes que prennent ces perceptions se révèlent singulièrement typiques et prévisibles.

Les perceptions symétriques: miroir, ô miroir...

Il est frappant de constater à quel point les perceptions que les antagonistes ont les uns des autres se ressemblent. En effet, les deux parties s'attribuent les mêmes vertus et accusent l'adversaire des mêmes vices. En 1960, alors que la guerre froide atteignait son point culminant, le psychologue américain Urie Bronfenbrenner (1961) visita l'Union soviétique et s'entretint avec un grand nombre de simples citoyens. Non sans surprise, il s'aperçut que les Soviétiques tenaient au sujet des Américains le même discours que les Américains tenaient au sujet des Soviétiques. Les Soviétiques disaient que le gouvernement américain était militariste, qu'il exploitait et leurrait le peuple et qu'il mentait par la bouche de ses diplomates. «Lentement et douloureusement, il devint évident que l'image déformée que les Russes avaient de nous était étrangement semblable à celle que nous avions d'eux, qu'il s'agissait d'une image symétrique.»

Lorsque deux parties ont des perceptions antagonistes, l'une des deux au moins se trompe sur le compte de l'autre. Et, selon Bronfenbrenner, l'existence de fausses perceptions «constitue un phénomène psychologique qui n'a aucun équivalent pour ce qui est de la gravité des conséquences [...] *car de telles images ont ceci de caractéristique qu'elles trouvent leur propre confirmation.*» Si A s'attend à de l'hostilité de la part de B, A traite B de manière que B se conforme aux attentes de A. Le cercle vicieux est amorcé. Morton Deutsch (1986) donne l'explication suivante:

> Vous entendez la fausse rumeur voulant qu'un de vos amis dise du mal de vous. Vous boudez donc votre ami. Il tient alors des propos malveillants à votre sujet et votre attente se confirme. De même, si les politiciens de l'Est et de l'Ouest avaient cru que la guerre était probable et qu'ils avaient tenté chacun de leur côté de se protéger contre une attaque, la réaction de l'autre aurait pu justifier l'action initiale de l'un.

Certains observateurs du conflit israélo-arabe ont conclu que les **perceptions symétriques** défavorables représentent l'un des principaux obstacles à la paix. Chaque partie affirme que son seul souci est de protéger sa sécurité et ses frontières et que l'autre cherche à l'exterminer et à s'emparer de son territoire (Heradstveit, 1979; White, 1977). Aucune partie n'admet que ses propres actions entretiennent la peur et la colère de l'adversaire. Comment peut-on négocier, dans une telle atmosphère de méfiance?

L'Irlande du Nord subit, elle aussi, les conséquences des perceptions symétriques. À l'université de l'Ulster, J.A. Hunter et ses collègues (1991) montrèrent à des étudiants catholiques et à des étudiants protestants l'enregistrement vidéo d'une attaque effectuée par des protestants pendant des funérailles catholiques et celui d'une attaque menée par des catholiques lors de funérailles protestantes. La plupart des étudiants attribuèrent à la partie adverse des motifs «sanguinaires» mais invoquèrent pour leur propre groupe le droit aux représailles ou à la légitime défense. Les musulmans et les hindouistes du Bangladesh manifestent les mêmes perceptions biaisées en faveur de l'endogroupe (Islam et Hewstone, 1991).

De telles de perceptions ne sont-elles pas à l'origine de conflits de travail?

Les perceptions symétriques destructives enveniment aussi les conflits qui se manifestent entre les petits groupes et entre les individus. Comme dans les jeux que nous avons décrits plus haut, les deux parties se disent: «Nous voulons coopérer, mais leur refus nous force à réagir de manière défensive.» Kenneth Thomas et Louis Pondy (1977) relevèrent des attributions complaisantes semblables chez des gestionnaires à qui ils avaient demandé de décrire un conflit récent. Seulement 12 pour cent des sujets jugèrent l'adversaire coopératif, mais 74 pour cent d'entre eux se trouvèrent eux-mêmes coopératifs. Les gestionnaires expliquèrent qu'ils avaient «fait des suggestions», «donné de l'information» et «formulé des recommandations», tandis que leur adversaire avait «formulé des exigences», «désapprouvé tout ce que je disais» et «refusé mes propositions».

281

Les conflits internationaux sont alimentés par l'illusion selon laquelle les dirigeants ennemis sont mauvais et tyranniques tandis que leur peuple, bien que trompé et manipulé, est favorable à «nous». Cette image du méchant dirigeant et du bon peuple a caractérisé les perceptions réciproques des Américains et des Soviétiques pendant la guerre froide.

Les perceptions symétriques peuvent aussi prendre la forme d'une exagération de la position de l'adversaire. Souvent, les gens qui s'opposent à propos de questions comme l'avortement et la peine capitale diffèrent moins qu'ils ne le pensent. Chaque camp surestime l'extrémisme de l'autre; chacun présume que ses propres croyances *découlent* des faits, mais que celles de l'autre *commandent* son interprétation des faits (Robinson et coll., 1991).

Les retournements de perceptions: après la pluie, le beau temps

Qu'est-ce qui nous amène à modifier nos perceptions de groupe?

Si les perceptions erronées accompagnent les conflits, alors elles devraient apparaître et disparaître au fur et à mesure que les conflits s'allument et s'éteignent. C'est justement ce qu'elles font, et à une rapidité déconcertante. Quand l'ennemi devient un allié, son image s'inverse sous l'effet du processus même qui l'a créée. C'est ainsi que «les Japs aux dents proéminentes, sanguinaires, cruels et traîtres» de la Seconde Guerre mondiale se muèrent peu après dans les esprits et les médias américains (Gallup, 1972) en «alliés intelligents, industrieux, disciplinés et ingénieux». Les alliés des Américains durant la même guerre, les Soviétiques, devinrent «des belliqueux et des traîtres». Les Allemands (qui, en 35 ans, avaient provoqué la haine, puis l'admiration puis encore la haine des Nord-Américains) redevinrent dignes d'estime, s'étant, semble-t-il, débarrassés de la cruauté innée dont on les disait animés. Tant que l'Iraq ne s'en prenait qu'à l'Iran, même s'il utilisait des armes chimiques et massacrait les Kurdes, beaucoup de pays restaient cois. L'ennemi de notre ennemi est notre ami. Mais quand l'Iraq mit fin à sa guerre contre l'Iran et envahit le Koweit, riche en pétrole, son comportement devint soudain «barbare». Manifestement, les représentations que nous avons de nos ennemis ne font pas que justifier nos actions, elles s'adaptent avec une remarquable aisance. À une tout autre échelle, pensons aux retournements de perceptions que le départ de Patrick Roy, ex-gardien étoile du Canadien, a provoqués chez les amateurs de hockey... pensons aussi à ce que devient l'image que nous nous faisons de l'être aimé lorsqu'il nous abandonne pour former un autre couple.

L'ampleur des perceptions erronées qui se manifestent lors d'un conflit montre bien que ce ne sont pas seulement les fous ni les brutes qui prennent leurs adversaires pour des êtres diaboliques. Lorsqu'un conflit nous oppose à un pays, à un groupe ou simplement à un voisin ou à un membre de notre famille, nous nous empressons de forger de fausses perceptions qui nous permettent de juger favorablement nos motivations et nos actions et de discréditer ceux de l'adversaire. Et celui-ci forme de nous une image symétrique. Alors, que deux parties soient engagées dans un dilemme social, qu'elles rivalisent pour des ressources limitées ou qu'elle perçoivent une injustice, le conflit se poursuit jusqu'à ce que quelque chose ouvre les yeux des deux antagonistes et les pousse à concilier leurs vraies différences.

Exercices et questions

Les notions de compétition, de perception erronée et de pouvoir sont quelques-unes des clés qui nous permettent de comprendre les conflits sociaux. Les chercheurs dont nous présentons ici les études se sont interrogés à ce propos. Ils se sont notamment demandé s'il existe des différences culturelles en matière de coopération et de conflit, comment nous expliquons le comportement de l'endogroupe et celui de l'exogroupe et si le pouvoir engendre la discrimination. Avant de lire les descriptions de ces études, tentez de répondre aux questions qui suivent. Vos réflexions vous permettront de mieux évaluer les résultats.

1. Dans quelle mesure le jeu coopératif et conflictuel varie-t-il chez les enfants des différentes sociétés?
2. Notre propre pays poursuit-il toujours une politique étrangère altruiste? L'ennemi est-il invariablement complaisant? Jusqu'à quel point les Canadiens prennent-ils parti pour les États-Unis?
3. Si un groupe se voit attribuer du pouvoir, s'en sert-il pour faire de la discrimination contre un autre groupe? Qu'en est-il lorsque le groupe qui possède le pouvoir est entièrement composé de femmes et que l'autre est formé d'hommes?

1. LES DIFFÉRENCES CULTURELLES EN MATIÈRE DE CONFLIT ET DE COOPÉRATION CHEZ LES ENFANTS

Terry Orlick et ses collègues (1990) de l'Université d'Ottawa observèrent 166 enfants de 5 ans (77 en Chine et 89 au Canada) réunis en groupes dans leurs maternelles. Les chercheurs voulaient déterminer la part de coopération (caractérisée par le contact physique positif et l'entraide) et la part de conflit (caractérisée par le contact social négatif et le manque d'égards) qui se dégageaient du comportement des enfants. Ils observèrent chaque enfant pendant 10 heures. En Chine, 85 % des comportements observés étaient coopératifs, tandis qu'au Canada, 78 % des comportements englobaient un élément quelconque de conflit.

2. LES BONS ET LES MÉCHANTS: LES PERCEPTIONS DES CANADIENS, DES AMÉRICAINS ET DES RUSSES

Gerald Sande et ses collègues (1989) de l'université du Manitoba s'intéressèrent au rôle que jouent les attributions des membres des groupes dans le maintien de l'hostilité intergroupe. Ils présentèrent à 152 élèves américains de 11e année et à 138 étudiants canadiens de première année d'université des descriptions d'actes positifs ou négatifs attribués à leur propre groupe ou à l'exogroupe, c'est-à-dire à l'URSS. (Cette étude a été réalisée avant l'éclatement de l'Unon soviétique, à une époque où la guerre froide était encore une réalité politique.) Les sujets américains émettaient dans tous les cas un jugement favorable à l'égard de la conduite des États-Unis, et un jugement négatif à l'égard de celle de l'URSS. Les sujets canadiens attribuèrent les actions des États-Unis et celles de l'URSS aux mêmes motifs; ils estimaient en particulier que les États-Unis n'avaient que des motifs intéressés pour accomplir des actions en apparence positives.

3. SEXE, POUVOIR ET DISCRIMINATION

Richard Bourhis et ses collègues (1992) de l'Université du Québec à Montréal formèrent un groupe d'hommes et un groupe de femmes et les placèrent en situation de compétition. Ils donnèrent plus de pouvoir à l'un des groupes. Or, le groupe dominant tendait toujours à utiliser son pouvoir contre l'autre groupe. Fait intéressant, le

groupe de femmes était plus enclin à la discrimination que le groupe d'hommes. Il semble que les femmes aient profité de l'occasion pour exercer un pouvoir dont elles sont souvent privées dans la société; il semble aussi que les hommes se soient sentis inhibés à cause de leurs rôles sociaux et qu'ils n'aient pas démontré de comportements ouvertement agressifs dans la situation.

Peu-on réconcilier des individus ou des groupes antagonistes en favorisant des contacts étroits entre eux?

La résolution des conflits sociaux: les 4C

Nous avons vu que les conflits s'embrasent facilement: la compétition, les injustices perçues et les perceptions erronées en sont des facteurs importants. Le tableau paraît sombre, mais il n'est pas tout à fait désespéré. Il arrive que les poings s'ouvrent et que les mains se tendent, que l'hostilité se mue en amitié. Les psychologues sociaux ont étudié quatre stratégies qui peuvent transformer les ennemis en camarades. Ce sont les quatre C de la paix: le contact, la coopération, la communication et la conciliation.

● Le contact: oui, mais d'égal à égal

Nous avons indiqué que la proximité, de même que les interactions, l'anticipation des interactions et le simple rapprochement qu'elle occasionne, favorise l'identification et renforce la sympathie entre les personnes. Nous avons déjà mentionné que l'atténuation des préjugés raciaux qu'on a observé récemment aux États-Unis a suivi de près l'instauration de mesures de déségrégation. De même, les préjugés raciaux semblent diminuer en Afrique du Sud depuis l'abolition de l'apartheid en 1991. Les attitudes se conforment au comportement.

Aux États-Unis, depuis les 30 dernières années, la ségrégation et les préjugés ont diminué simultanément. Les contacts interraciuaxs sont-ils la *cause* de

285

l'amélioration des attitudes? La déségrégation a-t-elle exercé une influence sur les personnes qui l'ont vécue?

La déségrégation modifie-t-elle les attitudes raciales?

Aux États-Unis, la déségrégation scolaire a produit des bénéfices mesurables; ainsi, le nombre de Noirs qui fréquentent l'université et qui y réussissent a augmenté (Stephan, 1988). La déségrégation des écoles, des quartiers et des milieux de travail a-t-elle eu aussi des résultats *sociaux* positifs? Les données à ce propos sont contradictoires.

D'une part, de nombreuses études réalisées pendant et après la déségrégation consécutive à la Seconde Guerre mondiale ont révélé une amélioration marquée des attitudes des Blancs envers les Noirs. Que ce soit chez les vendeurs et les clients des grands magasins, chez les matelots de la marine marchande, chez les fonctionnaires, chez les policiers, chez les voisins ou chez les étudiants, les rapports interraciaux ont entraîné une diminution des préjugés (Amir, 1969; T.F. Pettigrew, 1969). À la fin de la Seconde Guerre mondiale, par exemple, l'armée américaine a institué une déségrégation partielle dans certaines de ses compagnies d'infanterie (Stouffer et coll. 1949). La proportion de soldats blancs qui se disaient favorables à la déségrégation s'établissait à 11 pour cent dans les compagnies ségréguées et à 60 pour cent dans les compagnies non ségréguées. Ces résultats réconfortants encouragèrent la Cour suprême des États-Unis à abolir la ségrégation scolaire en 1954 et ils apportèrent de l'eau au moulin du mouvement pour la défense des droits civiques dans les années 60 (Pettigrew, 1986).

D'autre part, les études portant sur les effets de la déségrégation scolaire produisirent des résultats moins rassurants. Le psychologue social Walter Stephan (1986) compila toutes ces études et conclut que la déségrégation avait peu influé sur les attitudes raciales. (Pour les Noirs, la principale conséquence de la déségrégation scolaire fut d'augmenter leurs chances de fréquenter des universités intégrées, d'habiter des quartiers intégrés et de travailler dans des milieux intégrés.)

Bref, la déségrégation améliore les attitudes raciales dans certains cas et ne les modifie pas dans d'autres. Les ambiguïtés de ce genre ont la propriété de stimuler la curiosité des scientifiques. À quoi attribuer les différences? Jusqu'ici, nous avons mis toutes les formes de déségrégation dans le même panier. En réalité, la déségrégation se produit selon toutes sortes de modalités et dans des conditions extrêmement variées.

Quand la déségrégation améliore-t-elle les attitudes raciales?

Se pourrait-il que la quantité de *contacts* interraciaux détermine les effets de la déségrégation? Il semble que oui. Les chercheurs ont visité des dizaines d'écoles intégrées et observé avec qui les enfants d'une race donnée prenaient leurs repas, jouaient et bavardaient. Ils ont constaté que la race influence le choix des camarades. En règle générale, les Blancs s'associent avec des Blancs et les Noirs avec des Noirs (Schofield, 1982, 1986). De plus, les classements fondés sur l'aptitude entravent souvent la déségrégation dans la mesure où les élèves blancs, qui sont avantagés sur le plan scolaire, se retrouvent ensemble dans les mêmes classes.

En revanche, les études plus encourageantes qui avaient antérieurement porté sur des vendeurs, des soldats et des voisins révélaient l'existence de rapports interraciaux considérables. D'autres études, menées auprès de sujets des deux races qui avaient eu des contacts personnels prolongés (comme des détenus et des jeunes filles qui fréquentaient une colonie de vacances interraciale), donnèrent aussi des résultats positifs (Clore et coll., 1978; Foley, 1976).

Les psychologues sociaux qui préconisaient la déségrégation n'ont jamais prétendu que *toute* forme de contact, de quelque nature qu'elle soit, améliorait les attitudes. En effet, ils ne s'attendaient à rien de positif des rapports de compétition, des rapports non soutenus par les autorités ni des rapports d'inégalité (Pettigrew, 1988; Stephan, 1987). Avant 1954, de nombreux Blancs racistes avaient d'amples contacts avec des Noirs, qui étaient toutefois leurs cireurs de chaussures et leurs domestiques. Des rapports aussi inégaux alimentent les attitudes qui servent de justification au maintien de l'inégalité. Il importe donc que les interactions entre les individus s'effectuent d'égal à égal. C'était le cas des vendeurs, des soldats, des voisins, des détenus et des enfants de la colonie de vacances.

La coopération: menaces et objectifs

Bien que l'égalité contribue à atténuer les attitudes raciales, elle ne suffit pas toujours à elle seule à modifier la situation. Muzafer Sherif n'a pas réussi à pacifier les Eagles et les Rattlers (voir module 25) en les rassemblant pour des activités non compétitives comme le cinéma, les feux d'artifice et les repas. L'inimitié entre les deux groupes était devenue telle que le contact leur fournissait simplement une occasion de se provoquer et de s'affronter. Un jour qu'un Rattler bouscula un Eagle, les autres Eagles incitèrent leur camarade à enlever les traces de ce contact impur. Manifestement, la déségrégation des deux groupes avait fort peu favorisé leur intégration sociale.

Comment apaiser une hostilité aussi profonde?

Revenons aux mesures efficaces et inefficaces de déségrégation. La déségrégation des compagnies d'infanterie a non seulement occasionné des rapports égaux entre les Noirs et les Blancs, elle a rendu les deux groupes interdépendants. Les Noirs et les Blancs combattaient ensemble le même ennemi; ils travaillaient à atteindre un objectif commun.

Comparez cette interdépendance à la compétition qui oppose les élèves d'une classe typique, qu'elle soit intégrée ou non. Les élèves rivalisent pour avoir de bonnes notes, pour recevoir l'approbation de l'enseignant et pour obtenir divers honneurs et privilèges. La scène suivante vous rappelle-t-elle quelque chose (Aronson, 1988)? L'enseignant pose une question. Quelques élèves lèvent aussitôt la main; d'autres baissent les yeux en essayant de se faire aussi petits que possible. L'enseignant donne la parole à l'un des élèves enthousiastes; les autres espèrent qu'il se trompera et qu'ils auront l'occasion de faire étalage de leurs connaissances. À ce sport scolaire, les perdants méprisent les gagnants et les traitent

287

parfois de «bollés», d'idiots ou de «téteux». La situation est imprégnée de compétition et d'inégalités manifestes; on ne saurait créer un terrain plus propice à la division.

Ne pourrions-nous pas déduire de cet exemple un deuxième facteur de l'efficacité de la déségrégation? Ne pourrions-nous pas postuler que les rapports de compétition divisent mais que les rapports de coopération unissent? Voyons ce qui arrive aux gens qui traversent ensemble une même épreuve ou qui visent collectivement un même objectif.

Les menaces extérieures

Vous est-il déjà arrivé de subir, avec d'autres personnes, des conditions météorologiques particulièrement difficiles, les humiliations d'une initiation ou les foudres d'un professeur? Avec d'autres personnes, avez-vous déjà fait l'objet de persécutions ou de sarcasmes à cause de votre appartenance sociale, raciale ou religieuse? Si oui, vous vous êtes vraisemblablement senti uni aux gens qui traversaient la même épreuve. D'anciennes barrières sociales sont peut-être tombées pendant que vous et vos voisins vous entraidiez ou que vous et vos camarades luttiez contre un ennemi commun.

La persécution et l'injustice créeraient-elles une solidarité?

Il arrive fréquemment que des liens de camaraderie se tissent entre les gens sur lesquels pèse une même menace. John Lanzetta (1955) l'a constaté lorsqu'il forma des équipes de quatre cadets de la réserve navale et leur soumit des problèmes à résoudre. Une fois les équipes attelées à la tâche, Lanzetta en laissa quelques-unes travailler tranquilles, mais il indiqua à d'autres, par l'intermédiaire d'un haut-parleur, que leurs réponses étaient incorrectes, leur productivité lamentable et leur raisonnement stupide. Lanzetta observa que les membres des équipes qu'il avait harcelées étaient entre eux plus amicaux, plus coopératifs, moins ergoteurs et moins compétitifs que ceux des autres équipes. Ils étaient tous dans le même pétrin et cette position inconfortable avait fait naître une solidarité.

L'existence d'un ennemi commun a aussi rapproché les groupes de garçons étudiés par Sherif lors des expériences de camping et de nombreuses autres (Dion, 1979). Les conflits opposant les États-Unis à l'Allemagne et au Japon pendant la Seconde Guerre mondiale, à l'Union soviétique pendant la guerre froide, à l'Iran dans les années 80 et à l'Iraq en 1991 ont attisé le patriotisme et la solidarité des Américains. Les soldats qui se lient d'amitié pendant les combats restent parfois unis toute leur vie (Elder et Clipp, 1988). Peu de choses scellent l'unité d'un peuple autant que le fait un ennemi.

Par conséquent, les conflits interraciaux renforcent la fierté de chaque groupe. Chez les étudiants chinois qui fréquentent l'université à Toronto, la discrimination raffermit le sentiment d'appartenance à la communauté chinoise (Pak et coll., 1991). Le simple fait de rappeler à des gens l'existence d'un exogroupe (d'une école rivale, par exemple) intensifie chez eux la disposition favorable à l'endogroupe (Wilder et Shapiro, 1984). Prendre clairement conscience de l'identité des membres de l'exogroupe, c'est aussi se rappeler la nôtre. Mes enfants ont tous fait leur cours primaire dans une école qui logeait aussi une école alternative de bonne réputation. Selon la «culture» qui dominait dans la cour d'école, tout ce qui se rapportait à cet autre groupe était ridicule. Il n'y avait pratiquement aucun contact entre les deux groupes, qui affichaient du mépris l'un pour l'autre.

Les objectifs prioritaires

Objectif prioritaire
Objectif commun dont l'atteinte nécessite une coopération; objectif dont l'importance est telle que les gens sont prêts à surmonter leurs différends pour l'atteindre.

Le pouvoir unificateur qui résulte d'une menace extérieure est analogue à celui que confère la poursuite d'**objectifs prioritaires**, c'est-à-dire d'objectifs qui rallient tous les membres d'un groupe et qui exigent leur pleine et entière coopération. Pour favoriser l'harmonie entre ses campeurs, Sherif leur proposa de tels objectifs. Il provoqua une défectuosité dans le système d'approvisionnement en eau du camp afin d'obliger les deux groupes à coopérer pour obtenir de l'eau. Les groupes collaborèrent aussi pour recueillir l'argent nécessaire à la location d'un film. Un jour, le camion qui amenait les garçons en excursion «tomba» en panne. Un animateur laissa négligemment à proximité du véhicule le câble qui servait aux jeux de souque-à-la-corde. L'un des garçons suggéra que tous tirent le camion pour le faire démarrer. Quand le moteur se mit en marche, les deux équipes célébrèrent à grands cris leur victoire commune à la «joute de souque-à-la-corde contre le camion».

Après avoir travaillé ensemble pour atteindre des objectifs prioritaires, les garçons commencèrent à prendre leurs repas ensemble et à se rassembler autour des feux de camp. Des amitiés se nouèrent à travers les frontières des groupes. Les hostilités s'éteignirent. Le dernier jour du camp, les garçons décidèrent de faire le voyage de retour dans le même autobus. Les groupes se mêlèrent pendant le trajet. Sherif s'était servi de l'isolement et de la compétition pour transformer des étrangers en ennemis jurés. À l'aide d'objectifs prioritaires, il a pu susciter l'amitié chez les ennemis qu'il avait lui-même créés.

Les moyens qu'a utilisés Sherif ne valent-ils que pour les enfants? Les adultes peuvent-ils aussi résoudre leurs conflits en collaborant à l'atteinte d'objectifs prioritaires? Telles sont les questions que se posèrent Robert Blake et Jane Mouton (1979). Ils réalisèrent donc une série d'expériences d'une durée de deux semaines auxquelles participèrent plus de 1000 gestionnaires répartis en 150 groupes. Les chercheurs recréèrent les éléments essentiels de la situation qu'avaient vécue les Eagles et les Rattlers. Les groupes firent d'abord des activités isolément, puis ils rivalisèrent avec un autre groupe et, enfin, ils coopérèrent avec leur adversaire en vue d'atteindre des objectifs prioritaires établis en commun. Selon les chercheurs, les résultats «prouvèrent sans équivoque que les réactions des adultes sont analogues à celles des jeunes étudiés par Sherif».

À la lumière de ces résultats, Samuel Gaertner, John Dovidio et leurs collaborateurs (1989, 1990, 1991) affirment que le travail coopératif a des effets particulièrement favorables lorsque les gens sont appelés à former un nouveau groupe qui englobe les sous-groupes antérieurs. Si, par exemple, les membres de deux groupes se mêlent autour d'une table (au lieu de s'asseoir face à face), donnent un nom au nouveau groupe qu'ils forment puis travaillent ensemble, ils perdent leur arrogance à l'égard des «inconnus». La division entre «eux» et «nous», fait place à un«nous» unificateur.

L'apprentissage coopératif

Jusqu'à maintenant, nous avons souligné que la déségrégation scolaire typique avait eu de piètres résultats aux États-Unis et que les rapports de coopération entre les membres de groupes rivaux produisaient des bénéfices sociaux considérables. Ne pour-

rait-on pas s'appuyer sur ces deux constatations pour élaborer une solution de rechange aux mesures traditionnelles de déségrégation? Plusieurs équipes de recherche indépendantes ont cru à cette hypothèse. Elles se sont toutes demandé s'il était possible de favoriser les amitiés interraciales, sans compromettre la réussite scolaire, en substituant des situations d'apprentissage coopératif aux situations d'apprentissage compétitif. Toutes les méthodes que ces chercheurs ont utilisées consistaient à former des équipes d'étude intégrées et, dans certains cas, à créer une compétition entre les équipes. Outre cette caractéristique, les méthodes étaient très diversifiées. Pourtant, elles ont uniformément donné des résultats positifs qui ont de quoi étonner et réconforter.

Un groupe de chercheurs, dirigé par Elliot Aronson et Alex Gonzalez (1988), incita des écoliers à la coopération avec la «technique du casse-tête». Dans des écoles primaires, les chercheurs formèrent des équipes composées de six élèves de races et d'aptitudes diverses. Ils subdivisèrent le sujet à l'étude en six thèmes et en assignèrent un à chaque élève. Si, par exemple, le sujet à l'étude était le Chili, un élève devait travailler sur l'histoire du pays, un autre sur la géographie, un troisième sur la culture et ainsi de suite, de sorte que chaque élève devienne l'expert dans un domaine. Dans un premier temps, tous les «historiens», les «géographes» et les autres «spécialistes» se rassemblaient pour faire leurs recherches. Enfin, chaque élève retournait au sein de son équipe pour transmettre ses connaissances à ses camarades. Chaque membre de l'équipe représentait donc, pour ainsi dire, une pièce du casse-tête. La technique obligeait les élèves sûrs d'eux-mêmes à écouter attentivement leurs camarades timides, et ces derniers constataient vite qu'ils avaient quelque chose d'important à offrir à leurs pairs.

Grâce à l'apprentissage coopératif, les élèves assimilent bien plus que les contenus des programmes d'études. Les amitiés interraciales fleurissent. Les résultats des élèves des minorités s'améliorent (à cause, peut-être, du soutien des pairs). De nombreux enseignants continuèrent à utiliser l'apprentissage coopératif une fois les expériences terminées (D.W. Johnson et coll., 1981; Slavin, 1990). «Il est clair, écrivit John McConahay (1981), expert en relations interraciales, que l'apprentissage coopératif constitue jusqu'à maintenant la meilleure méthode que nous connaissions pour améliorer les relations raciales dans les écoles intégrées.»

Les rapports d'égalité et de coopération exercent une influence bénéfique sur les garçons en camping, les gestionnaires, les étudiants et les écoliers. Pouvons-nous supposer qu'ils ont le même effet dans tous les domaines des relations humaines? Les membres d'une famille se rapprochent-ils à force de travailler la terre, de restaurer une vieille demeure ou de faire de la voile? Les citoyens tissent-ils des liens communautaires en organisant des bazars, en formant des chorales et en encourageant tous ensemble l'équipe de football locale? L'harmonie entre les peuples naît-elle des échanges techniques et scientifiques, des programmes de lutte contre la faim et de conservation des ressources ainsi que des rapports amicaux entre gens de tous les pays? Il semble que nous puissions répondre par l'affirmative à toutes ces questions (Brewer et Miller, 1988; Desforges et coll., 1991; Deutsch, 1985). Citoyens d'un monde déchiré, nous voilà donc confrontés à un important défi: déterminer nos objectifs prioritaires et planifier les mesures de coopération qui nous permettront de les atteindre.

La communication: négociation, médiation, arbitrage

Les rapports humains et la coopération ne sont pas les seuls moyens de résoudre les différends. Quand un homme et une femme, un patron et ses employés ou un pays X et un pays Y s'opposent, ils peuvent **négocier** directement l'un avec l'autre. Ils peuvent aussi demander à une tierce partie de jouer un rôle de *médiation*, c'est-à-dire de leur faire des suggestions et de faciliter leurs négociations. Ils peuvent enfin se soumettre à l'**arbitrage**, c'est-à-dire exposer leur désaccord à une personne qui étudiera la question et qui imposera un règlement.

Négociation
Action, pour deux parties en conflit, consistant à rechercher un accord au moyen de la communication directe.

Médiation
Action d'une tierce partie qui tente de résoudre un conflit en facilitant la communication entre les adversaires et en leur faisant des suggestions.

Arbitrage
Résolution d'un conflit par une tierce partie impartiale qui étudie les demandes des deux adversaires et qui impose un règlement.

La négociation

Si vous voulez acheter ou vendre une voiture, avez-vous intérêt à faire d'abord une offre extrême, de manière à obtenir un prix acceptable au bout du compte, ou à ouvrir les négociations avec une offre initiale sincère et de bonne foi?

Les recherches ne fournissent pas de réponse simple à cette question. D'une part, ceux qui demandent beaucoup obtiennent souvent beaucoup. La tactique de la «ligne dure» peut faire fléchir le vis-à-vis et le disposer à accepter un prix inférieur (Yukl, 1974).

L'âpreté, d'autre part, a ses inconvénients. L'enjeu de nombreux conflits ne porte pas sur une tarte dont chacun veut accaparer la plus grande part, mais, sur une tarte qui rapetisse à mesure que le temps passe. Une longue grève est aussi préjudiciable au patron qu'aux travailleurs. En outre, l'inflexibilité peut compromettre les chances de parvenir à une entente. Si les deux parties sont aussi intransigeantes l'une que l'autre, elles risquent de se cantonner dans des positions dont elles ne pourront se dégager sans perdre la face. Au cours des semaines qui ont précédé la guerre du Golfe, le président des États-Unis, George Bush, menaça, sous les feux des projecteurs, de «botter le cul à Saddam». Saddam Hussein répliqua sur le même ton, promettant de faire «nager les Américains infidèles dans leur propre sang». Après avoir proféré de telles menaces, il était difficile pour les deux parties d'éviter la guerre tout en sauvegardant leur honneur.

La médiation: se recentrer sur les besoins

Un médiateur impartial peut faire des suggestions qui permettent aux adversaires de faire des concessions sans en ressentir d'humiliation (Pruitt, 1981). Si la partie A peut dire que ses concessions lui ont été soufflées par un médiateur qui a obtenu une concession équivalente de la partie B, ni A ni B ne peuvent se faire accuser de capituler.

DEUX GAGNANTS AU LIEU D'UN Pour résoudre un conflit, un médiateur peut faciliter la communication constructive. En incitant les adversaires à mettre leurs différends de côté et à se concentrer plutôt sur leurs besoins, leurs intérêts et leurs objectifs respectifs, le médiateur cherche à muer la compétition en coopération et à trouver une solution satisfaisante pour les deux

291

parties. Leigh Thompson (1990a, b) découvrit que, l'expérience aidant, les négociateurs améliorent leur aptitude à trouver des compromis avantageux pour les deux parties et à élaborer des solutions où tous sont gagnants.

Une anecdote classique illustre bien cette méthode de résolution des conflits (Follett, 1940). Deux sœurs se disputaient une orange. Elles parlementèrent et divisèrent l'orange en deux. L'une des sœurs pressa sa moitié pour obtenir du jus et l'autre utilisa la pelure pour faire un gâteau… Lors d'expériences réalisées à la State University of New York, à Buffalo, Dean Pruitt et ses collègues incitèrent les adversaires à rechercher des **accords à la satisfaction des parties**. Dans le cas des deux sœurs, une telle entente aurait consisté, pour l'une, à prendre tout le jus et, pour l'autre, à prendre toute la pelure (Kimmel et coll., 1980; Pruitt et Lewis, 1975, 1977). Comparativement aux compromis, qui supposent que chaque partie fasse un sacrifice considérable, les ententes établies à la satisfaction des parties ont plus de chances de durer. Comme elles sont mutuellement avantageuses, elles favorisent aussi le maintien de relations harmonieuses entre les parties (Pruitt, 1986).

LES COMMUNICATIONS STRUCTURÉES: DISSIPER LES PERCEPTIONS ERRONÉES   La communication empêche souvent les perceptions érronées de se matérialiser. L'expérience que relate un étudiant dans le paragraphe suivant vous est peut-être familière:

Souvent, quand nous passons une longue période sans communiquer, je perçois le silence de Martha comme un signe d'indifférence de sa part. Elle, de son côté, pense que je suis en colère contre elle. Mon silence provoque son silence, qui renforce le mien… jusqu'à ce que ce cercle vicieux soit brisé par un événement qui nous oblige à interagir. Alors, la communication dissipe toutes les interprétations erronées que nous avions faites l'un à propos de l'autre.

L'issue des conflits dépend souvent de la *manière* dont les gens se communiquent leurs sentiments. Roger Knudson et ses collègues (1980) invitèrent des couples mariés au laboratoire de psychologie de l'université de l'Illinois et leur demandèrent de revivre, au moyen du jeu de rôle, l'un de leurs conflits passés. Les chercheurs observèrent et interrogèrent les couples avant, pendant et après les conversations (qui, dans certains cas, engendraient autant d'émotions que les conflits réels). À la fin de l'expérience, les conjoints qui avaient éludé la question (en exprimant leurs positions de manière ambiguë ou en restant sourds à celles de l'autre) s'illusionnèrent quant à l'harmonie et à l'entente réelles qui régnaient dans leur couple. Beaucoup de ces conjoints se persuadèrent qu'ils s'entendaient mieux qu'avant alors qu'en réalité leur accord avait diminué. En revanche, les conjoints qui s'attaquèrent réellement à l'objet de leur discorde (en exposant clairement leurs positions et en prenant celles de l'autre en considération) parvinrent vraiment à améliorer leur entente et obtinrent davantage d'information exacte sur leurs perceptions respectives. Voilà l'une des raisons qui explique que les couples heureux ont aussi tendance à exprimer leurs préoccupations avec franchise et ouverture (Grush et Glidden, 1987).

Les chercheurs qui étudient les conflits croient que la *confiance* constitue le facteur clé de la bonne entente. Si vous croyez que l'autre personne est bien intentionnée et qu'elle ne cherche pas à vous exploiter, vous êtes plus enclin à lui divulguer vos besoins et vos aspirations. En l'absence d'une telle confiance, vous restez sur vos gardes, craignant que votre sincérité ne fournisse à l'autre des armes qu'il pourrait utiliser contre vous.

Deux parties qui se méfient l'une de l'autre et qui communiquent inefficacement peuvent parfois sortir de l'impasse avec l'aide d'un médiateur impartial (un conseiller conjugal, un médiateur spécialisé en relations de travail ou un diplomate). Après avoir encouragé les adversaires à voir leur conflit sous un angle nouveau, le médiateur leur demande d'énumérer et de classer leurs objectifs respectifs. Lorsque l'incompatibilité réelle entre les objectifs est faible, les adversaires peuvent alors renoncer à leurs objectifs secondaires en vue d'atteindre tous deux leurs objectifs primordiaux (Erickson et coll., 1974; Schulz et Pruitt, 1978). Une fois que la direction et le syndicat croient tous deux que l'accroissement de la productivité et du profit est compatible avec l'augmentation des salaires et l'amélioration des conditions de travail, ils peuvent s'atteler à la recherche d'une solution commune qui permette aux deux parties de réaliser des gains.

Une fois que les parties ont accepté de communiquer directement, le médiateur n'a toutefois pas intérêt à les laisser se parler «dans le blanc des yeux» en espérant que cela les amène à une solution. Au beau milieu d'un conflit menaçant et stressant, les émotions nuisent souvent à la capacité des parties de comprendre le point de vue de l'autre. C'est au moment où la communication est le plus nécessaire qu'elle peut devenir le plus difficile (Tetlock, 1985). Par conséquent, le médiateur structure la rencontre afin d'aider les parties à se comprendre et à se sentir comprises. Il peut, par exemple, leur demander de restreindre leurs arguments à des énoncés factuels et notamment, à des formulations qui expriment leurs sentiments et qui décrivent leurs réactions au comportement de l'autre: «J'aime bien écouter de la musique. Mais quand tu montes le volume, j'ai de la difficulté à me concentrer. Ça m'énerve.» Le médiateur peut aussi demander aux adversaires d'inverser les rôles et de défendre la position opposée ou encore de reformuler les énoncés de l'autre avant de répliquer: «Ça t'énerve quand je monte le volume de la musique.»

Le médiateur peut également suggérer des solutions acceptables pour les deux parties, des solutions que chacune aurait rejetées si elles étaient venues de l'autre. Constance Stillinger et ses collègues (1991) découvrirent qu'une proposition de désarmement que les Américains avaient refusée quand elle avait été attribuée à l'Union soviétique leur parut plus acceptable venant d'une tierce partie neutre. De même, les gens dévalorisent souvent les concessions de l'adversaire («Ça ne doit pas lui tenir à cœur»); la même concession paraît moins anodine quand elle est proposée par une tierce partie.

Ces principes d'apaisement, fondés à la fois sur des expériences de laboratoire et sur la pratique, ont servi à la médiation de conflits internationaux et industriels (Blake et Mouton, 1962, 1979; Burton, 1969; Wehr, 1979). Une petite équipe d'Américains dont certains étaient d'origine arabe et d'autres d'origine juive et qui était dirigée par les psychologues sociaux Herbert Kelman et Stephen Cohen (1986) a animé des ateliers rassemblant des personnes influentes: d'une part, des Arabes et des Israéliens et, d'autre part, des Pakistanais et des Indiens. À l'aide de méthodes semblables à celles que nous venons de décrire, Kelman et Cohen ont réussi à dissiper les perceptions erronées et à faire collaborer les participants à la recherche de solutions originales. Comme ils étaient isolés, les participants purent parler à leurs adversaires sans craindre le jugement de leurs compatriotes. Quel fut le résultat? Les ennemis comprirent leurs points de vue respectifs ainsi que les réactions de l'autre aux actions de leur propre groupe.

293

En 1976, Kelman conduisit un spécialiste égyptien des sciences sociales, Boutros Boutros-Ghali (qui fut secrétaire général des Nations unies de 1991 à 1996) à l'aéroport de Boston. Chemin faisant, les deux hommes projetèrent d'organiser en Égypte une conférence sur le thème des perceptions erronées dans les relations israélo-arabes. Leur projet se concrétisa et Kelman en transmit les résultats prometteurs à des Israéliens influents. En 1977, Boutros-Ghali fut nommé ministre des Affaires étrangères par intérim de l'Égypte et le président du pays, Anouar el-Sadate, fit son voyage historique en Israël, jetant les bases d'un accord de paix. Par la suite, Boutros-Ghali, sur un ton joyeux, dit à Kelman: «Vous voyez là la suite du processus que nous avons enclenché à l'aéroport de Boston l'an dernier» (Armstrong, 1981).

En 1978, le président des États-Unis, Jimmy Carter, se fit médiateur et organisa à Camp David une rencontre privée entre Anouar el-Sadate et le premier ministre d'Israël, Menahem Begin. Au lieu d'amorcer les pourparlers en demandant aux ennemis d'énoncer leurs exigences, Carter les invita à exposer leurs objectifs fondamentaux (pour Israël, la sécurité, et, pour l'Égypte, la souveraineté sur son territoire historique). Treize ans plus tard, le trio avait produit un accord-cadre pour la paix au Moyen-Orient. Israël et l'Égypte obtenaient ce qu'ils voulaient, qui la sécurité, qui le territoire (Rubin, 1989). Six mois s'écoulèrent encore, au cours desquels le président Carter se rendit dans les deux pays pour y poursuivre son travail de médiation. Enfin, Begin et el-Sadate signèrent un traité qui mit fin à une guerre qui durait depuis 1948.

L'arbitrage: confier la décision à un autre

Certains conflits sont si inextricables et portent sur des intérêts si divergents qu'une solution mutuellement satisfaisante est inaccessible. Les Israéliens et les Palestiniens ne peuvent pas avoir juridiction sur le même territoire. Chacun des deux parents en instance de divorce ne peut obtenir la garde exclusive de ses enfants. Dans ces cas comme dans bien d'autres (que le désaccord porte sur le règlement des factures de réparation d'un logement, sur la rémunération des athlètes ou sur les territoires nationaux), la médiation peut échouer.

Le cas échéant, les parties peuvent recourir à l'*arbitrage*, c'est-à-dire demander au médiateur ou à une autre tierce partie de leur *imposer* un arrangement. Habituellement, les adversaires préfèrent se passer d'un arbitre et décider eux-mêmes de l'issue du conflit. Neil McGillicuddy et ses collègues (1987) le constatèrent en réalisant une expérience au Dispute Settlement Center (Centre de règlement des conflits), à Buffalo, dans l'État de New York. Quand les gens savaient qu'un arbitre interviendrait en cas d'échec de la médiation, ils faisaient un effort supplémentaire pour résoudre leur différend, manifestaient moins d'hostilité les uns à l'égard des autres et augmentaient ainsi leurs chances d'arriver à une entente. L'éventualité de l'arbitrage ne mène-t-elle pas à un durcissement des positions?

Dans les cas où les mésententes semblent profondes et irréconciliables, la perspective de l'arbitrage peut avoir l'effet contraire (Pruitt, 1986). Les adversaires durcissent leurs positions en espérant que le compromis proposé par l'arbitre sera à leur avantage. Pour contrer cette tendance, on utilise une méthode appelée «arbitrage des propositions finales» pour régler certains conflits, et notamment ceux qui portent sur le salaire des joueurs de la ligue majeure de base-ball. Cette méthode consiste, pour l'arbitre, à choisir l'une des deux offres finales. Elle incite chaque partie à présenter une proposition raisonnable.

En règle générale, cependant, la proposition finale n'est pas aussi raisonnable qu'elle le serait si chaque partie se débarrassait du biais de complaisance et considérait sa propre proposition du point de vue de l'autre. Les chercheurs qui étudient la négociation avancent qu'une confiance excessive en leurs chances de succès rend la plupart des adversaires inflexibles. Les chances de succès de la médiation diminuent lorsque, comme cela se produit souvent, les deux parties croient qu'elles ont deux chances sur trois de remporter l'arbitrage des propositions finales (Bazerman, 1986).

⬤ La conciliation

Il arrive que la tension et la méfiance qui marquent les négociations soient telles que la communication, et à plus forte raison la résolution du conflit, devienne impossible. Les adversaires utilisent la menace, la contrainte et les représailles. Malheureusement, ces actions engendrent la réciprocité et attisent le conflit. Est-ce à dire que la stratégie inverse (qui consiste à apaiser l'adversaire par une attitude de coopération inconditionnelle) produit un résultat satisfaisant? C'est rarement le cas. Dans les jeux qui se déroulent en laboratoire, les sujets pleinement coopératifs se font souvent exploiter. Et, dans le domaine politique, le pacifisme unilatéral n'est même pas envisagé par les partis traditionnels.

⬤ La méthode *GRIT*

Existe-t-il une troisième voie, une méthode de résolution des conflits qui incite les adversaires à la conciliation tout en les protégeant de l'exploitation? Le psychologue social Charles Osgood (1962, 1980) en a inventé une et l'a baptisée **GRIT**, pour *graduated and reciprocated initiatives in tension reduction*, ce qui, en français, signifie littéralement «initiatives graduelles et réciproques en vue d'une réduction de la tension». (En anglais, le mot *grit* signifie «courage», «cran».)

La méthode *GRIT* exige qu'un des adversaires affirme une volonté *de conciliation* puis entreprenne quelques actions d'apaisement. Autrement dit, l'instigateur exprime son intention de réduire la tension, annonce chaque acte de conciliation avant de l'accomplir et invite l'adversaire à l'imiter. Il délimite ainsi un cadre qui permet à l'adversaire d'interpréter correctement des actions qui, autrement, pourraient paraître faibles ou hypocrites. De plus, il braque les projecteurs sur l'adversaire et lui donne l'obligation morale de respecter la règle de réciprocité.

Ensuite, l'instigateur établit sa crédibilité et sa sincérité en accomplissant, conformément à son annonce, quelques *actes de conciliation* vérifiables. L'obligation de réciprocité devient plus pressante. En diversifiant les actes de conciliation (comme fournir de l'information médicale, fermer une base militaire et lever un embargo commercial), l'instigateur s'épargne un sacrifice important et donne à l'adversaire la liberté de choisir ses propres actions de concilia-

295

N'est-ce pas là annoncer qu'on accepte d'être le perdant?

tion. Si l'adversaire s'exécute volontairement, ses attitudes sont susceptibles de se mouler à son comportement et de s'adoucir.

La méthode *GRIT* vise la conciliation, non la capitulation. En effet, les adversaires *conservent leur capacité de riposte*. Les premières étapes comportent une part de risque, mais elles ne compromettent pas la sécurité des parties; elles sont plutôt structurées de manière à abaisser la tension d'un cran. Si l'une des parties commet un acte agressif, l'autre riposte dans la même veine et manifeste clairement qu'elle ne tolérera pas d'être exploitée. Néanmoins, la contre-attaque ne constitue pas une réaction excessive susceptible de causer une nouvelle escalade du conflit. Si l'adversaire propose lui aussi des actes de conciliation, l'instigateur doit à son tour l'égaler, voire le surpasser légèrement. L'expert en conflits Morton Deutsch (1991) traduit l'essence même de la méthode *GRIT* en donnant le conseil suivant aux adversaires: «Soyez fermes, justes et aimables. La *fermeté* consiste à résister à l'intimidation, à l'exploitation et aux coups bas; la *justice* consiste à conserver vos principes moraux et à vous abstenir de répondre à un comportement immoral par un comportement immoral, en dépit de la provocation; l'*amabilité* consiste à être disposé à amorcer et à maintenir la coopération.»

La méthode *GRIT* est-elle vraiment efficace?

Dans les jeux de laboratoire fondés sur des dilemmes, la stratégie qui donne les meilleurs résultats est celle du «un prêté pour un rendu» ou de la riposte proportionnée à l'acte initial: on ouvre le jeu par un geste de coopération, puis on égale la dernière réponse de l'adversaire (Axelrod et Dion, 1988; Smith, 1987). Cette stratégie est souple et propice à la coopération sans pour autant favoriser l'exploitation. Dans une longue série d'expériences, Svenn Lindskold et ses collaborateurs (1976 à 1988) ont étudié d'autres aspects de la méthode *GRIT*. Lindskold (1978) avance que ses études et celles d'autres chercheurs fournissent de solides preuves de l'efficacité de la méthode. Dans les jeux de laboratoire, l'annonce de l'intention de coopérer favorise la coopération. Les actes répétés de conciliation raffermissent la confiance (bien que, étant donné le biais de complaisance, chaque partie juge souvent ses actes moins hostiles que ceux de l'adversaire). Enfin, le maintien de l'égalité du pouvoir protège les adversaires contre l'exploitation.

Des stratégies analogues à la méthode *GRIT* furent quelquefois tentées à l'extérieur du laboratoire et donnèrent des résultats prometteurs. C'est le président Kennedy qui, selon certains, en a fait l'utilisation la plus inspirée (Etzioni, 1967). Le 10 juin 1963, Kennedy prononça un important discours intitulé «Une stratégie pour la paix». «Les problèmes que l'homme a créés, déclara-t-il, l'homme peut les résoudre» Il annonça ensuite son premier acte de conciliation: les États-Unis cesseraient tous les essais nucléaires dans l'atmosphère et ne les reprendraient que si un autre pays en faisait autant. Les journaux soviétiques publièrent intégralement le discours de Kennedy. Cinq jours plus tard, le président Khrouchtchev, imitant Kennedy, annonça qu'il avait interrompu la production de bombardiers stratégiques. D'autres gestes de bonne volonté suivirent. Les États-Unis acceptèrent de vendre du blé à l'Union soviétique, les Soviétiques consentirent à l'installation d'une ligne directe entre Moscou et Washington et les deux pays signèrent un traité par lequel ils s'engageaient à cesser les essais. Pendant un certain temps, ces actes de conciliation détendirent les relations entre les États-Unis et l'Union soviétique.

Après avoir connu une série de hauts et de bas, les relations américano-soviétiques parurent se détendre définitivement à la fin des années 80. C'est ainsi que, en 1991, le président Bush ordonna l'élimination de toutes les ogives nucléaires basées à terre, mit fin à l'état d'alerte dans lequel se trouvaient les bombardiers stratégiques et fit entreposer les bombes qu'ils portaient. Sans toutefois retirer ses armes nucléaires les moins vulnérables et les plus abondantes, les missiles sous-marins, il invita Mikhaïl Gorbatchev à lui rendre la pareille. Huit jours plus tard, celui-ci s'exécuta; il annula la mise en état d'alerte des bombardiers, entreposa les bombes et annonça le retrait des armes nucléaires des fusées à courte portée, des navires et des sous-marins.

Les actes de conciliation peuvent-ils aussi favoriser la concorde entre les individus? Nous avons toutes les raisons de le croire. Lorsqu'une relation tourne au vinaigre et que la communication s'arrête, un geste bienveillant, tels une réponse aimable, un sourire chaleureux, une poignée de main amicale, suffit quelquefois à ramener les belligérants sur un terrain où le contact, la coopération et la communication redeviennent possibles.

Exercices et questions

Résoudre un conflit, c'est trouver une solution qui soit satisfaisante pour les deux parties en cause. Dans le module, nous avons étudié divers moyens de réconcilier des positions antagonistes. Nous nous pencherons ici sur deux situations où des intérêts divergents s'opposent: un conflit de travail et le multiculturalisme au sein de notre société.

1. Imaginez que vous êtes un médiateur impartial appelé à résoudre un conflit de travail dans une usine (lire le premier paragraphe). Selon vous, quels éléments décrits dans le module vous aideraient dans votre tâche?
2. Que suggérez-vous pour transformer la situation décrite dans le deuxième paragraphe en une situation à somme non nulle?

1. ILS VONT FERMER L'USINE...

Dans une usine de pièces d'automobiles appartenant à un groupe multinational, les dirigeants du syndicat apprennent par le journal que les patrons songent à fermer l'usine, même si elle est très rentable et que le carnet de commandes est plein pour au moins les neuf prochains mois. On organise aussitôt une assemblée syndicale, et la majorité des membres vote en faveur d'une occupation des bureaux de la direction. De plus, on tiendra une ligne de piquetage aux portes de l'usine tant que la direction n'aura pas annoncé publiquement que l'usine restera ouverte jusqu'à la fin du présent contrat de travail, soit pendant encore 22 mois. La direction dément la nouvelle et affirme qu'elle n'a aucunement l'intention de fermer l'usine. Elle ajoute cependant qu'elle le fera si les travailleurs ne retournent pas à leur poste, et elle leur donne trois jours pour s'exécuter. Le syndicat réplique que si la direction refuse de faire la décla-ration demandée, l'occupation et le piquetage se poursuivront indéfiniment. C'est l'impasse.

2. MULTICULTURALISME OU ASSIMILATION?

Dans le cadre de sa politique officielle de multiculturalisme, le Canada reconnaît aux minorités ethniques le droit de conserver leur identité et leur héritage au sein d'un pays, défini comme hétérogène sur le plan culturel. La politique du Québec en matière de diversité ethnique s'écarte quelque peu de celle du Canada. Elle vise à intégrer les non-francophones à une «identité québécoise» qui traduit l'histoire et les aspirations de la majorité francophone. Beaucoup estiment que cette situation fait des gagnants et des perdants. Les anglophones et les allophones jugent qu'ils font l'objet d'une discrimination (qui, selon eux,

297

s'est exprimée lors du débat référendaire de 1995 et qui est inhérente à l'obligation de fréquenter des écoles françaises). La majorité francophone et ses dirigeants politiques soutiennent pour leur part que le multiculturalisme compromet la survie du Québec et de son identité linguistique et culturelle en Amérique du Nord. Les anglophones et les allophones semblent dire: «Vous êtes contre nous», tandis que les francophones répondent: «Nous voulons simplement que vous vous joigniez à nous». L'échange prend souvent des allures de dialogue de sourds.

Qui aime qui?

A u commencement, il y avait une attirance, une attirance entre un homme et une femme à qui nous devons la vie. Nous avons besoin des autres et les autres ont besoin de nous. Cette interdépendance place les relations au cœur même de l'existence humaine. «Qu'est-ce qui donne un sens à votre vie? Qu'est-ce qui est nécessaire à votre bonheur?» À ces questions, la plupart des gens répondent que ce sont en premier lieu des relations étroites et satisfaisantes avec les amis, la famille et un partenaire amoureux (Berscheid, 1985; Berscheid et Peplau, 1983).

Qu'est-ce qui prédispose une personne à en aimer une autre? Tant de choses ont été écrites sur l'affection et l'amour que toutes les explications possibles, et leur contraire, semblent déjà avoir été émises. Que faut-il croire: qui se ressemble s'assemble ou les contraires s'attirent?

Considérons tout d'abord une idée simple mais convaincante, la **théorie de l'attirance fondée sur la gratification**. Selon cette théorie, nous aimons ceux dont le comportement est gratifiant pour nous ou ceux que nous associons à des événements gratifiants. Les amis se gratifient mutuellement. Sans tenir de comptes, ils se font des faveurs l'un à l'autre. De même, nous nous prenons d'affection pour les gens que nous associons à des situations et à des événements agréables. C'est ce qui a fait tenir les propos suivants aux chercheurs Elaine Hatfield et William Walster (1978): «Les dîners romantiques, les sorties au théâtre, les soirées passées ensemble à la maison et les vacances ne perdent jamais leur importance. [...] Si vous voulez que votre relation survive, il est important que vous continuiez *tous deux* à l'associer à des choses agréables.»

Mais comme toutes les généralisations séduisantes, la théorie de la gratification laisse de nombreuses questions sans réponse. Qu'est-ce qui est gratifiant au juste? Est-ce généralement plus gratifiant de côtoyer une personne différente de soi ou une personne semblable à soi? Est-ce plus gratifiant de recevoir des compliments flatteurs ou des critiques constructives? Quels facteurs ont favorisé l'établissement de *vos* relations intimes?

Théorie de l'attirance fondée
sur la gratification
Théorie selon laquelle nous aimons ceux dont nous trouvons le comportement gratifiant ou ceux que nous associons à des événements gratifiants.

La proximité: l'amour est dans ma cour

Proximité
Rapprochement géographique. La proximité (et plus précisément la distance fonctionnelle) constitue un important prédicteur de l'affection.

L'un des plus forts prédicteurs de l'amitié entre deux personnes est leur simple **proximité**. La proximité, il est vrai, peut aussi engendrer l'hostilité; la plupart des victimes d'agressions et de meurtres vivent à peu de distance de leur assaillant. (Les armes à feu achetées à des fins d'autodéfense se tournent bien plus souvent contre des membres de la famille que contre des intrus.) En règle générale, cependant, la proximité fait naître l'affection. Au risque de décevoir ceux qui méditent sur les origines mystérieuses de l'amour romantique, les sociologues ont découvert que la plupart des mariages unissent des personnes qui vivent dans le même quartier, qui travaillent au même endroit ou qui fréquentent le même établissement d'enseignement (Bossard, 1932; Burr, 1973; Clarke, 1952; Katz et Hill, 1958). Regardez autour de vous. Si un jour vous vous mariez, ce sera probablement avec une personne qui a habité, travaillé ou étudié dans le même secteur géographique que vous.

L'interaction: plus positive que négative

En réalité, ce n'est pas la distance géographique qui est déterminante, mais la «distance fonctionnelle», c'est-à-dire la fréquence à laquelle les chemins des gens se croisent. Les gens se lient d'amitié avec ceux qui utilisent les mêmes portes d'entrée, les mêmes stationnements et les mêmes services récréatifs. Les locataires des résidences étudiantes à qui l'on assigne une chambre au hasard ont forcément des interactions fréquentes; or, ils ont beaucoup plus de chances de devenir amis qu'ennemis (Newcomb, 1961). Les interactions permettent aux gens de trouver leurs points communs, de sentir l'affection que l'autre leur porte et de percevoir qu'ils forment ensemble une unité sociale (Arkin et Burger, 1980).

À l'université où j'enseigne, la résidence des garçons et celle des filles étaient autrefois situées aux extrémités opposées du campus. Bien entendu, les étudiants déploraient la rareté des amitiés mixtes. Aujourd'hui que les garçons et les filles occupent des ailes séparées du même immeuble et se rencontrent sur les trottoirs, dans les salons et dans les salles de lavage, les amitiés mixtes sont beaucoup plus fréquentes. Alors, si vous arrivez en ville et que vous voulez vous faire des amis, essayez de trouver un appartement près d'une boîte aux lettres, un bureau près de la machine à café et une place de stationnement près d'un édifice fréquenté. L'architecture de l'amitié est ainsi faite.

Mais pourquoi la proximité engendre-t-elle l'affection?

L'accessibilité des gens qui vivent à proximité de nous est un facteur susceptible d'expliquer ces observations. Il va sans dire que nous avons plus de chances de rencontrer les gens qui vivent dans notre propre entourage que ceux qui fréquentent une autre école ou habitent une autre ville. Mais ce n'est pas tout; la plupart des gens ont plus de sympathie pour leurs colocataires ou pour leurs voisins immédiats que pour leurs deuxièmes voisins. Pourtant, la distance entre deux portes ou deux étages n'a rien d'insurmontable. En outre, les gens qui vivent à proximité les uns des autres sont des ennemis potentiels autant que des amis potentiels. Alors, pourquoi la proximité est-elle plus propice à l'amitié qu'à l'inimitié?

L'anticipation des interactions: prévoir l'agréable

Nous avons déjà donné une réponse à la dernière question: la proximité permet aux gens de découvrir leurs points communs et de se gratifier mutuellement. Qui plus est, la simple *anticipation* des interactions favorise l'affection. John Darley et Ellen Berscheid (1967) le découvrirent en réalisant une expérience auprès d'étudiantes. Ils donnèrent à ces dernières des renseignements ambigus à propos de deux femmes, puis leur dirent qu'elles allaient avoir une conversation intime avec l'une des deux femmes. Les chercheurs demandèrent ensuite aux étudiantes quelle femme elles préféraient; elles choisirent celle qu'elles s'attendaient à rencontrer. L'attente d'un rendez-vous, de même, attise l'affection (Berscheid et coll., 1976). L'anticipation de l'interaction nous fait percevoir l'autre comme sympathique et compatible et maximise ainsi les probabilités d'établissement d'une relation gratifiante (Knight et Vallacher, 1981; Kunda, 1990; Miller et Marks, 1982).

Le phénomène a une fonction adaptative. Chaque jour, en effet, nous côtoyons des gens que nous n'avons pas choisis mais avec lesquels nous devons demeurer en relation (colocataires, grands-parents, enseignants, camarades de classe, collègues de travail, etc.). L'affection que nous portons à ces personnes favorise sûrement l'harmonie de nos relations et cette harmonie, à son tour, favorise notre bonheur et notre productivité.

La simple exposition

Effet de la simple exposition
Tendance à aimer davantage ou à coter plus favorablement les stimuli nouveaux à la suite d'expositions fréquentes.

La proximité mène à l'affection pour une deuxième raison. Plus de 200 expériences révèlent que la familiarité engendre l'amitié (Bornstein, 1989). La **simple exposition** à toutes sortes de stimuli nouveaux (des syllabes absurdes, des caractères chinois, des passages de musique, des visages) entraîne des évaluations favorables de ces stimuli. Les supposés mots turcs *nansoma*, *saricik* et *afworbu* ont-ils une signification meilleure ou pire que les mots *iktitaf*, *biwojni* et *kadirga*? Les étudiants observés par Robert Zajonc (1968, 1970) préférèrent parmi ces mots ceux qu'ils avaient vus le plus fréquemment. Plus ils avaient vu souvent un mot absurde ou un idéogramme chinois, plus ils étaient enclins à dire qu'il désignait une bonne chose (figure 27.1). Tenez, quelle est votre lettre préférée? Les gens de nationalités, de langues et d'âges différents préfèrent les lettres qui forment leur propre nom et celles qui apparaissent fréquemment dans leur langue (Hoorens et coll., 1990; Nuttin, 1987). La lettre majuscule W, la moins fréquente en français, est celle que les étudiants français aiment le moins.

Lors de l'inauguration de la tour Eiffel, en 1889, les gens trouvèrent cette construction grotesque. Aujourd'hui, c'est le symbole aimé de tout Paris (Harrison, 1977). De tels revirements nous poussent à nous interroger sur les réactions initiales des gens aux nouveautés. Les visiteurs du Louvre adorent-ils vraiment la Joconde ou sont-ils simplement ravis d'apercevoir un visage familier? Les deux peut-être: la connaître, c'est l'aimer.

Je vous entends dire que certaines personnes *ne* gagnent *pas* à être connues et que certains stimuli *perdent* leur attrait à force de se répéter. Une nouvelle chanson qui plaît à la première écoute devient énervante à la centième. Et dans le cas des stimuli

301

Figure 27.1

L'effet de la simple exposition. Les sujets évaluent les stimuli plus favorablement à la suite d'expositions répétées. (D'après Zajonc, 1968.)

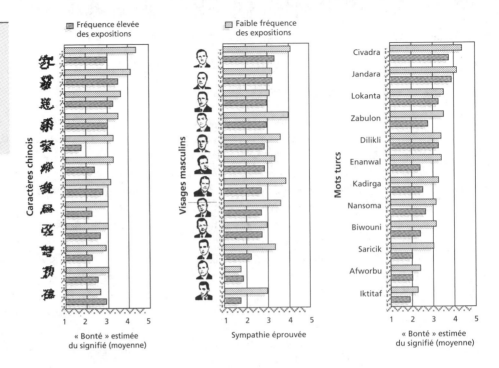

ennuyeux ou négatifs, l'exposition incessante ne mène nullement à l'appréciation (Bornstein et coll., 1990; Grush, 1976).

En tant que généralisation, tout de même, le principe tient, et il colore les évaluations que nous faisons des autres. Nous aimons mieux ceux que nous connaissons bien (Swap, 1977). Voire, nous nous aimons mieux nous-mêmes quand nous avons l'apparence qui nous est familière. Lors d'une expérience suave, Theodore Mita, Marshall Dermer et Jeffrey Knight (1977) photographièrent des étudiantes. Ensuite, ils montrèrent à chaque étudiante la photo qu'ils avaient prise d'elle ainsi qu'une image inversée de la photo. Les chercheurs demandèrent aux étudiantes quelle image elles préféraient, et la plupart choisirent l'image inversée, identique à celle qu'elles avaient l'habitude de voir dans le miroir. (Pas étonnant que nous n'aimions jamais nos photos) Les chercheurs montrèrent aussi les deux images à des amies intimes des sujets; elles préférèrent la photo, l'image qu'*elles* étaient habituées de voir.

Les publicitaires et les politiciens tablent sur le phénomène de la simple exposition. Quand les gens n'ont pas d'opinion précise à propos d'un produit ou d'un candidat, la répétition à elle seule peut faire grimper les ventes ou les votes (McCullough et Ostrom, 1974; Winter, 1973). Si les candidats sont relativement inconnus, comme cela se produit souvent à l'échelle locale, ce sont habituellement ceux qui apparaissent le plus souvent dans les médias qui l'emportent (Patterson, 1980; Schaffner et coll., 1981).

Keith Callow, le respecté juge en chef de la Cour suprême de l'État de Washington, a appris cette leçon en 1990, année où les électeurs lui préférèrent un candidat du nom de Charles Johnson. (Les juges sont élus aux États-Unis.) Johnson, un obscur avocat qui avait plaidé des divorces et des causes criminelles mineures, brigua le poste sous prétexte que «les juges doivent rencontrer de l'opposition». Ni Callow ni Johnson ne firent campagne et les médias ne s'intéressèrent pas à eux. Le jour du scrutin, seuls les noms des deux candidats figurèrent sur les bulletins de vote. Callow remporta 47 pour cent des voix et Johnson, 53 pour cent. «Il y a beaucoup plus de Johnson que de Callow dans la population», lança le juge défait à la communauté juridique estomaquée. En effet, un journal de Seattle dénombra 27 Charlie Johnson dans la seule ville de Seattle seulement. Il y avait Charles Johnson, juge du comté de King. Et puis, à Tacoma, il y avait le présentateur de nouvelles Charles Johnson dont les bulletins étaient diffusés par câble dans tout l'État. Forcés de choisir entre deux inconnus, de nombreux électeurs avaient apparemment préféré le nom familier de Charlie Johnson.

● La beauté physique: la vraie beauté est-elle ... intérieure?

Que recherchez-vous (ou que recherchiez-vous) chez un partenaire potentiel? La sincérité? La beauté? Le caractère? La loquacité? Les gens raffinés et intelligents ne s'occupent pas d'attributs aussi superficiels que la beauté; ils savent qu'on ne juge pas une personne d'après les apparences. Ils savent, à tout le moins, que telle *devrait* être leur façon de penser. Cicéron, orateur et homme politique latin, a dit, il y a plus de 2000 ans: «Le bien ultime et le devoir suprême du sage est de résister aux apparences.»

La croyance selon laquelle les apparences importent peu est peut-être une autre manifestation de notre refus d'admettre les influences que nous subissons réellement. En effet, une foule d'études démontrent que l'apparence *compte*. La constance et l'ampleur de cet effet sont déconcertantes. La beauté est en vérité un atout précieux.

Les fréquentations

Qu'on le veuille ou non, la beauté physique d'une jeune femme est plus ou moins corrélée avec la fréquence de ses rendez-vous amoureux. Chez les hommes, la corrélation est un peu plus faible (Berscheid et coll., 1971; Krebs et Adinolfi, 1975; Reis et coll., 1980, 1982; Walster et coll., 1966). Faut-il en déduire, comme certains, que les femmes suivent mieux que les hommes le conseil de Cicéron, ou simplement que ce sont surtout les hommes qui font les invitations? Si l'on demandait à des femmes de choisir un partenaire parmi un groupe d'hommes, l'apparence serait-elle aussi importante pour elles que pour les hommes? Le philosophe et mathématicien britannique Bertrand Russel (1930, p. 139) croyait que non: «Globalement, les femmes tendent à aimer les hommes pour leur personnalité, tandis que les hommes tendent à aimer les femmes pour leur apparence.»

Pour déterminer si les hommes sont en effet plus influencés que les femmes par l'apparence, les chercheurs fournissent à des étudiants et à des étudiantes divers renseignements à propos d'une personne du sexe opposé, y compris une photo. Ou encore ils organisent une brève rencontre entre un homme et une femme, puis demandent à chacun d'eux s'ils ont envie de sortir avec l'autre. Lors de telles expériences, les hommes sont un peu plus nombreux que les femmes à valoriser la beauté physique du sexe opposé (Feingold, 1990, 1991). Les femmes le sentent peut-être, car elles se soucient plus que les hommes de leur apparence et forment 90 pour cent de la clientèle des chirurgiens plasticiens (Dion et coll., 1990). Cela ne signifie pas, cependant, que les femmes ne soient pas réceptives à la beauté des hommes.

Elaine Hatfield et ses collègues (1966) ont entrepris une étude ambitieuse; en prévision d'une soirée dansante, ils ont apparié 752 étudiants de première année d'université. Les chercheurs ont fait subir des tests de personnalité et d'aptitude à chaque personne, puis ils ont formé les couples au hasard. Pendant la soirée, les couples ont dansé et bavardé pendant deux heures et demie, puis les gens ont fait une courte pause pour évaluer leur partenaire. Les résultats des tests étaient-ils prédictifs de l'attirance existant entre les gens? Les étudiants préféraient-ils les partenaires ayant une forte estime d'eux-mêmes, les partenaires peu anxieux ou les partenaires plus ou moins sociables qu'eux-mêmes? Les chercheurs examinèrent une longue liste de possibilités mais, autant qu'ils purent le déterminer, une seule chose comptait: la beauté physique. Plus une femme était jolie, aux yeux des expérimentateurs et, surtout, aux yeux de son partenaire, plus celui-ci l'appréciait et désirait la revoir. Et plus l'homme était beau, plus sa partenaire l'appréciait et désirait le revoir. La beauté plaît.

Dire que la beauté est importante, toutes choses étant égales par ailleurs, n'est pas affirmer que l'apparence physique prime toujours les autres qualités. Vraisemblablement, la beauté détermine surtout les premières impressions. Or, les premières impressions comptent, d'autant que la société s'urbanise, que la mobilité s'accroît et que les rapports interpersonnels sont de plus en plus éphémères (Berscheid, 1981).

De plus, quoi qu'en disent les employeurs, la beauté et la tenue influent sur les premières impressions lors des entrevues d'emploi (Cash et Janda, 1984; Mack et Rainey, 1990; Marvelle et Green, 1980). C'est l'une des raisons pour lesquelles les gens séduisants ont des emplois plus prestigieux, gagnent plus d'argent et se disent plus heureux (Umberson et Hugues, 1987). Patricia Roszell et ses collègues (1990) ont étudié la beauté physique à partir d'un échantillon national de Canadiens auxquels des interrogateurs avaient attribué des cotes de 1 (laid) à 5 (exceptionnellement beau). Les chercheurs constatèrent que chaque niveau de l'échelle correspondait à une différence de salaire moyenne de 1988 $. Irene Hanson Frieze et ses collaborateurs (1991) firent la même analyse avec 737 titulaires d'un M.B.A. à qui ils avaient attribué des cotes de 1 à 5 en s'appuyant sur des photos tirées d'albums étudiants. À chaque niveau de l'échelle correspondait une différence de salaire de 2600 $ pour les hommes et de 2150 $ pour les femmes.

Le phénomène de l'assortiment: les deux font la paire

Il n'est pas donné à tout le monde de fréquenter une personne exceptionnellement séduisante. Alors, comment les couples se forment-ils? D'après les résultats obtenus par Bernard Murstein (1986) et d'autres chercheurs, les gens s'apparient à une personne aussi séduisante qu'eux. Plusieurs études ont révélé une forte correspondance de la beauté chez les maris et les femmes, chez les amoureux et même chez les membres de certaines confréries étudiantes (Feingold, 1988). Les gens tendent à se lier d'amitié et, surtout, à se marier avec des personnes qui les égalent non seulement en intelligence, mais aussi en beauté.

Phénomène de l'assortiment

Tendance des hommes et des femmes à choisir des partenaires dont les caractéristiques, et notamment la beauté, sont équivalentes aux leurs.

L'expérimentation confirme le **phénomène de l'assortiment**. Au moment d'approcher quelqu'un, sachant que cette personne est libre d'accepter ou de refuser, les gens abordent généralement une personne dont la beauté est équivalente à la leur (Berscheid et coll., 1971; Huston, 1973; Stroebe et coll., 1971). Les assortiments réussis sur le plan physique le sont généralement sur le plan affectif. C'est ce qu'a découvert Gregory White (1980) en étudiant des couples d'amoureux à l'université de la Californie à Los Angeles. Les partenaires qui se ressemblaient le plus sur le plan de beauté physique furent les plus nombreux, neuf mois après, à s'aimer encore davantage. Alors, quels partenaires sont les mieux assortis au chapitre de la beauté physique, les partenaires mariés ou les partenaires qui se fréquentent occasionnellement? White a constaté, comme d'autres chercheurs, que ce sont les gens mariés qui sont les mieux assortis.

Voilà qui vous fait peut-être penser à des couples heureux qui ne sont pas formés d'individus aussi séduisants l'un que l'autre. Dans ces couples, la personne la moins séduisante possède souvent des qualités qui compensent son manque d'attrait. Chaque partenaire apporte des atouts sur le marché social et la valeur globale des atouts respectifs détermine le caractère équitable de l'assortiment. Ce troc des atouts s'observe dans la section «Rencontres» des journaux (Koestner et Wheeler, 1988). Typiquement, les hommes offrent une position sociale et recherchent la beauté; les femmes font plus souvent l'inverse: «Femme séduisante, intelligente, mince, 38 ans, cherche professionnel tendre.» C'est notamment par ce processus d'échange social que de belles jeunes femmes épousent des hommes d'âge mûr dont la position sociale est supérieure à la leur (Elder, 1969). Henry Kissinger, qui fut le secrétaire d'État du président Nixon, n'était pas le plus séduisant des hommes, mais il avait la réputation de sortir avec une foule de jolies femmes pour qui le pouvoir représentait «l'aphrodisiaque suprême».

La beauté: être dans la moyenne

J'ai parlé de la beauté comme s'il s'agissait d'un caractère objectivement mesurable tel que la taille. À strictement parler, cependant, la beauté est constituée de ce que les gens d'un lieu et d'une époque donnés trouvent beau. Et, bien entendu, cela varie. Les normes de beauté en fonction desquelles on élit Miss Univers n'ont pas cours sur toute la planète, tant s'en faut. Même dans un lieu et à une époque donnés, les gens (heureusement) ne jugent pas tous la beauté à partir des mêmes critères (Morse et Gruzen, 1976).

Il existe tout de même un certain consensus. En général, les caractéristiques de la beauté ne dévient pas beaucoup de la moyenne (Beck et coll., 1976; Graziano et coll., 1978; Symons, 1981). Les gens trouvent relativement jolis les nez, les jambes et les statures qui ne sont ni trop grands ni trop petits. Judith Langlois et Lori Roggman (1990) l'ont démontré en numérisant les photos

de 32 étudiants et en produisant par ordinateur un «visage moyen». Les étudiants jugèrent les visages composites plus beaux que 96 pour cent des visages pris individuellement. À certains égards, par conséquent, une beauté parfaitement moyenne constitue une beauté exceptionnelle.

Ce que vous jugez beau dépend aussi de l'élément de comparaison que vous employez. Des complices masculins de Douglas Kenrick et Sara Gutierres (1980) sont entrés dans les chambres d'étudiants et leur ont dit: «Un de nos amis nous rend visite ce week-end, et nous voulons lui trouver une petite amie. Mais nous n'arrivons pas à nous décider, alors nous avons décidé de faire un sondage. Nous voudrions que vous regardiez ces photos et que vous cotiez chaque fille sur une échelle de 1 à 7.» Si les complices montraient la photo d'une jeune femme moyenne, les étudiants qui venaient de voir trois jolies femmes dans l'émission *Charlie's Angels* la jugeaient moins favorablement que ne le faisaient les étudiants qui n'avaient pas regardé l'émission.

Les expériences de laboratoire confirment l'existence de cet «effet de contraste». Aux yeux des hommes qui viennent de regarder des revues érotiques, les femmes moyennes (voire leurs propres femmes) paraissent moins séduisantes (Kenrick et coll., 1989). De même, le visionnement de films pornographiques où sont présentés des rapports sexuels passionnés diminue la satisfaction à l'égard du partenaire (Zillmann, 1989). L'excitation sexuelle peut temporairement faire paraître les personnes du sexe opposé plus attirantes. Mais l'exposition à des «10» parfaits ou à des représentations irréalistes de la sexualité a pour effet résiduel de faire paraître le partenaire moins séduisant (celui-ci étant alors coté plus près du «5» que du «8»). Nos perceptions de nous-mêmes subissent un sort semblable. Après avoir vu une personne extrêmement attirante, les gens du même sexe se sentent moins séduisants qu'après avoir vu une personne «ordinaire» (Brown et coll., 1992).

Nous pouvons conclure notre exposé sur une note réconfortante. Non seulement les gens beaux nous paraissent-ils aimables, mais les gens aimables nous paraissent beaux. Peut-être vous souvenez-vous de personnes auxquelles vous vous êtes progressivement attachées et que vous avez trouvées de plus en plus séduisantes, au point de ne plus remarquer leurs imperfections physiques. Alan Gross et Christine Crofton (1977) présentèrent à des étudiants des descriptions favorables ou défavorables de la personnalité d'un individu, puis ils leur montrèrent une photo de cet individu. Si la personne avait été décrite comme chaleureuse, serviable et prévenante, elle *paraissait* plus séduisante. Les personnes avec lesquelles nous nous trouvons des ressemblances nous paraissent aussi plus belles (Beaman et Klentz, 1983; Klentz et coll., 1987). L'amour, dans une certaine mesure, est aveugle. Plus une femme est amoureuse d'un homme, plus elle le trouve beau (Price et coll., 1974). Et plus les gens sont amoureux, *moins* ils trouvent d'attrait à tous les membres du sexe opposé (Johnson et Rusbult, 1989; Simpson et coll., 1990). «L'herbe est peut-être plus verte de l'autre côté, écrivirent Rowland Miller et Jeffry Simpson (1990), mais les jardiniers heureux ont moins de chances de le remarquer.»

⬤La similitude ou la complémentarité

Les propos que nous avons tenus jusqu'à maintenant semblent donner raison à l'écrivain russe Léon Tolstoï qui, au XIXᵉ siècle, écrivit: «L'amour repose [...] sur des rencontres fréquentes, sur le style de la coiffure ainsi que sur la couleur et la coupe de la robe.» C'est pourquoi nous devons nous empresser de mentionner qu'à mesure que les gens apprennent à se connaître, d'autres facteurs déterminent si leur relation se transformera ou non en amitié. L'affection que se portent des hommes au bout d'une semaine de cohabitation dans une pension *ne* permet *pas* de prévoir s'ils s'apprécieront encore quatre mois plus tard (Nisbett et Smith, 1989). La similitude existant entre eux, cependant, constitue un bon prédicteur de leur affection.

Qui se ressemble s'assemble: vrai ou faux?

Une chose est sûre: qui s'assemble se ressemble. Les amis, les fiancés et les conjoints sont beaucoup plus susceptibles que les gens appariés au hasard d'avoir des attitudes, des croyances et des valeurs semblables. Chez les gens mariés, en outre, la similitude entre l'homme et la femme est directement proportionnelle à leur bonheur et inversement proportionnelle à leurs probabilités de divorcer (Byrne, 1971; Caspi et Herbener, 1990). Ces résultats corrélationnels sont intéressants, mais la causalité demeure une énigme. Est-ce la similitude qui engendre l'affection ou l'affection qui engendre la similitude?

LA SIMILITUDE ENGENDRE L'AFFECTION Pour distinguer la cause et l'effet, il faut mener une expérience. Imaginez qu'à une fête, Lise discute longuement de politique, de religion et de cent autres choses avec Luc et Louis. Lise découvre qu'elle est d'accord avec Luc sur à peu près tout et avec Louis, sur à peu près rien. Après la soirée, elle se dit: «Luc est vraiment intelligent. Et il est si adorable. J'espère bien le revoir.» Dans leurs expériences, Donn Byrne et ses collègues ont reconstitué l'essence de cette situation. Maintes et maintes fois, ils ont constaté que, plus les attitudes d'une personne sont semblables aux nôtres, plus cette personne nous paraît sympathique. Cette relation similitude-affection apparaît non seulement chez les étudiants d'université mais aussi chez les enfants, les personnes âgées, les personnes de différentes professions et les habitants de divers pays.

Pour étudier le phénomène en situation réelle, les chercheurs ont examiné la formation des liens d'amitié. À l'université du Michigan, Theodore Newcomb (1961) a observé deux groupes de 17 étudiants nouvellement arrivés d'une autre université. Après 13 semaines de cohabitation dans une pension, ceux qui avaient au départ le plus de points communs étaient les plus susceptibles d'avoir noué une amitié profonde. Ainsi, un des groupes d'amis était formé de cinq étudiants en sciences humaines qui avaient tous des idées de gauche en politique et une forte propension aux choses de l'intellect. Un autre groupe était composé de trois conservateurs convaincus et qui étaient tous inscrits à la faculté de génie.

William Griffitt et Russell Veitch (1974) accélérèrent le processus de familiarisation en enfermant 13 étrangers dans un abri antiatomique. (Tous étaient des volontaires rémunérés.) Connaissant les opinions des hommes sur divers sujets, les chercheurs pouvaient prévoir les amitiés et les inimitiés avec une précision relative. Comme les locataires de la pension, les hommes s'allièrent à ceux qui leur ressemblaient le plus. Qui se ressemble s'assemble. C'est probablement ce que vous vous êtes dit quand vous avez rencontré une personne qui partageait vos idées, vos valeurs et vos désirs, l'âme sœur qui aimait la même musique, les mêmes activités, voire la même cuisine que vous.

307

Les contraires s'attirent: vrai ou faux?

Mais ne sommes-nous pas aussi attirés par les gens qui, dans certains domaines, *diffèrent* de nous, par les gens qui nous complètent? Les chercheurs ont tenté de répondre à cette question en comparant non seulement les attitudes et les croyances d'amis et de conjoints, mais aussi leur âge, leur religion, leur race, leur consommation de tabac, leur niveau économique, leur instruction, leur taille, leur intelligence et leur apparence. À ces égards et à bien d'autres, la similitude était la règle (Buss, 1985; Kandel, 1978). Les gens intelligents s'assemblent. Il en va de même pour les gens riches, les gens de religion protestante, les gens de grande taille et les gens de belle apparence.

Qu'en est-il des gens qui se complètent?

Mais nous ne sommes pas encore tout à fait convaincus. Ne serions-nous pas attirés par les gens dont les besoins et la personnalité complètent les nôtres? Une relation gratifiante peut-elle découler de la rencontre d'un sadique et d'un masochiste?. Le sociologue Robert Winch (1958) postula que les besoins d'une personne extravertie et dominatrice complétaient naturellement ceux d'une personne réservée et soumise. Nous en convenons spontanément, car nous connaissons tous des couples qui considèrent leurs différences comme complémentaires: «Mon mari et moi sommes faits l'un pour l'autre. Je suis Verseau, donc déterminée. Il est Balance et il n'arrive pas à se décider. Mais il est toujours très satisfait des arrangements que je prends.»

Complémentarité
Tendance supposée, chez deux personnes en relation, à posséder ce dont l'autre est dépourvue. Selon cette hypothèse discutable, les gens attirent les personnes qui ont des besoins différents des leurs mais complémentaires.

Une certaine **complémentarité** peut émerger à mesure qu'une relation évolue (même entre de vrais jumeaux). Pourtant, les gens semblent bien un peu plus portés à épouser une personne dont les besoins et la personnalité sont *semblables* aux leurs (Berscheid et Walster, 1978; Buss, 1984; D. Fishbein et Thelen, 1981a, 1981b; Nias, 1979). Nous découvrirons peut-être un jour des contextes (autres que l'hétérosexualité) où les différences sont propices à l'affection. Le chercheur David Buss (1985) en doute: «La tendance des contraires à se réunir [...] n'a jamais été démontrée de manière fiable, sauf en ce qui a trait au sexe.» Il semble donc que la règle des «contraires qui s'attirent», si tant est qu'elle soit vraie, ne puisse aucunement rivaliser d'importance avec celle du «qui se ressemble s'assemble».

⬤ Aimer ceux qui nous aiment: je m'aime à travers toi?

Rétrospectivement, nous pouvons expliquer les conclusions auxquelles nous sommes parvenus jusqu'à maintenant au moyen du principe de la gratification:

- La *proximité* est gratifiante. Il faut moins de temps et d'effort pour jouir de l'amitié d'une personne qui vit ou travaille près de nous que de celle d'une personne éloignée.
- Nous aimons les gens *séduisants* parce que nous leur attribuons d'autres caractères désirables et parce que nous tirons parti de notre association avec eux.
- Si les autres ont des opinions *semblables* aux nôtres, nous nous sentons gratifiés, car nous présumons qu'ils nous apprécient aussi. De plus, les gens qui pensent comme nous contribuent à valider nos points de vue.

Si nous aimons ceux dont le comportement est gratifiant, alors nous devrions adorer ceux qui nous aiment et nous admirent. Les plus grandes amitiés devraient se nouer entre des gens qui s'adulent. Est-ce ainsi dans la réalité? De fait, l'affection que porte une personne à une autre est prédictive de l'affection reçue en retour (Kenny et Nasby, 1980). L'affection tend à la réciprocité.

Mais l'affection qu'une personne éprouve pour une autre entraîne-t-elle l'affection réciproque? Oui, si l'on se fie aux descriptions que font les gens des circonstances dans lesquelles ils sont tombés amoureux (Aron et coll., 1989). Découvrir qu'une personne attirante nous aime beaucoup semble éveiller chez nous des sentiments tendres. Du reste, l'expérimentation le confirme. Les sujets à qui l'on dit que certaines personnes les aiment ou les admirent éprouvent une affection pour ces personnes (Berscheid et Walster, 1978).

Ellen Berscheid et ses collègues (1969) ont constaté que les étudiants de l'université du Minnesota aimaient mieux un autre étudiant qui disait huit choses agréables à leur sujet qu'un étudiant qui disait sept choses agréables et une chose désagréable. Nous sommes sensibles à la moindre critique. L'auteur Larry L. King parle au nom de bien des gens quand il dit: «J'ai découvert au fil des ans que les bonnes critiques, étrangement, ne procurent pas à l'auteur un contentement égal à la consternation que provoquent chez lui les mauvaises critiques.» Que nous nous jugions nous-mêmes ou que nous jugions les autres, les reproches ont plus de poids. Les électeurs sont plus influencés par les faiblesses qu'ils perçoivent chez un candidat que par les forces qu'ils lui découvrent (Klein, 1991). Les stratèges politiques ne le savent que trop bien et, aux États-Unis en particulier, beaucoup s'attachent à dénigrer l'adversaire plutôt qu'à faire valoir leur candidat.

Les fins observateurs de l'être humain n'ont pas attendu les psychologues sociaux pour remarquer que nous aimons et comblons ceux qui paraissent nous aimer. De Hécatée de Milet, historien de la Grèce antique («Si vous voulez être aimé, aimez») à Ralph Waldo Emerson («Le seul moyen d'avoir un ami est d'en être un») et à Tristan Bernard («Ce que nous aimons dans nos amis, c'est le cas qu'ils font de nous»), ils avaient compris le principe. Néanmoins, les conditions dans lesquelles ce dernier opère leur avaient échappé.

L'estime de soi et l'attirance

Le principe de la gratification implique qu'on devrait trouver l'approbation particulièrement gratifiante après en avoir été privé, tout comme on trouve suprêmement gratifiant de manger quand on meurt de faim. Pour vérifier cette idée, Elaine Hatfield (Walster, 1965) donna à des étudiantes d'université des analyses soit très favorables soit très défavorables de leur personnalité. Elle leur demanda ensuite d'évaluer quelques personnes, dont un complice masculin séduisant qui, juste avant l'expérience, avait eu une conversation chaleureuse avec chaque étudiante et lui avait demandé un rendez-vous. (Aucune n'avait refusé.) Selon vous, quelles femmes ont le plus apprécié l'homme, celles qu'on venait de flatter ou celles qu'on venait de critiquer? Ce furent celles dont on venait d'ébranler l'estime de soi et qui, vraisemblablement, étaient avides d'approbation sociale. Voilà l'une des raisons pour lesquelles certaines personnes trouvent si vite un nouvel amour après une rupture, au moment où leur *ego* est le plus mal en point. Les

expériences du genre de celle de Hatfield sont critiquables sur le plan éthique. Dans ce cas au moins, il semble que les dommages n'aient pas été trop grands. Après l'expérience, Hatfield passa près d'une heure avec chaque étudiante pour lui expliquer sa démarche et discuter avec elle. Elle affirma qu'aucune n'était restée marquée par la blessure d'amour-propre qui lui avait été infligée ni par l'annulation du rendez-vous.

La proximité, la beauté, la similitude, l'affection reçue, tels sont les facteurs reconnus pour être à l'origine de l'amitié. Il arrive que l'amitié gagne en passion et en intimité et se mue en amour. Qu'est-ce que l'amour? Pourquoi naît-il? Pourquoi s'éteint-il? C'est à ces questions que nous répondrons dans le module suivant.

●Exercices et questions

Par qui sommes-nous attirés? La première des études que nous présentons ci-dessous portait sur le choix des camarades de jeu chez les enfants. La deuxième avait pour but de déterminer si les femmes minimisent l'importance qu'elles accordent à la beauté physique de leurs partenaires. La troisième, enfin, visait à vérifier si l'odorat contribue à l'établissement du lien entre la mère et le nouveau-né. Avant de lire les descriptions de ces études, tentez de répondre à ces questions. Vos réflexions vous aideront à mieux évaluer les résultats.

1. Les enfants choisissent-ils spontanément des camarades de jeu qui leur ressemblent ou qui sont différents d'eux?
2. Les femmes hésitent-elles à indiquer que la beauté physique constitue pour elle un facteur d'attirance envers les hommes? Qu'en pensez-vous?
3. Les femmes qui viennent d'accoucher trouvent-elles vraiment que l'odeur des bébés en général est agréable (et pas seulement l'odeur du leur)? Cette odeur contribue-t-elle à renforcer l'attirance de la mère envers l'enfant?

1. LE CHOIX DES CAMARADES DE JEU CHEZ LES ENFANTS

Kenneth Rubin et ses collègues (1994), de l'université de Waterloo, en Ontario, rassemblèrent 286 enfants de 7 ans qui ne se connaissaient pas, formèrent des groupes de quatre enfants du même sexe et laissèrent les petits jouer. Les chercheurs observèrent dans chaque groupe un enfant qui exprimait clairement sa préférence pour l'un des trois autres membres. Les enfants choisissaient des camarades dont le comportement était semblable au leur et qui utilisaient le même genre de stratégies qu'eux dans leurs jeux. Il semble donc que les enfants recherchent des compagnons de jeu qui leur ressemblent.

2. L'IMPORTANCE DE LA BEAUTÉ PHYSIQUE DANS LE CHOIX DU PARTENAIRE CHEZ LES FEMMES

Deux chercheurs de l'université de la Colombie-Britannique, Hadjistavropoulos et Genest (1994), étudièrent l'importance de la beauté physique dans le choix du partenaire chez 80 étudiantes du premier cycle de l'université. Ils donnèrent aux sujets des photos et des descriptions psychologiques de partenaires potentiels et ils leur demandèrent de coter chacun d'eux. Ensuite, les chercheurs invitèrent les femmes à réfléchir à leurs choix et à les justifier. Ils relièrent quelques femmes à un supposé détecteur de mensonges. Ces femmes admirent que l'apparence physique avait été un facteur déterminant de leur choix. Cependant, les femmes qui n'étaient pas soumises au détecteur de mensonges avaient tendance à sous-estimer l'importance de l'apparence physique dans le choix de leur partenaire.

3. LES FEMMES ET L'ODEUR DES NOUVEAU-NÉS

Lors d'une étude réalisée à l'université de Toronto, Fleming et ses collègues (1993) formèrent quatre groupes d'adultes: des femmes ayant accouché deux ou trois jours plus tôt, des femmes ayant accouché un mois plus tôt, des femmes sans enfant et des hommes sans enfant. Les chercheurs demandèrent aux sujets de renifler différentes odeurs, des odeurs courantes (lotion pour le corps, fromage, épices) et des odeurs associées aux bébés (odeur corporelle générale, urine, excréments), et d'indiquer s'ils trouvaient chaque odeur «agréable» ou «désagréable». Les mères des nouveau-nés furent les sujets qui réagirent le plus vivement aux odeurs caractéristiques des bébés (même si ces odeurs ne provenaient pas de leur propre bébé); elles les cotèrent beaucoup plus favorablement que ne le firent les femmes et les hommes sans enfant.

Les hauts et les bas de l'amour

Q u'est-ce que cette chose qu'on appelle l'amour? L'amour est un sentiment plus complexe que l'affection et, par le fait même, plus difficile à mesurer, plus déroutant à étudier. On rêve d'amour, on vit pour l'amour, on meurt par amour. Pourtant, l'amour n'est devenu que récemment un sujet d'étude sérieux en psychologie sociale.

En matière d'attirance, la plupart des chercheurs ont étudié les aspects les plus faciles à appréhender: les réactions manifestées au cours de brèves rencontres entre étrangers. Les déterminants de l'affection qu'on porte spontanément à une autre personne (la proximité, la beauté physique, la similitude, l'affection reçue) influent aussi sur nos relations intimes durables. De fait, si l'amour fleurissait *au hasard* en Amérique du Nord, sans que la proximité et la similitude jouent un rôle, la plupart des catholiques (qui sont minoritaires) épouseraient des protestants, la plupart des Noirs épouseraient des Blancs et les diplômés auraient autant de chances d'épouser des décrocheurs du secondaire que d'autres diplômés.

Nous avons vu l'importance des premières impressions. Néanmoins, l'amour ne se réduit pas à l'intensification d'une première impression favorable. C'est pourquoi les psychologues sociaux ne se contentent plus d'étudier la légère attirance éprouvée lors des premières rencontres et se penchent désormais sur les relations intimes durables.

Ainsi, une des tendances en recherche consiste à comparer la nature de l'amour dans diverses relations intimes: amitiés entre personnes de même sexe, relations parent-enfant et relations amoureuses (Davis, 1985; Maxwell, 1985; Sternberg et Grajek, 1984). Les études révèlent que toutes les relations amoureuses ont certains éléments en commun: la compréhension mutuelle, le soutien donné et reçu, l'appréciation de l'être cher et le plaisir tiré des rapports avec lui. Bien que ces ingrédients entrent dans la recette de l'amitié comme dans celle de l'amour conjugal, ils sont apprêtés différemment suivant la relation. L'amour passionné, particulièrement dans sa phase initiale, se caractérise par l'attirance physique, le désir d'exclusivité et une intense fascination envers l'être aimé.

L'amour-passion

Peut-on vraiment étudier l'amour comme tout autre objet de recherche scientifique?

La première étape d'une étude scientifique de l'amour romantique consiste, comme pour n'importe quelle autre variable, à choisir une façon de le définir et de le mesurer. Il existe des moyens de mesurer l'agression, l'altruisme, les préjugés et l'affection. Mais comment mesurer l'amour? Les spécialistes des sciences sociales ont trouvé diverses façons de faire. Ainsi, le psychologue Robert Sternberg (1988) représente l'amour sous la forme d'un triangle dont les trois côtés (de longueur variable) sont la passion, l'intimité et l'engagement (figure 28.1). S'inspirant de la

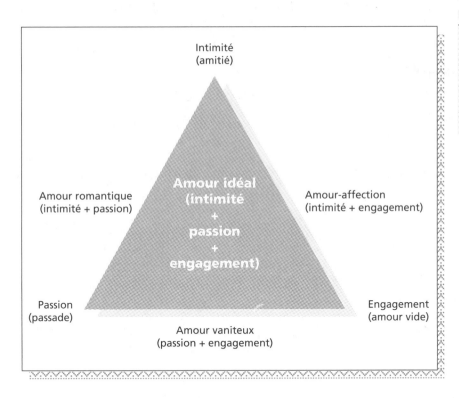

Figure 28.1

Selon Robert Sternberg (1988), les différents types d'amour résultent d'une combinaison particulière de trois composantes fondamentales.

philosophie et de la littérature classiques, le sociologue John Alan Lee (1988) et les psychologues Clyde Hendrick et Susan Hendrick (1993) postulent qu'il existe trois styles primaires d'amour - *eros* (passion), *ludus* (jeu) et *storge* (amitié) – et que, comme les couleurs primaires, ces styles se combinent pour former des styles secondaires. Zick Rubin (1970, 1973), l'un des précurseurs de la recherche sur l'amour, discernait des composantes différentes. Pour les mesurer, il composa un questionnaire dont voici un extrait:

313

1. *Attachement.* («Si je me sentais seul, mon premier réflexe serait de rechercher la présence de _____ .»)
2. *Intérêt.* («Si _____ était triste, mon premier devoir serait de lui remonter le moral.»)
3. *Intimité.* («Je pense que je peux confier à peu près n'importe quoi à _____ .»)

Rubin distribua son test sur l'amour à des centaines de couples d'amoureux de l'université du Michigan. Ensuite, il invita au laboratoire les couples qui, d'après le test, avaient soit une relation vacillante, soit une relation solide. Pendant que les couples se trouvaient dans la salle d'attente, des observateurs cachés derrière un miroir sans tain chronométrèrent leurs contacts visuels. Les partenaires des couples «faibles» se regardaient moins que ceux des couples «forts»; ceux-ci se trahissaient en se regardant longuement dans les yeux.

L'**amour-passion** est bouleversant, excitant, intense. Hatfield (1988) le définit comme *«un vif désir d'union avec une autre personne»* (p. 193). Si l'amour-passion est réciproque, l'on se sent comblé et joyeux; sinon, l'on se sent vide et désespéré. Comme les autres formes de stimulation émotionnelle, l'amour-passion est un mélange d'euphorie et de désolation, d'exultation et de détresse.

Une théorie de l'amour-passion: donner un sens à l'activation

Pour expliquer l'amour-passion, Hatfield souligne qu'une activation quelconque peut éveiller différentes émotions, suivant la manière dont on l'interprète. Une émotion sollicite à la fois le corps et l'esprit; elle est composée d'une activation et de la façon dont nous en interprétons l'origine. Imaginez que le cœur vous débat et que vos mains tremblent. Qu'éprouvez-vous: de la peur, de l'anxiété, de la joie? Sur le plan physiologique, toutes les émotions se ressemblent. Par conséquent, vous pouvez interpréter la stimulation comme de la joie si le contexte est gai, comme de la colère s'il est hostile et comme de l'amour passionné s'il est romantique. De ce point de vue, on peut définir l'amour-passion comme l'expérience psychologique associée au fait d'être physiologiquement stimulé par une personne que l'on trouve attirante.

Si la passion est effectivement un état d'activation que l'on a appelé «amour», peut-on alors considérer que tout ce qui hausse le niveau de cette activation devrait intensifier l'amour? Dans plusieurs expériences, les étudiants sexuellement excités par un texte ou un film érotique réagissaient plus fortement à une femme; par exemple, ils obtenaient des scores beaucoup plus élevés au test de Rubin lorsqu'on leur demandait de répondre en pensant à leur petite amie (Carducci et coll., 1978; Dermer et Pyszczynski, 1978; Stephan et coll., 1971). Les tenants de la **théorie bifactorielle de l'émotion** pensent que ces étudiants excités qui réagissent à une femme sont enclins à lui attribuer à tort une partie de leur excitation.

Selon cette théorie, la stimulation, quelle qu'en soit la source, devrait intensifier la passion, à condition qu'il soit possible d'attribuer une partie de l'excitation à un stimulus romantique. Donald Dutton et Arthur Aron (1974, 1989) invitèrent des étudiants de l'université de la Colombie-Britannique à participer à une expérience portant sur l'apprentissage. Les chercheurs présentèrent aux étudiants une séduisante partenaire, puis ils annoncèrent à quelques-uns d'entre eux qu'ils recevraient

---

Amour-passion
Vif désir d'union avec une autre personne. Les amoureux passionnés vivent l'un pour l'autre, trouvent leur plus grand bonheur dans l'amour de l'autre et sont inconsolables s'ils le perdent.

Théorie bifactorielle de l'émotion
Théorie selon laquelle une émotion est le produit d'une activation et de l'interprétation qu'on en fait.

L'accroissement de l'activation a amplifié l'attirance chez des hommes qui franchissaient le pont de la rivière Capilano.

des secousses électriques «assez douloureuses». Avant d'entamer l'expérience, les chercheurs donnèrent un bref questionnaire aux étudiants en leur disant qu'ils voulaient obtenir de l'information sur leurs réactions et leurs sentiments présents, facteurs qui influent souvent sur le rendement dans une tâche d'apprentissage. Les chercheurs demandèrent notamment aux étudiants à quel point ils aimeraient fréquenter la partenaire qu'on leur avait présentée et l'embrasser; les étudiants qui avaient été stimulés (effrayés par la perspective des secousses) exprimèrent une attirance plus intense envers la femme en question.

Ce phénomène se produit-il à l'extérieur du laboratoire?

Dans le cadre d'une autre recherche, Dutton et Aron (1974) demandèrent à une jolie jeune femme d'aborder des jeunes hommes pendant qu'ils traversaient un étroit pont de 137 m de long suspendu à une hauteur de 70 m de hauteur au-dessus de la rivière Capilano, en Colombie-Britannique. La femme priait chaque homme de répondre aux questions d'un sondage qu'elle faisait dans le cadre d'une recherche scolaire. À la fin, elle écrivait son nom et son numéro de téléphone sur un bout de papier et invitait l'homme à l'appeler s'il voulait obtenir des détails à propos de la recherche. La plupart des hommes prirent le bout de papier, et la moitié de ceux qui le prirent appelèrent la femme. Par contre, les hommes qui avaient été abordés par une femme sur un pont bas et solide ou encore par un *homme* alors qu'ils se trouvaient sur le pont suspendu furent peu nombreux à téléphoner. Une fois de plus, la stimulation physique avait accentué les réactions amoureuses. L'adrénaline est un excellent aphrodisiaque.

Les variantes de l'amour

ÉPOQUE ET CULTURE: AVANT OU APRÈS?   Nous sommes toujours tentés (à cause de l'effet de faux consensus) de croire que les autres pensent comme nous. Nous supposons, par exemple, que l'amour est une condition nécessaire au mariage. Dans les sociétés

où les mariages sont arrangés, cependant, les gens ne partagent pas cette croyance. Du reste, il n'y a pas si longtemps, le choix du conjoint, particulièrement chez les femmes, était fortement influencé, en Amérique du Nord, par des considérations comme la sécurité économique, le milieu familial et la situation professionnelle. Au milieu des années 80, cependant, presque 9 jeunes adultes sur 10 indiquèrent aux enquêteurs que l'amour était essentiel au mariage (figure 28.2). L'on voit donc que l'importance accordée à l'amour romantique varie d'une société à l'autre. Aujourd'hui, l'amour précède généralement le mariage dans les sociétés occidentales et lui succède dans d'autres.

PERSONNALITÉ: CARACTÈRE BREF OU DURABLE DES RELATIONS?   Quels que soient le lien et l'époque, les individus n'ont pas tous la même conception des relations hétérosexuelles. Certains recherchent une suite de relations brèves, tandis que d'autres apprécient l'intimité d'une relation exclusive et durable. Dans une série d'études, Mark Snyder et ses collègues (1985, 1988; Snyder et Simpson, 1985) découvrirent que la différence était reliée à un trait de personnalité appelé **autorégulation**. Les personnes fortement autorégulées régissent consciencieusement leur comportement en fonction de la situation dans laquelle elles se trouvent, afin de produire l'effet désiré en toutes circonstances. Elles contrôlent surtout leur apparence. Les personnes faiblement autorégulées, pour leur part, agissent surtout en fonction de ce qu'elles vivent intérieurement; elles affirment plus spontanément se conduire de la même façon, quelle que soit la situation. La source de leur contrôle est interne.

Parmi ces deux types de personnes, lesquelles sont, selon vous, les plus influencées par l'apparence physique d'un partenaire éventuel? Lesquelles sont les plus enclines à quitter un partenaire pour un autre et, par conséquent, à avoir des relations fréquentes mais brèves? Lesquelles ont le plus grand nombre de partenaires sexuels?

Snyder et Simpson indiquent que ce sont les personnes fortement autorégulées. Ces personnes soignent habilement les premières impressions qu'elles laissent, mais elles tendent à éviter les relations profondes et durables. Les personnes faiblement autorégulées, moins centrées sur l'extérieur, s'engagent plus volontiers

Autorégulation
Fait d'être sensible à la façon dont on se présente dans les situations sociales et d'adapter son comportement en fonction de l'impression qu'on veut produire.

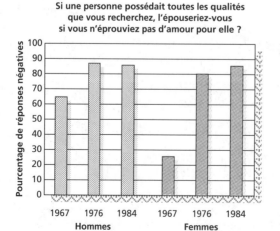

Figure 28.2

L'amour-passion n'a pas toujours été une condition essentielle au mariage en Amérique du Nord. Il l'est devenu pour les jeunes femmes à mesure qu'elles ont atteint l'indépendance financière. (D'après Simpson et coll., 1986.)

et accordent plus d'importance aux qualités intérieures des gens. Lorsqu'elles étudient les dossiers de partenaires ou d'employés potentiels, elles attachent plus de prix au caractère des personnes qu'à leur apparence. Si elles ont le choix entre une personne qui partage leurs attitudes et une personne qui partage leurs activités préférées, elles penchent pour la première, contrairement aux individus fortement autorégulés (Jamieson et coll., 1987).

Les hommes et les femmes vivent-ils l'amour passionné de la même façon?

SEXE: RESSENTIR ET EXPRIMER La plupart des gens supposent que les femmes tombent amoureuses plus facilement que les hommes. L'auteur de la lettre suivante, adressée au courrier du cœur d'un journal, pensait justement ainsi:

Cher Dr Brothers,

Pensez-vous qu'il soit efféminé pour un gars de 19 ans d'être amoureux au point d'en perdre la tête? Je pense que je suis anormal, car ça m'est arrivé plusieurs fois. On dirait que l'amour me tombe dessus sans que je voie rien venir. [...] Mon père dit que ce sont les filles qui tombent amoureuses comme ça, pas les gars, en tout cas ce n'est pas censé se produire ainsi. Je n'y peux rien, mais ça m'inquiète. - P.T. (Cité par Dion et Dion, 1985.)

P.T. serait rassuré d'apprendre que ce sont en réalité les *hommes* qui tombent amoureux le plus facilement. En outre, les hommes semblent rester amoureux plus longtemps que les femmes et ils sont moins susceptibles qu'elles de rompre des fréquentations. Les femmes amoureuses, quant à elles, sont aussi engagées, sinon plus, que leurs partenaires. Elles sont plus nombreuses à exprimer des sentiments d'euphorie, à se dire «transportées et légères», comme si elles «flottaient sur un nuage». Elles sont un peu plus portées que les hommes à cultiver l'intimité de leur relation et à se centrer sur leur partenaire. Les hommes, de leur côté, pensent plus que les femmes aux aspects ludiques et physiques de la relation (Dion et Dion, 1985; Peplau et Gordon, 1985).

● L'amour-affection: avec le temps...

L'amour-passion brûle fort, mais il se consume inévitablement. Comme l'euphorie produite par les drogues s'atténue à mesure que se développe la tolérance, la passion romantique est condamnée à tiédir au fil du temps. Plus une relation dure, moins elle comporte de hauts et de bas émotionnels (Berscheid et coll., 1989). L'euphorie romantique peut subsister quelques mois, voire un ou deux ans. Mais, étant donné le phénomène du niveau d'adaptation, aucune extase n'est éternelle. Lorsqu'une relation intime s'inscrit dans le temps, elle prend la forme de ce que Hatfield appelle l'**amour-affection**.

Contrairement à l'amour-passion et à ses montagnes russes, l'amour-affection est stable. Ce dernier consiste en un attachement profond et chaleureux, qui n'en est pas moins vrai que le premier. Même si on a acquis une tolérance à une drogue, le sevrage est douloureux. Il en va de même des relations intimes. Les gens que ne dévore plus la flamme de l'amour-passion découvrent souvent, lors d'un divorce ou du décès de leur conjoint, que leur perte est plus grande qu'ils ne l'auraient cru. Comme ils se sont centrés sur les lacunes de leur

Amour-affection
Sentiment porté aux personnes avec qui nous vivons une relation d'interdépendance.

317

relation, ils n'ont pas remarqué tout ce qu'elle comportait de bon, et notamment les centaines d'activités partagées (Carlson et Hatfield, 1992).

Le tiédissement de l'amour passionné et l'importance croissante que prennent d'autres facteurs, telle la communauté des valeurs, transparaissent dans les sentiments qu'éprouvent les Indiens, selon le genre de mariage qu'ils ont contracté. Usha Gupta et Pushpa Singh (1982) demandèrent à 50 couples de Jaipur, en Inde, de faire le test sur l'amour élaboré par Zick Rubin. Les conjoints qui avaient fait un mariage d'amour plus de cinq ans auparavant affirmaient que leur amour avait diminué. En revanche, les conjoints qui avaient fait un mariage de convenance disaient s'aimer *davantage* qu'au début de leur union (figure 28.3).

La disparition de la passion serait-elle un précurseur du divorce?

L'évanouissement de la passion provoque souvent une période de désillusion, particulièrement chez les gens pour qui cette forme d'amour est essentielle au mariage (voir la figure 28.2) et à sa longévité. Jeffry Simpson, Bruce Campbell et Ellen Berscheid (1986) font la réflexion suivante: «L'augmentation abrupte du taux de divorces qui a marqué les 20 dernières années est reliée, en partie du moins, à l'importance accrue que prennent les expériences émotionnelles intenses (comme l'amour romantique) dans la vie des gens. Or, ces expériences sont probablement très difficiles à maintenir dans le temps.» Comparativement aux Nord-Américains, les Asiatiques se préoccupent moins des sentiments personnels comme la passion et davantage des aspects pratiques des attachements sociaux (Dion et Dion, 1988). Par conséquent, ils s'exposent probablement moins au désenchantement. Les Asiatiques, en outre, sont moins enclins à l'individualisme égocentrique qui, à la longue, peut saper une relation et mener au divorce (Dion et Dion, 1991; Triandis et coll., 1988).

Il se pourrait bien que le déclin de la fascination réciproque soit naturel et qu'il favorise la survie de l'espèce. L'amour passionné aboutit souvent à la procréation, et la survie des enfants serait compromise si les parents restaient obsédés l'un par l'autre (Kenrick et Trost, 1987). Du reste, beaucoup de conjoints connaissent un regain d'amour romantique lorsque leurs enfants quittent le foyer familial et qu'ils ont à nouveau le loisir de se centrer l'un sur l'autre (Hatfield et Sprecher, 1986). «Aucun homme ni aucune femme ne savent vraiment ce qu'est l'amour avant d'avoir été mariés pendant un quart de siècle», dit Mark Twain. Si la relation a été intime et mutuellement gratifiante, l'amour-affection a beaucoup de chances de fleurir encore après 25 ans. Mais qu'est-ce que l'intimité? Et qu'entend-on par «relation mutuellement gratifiante»?

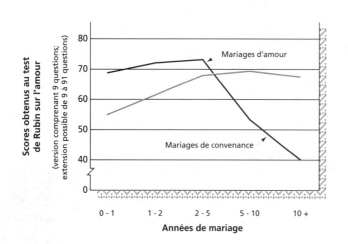

Figure 28.3

L'amour romantique entre conjoints qui ont fait des mariages d'amour ou des mariages de convenance à Jaipur, en Inde. (Les données proviennent de Gupta et Singh, 1982.)

La révélation de soi: intimité et confiance

Révélation de soi
Action consistant à confier à une autre personne des aspects intimes de soi.

Les relations fondées sur un amour-affection profond sont empreintes d'intimité. Elles nous permettent de nous montrer tels que nous sommes vraiment et de nous sentir acceptés. Cette merveilleuse expérience est le propre d'un mariage heureux ou d'une amitié profonde, d'une relation dans laquelle on peut s'ouvrir à l'autre sans craindre la perte de son estime (Holmes et Rempel, 1989). Une telle relation se caractérise par ce que le regretté Sidney Jourard appelait la **révélation de soi**. À mesure que la relation évolue, les partenaires se livrent de plus en plus l'un à l'autre; leur connaissance de l'autre s'approfondit jusqu'à ce qu'elle atteigne un niveau approprié. Faute d'une telle intimité, l'on fait la douloureuse expérience de la solitude (Berg et Peplau, 1982; Solano et coll., 1982).

Les chercheurs ont tenté de déceler tant les *causes* que les *effets* de la révélation de soi. Ils se sont demandé dans quelles circonstances les gens sont le plus disposés à confier ce qu'ils aiment et n'aiment pas d'eux-mêmes, et quels sont les effets des confidences sur le récepteur et sur l'émetteur.

Réciprocité de la révélation de soi
Tendance à répondre aux confidences d'une personne par des confidences ayant le même caractère d'intimité.

Le résultat le plus fiable qu'ils ont obtenu correspond à l'**effet de réciprocité de la révélation de soi**. Les confidences entraînent les confidences (Berg, 1987; Miller, 1990; Reis et Shaver, 1988). Nous nous confions davantage à ceux qui se sont confiés à nous. Cependant, l'intimité est rarement instantanée. La plupart du temps, elle progresse à la manière d'une danse: j'en révèle un peu, tu en révèles un peu, mais pas trop; tu te confies encore un brin, j'en fais autant.

Certaines personnes ont la faculté d'inspirer les confidences, même chez ceux qui n'ont pas l'habitude de parler beaucoup d'eux-mêmes (Miller et coll., 1983). Ce sont généralement des personnes qui ont une grande capacité d'écoute des autres. Pendant une conversation, elles conservent une expression attentive et elles paraissent à l'aise et contentes (Purvis et coll., 1984). Elles manifestent leur intérêt en ponctuant les propos de leur interlocuteur de mots d'encouragement. Comme l'a dit Carl Rogers (1980), elles «favorisent la croissance» de leur interlocuteur; elles révèlent *authentiquement* leurs propres sentiments, elles *acceptent* ceux de l'autre et elles écoutent ses propos de manière *empathique* et réfléchie.

Quels sont les effets de la révélation de soi?

Jourard (1964) prétendait que nous entretenions l'amour en jetant bas les masques et en nous montrant tels que nous sommes. Selon lui, il est gratifiant de s'ouvrir à une autre personne puis de recevoir la confiance qu'elle nous témoigne en s'ouvrant à nous. Ainsi, il semble que le fait d'avoir un ami intime à qui nous pouvons parler de ce qui menace l'estime que nous avons de nous-mêmes nous aide à supporter le stress (Swann et Predmore, 1985). Une amitié véritable est une relation privilégiée qui nous aide à vivre nos autres relations. «Quand je suis avec mon ami, écrivit le dramaturge romain Sénèque, je me sens aussi libre de dire une chose que de la penser.» À son meilleur, le mariage s'assimile à une telle amitié, à laquelle s'ajoute le sceau de l'engagement.

Bien que l'intimité soit valorisante, les résultats de nombreuses expériences nous interdisent de présumer que la révélation de soi engendre automatiquement l'amour. Ce n'est pas aussi simple, malheureusement. Il est vrai que nous aimons mieux ceux à qui nous nous sommes confiés (R.L. Archer et coll.,1980). Mais nous n'aimons pas toujours ceux qui se confient à nous de façon très intime (Archer et Burleson, 1980; Archer et coll., 1980). Une personne qui, dès les premiers stades d'une relation, s'empresse de nous

319

divulguer tous ses secrets peut nous paraître indiscrète, puérile, voire instable (Dion et Dion, 1978; Miell et coll., 1979). Mais, en règle générale, les gens préfèrent une personne ouverte à une personne secrète, particulièrement lorsque la révélation de soi est appropriée à la conversation. Nous sommes heureux quand une personne habituellement réservée nous dit que quelque chose en nous l'a poussée à s'épancher, puis nous révèle des renseignements confidentiels (Archer et Cook, 1986; D. Taylor et coll., 1981). Nous trouvons gratifiant qu'une personne choisisse de se confier à nous.

La révélation de soi constitue l'un des plaisirs de l'amour-affection. Les amoureux et les conjoints qui s'ouvrent le plus l'un à l'autre se disent plus satisfaits de leur relation et ils ont plus de chances de demeurer longtemps ensemble (Berg et McQuinn, 1986; Hendrick et coll., 1988; Sprecher, 1987). Un sondage de la maison Gallup a révélé récemment que 75 pour cent des gens qui prient avec leur conjoint (et 57 pour cent de ceux qui ne le font pas) jugeaient leur mariage très heureux (Greeley, 1991). Chez les croyants, la prière silencieuse commune représente un acte d'humilité, d'intimité et de recueillement. Les gens qui prient à deux sont aussi plus nombreux à affirmer qu'ils discutent ensemble de leur mariage, qu'ils respectent leur conjoint et qu'ils le trouvent adroit en matière d'amour physique.

Les chercheurs ont aussi découvert que les femmes sont plus enclines que les hommes à dévoiler leurs craintes et leurs faiblesses (Cunningham, 1981). Comme l'a dit Kate Millett (1975): «Les femmes expriment, les hommes répriment.» Il n'en reste pas moins que les hommes d'aujourd'hui, et particulièrement ceux qui favorisent l'égalité entre les sexes, semblent de plus en plus disposés à révéler leurs sentiments intimes et à récolter les joies que procure une relation de confiance mutuelle.

L'équité: donnant, donnant

Dans le module précédent, nous avons mentionné que le phénomène de l'appariement reposait sur une règle d'équité. Les gens, en effet, apportent habituellement des atouts équivalents dans les relations amoureuses, de sorte qu'ils sont assortis sur le plan de la beauté, de la position sociale, etc. S'ils ne sont pas assortis sur un plan, celui de la beauté physique par exemple, ils tendent, en compensation, à ne pas l'être aussi sur un autre plan, telle la position sociale. En revanche, leur association est globalement équitable. Peu de gens oseraient dire (ou même penser): «J'échange ma beauté contre ton argent.» Néanmoins, l'équité est la règle, particulièrement dans les relations durables.

Les partenaires qui vivent une relation équitable sont plus satisfaits (Fletcher et coll., 1987; Hatfield et coll., 1985; Van Yperen et Buunk, 1991). Ceux qui perçoivent leur relation comme inéquitable sont mal à l'aise; le plus avantagé des deux se sent coupable et celui qui se croit lésé est irrité. (Étant donné le biais de complaisance, le premier est moins sensible que le second à l'iniquité.) Robert Schafer et Patricia Keith (1980) ont interrogé des centaines de gens mariés de tous les âges; ils ont ensuite étudié ceux qui se sentaient victimes d'une injustice parce qu'ils faisaient plus que leur part de la préparation des repas, des tâches ménagères, de l'éducation des enfants ou des gains monétaires. L'inégalité avait un prix: ces gens-là étaient plus malheureux et plus déprimés.

La rupture ou le maintien d'une relation intime

Que font les gens lorsqu'ils jugent leur relation amoureuse inéquitable?

Si elles estiment pouvoir obtenir ailleurs l'affection et le soutien qui leur manquent, certaines personnes mettent fin à la relation qui leur semble inéquitable. Chez les gens qui se fréquentent, la rupture est d'autant plus douloureuse que la relation est intime et ancienne et que les solutions de rechange sont rares (Simpson, 1987). Fait étonnant, Roy Baumaster et Sara Wotman (1992) indiquent que des mois ou des années après la séparation, les gens qui ont rompu ressentent plus de peine que ceux qui ont été abandonnés. Ils se sentent coupables d'avoir fait mal à quelqu'un, ils sont excédés par la persistance de la personne abandonnée et ils ne savent trop comment réagir.

La rupture a des conséquences supplémentaires pour les gens mariés. Ces derniers créent une commotion dans leur famille et dans leur cercle d'amis; ils doivent s'habituer à voir leurs enfants moins souvent et ils se sentent coupables d'avoir failli à leur promesse. Chaque année, pourtant, des millions de couples sont prêts à affronter toutes ces épreuves pour se retirer d'une situation qu'ils jugent pire: le maintien d'une relation insatisfaisante. Selon les sociologues et les démographes, les probabilités de divorce sont moindres dans les cas où les gens se marient après l'âge de 20 ans, se fréquentent longtemps avant de se marier, sont instruits, gagnent un revenu stable, habitent une petite ville ou vivent dans une ferme, ne cohabitent ni ne procréent avant le mariage et ont une vie religieuse active (Myers, 1992).

Quand une relation bat de l'aile, le divorce n'est pas la seule solution. Caryl Rusbult et ses collègues (1986, 1987) ont étudié trois autres manières de faire face à une relation défaillante. Certaines personnes font preuve de *loyauté*, c'est-à-dire qu'elles attendent passivement mais avec optimisme que la situation s'améliore. Si les problèmes sont trop pénibles à aborder et les risques de séparation trop grands, alors le partenaire loyal serre les dents et persévère en espérant le retour des beaux jours. D'autres personnes (surtout des hommes) font montre de *négligence*, c'est-à-dire qu'elles laissent la relation se détériorer. Passer outre à des insatisfactions profondes entraîne un insidieux détachement émotionnel; les partenaires en viennent progressivement à vivre leur vie l'un sans l'autre. Une troisième catégorie de personnes *expriment* leurs préoccupations et prennent des moyens concrets pour améliorer leur relation.

L'une après l'autre, les études indiquent que les conjoints malheureux se contredisent, se commandent, se critiquent et s'humilient mutuellement. Les conjoints heureux, pour leur part, s'entendent, s'approuvent et se font rire (Noller et Fitzpatrick, 1990). Est-ce à dire qu'une relation se rétablirait si les partenaires convenaient d'*agir* comme les conjoints heureux et cessaient de formuler des plaintes et des critiques, s'approuvaient, se réservaient des moments pour discuter de leurs problèmes, jouaient ensemble tous les jours?

Puisque les attitudes succèdent au comportement, se peut-il que l'affection succède à l'action?

Sachant que les amoureux passionnés se regardent longuement dans les yeux, Joan Kellerman, James Lewis et James Laird (1989) se demandaient si ce comportement ferait naître l'amour chez deux inconnus. Pour en avoir le cœur net, ils demandèrent à des hommes et à des femmes qui ne se connaissaient pas de passer deux minutes à se regarder dans les yeux ou à fixer les mains de l'autre. Quand les couples improvisés se séparèrent, les sujets dirent ressentir une étincelle d'attirance et d'affection l'un pour l'autre. Feindre l'amour, c'est déjà l'éprouver un peu.

Selon le chercheur Robert Sternberg (1988), l'expression physique et verbale de l'amour peut permettre à la passion des premiers temps de se muer en un amour durable:

L'amour éternel n'est pas nécessairement un mythe, mais, pour qu'il devienne réalité, le bonheur doit reposer sur différentes configurations de sentiments réciproques à divers stades de la relation. Les conjoints qui s'attendent à ce que leur passion dure toujours ou à ce que leur intimité ne vacille jamais courent au-devant de la déception. [...] Nous devons sans cesse travailler à comprendre, à créer et à recréer nos relations amoureuses. Les relations sont des constructions et, faute d'être entretenues et renouvelées, elles se dégradent au fil du temps. Nous ne pouvons espérer qu'une relation dure sans que nous nous en occupions, pas plus que nous ne pouvons l'espérer d'un édifice. Nous devons prendre la responsabilité de développer nos relations jusqu'à leur plein potentiel.

«L'amour fait passer le temps et le temps fait passer l'amour». Étant donné les ingrédients psychologiques du bonheur conjugal (communion de pensée, intimité sociale et sexuelle, équité des investissements émotionnels et matériels), l'on est justifié de réfuter ce proverbe. Mais il faut travailler pour empêcher l'amour de s'effriter. Il faut travailler pour trouver chaque jour le temps de se parler. Il faut travailler pour renoncer aux querelles et aux jérémiades et pour partager les souffrances, les soucis et les rêves. Il faut travailler pour faire d'une relation «une utopie de l'égalité sociale» (Sarnoff et Sarnoff, 1989), un lieu où les deux conjoints donnent et reçoivent sans compter, participent aux décisions et profitent ensemble de la vie.

Exercices et questions

Les psychologues sociaux du Québec se sont beaucoup intéressés à l'échec des relations de couple. Les trois études présentées ici portent respectivement sur le mode d'attribution dans les couples, sur les rôles sexuels dans les couples et sur le soutien que reçoivent de leurs sœurs et de leurs frères les enfants de parents séparés. Avant de lire les descriptions de ces études, tentez de répondre à ces questions. Vos réflexions vous aideront à mieux évaluer les résultats.

1. Beaucoup de gens blâment leur conjoint pour leurs difficultés de couple. Est-ce là une cause de stress chez les gens mariés?
2. La survie des mariages exige-t-elle aujourd'hui l'abandon des rôles sexuels traditionnels?
3. Dans quelle mesure les frères et les sœurs s'entraident-ils lorsque leurs parents se séparent?

1. LES ATTRIBUTIONS, LA DÉTRESSE PSYCHOLOGIQUE ET LA SATISFACTION CONJUGALE

Carmen Gélinas et ses collègues (1995) de l'Université du Québec à Trois-Rivières ont étudié 124 couples québécois. Les hommes et les femmes qui formaient ces couples vivaient ensemble depuis

11 ans en moyenne. Lorsqu'un des conjoints accusait l'autre d'être responsable des conflits conjugaux, la qualité de la relation diminuait; de plus, la dépression était reliée à l'insatisfaction conjugale. Cependant, les chercheurs n'ont pas trouvé de lien entre la dépression et le rejet du blâme sur l'autre. Selon les résultats du questionnaire, les maris des femmes les plus agressives étaient moins satisfaits de la relation; en revanche, les femmes les plus

anxieuses tendaient à être mieux adaptées à la relation, à condition cependant qu'elles ne soient pas déprimées. Les problèmes cognitifs (difficultés reliées à la mémoire, à la prise de décision et à la concentration) étaient aussi des facteurs de détresse conjugale.

2. LES RÔLES SEXUELS TRADITIONNELS ET LA SATISFACTION CONJUGALE

Johanne Langis et ses collègues (1991) de l'Université de Montréal ont étudié les effets des rôles sexuels sur l'adaptation conjugale chez des adultes du Québec qu'ils avaient recrutés au moyen d'annonces publicitaires. Ils constatèrent que la coexistence des caractères masculins traditionnels (l'agressivité et la compétitivité) et des caractères féminins traditionnels (la chaleur et la sensibilité) dans un couple était un facteur de satisfaction conjugale. Dans les couples satisfaits, ce n'était pas nécessairement l'homme qui présentait les caractères masculins ni la femme qui présentait les carac-tères féminins. C'est la présence des deux catégories de caractères dans le couple (couple «androgyne») qui contribuait le plus à la satisfaction conjugale.

3. LE SOUTIEN SOCIAL DES ENFANTS DE PARENTS DIVORCÉS

Sylvie Drapeau, de l'Université Laval, et Camil Bouchard (1993), de l'Université du Québec à Montréal, comparèrent 62 enfants québécois âgés de 6 à 12 ans dont les parents venaient de divorcer à 113 enfants de familles intactes. Les enfants de parents récemment divorcés avaient beaucoup plus d'interactions négatives avec leurs parents que n'en avaient les enfants des familles intactes. De plus, les enfants de parents divorcés recevaient plus de soutien social de la part de leurs sœurs que de leurs frères. La présence d'un frère n'aidait pas les garçons à s'adapter. Les auteurs concluent que la présence des sœurs peut aider les garçons comme les filles à composer avec les problèmes causés par la séparation des parents.

Aider ou ne pas aider autrui? telle est la question

Pourquoi les gens sont-ils si cruels?

Le 13 mars 1964, à 3 heures du matin, Kitty Genovese rentre à son appartement de New York. Un homme armé d'un couteau se jette sur elle et la viole. Kitty hurle: «Oh! mon Dieu! Il m'a poignardée! À l'aide! Aidez-moi!» Ses cris réveillent 38 de ses voisins. Beaucoup vont jusqu'à leur fenêtre et la regardent se débattre pendant 35 minutes. Ce n'est qu'au moment où l'assaillant s'enfuit que quelqu'un prend la peine d'appeler la police. Kitty meurt peu de temps après.

Eleanor Bradley trébuche et se fracture une jambe pendant qu'elle fait des courses. Abasourdie et souffrante, elle demande de l'aide. Pendant 40 minutes, les piétons passent à côté d'elle, l'évitent et passent leur chemin. Enfin, un chauffeur de taxi l'emmène jusque chez un médecin (Darley et Latané, 1968).

Ce qui choque, dans ces exemples, ce n'est pas que les gens aient refusé leur aide, mais bien que près de 100 pour cent des témoins n'aient même pas répondu à son appel. Pourquoi? Dans une situation semblable, feriez-vous, ferais-je comme eux? Serions-nous plutôt héroïques, comme Everett Sanderson? Entendant le grondement d'une rame de métro, ce New-Yorkais sauta sur la voie et court face aux phares de l'engin pour sauver Michelle de Jesus, une petite fille de quatre ans qui était tombée du quai. Trois secondes avant que le train n'écrase Michelle, il la lança dans la foule. Quand la rame arriva, il ne réussit pas à remonter lui-même. Au dernier instant, quelques personnes le hissèrent et le placèrent en lieu sûr (Young, 1977).

Sur une colline de Jérusalem, une rangée de 800 arbres forme l'avenue des Justes. Sous ces arbres se trouvent des plaques portant les noms d'Européens de religion chrétienne qui ont donné refuge à un ou plusieurs Juifs pendant l'Holocauste. Ces gens savaient fort bien qu'ils subiraient le même sort que leurs protégés si jamais la police nazie les découvrait. Nombre d'entre eux n'échappèrent pas à ce destin (Hellman, 1980; Wiesel, 1985).

Chaque jour, sans qu'on en parle dans les journaux, des gens accomplissent des gestes de réconfort, de sollicitude et d'assistance. Sans rien demander en retour, ils donnent des renseignements, de l'argent ou du sang. Quand et pourquoi les gens agissent-ils de manière altruiste?

L'**altruisme** est le sentiment contraire de l'égoïsme. Une personne altruiste procure de l'attention et de l'aide sans espérer de compensation en retour. La parabole du bon Samaritain[1] fournit le plus célèbre exemple d'altruisme:

Un homme descendait de Jérusalem à Jéricho, et il tomba au milieu de brigands qui, après l'avoir dépouillé et roué de coups, s'en allèrent, le laissant à demi mort. Un prêtre vint à descendre par ce chemin-là; il le vit et passa outre. Pareillement, un lévite, survenant en ce lieu, le vit et passa outre. Mais un Samaritain, qui était en voyage, arriva près de lui, le vit et fut pris de pitié pour lui. Il s'approcha, banda ses plaies, y versant de l'huile et du vin, puis le chargea sur sa propre monture, le mena à l'hôtellerie et prit soin de lui. Le lendemain, il tira deux deniers et les donna à l'hôtelier, en disant: «Prends soin de lui, et ce que tu auras dépensé en plus, je te le rembourserai à mon retour.» (Luc 10, 30-35)

Le Samaritain est l'incarnation du pur altruisme. Plein de compassion, il donne à un parfait étranger son temps, son énergie et son argent et il n'attend de lui ni dédommagement ni gratitude.

Vous pensez sûrement que l'on est bon Samaritain par nature, que l'altruisme est un trait de personnalité qui varie selon les individus. Or, la recherche vous donne tort et révèle que la situation, dans ce domaine comme dans bien d'autres, influe souvent davantage sur le comportement que les dispositions intérieures.

● Pourquoi aide-t-on?

Qu'est-ce qui engendre l'altruisme? Selon la **théorie de l'échange social**, nous apportons notre aide après avoir procédé à une analyse des coûts et des bénéfices liés à notre geste. Nous cherchons à minimiser les premiers et à maximiser les seconds. Ainsi, le donneur de sang compare les coûts de son acte (le tracas et le désagrément) aux bénéfices qu'il en tire (l'approbation sociale et un sentiment de grandeur). Si les bénéfices escomptés sont supérieurs aux coûts, nous décidons d'aider autrui.

325

---

1. Un Samaritain est un habitant de la Samarie, région de la Palestine antique. (Le bon Samaritain était donc un «bon Palestinien»!)

Altruisme
Tendance à apporter de l'aide aux autres sans rien demander en retour; dévouement désintéressé pour autrui.

Théorie de l'échange social
Théorie selon laquelle les interactions humaines consistent en transactions qui visent l'obtention de bénéfices maximaux à des coûts minimaux.

Ferions-nous preuve d'altruisme par intérêt?

Vous me répondrez que la théorie de l'échange social ne tient pas compte du désintéressement. Elle semble, en effet, impliquer qu'un acte obligeant n'est jamais authentiquement altruiste. En fait, nous ne qualifions d'altruistes que les actes dont les bénéfices sont indiscernables. Si, par exemple, nous savons qu'une personne fait du bénévolat simplement pour soulager sa culpabilité ou pour obtenir une approbation sociale, nous lui accordons fort peu de mérite. Nous ne reconnaissons l'altruisme des gens que dans les circonstances où nous ne pouvons leur prêter aucune autre intention. Cela ne veut pas dire que cette intention soit inexistante. En fait, elle est souvent inconsciente.

Dès la petite enfance, pourtant, l'être humain manifeste une **empathie** naturelle; il souffre quand il voit quelqu'un souffrir et se sent soulagé quand cesse sa souffrance. Les parents affectueux (contrairement aux agresseurs d'enfants et aux autres tyrans) ont mal quand leur enfant souffre et se réjouissent quand il est joyeux (Miller et Eisenberg, 1988). Bien que les gens accomplissent parfois de bonnes actions en vue d'obtenir une récompense ou de soulager leur culpabilité, l'expérimentation indique que, dans certains cas, ils ne recherchent que le bien-être d'une autre personne et ne considèrent leur satisfaction personnelle que comme une conséquence accessoire de leur acte (Batson, 1991). Au cours des expériences, l'empathie pousse souvent les gens à aider seulement dans les cas où ils croient que l'autre recevra réellement l'aide nécessaire; de plus, ils ne se soucient pas que la personne aidée connaisse leur identité.

Il existe aussi des normes sociales qui nous poussent à aider autrui. Ainsi, la **norme de réciprocité** veut que nous aidions à notre tour ceux qui nous ont déjà aidés. Nous nous attendons à ce que les gens à qui nous avons fait des faveurs (cadeaux, invitations, aide) nous rendent la pareille. Néanmoins, nous savons que certaines personnes sont incapables de se conformer à cette norme. C'est pourquoi nous obéissons aussi à la **norme de responsabilité sociale** selon laquelle nous devons aider ceux qui en ont vraiment besoin, sans égard aux échanges futurs. Lorsque nous ramassons les livres qu'une personne handicapée a laissé tomber, nous n'attendons rien en retour.

Toutes ces raisons d'aider autrui se justifient sur le plan biologique. L'empathie que les parents éprouvent à l'égard de leur enfant favorise la perpétuation des gènes qu'ils lui ont transmis. D'après les psychologues évolutionnistes, de même, l'altruisme réciproque qui se manifeste au sein des petits groupes est propice à la survie de tous les individus.

Empathie
Capacité de comprendre et de ressentir ce qu'une autre personne ressent; capacité de se mettre à la place d'autrui.

Norme de réciprocité
Norme sociale selon laquelle les gens aident ceux qui les ont déjà aidés.

Norme de responsabilité sociale
Norme sociale selon laquelle les gens aident ceux qui ont besoin d'eux.

⬤ Quand aide-t-on?

L'inaction des témoins observée lors d'événements comme le meurtre de Kitty Genovese éveilla la curiosité et l'inquiétude des psychologues sociaux. Ces derniers réalisèrent donc des expériences afin de déterminer dans quelles circonstances les gens apportent leur aide en situation d'urgence. Ensuite, ils élargirent la question et se demandèrent qui est susceptible d'apporter son aide dans une situation non urgente, par exemple en donnant de l'argent, du sang ou du temps (Myers,

1993). Ils ont ainsi découvert que le comportement d'aide augmente chez les personnes qui:

- se sentent coupables (et qui trouvent là un moyen de se soulager et de rehausser leur image d'elles-mêmes);
- sont de bonne humeur;
- sont profondément religieuses (ce sont elles qui font le plus de dons de charité et d'actes bénévoles).

Les psychologues sociaux étudient aussi les *circonstances* propices à l'obligeance envers autrui.

Les probabilités que nous portions assistance à quelqu'un augmentent quand:

- nous venons d'observer une situation modèle d'aide apportée à autrui;
- nous ne sommes pas pressés;
- la victime paraît avoir besoin de l'aide et la mériter;
- la victime nous ressemble;
- nous nous trouvons dans une petite ville ou à la campagne;
- les autres témoins sont peu nombreux.

Le nombre de témoins

La probabilité d'apporter de l'aide à autrui ne devrait-elle pas augmenter avec le nombre de témoins?

La passivité manifestée par les témoins lors des urgences souleva l'indignation des commentateurs. On déplora l'«aliénation», l'«apathie», l'«indifférence» et les «pulsions sadiques inconscientes» du public. Or, ces explications attribuent l'inaction des témoins à leurs dispositions. Elles nous permettent de nous rassurer et de nous dire que nous, gens de bien, *aurions* porté secours aux victimes. Mais qu'est-ce qui avait causé le comportement si inhumain des témoins?

Les psychologues sociaux Bibb Latané et John Darley (1970) n'étaient pas si convaincus de l'inhumanité des témoins. Ils ont donc ingénieusement mis en scène des situations d'urgence et découvert qu'un seul facteur situationnel, la présence d'autres témoins, décourageait fortement les gens d'intervenir. En 1980, les chercheurs avaient réalisé une cinquantaine d'expériences pour comparer l'aide apportée par des témoins qui se croyaient ou seuls ou en présence d'autres personnes. Dans environ 90 pour cent de ces expériences, auxquelles avaient participé quelque 6000 personnes, ce furent principalement les témoins uniques qui agirent (Latané et Nida, 1981).

Dans certains cas, la victime avait en fait moins de chances d'obtenir de l'aide quand plusieurs personnes l'entouraient. Latané, James Dabbs (1975) et leurs 145 collaborateurs s'enfermèrent dans des ascenseurs et, au cours de leurs 1497 trajets, laissèrent «accidentellement» tomber des pièces de monnaie ou des crayons. Ils reçurent de l'aide dans 40 pour cent des cas lorsqu'une autre personne se trouvait avec eux et dans moins de 20 pour cent des cas lorsqu'il y avait six passagers. Pourquoi? Latané et Darley postulèrent que, plus les témoins sont nombreux, moins un témoin en particulier a de chances de *remarquer* l'incident, de l'*interpréter* comme un problème ou une urgence et de *prendre la responsabilité* d'agir (figure 29.1).

REMARQUER Eleanor Bradley tombe sur un trottoir achalandé et se fracture la jambe. Vingt minutes plus tard, vous passez par

Figure 29.1

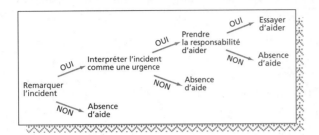

là. Vous avez les yeux rivés sur le dos des passants qui vous précèdent et vous pensez aux événements de la journée. Avez-vous moins de chances de remarquer la femme blessée que si le trottoir était presque désert?

Pour répondre à cette question, Latané et Darley (1968) demandèrent à des étudiants de l'université Columbia de répondre à un questionnaire dans une pièce où ils étaient soit seuls, soit en compagnie de deux inconnus. Pendant que les étudiants travaillaient (observés à leur insu), une fausse urgence se produisit: de la fumée s'infiltra dans la pièce à travers une bouche de ventilation. Les étudiants solitaires, qui jetaient souvent des regards vides autour de la pièce, remarquèrent la fumée presque immédiatement, c'est-à-dire, dans la majorité des cas, en moins de cinq secondes. Les étudiants réunis en groupes ne levaient pas les yeux de leur travail. Il leur fallut environ 20 secondes pour *remarquer* la fumée.

INTERPRÉTER   Une fois que nous avons remarqué un événement singulier, nous devons l'interpréter. Imaginez que vous vous trouvez dans la pièce qui se remplit de fumée. Bien qu'alarmé, vous ne voulez pas vous rendre ridicule en vous énervant. Vous regardez les autres de côté. Ils ont l'air calmes, indifférents. Supposant que tout va bien, vous ne vous occupez plus de la fumée et vous vous remettez au travail. Puis, l'un des autres remarque la fumée, voit que vous n'êtes pas troublé et réagit comme vous l'avez fait. Voilà un autre exemple d'influence informationnelle. Chacun se fonde sur le comportement des autres pour interpréter la réalité.

C'est exactement ce qui arriva au cours de l'expérience de Latané et Darley. Quand les étudiants solitaires remarquaient la fumée, ils hésitaient un moment, puis ils se levaient, allaient jusqu'à la bouche de ventilation, la tâtaient, reniflaient, agitaient les mains pour dissiper la fumée, hésitaient encore, puis sortaient de la pièce pour signaler l'incident. Les 24 étudiants qui travaillaient en groupes de trois, au contraire, ne bougeaient pas. Un seul d'entre eux signala la fumée au cours des quatre premières minutes (figure 29.2). À la fin des six minutes de l'expérience, la fumée était si dense que les étudiants n'y voyaient plus clair, se frottaient les yeux et toussaient. Pourtant, dans seulement trois des huit groupes, un étudiant sortit et signala le problème.

Fait tout aussi intéressant, la passivité du groupe influença les interprétations que les membres proposèrent de l'incident. Les chercheurs demandèrent aux étudiants quelle avait été la source de la fumée. «Une fuite dans le système de climatisation.» «Les laboratoires de chimie.» «Un tuyau de vapeur.». «Du gaz de vérité.» Les étudiants n'étaient pas à court d'explications. Aucun, cependant, ne répondit: «Un

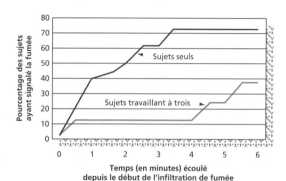

Figure 29.2

L'expérience de la pièce enfumée. Les sujets qui travaillaient seuls furent beaucoup plus nombreux que les sujets qui travaillaient à trois à signaler une infiltration de fumée. (Les données proviennent de Latané et Darley, 1968.)

feu.» Les membres du groupe, en donnant l'exemple de l'indifférence, avaient influencé les interprétations soumises par les autres.

Ce dilemme expérimental n'est pas sans rappeler ceux auxquels nous faisons tous face dans la vie quotidienne. Les cris perçants que j'entends à l'extérieur viennent-ils de fêtards ivres ou de la victime d'un agresseur? Ces garçons ne font-ils que s'amuser ou sont-ils en train de se démolir? Cette femme étendue sur le seuil est-elle endormie ou gravement malade, dans le coma peut-être?

PRENDRE LA RESPONSABILITÉ Les interprétations erronées ne sont pas la seule cause de l'**effet du témoin**, c'est-à-dire de l'inaction des étrangers qui se trouvent confrontés à des urgences déroutantes. Il arrive que l'urgence soit claire et nette. Les gens qui assistèrent au viol de Kitty Genovese et qui entendirent ses cris de détresse interprétèrent correctement les événements. Mais les lumières et les silhouettes qui apparurent dans les fenêtres du voisinage leur indiquèrent que d'autres personnes regardaient aussi. Cela provoqua une diffusion de la responsabilité.

Peu de personnes parmi nous ont été témoins d'un meurtre. Mais il nous est arrivé à tous de réagir plus lentement à un besoin d'autrui quand d'autres étaient présents. Lorsque nous apercevons une voiture en panne, nous sommes beaucoup moins portés à offrir de l'aide à l'automobiliste si nous nous trouvons sur une autoroute que si nous roulons sur un chemin de campagne. Pour pousser plus loin l'étude de l'inaction des témoins, Darley et Latané (1968) reconstituèrent à l'université de New York le drame de Genovese. Ils placèrent des étudiants dans des pièces séparées et leur demandèrent de discuter de leurs problèmes scolaires par l'intermédiaire d'un interphone. Ils leur dirent que personne ne pourrait les voir et que l'expérimentatrice n'écouterait pas leur conversation. Pendant la discussion, les sujets entendirent soudain dans le haut-parleur une personne qui commençait une crise d'épilepsie. Sur un ton de plus en plus pathétique, la personne implorait l'aide de quelqu'un.

Parmi les étudiants qui se croyaient seuls à entendre, 85 pour cent sortirent de la pièce pour chercher de l'aide. Parmi ceux qui croyaient que quatre autres personnes entendaient la victime, seulement 31 pour cent demandèrent de l'aide. Ces derniers étaient-ils apathiques et indifférents? Ils ne parurent pas tels à l'expérimentatrice qui entra dans la pièce pour mettre fin à l'expérience. La plupart exprimèrent immédiatement leur inquiétude. Beaucoup

Effet du témoin
Phénomène selon lequel une personne est moins susceptible d'apporter son aide à autrui en présence d'autres témoins (particulièrement s'il s'agit d'inconnus et que la situation peut conduire à diverses interprétations).

tremblaient et avaient les mains moites. Ils croyaient qu'une urgence s'était produite mais qu'ils ne s'étaient pas décidés à agir.

Après l'expérience de la pièce enfumée et de la crise d'épilepsie, Latané et Darley demandèrent aux sujets si la présence des autres les avait influencés. Nous savons qu'elle avait eu un effet considérable. Pourtant, la plupart des sujets le nièrent. Ils répondirent typiquement: «Je me rendais compte de la présence des autres, mais j'aurais réagi exactement de la même façon s'ils n'avaient pas été là.» Cette réponse nous ramène à un principe connu: nous ne savons pas toujours pourquoi nous agissons de telle ou telle manière. C'est justement ce qui fait l'intérêt des expériences de ce genre. En interrogeant des témoins passifs après une véritable urgence, les chercheurs n'auraient pas pu faire ressortir l'effet du témoin.

Ces expériences soulèvent une fois de plus la question de la déontologie de la recherche. Dans l'expérience de la crise d'épilepsie, les chercheurs ont-ils agi conformément à l'éthique en forçant les sujets à choisir entre l'interruption de la discussion et l'aide? Refuseriez-vous de participer à une étude semblable? Notez bien que les chercheurs ne pourraient pas obtenir votre consentement éclairé, car ils vous dévoileraient ainsi le fin mot de l'expérience.

Disons, à la défense des chercheurs, qu'ils prirent toujours la peine de rencontrer les sujets après coup pour leur donner de l'information. Après avoir expliqué l'expérience de la crise d'épilepsie, probablement la plus bouleversante, l'expérimentatrice distribua un questionnaire aux sujets. Tous répondirent que la duperie était justifiée et qu'ils seraient prêts à participer de nouveau à des expériences semblables. Aucun n'exprima de colère à l'égard de l'expérimentatrice. D'autres chercheurs soulignent aussi que l'écrasante majorité des sujets qui font l'objet de telles expériences estiment par la suite que leur participation a été instructive et justifiée sur le plan déontologique (Schwartz et Gottlieb, 1981). Dans les expériences sur le terrain, comme celle où une personne feint de s'évanouir dans une rame de métro, un complice portait secours à la victime si personne d'autre ne le faisait, donnant ainsi aux témoins l'assurance que quelqu'un s'occupait du problème.

Rappelez-vous que le psychologue social a une double obligation morale: protéger les sujets et se rendre utile à l'humanité en révélant les déterminants du comportement. Ses découvertes peuvent attirer notre attention sur les influences indésirables que nous subissons et nous enseigner comment exercer une influence favorable. Il semble donc que le principe déontologique à respecter soit le suivant: après avoir veillé au bien-être des sujets, les psychologues sociaux s'acquittent de leur responsabilité envers la société en exécutant leur recherche.

Le fait de connaître les facteurs qui inhibent l'altruisme suffit-il à en amoindrir l'influence? Des expériences qu'Arthur Beaman et ses collègues (1978) réalisèrent avec des étudiants révèlent que les gens sont plus enclins à apporter leur aide en situation de groupe une fois qu'ils ont compris pourquoi la présence de témoins inhibe l'altruisme. Les chercheurs divisèrent leurs sujets en trois groupes. Ils expliquèrent aux membres du premier groupe, dans le cadre d'une conférence, que l'inaction des témoins peut influer à la fois sur l'interprétation qu'ils font d'une urgence et sur leur sentiment de responsabilité. Ils prononcèrent une conférence au contenu différent devant le deuxième groupe et ne s'adressèrent pas au troisième. Deux semaines plus tard, à l'occasion d'une autre expérience, les sujets (accompagnés d'un complice indifférent), passèrent à côté d'une personne qui était étendue par terre ou qui s'était écroulée sous une bicyclette. Parmi ceux qui n'avaient pas assisté à la conférence portant sur les témoins d'incidents, 25 pour cent s'arrêtèrent pour offrir de l'aide; les étudiants qui avaient été «instruits» s'arrêtèrent dans une proportion de 50 pour cent.

Vous aussi avez peut-être modifié votre comportement en lisant ce module. À mesure que vous comprendrez les facteurs qui influent sur les réactions humaines, qu'elles soient hostiles, indifférentes ou bienveillantes, vos attitudes et, qui sait, votre comportement, ne seront plus jamais les mêmes. Tout à fait par hasard, juste avant que j'écrive le dernier paragraphe, une de mes anciennes étudiantes, qui vit maintenant à Washington, me rendit visite. Elle me raconta qu'elle s'était dernièrement trouvée parmi la foule de piétons qui passaientt à côté d'un homme inconscient qui était étendu sur le trottoir. «Ça m'a rappelé notre cours de psychologie sociale, me dit-elle, et les raisons pour lesquelles les gens ne font rien dans des situations comme celle-là. Alors, je me suis demandé qui allait aider cet homme si je ne m'arrêtais pas, moi non plus.» Elle a donc téléphoné à un service d'urgence et elle est demeurée auprès de la victime (en compagnie d'autres témoins qui s'étaient joints à elle) jusqu'à l'arrivée des secours.

Un autre étudiant, lui, a eu pour premier réflexe de suivre la foule une nuit qu'il vit, dans une station du métro de Vienne, un homme ivre s'attaquer à un itinérant:

«Finalement, j'étais tellement convaincu de ce que nous avions appris en psychologie sociale que je suis revenu sur mes pas et que j'ai séparé l'homme ivre de l'itinérant. Ça l'a rendu furieux et il s'est mis à courir après moi dans le métro jusqu'à ce que la police arrive, l'arrête et appelle une ambulance pour la victime. C'était pas mal excitant et j'étais content de moi. Mais le plus formidable, c'est de voir comment quelques notions de psychologie sociale peuvent nous permettre d'échapper à l'emprise de la situation et de dévier du comportement prévisible.»

Alors, les connaissances que vous venez d'acquérir à propos des déterminants sociaux du comportement vous influenceront-elles? J'espère que oui. Sinon, à quoi cela servirait-il d'enseigner?

●Exercices et questions

Nous avons vu dans le module que l'altruisme est un comportement qui consiste à aider les autres sans rien demander en retour. Les trois études qui suivent portent sur l'altruisme dans trois contextes bien différents: dans l'enseignement, chez les pêcheurs de homard et chez les étudiants japonais et nord-américains. Avant de lire les descriptions de ces études, tentez de répondre à ces questions. Vos réflexions vous aideront à mieux évaluer les résultats.

1. Quels sont, pour les écoliers, les bienfaits directs et indirects de l'empathie de l'enseignante? Peut-on relier les résultats à l'effet Rosenthal, décrit au module 4? Les enfants des minorités ethniques sont-ils désavantagés à ce propos? Est-ce parce que les garçons sont privés d'empathie qu'ils réussissent moins bien que les filles à l'école?

2. Peut-on aider un compétiteur que l'on connaît bien? S'agit-il vraiment d'un exemple d'altruisme? Utilisez les notions de collectivisme et d'individualisme que nous avons étudiées au module 11.

3. L'altruisme est-il transculturel? Autrement dit, l'altruisme existe-t-il dans toutes les cultures? Est-ce plutôt la tendance à aider les gens les plus proches de soi qui est transculturelle?

1. L'EMPATHIE DES ENSEIGNANTES

Marie-Lise Brunel et ses collègues (1989) de l'Université du Québec à Montréal voulaient déterminer si les enseignantes qui manifestaient de l'empathie envers leurs élèves auraient des perceptions différentes des enfants. Les enseignantes les plus empathiques surestimaient le concept de soi de leurs élèves, et les moins empathiques le sous-estimaient. Puisque le concept de soi traduit dans une large mesure la façon dont les autres nous perçoivent, l'empathie des enseignantes est susceptible de stimuler l'application et l'intérêt et, par conséquent, le rendement des écoliers.

2. L'ALTRUISME CHEZ LES PÊCHEURS DE HOMARD

Craig Palmer (1991), de l'université Memorial, à Terre-Neuve, se demandait si les pêcheurs de homard de deux ports du Maine seraient prêts à divulguer de l'information à leurs collègues, même si ces indications pouvaient entraîner une perte économique pour l'informateur. Les pêcheurs étaient plus enclins à donner des renseignements aux membres de leur famille, mais ils semblaient quand même disposés à révéler spontanément à leurs collègues (et concurrents potentiels) les endroits où se trouvaient les meilleures prises. L'altruisme des pêcheurs s'explique probablement par l'intense esprit communautaire qui anime les villages de pêcheurs. Les villageois, en effet, sont fermement déterminés à faire prospérer leur collectivité, même si cela les oblige à sacrifier une part de leurs profits personnels.

3. AIDER SES PROCHES EN AMÉRIQUE DU NORD ET AU JAPON

Osamu Iwata (1989), psychologue social japonais, compara le comportement d'aide chez des étudiants d'universités canadiennes et japonaises. Il se demandait si la tendance à aider principalement les proches, révélée dans les études nord-américaines, se manifestait aussi au Japon. Il constata dans les deux pays que les gens tendent à être altruistes envers les personnes qu'ils perçoivent positivement et qui sont proches d'eux. Autrement dit, la tendance est transculturelle.

Épilogue: Les grandes idées en psychologie sociale

Dans toute discipline, il est possible de ramener à quelques idées essentielles les résultats de dizaines de milliers d'études, les conclusions de milliers de chercheurs et les réflexions de centaines de théoriciens. La biologie nous apporte des principes comme la sélection naturelle et l'adaptation. La sociologie repose sur des concepts tels que la structure sociale, la relativité culturelle et l'organisation sociale. La musique s'élabore autour des notions de rythme, de mélodie et d'harmonie.

Quelles sont donc les idées maîtresses de la psychologie sociale? Parmi tous les concepts contenus dans ce livre, lesquels méritent de s'inscrire à tout jamais dans votre mémoire?

Selon moi, ces «grandes idées» sont au nombre de quatre, et chacune constitue une vérité à deux faces. Comme Pascal l'a dit il y a 300 ans, aucune vérité unique n'est suffisante, car le monde n'est pas simple. Toute vérité séparée de sa vérité complémentaire est une demi-vérité. C'est dans l'union de vérités partielles, d'opposés complémentaires (ce que les Chinois appellent le *yin* et le *yang*), que nous entrevoyons la réalité.

La rationalité et l'irrationalité

«**Q**uel chef-d'œuvre que l'homme! s'exclamait Hamlet, personnage de Shakespeare. Qu'il est noble dans sa raison! Qu'il est infini dans ses facultés!» À certains égards, en effet, *nos capacités cognitives sont stupéfiantes.* Les 1400 grammes de tissu que renferme notre crâne contiennent des circuits plus complexes que tous les réseaux téléphoniques de la planète. Ils nous permettent de traiter l'information volontairement ou automatiquement, de retenir d'immenses quantités d'information et de faire des jugements rapides à l'aide d'heuristiques simples. L'être humain ne peut résister au besoin d'expliquer le comportement, de l'attribuer à une cause et, par conséquent, de le faire paraître cohérent, prévisible et contrôlable. L'efficacité et l'exactitude des attributions que nous faisons en tant que scientifiques intuitifs suffisent aux exigences de la vie quotidienne.

Pourtant, les psychologues sociaux nous préviennent de la faillibilité de *nos explications et de nos jugements sociaux.* Nos idées préconçues déforment nos observations, nous voyons des relations et des causes là où il n'en existe pas, nous traitons les gens de manière qu'ils confirment nos attentes, nous nous laissons convaincre plus facilement par les anecdotes pittoresques que par la réalité statistique, et nous attribuons le comportement des autres à leurs dispositions (nous pensons ainsi qu'une personne qui agit bizarrement *est* bizarre). Aveugles à ces sources d'erreur qui se manifestent dans la pensée sociale, nous laissons une confiance excessive entacher nos jugements. Nous voyons toujours la réalité à travers un miroir brouillé.

Le biais de complaisance et l'estime de soi

L'image que nous avons de nous-mêmes n'est pas plus fidèle à la réalité que l'image que nous avons des autres. Comme nous en enjoignait Socrate, nous tentons de nous connaître nous-mêmes, et, pour y parvenir, nous analysons notre comportement. Or, nous le faisons de manière fort partiale. Nous manifestons notre tendance humaine au *biais de complaisance* en expliquant de façon différente nos succès et nos échecs, nos bonnes et nos mauvaises actions. Tout trait socialement désirable nous paraît plus marqué chez nous que chez la moyenne de nos pairs; c'est ainsi que, par exemple, nous nous estimons relativement supérieurs en matière de morale, d'habiletés sociales et de tolérance. Qui plus est, nous justifions nos comportements *a posteriori;* nous surestimons l'exactitude de nos croyances, nous arrangeons nos propres souvenirs pour nous mettre en valeur et nous exagérons la vertu dont nous ferions preuve dans des situations qui poussent la plupart des gens à des comportements rien moins que vertueux. Le chercheur Anthony Greenwald (1984) parle au nom de douzaines de chercheurs quand il dit: «Les gens voient la vie à travers le filtre de leur égocentrisme.»

Cette tendance à la complaisance corrode les relations humaines, qu'elles soient d'ordre conjugal, industriel ou international. Chacun croit uniquement à la pureté de ses propres intentions et au caractère irréprochable de ses propres actions. Or, l'adversaire en fait autant, et le conflit se poursuit.

Pourtant, *l'estime de soi est bénéfique*. Les gens que l'on rassure et que l'on valorise expriment moins de préjugés et de mépris à l'égard des autres. L'affirmation de soi, en outre, favorise souvent l'adaptation, car elle concourt à raffermir la confiance de l'individu et à prévenir la dépression chez lui. Douter de son efficacité et se reprocher ses insuccès, c'est se diriger tout droit vers l'échec, la solitude et le désespoir.

Les attitudes et le comportement

Des études réalisées pendant les années 60 ont révélé que nos attitudes sont souvent masquées par d'autres influences. Les psychologues sociaux étaient atterrés, mais la recherche complémentaire les a rassurés. *Nos attitudes influencent notre comportement*, quand elles sont pertinentes et qu'elles sont conscientes. Par conséquent, nos attitudes politiques déterminent le choix que nous faisons dans l'isoloir. Nos attitudes face au tabagisme déteignent sur notre réaction face à la pression des pairs. Nos attitudes à l'égard des victimes de la famine influent sur nos dons. Changez la façon de penser des gens (que vous donniez à la persuasion le nom d'éducation ou de propagande), et vous obtiendrez peut-être des résultats impressionnants.

Si la psychologie sociale nous a enseigné quelque chose, c'est bien que l'inverse est vrai également: nous sommes aussi enclins à mouler nos façons de penser sur nos actes qu'à mouler nos actes sur nos façons de penser. Nous sommes aussi portés à croire en ce que nous avons défendu qu'à défendre ce en quoi nous croyons. Surtout lorsque nous nous sentons responsables de nos actes, *notre comportement dicte nos attitudes*. L'autopersuasion permet à toutes sortes de gens (les stratèges politiques, les amoureux, même les terroristes) de raffermir la foi qu'ils placent dans les événements dont ils ont été les témoins ou les victimes.

Les personnes et les situations

Une quatrième vérité à deux faces mérite de s'ajouter à ma liste des grandes idées que véhicule la psychologie sociale: les gens et les situations sont en interaction. J'en veux pour preuve que les influences sociales ont un effet déterminant sur notre comportement. *Nous sommes les créatures de nos mondes sociaux.*

Rappelez-vous les études sur le conformisme, les jeux de rôles, la persuasion et l'influence du groupe. Les chercheurs ont obtenu les résultats les plus renversants en plaçant des gens bien intentionnés dans des situations mauvaises afin de voir comment ils réagiraient. Abasourdis, ils ont été forcés de constater que les influences mauvaises viennent à bout des meilleures intentions et poussent les gens à se conformer à des faussetés ou à céder à la cruauté. Soumis à des influences puissantes, les gens honnêtes se conduisent souvent comme des mécréants. Selon le contexte social, la plupart des gens sont capables de bonté

comme de cruauté, d'indépendance comme de soumission, de sagesse comme de folie. Lors d'une expérience, même la plupart des séminaristes qui allaient enregistrer un exposé impromptu sur la parabole du bon Samaritain ne s'arrêtaient pas pour porter secours à une personne étendue sur le sol et qui gémissait, *si* on les avait obligés à se presser (Darley et Batson, 1973). Les forces sociales extérieures façonnent notre comportement social.

Bien que les situations fortes puissent étouffer les dispositions des gens, les psychologues sociaux ne voient pas les humains comme des feuilles mortes que les vents sociaux emportent de-ci de-là. Dans une même situation, les gens peuvent réagir différemment, suivant leur personnalité et leur culture. Les gens qui croient faire l'objet d'une contrainte manifeste réagissent parfois de manière à affirmer leur liberté. Il arrive que les membres d'une minorité s'opposent à la majorité et finissent par la convaincre. Les gens qui croient en eux-mêmes et qui conservent un «foyer de contrôle interne» peuvent faire de grandes choses. De plus, les gens choisissent les situations dans lesquelles ils se trouvent: ils choisissent leur établissement d'enseignement, leur emploi et leur lieu de résidence. Quelquefois, leurs attentes sociales se matérialisent; ils s'attendent, par exemple, à ce qu'une personne soit chaleureuse ou hostile, et elle se révèle telle. À ces points de vue, *nous sommes les créateurs de nos mondes sociaux.*

Nous nous retrouvons donc en possession de quatre séries d'idées complémentaires, comme si, prisonniers au fond d'un puits, nous voyions deux cordes pendre devant nous. Si nous n'agrippons qu'une de ces cordes, nous nous enfonçons encore plus profondément. Ce n'est qu'en empoignant les deux cordes que nous pouvons nous hisser jusqu'à la surface car là, hors de notre vue, elles se réunissent dans une poulie. Entre la rationalité et l'irrationalité, entre l'orgueil et l'estime de soi, entre la primauté des attitudes et celle du comportement, entre les causes personnelles et les causes situationnelles, de même, il faut se garder de faire un choix radical qui ne servirait qu'à nous précipiter au fond d'un puits. Saisissons donc les deux éléments ensemble, quitte à ne trop savoir où se situe leur point de jonction. Car, en science comme dans bien d'autres domaines de la vie, il est parfois plus honnête de tolérer l'ambivalence que d'adhérer à une théorie simpliste qui néglige la moitié des preuves. Dans les ciseaux de la vérité, le tranchant réside entre les lames du *yin* et du *yang*.

Références pour l'exploration de la psychologie sociale

ABELSON, R. P., KINDER, D. R., PETERS, M. D., et FISKE, S. T. (1982). Affective and semantic components in political person perception. *Journal of Personality and Social Psychology, 42*, 619–630.

ABRAMS, D. (1991). AIDS, What young people believe and what they do. Communication présentée à la conférence de la British Association for the Advancement of Science.

ABRAMS, D., WETHERELL, M., COCHRANE, S., HOGG, M. A., et TURNER, J. C. (1990). Knowing what to think by knowing who you are, Self-categorization and the nature of norm formation, conformity and group polarization. *British Journal of Social Psychology, 29*, 97–119.

ABRAMSON, L. Y. (dir.). (1988). *Social cognition and clinical psychology, A synthesis.* New York, Guilford.

ABRAMSON, L. Y., METALSKY, G. I., et ALLOY, L. B. (1989). Hopelessness depression, A theory-based subtype. *Psychological Review, 96*, 358–372.

ADAIR, J. G., DUSHENKO, T. W., et LINDSAY, R. C. L. (1985). Ethical regulations and their impact on research practice. *American Psychologist, 40*, 59–72.

ADAMS, D. (dir.). (1991). *The Seville statement on violence, Preparing the ground for the constructing of peace.* UNESCO.

ADLER, R. P., LESSER, G. S., MERINGOFF, L. K., ROBERTSON, T. S., et WARD, S. (1980). *The effects of television advertising on children.* Lexington, MA, Lexington.

ADORNO, T., FRENKEL-BRUNSWIK, E., LEVINSON, D., et SANFORD, R. N. (1950). *The authoritarian personality.* New York, Harper.

AIELLO, J. R., THOMPSON, D. E., et BRODZINSKY, D. M. (1983). How funny is crowding anyway? Effects of room size, group size, and the introduction of humor. *Basic and Applied Social Psychology, 4,* 193–207.

ALLEE, W. C., et MASURE, R. M. (1936). A comparison of maze behavior in paired and isolated shell-parakeets (*Melopsittacus undulatus Shaw*) in a two-alley problem box. *Journal of Comparative Psychology, 22,* 131–155.

ALLEN, V. L., et WILDER, D. A. (1979). Group categorization and attribution of belief similarity. *Small Group Behavior, 10,* 73–80.

ALLISON, S. T., JORDAN, M. R., et YEATTS, C. E. (1992). A cluster-analytic approach toward identifying the structure and content of human decision making. *Human Relations, 45,* sous presse.

ALLISON, S. T., MESSICK, D. M., et GOETHALS, G. R. (1989). On being better but not smarter than others, The Muhammad Ali effect. *Social Cognition, 7,* 275–296.

ALLOY, L. B., et ABRAMSON, L. Y. (1979). Judgment of contingency in depressed and nondepressed students, Sadder but wiser? *Journal of Experimental Psychology, General, 108,* 441–485.

ALLOY, L. B., ALBRIGHT, J. S., ABRAMSON, L. Y., et DYKMAN, B. M. (1990). Depressive realism and non-depressive optimistic illusions, The role of the self. Dans R. E. Ingram (dir.). *Contemporary psychological approaches to depression, Theory, research and treatment.* New York, Plenum.

ALLOY, L. B., et CLEMENTS, C. M. (1991). The illusion of control, Invulnerability to negative affect and depressive symptoms following laboratory and natural stressors. *Journal of Abnormal Psychology,* sous presse.

ALLPORT, F. H. (1920). The influence of the group upon association and thought. *Journal of Experimental Psychology, 3,* 159–182.

ALLPORT, G. W. (1958). *The nature of prejudice* (abridged). Garden City, NY, Anchor.

ALTEMEYER, B. (1988). *Enemies of freedom, Understanding right-wing authoritarianism.* San Francisco, Jossey-Bass.

ALTEMEYER, B. (1992). Six studies of right-wing authoritarianism among American state legislators. Manuscrit inédit, University of Manitoba.

ALWIN, D. F. (1990). Historical changes in parental orientations to children. Dans N. Mandell (dir.). *Sociological studies of child development,* vol. 3, Greenwich, CT, JAI.

AMABILE, T. M., et GLAZEBROOK, A. H. (1982). A negativity bias in interpersonal evaluation. *Journal of Experimental Social Psychology, 18,* 1–22.

AMERICAN ENTERPRISE (mars-avril 1991). Women and the use of force, p. 85–86.

AMERICAN PSYCHOLOGICAL ASSOCIATION (1981). Ethical principles of psychologists. *American Psychologist, 36,* 633–638.

AMERICAN PSYCHOLOGICAL ASSOCIATION (1992). Ethical principles of psychologists. Washington, DC, American Psychological Association, sous presse.

AMIR, Y. (1969). Contact hypothesis in ethnic relations. *Psychological Bulletin, 71,* 319–342.

ANDERSON, C. A. (1989). Temperature and aggression, Ubiquitous effects of heat on occurrence of human violence. *Psychological Bulletin, 106,* 74–96.

ANDERSON, C. A., et HARVEY, R. J. (1988). Discriminating between problems in living, An examination of measures of depression, loneliness, shyness, and social anxiety. *Journal of Social and Clinical Psychology, 6,* 482–491.

ANDERSON, C. A., HOROWITZ, L. M., et FRENCH, R. D. (1983). Attributional style of lonely and depressed people. *Journal of Personality and Social Psychology, 45,* 127–136.

ANDERSON, C. A., et RIGER, A. L. (1991). A controllability attributional model of problems in living, Dimensional and situational interactions in the prediction of depression and loneliness. *Social Cognition, 9,* 149–181.

ANTHONY, T., COPPER, C., et MULLEN, B. (1992). Cross-racial facial identification, A social cognitive integration. *Personality and Social Psychology Bulletin,* sous presse.

ANTILL, J. K. (1983). Sex role complementarity versus similarity in married couples. *Journal of Personality and Social Psychology, 45,* 145–155.

ARCHER, D., et GARTNER, R. (1976). Violent acts and violent times, A comparative approach to postwar homicide rates. *American Sociological Review, 41,* 937–963.

ARCHER, D., IRITANI, B., KIMES, D. B., et BARRIOS, M. (1983). Face-ism, Five studies of sex differences in facial prominence. *Journal of Personality and Social Psychology, 45,* 725–735.

ARCHER, J. (1991). The influence of testosterone on human aggression. *British Journal of Psychology, 82,* 1–28.

ARCHER, R. L., BERG, J. M., et BURLESON, J. A. (1980). Self-disclosure and attraction, A self-perception analysis. Manuscrit inédit, University of Texas at Austin.

ARCHER, R. L., BERG, J. M., et RUNGE, T. E. (1980). Active and passive observers' attraction to a self-disclosing other. *Journal of Experimental Social Psychology, 16,* 130–145.

ARCHER, R. L., et BURLESON, J. A. (1980). The effects of timing of self-disclosure on attraction and reciprocity.

Journal of Personality and Social Psychology, 38, 120–130.

ARCHER, R. L., et COOK, C. E. (1986). Personalistic self-disclosure and attraction, Basis for relationship or scarce resource. *Social Psychology Quarterly, 49*, 268–272.

ARENDT, H. (1963). *Eichmann in Jerusalem, A report on the banality of evil.* New York, Viking.

ARGYLE, M., SHIMODA, K., et LITTLE, B. (1978). Variance due to persons and situations in England and Japan. *British Journal of Social and Clinical Psychology, 17*, 335–337.

ARKES, H. R., FAUST, D., GUILMETTE, T. J., et HART, K. (1988). Eliminating the hindsight bias. *Journal of Applied Psychology, 73*, 305–307.

ARKIN, R. M., et BAUMGARDNER, A. H. (1985). Self-handicapping. Dans J. H. Harvey et C. Weary (dir.). *Attribution, Basic issues and applications.* New York, Academic Press.

ARKIN, R. M., et BURGER, J. M. (1980). Effects of unit relation tendencies on interpersonal attraction. *Social Psychology Quarterly, 43*, 380–391.

ARKIN, R. M., COOPER, H., et KOLDITZ, T. (1980). A statistical review of the literature concerning the self-serving attribution bias in interpersonal influence situations. *Journal of Personality, 48*, 435–448.

ARKIN, R. M., LAKE, E. A., et BAUMGARDNER, A. H. (1986). Shyness and self-presentation. Dans W. H. JONES, J. M. CHEEK, et S. R. BRIGGS (dir.). *Shyness, Perspectives on research and treatment.* New York, Plenum.

ARKIN, R. M., et MARUYAMA, G. M. (1979). Attribution, affect, and college exam performance. *Journal of Educational Psychology, 71*, 85–93.

ARMS, R. L., RUSSELL, G. W., et SANDILANDS, M. L. (1979). Effects on the hostility of spectators of viewing aggressive sports. *Social Psychology Quarterly, 42*, 275–279.

ARMSTRONG, B. (janvier 1981). An interview with Herbert Kelman. *APA Monitor, 55*, 4-5.

ARON, A., et ARON, E. (1989). *The heart of social psychology*, 2e éd., Lexington, MA, Lexington.

ARON, A., DUTTON, D. G., ARON, E. N., et IVERSON, A. (1989). Experiences of falling in love. *Journal of Social and Personal Relationships, 6*, 243–257.

ARONSON, E. (1988). *The social animal.* New York, Freeman.

ARONSON, E., BREWER, M., et CARLSMITH, J. M. (1985). Experimentation in social psychology. Dans G. LINDZEY et E. ARONSON (dir.). *Handbook of social psychology*, vol. 1. Hillsdale, NJ, Erlbaum.

ARONSON, E., et GONZALEZ, A. (1988). Desegregation, jigsaw, and the Mexican-American experience. Dans P. A. Katz et D. Taylor (dir.). *Towards the elimination of racism, Profiles in controversy.* New York, Plenum.

ARONSON, E., et MILLS, J. (1959). The effect of severity of initiation on liking for a group. *Journal of Abnormal and Social Psychology, 59*, 177–181.

ASCH, S. E. (novembre 1955). Opinions and social pressure. *Scientific American*, 31–35.

ASENDORPF, J. B. (1987). Videotape reconstruction of emotions and cognitions related to shyness. *Journal of Personality and Social Psychology, 53*, 541–549.

ASHER, J. (avril 1987). Born to be shy? *Psychology Today*, 56–64.

ASHMORE, R. D. (1990). Sex, gender, and the individual. Dans L. A. Pervin (dir.). *Handbook of personality, Theory and research.* New York, Guilford.

ASSOCIATED PRESS (1988). Rain in Iowa. *Grand Rapids Press*, 10 juillet, A6.

ASTIN, A., et coll. (1991). *The American freshman, National norms for Fall 1991.* Los Angeles, American Council on Education and UCLA.

ASTIN, A. W., GREEN, K. C., et KORN, W. S. (1987a). *The American freshman, Twenty year trends.* Los Angeles, Higher Education Research Institute, UCLA.

ASTIN, A. W., GREEN, K. C., KORN, W. S., et SCHALIT, M. (1987b). *The American freshman, National norms for Fall 1987.* Los Angeles, Higher Education Research Institute, UCLA.

ATWELL, R. H. (1986). Drugs on campus, A perspective. *Higher Education and National Affairs*, 28 juillet, 5.

AVERILL, J. R. (1983). Studies on anger and aggression, Implications for theories of emotion. *American Psychologist, 38*, 1145–1160.

AXELROD, R., et DION, D. (1988). The further evolution of cooperation. *Science, 242*, 1385–1390.

AXSOM, D., YATES, S., et CHAIKEN, S. (1987). Audience response as a heuristic cue in persuasion. *Journal of Personality and Social Psychology, 53*, 30–40.

AYRES, I. (1991). Fair driving, Gender and race discrimination in retail car negotiations. *Harvard Law Review, 104*, 817–872.

AZRIN, N. H. (mai 1967). Pain and aggression. *Psychology Today*, 27–33.

BABAD, E., BERNIERI, F., et ROSENTHAL, R. (1991). Students as judges to teachers' verbal and nonverbal behavior. *American Educational Research Journal, 28*, 211–234.

BACHMAN, J. G., et O'MALLEY, P. M. (1977). Self-esteem in young men, A longitudinal analysis of the impact of educational and occupational attainment. *Journal of Personality and Social Psychology, 35*, 365–380.

BAER, R., HINKLE, S., SMITH, K., et FENTON, M. (1980). Reactance as a function of actual versus projected autonomy. *Journal of Personality and Social Psychology, 38*, 416–422.

BAIRAGI, R. (1987). Food crises and female children in rural Bangladesh. *Social Science, 72*, 48–51.

BANDURA, A. (1979). The social learning perspective, Mechanisms of aggression. Dans H. Toch (dir.). *Psychology of crime and criminal justice.* New York, Holt, Rinehart et Winston.

339

BANDURA, A. (1986). *Social foundations of thought and action, A social cognitive theory.* Englewood Cliffs, NJ, Prentice-Hall.

BANDURA, A., ROSS, D., et ROSS, S. A. (1961). Transmission of aggression through imitation of aggressive models. *Journal of Abnormal and Social Psychology, 63,* 575–582.

BANDURA, A., et WALTERS, R. H. (1959). *Adolescent aggression.* New York, Ronald.

BANDURA, A., et WALTERS, R. H. (1963). *Social learning and personality development.* New York, Holt, Rinehart et Winston.

BARATZ, D. (1983). How justified is the «obvious» reaction. *Dissertation Abstracts International 44*/02B, 644B (Univ. Microfilms No. DA 8314435). Cité par N. L. Gage (janvier-février 1991). The obviousness of social and educational research results. *Educational Researcher,* 10–16.

BARNETT, P. A., et GOTLIB, I. H. (1988). Psychosocial functioning and depression, Distinguishing among antecedents, concomitants, and consequences. *Psychological Bulletin, 104,* 97–126.

BARON, L., et STRAUS, M. A. (1984). Sexual stratification, pornography, and rape in the United States. Dans N. M. Malamuth et E. Donnerstein (dir.). *Pornography and sexual aggression.* New York, Academic Press.

BARON, R. M., MANDEL, D. R., ADAMS, C. A., et GRIFFEN, L. M. (1976). Effects of social density in university residential environments. *Journal of Personality and Social Psychology, 34,* 434–446.

BARON, R. S. (1986). Distraction-conflict theory, Progress and problems. Dans L. Berkowitz (dir.). *Advances in experimental social psychology,* Orlando, FL, Academic Press.

BATSON, C. D. (1991). *The altruism question, Toward a social-psychological answer.* Hillsdale, NJ, Erlbaum.

BAUMEISTER, R. F. (1991). *Meanings of life.* New York, Guilford.

BAUMEISTER, R. F., et ILKO, S. A. (1991). Shallow gratitude, Public and private acknowledgement of external help in accounts of success. Manuscrit inédit, Case Western Reserve University.

BAUMEISTER, R. F., et SCHER, S. J. (1988). Self-defeating behavior patterns among normal individuals, Review and analysis of common self-destructive tendencies. *Psychological Bulletin, 104,* 3–22.

BAUMEISTER, R. F., et STEINHILBER, A. (1984). Paradoxical effects of supportive audiences on performance under pressure, The home field disadvantage in sports championships. *Journal of Personality and Social Psychology, 47,* 85–93.

BAUMEISTER, R. F., et WOTMAN, S. R. (1992). *Breaking hearts, The two sides of unrequited love.* New York, Guilford.

BAUMGARDNER, A. H. (1991). Claiming depressive symptoms as a self-handicap, A protective self-presentation strategy. *Basic and Applied Social Psychology, 12,* 97–113.

BAUMGARDNER, A. H., et BROWNLEE, E. A. (1987). Strategic failure in social interaction, Evidence for expectancy disconfirmation process. *Journal of Personality and Social Psychology, 52,* 525–535.

BAUMGARDNER, A. H., KAUFMAN, C. M., et LEVY, P. E. (1989). Regulating affect interpersonally, When low esteem leads to greater enhancement. *Journal of Personality and Social Psychology, 56,* 907–921.

BAUMHART, R. (1968). *An honest profit.* New York, Holt, Rinehart et Winston.

BAXTER, T. L., et GOLDBERG, L. R. (1987). Perceived behavioral consistency underlying trait attributions to oneself and another, An extension of the actor-observer effect. *Personality and Social Psychology Bulletin, 13,* 437–447.

BAYER, E. (1929). Beitrage zur zeikomponenten theorie des hungers. *Zeitschrift fur Psychologie, 112,* 1–54.

BAZERMAN, M. H. (juin 1986). Why negotiations go wrong. *Psychology Today,* 54–58.

BEAMAN, A. L., BARNES, P. J., KLENTZ, B., et McQUIRK, B. (1978). Increasing helping rates through information dissemination, Teaching pays. *Personality and Social Psychology Bulletin, 4,* 406–411.

BEAMAN, A. L., et KLENTZ, B. (1983). The supposed physical attractiveness bias against supporters of the women's movement, A meta-analysis. *Personality and Social Psychology Bulletin, 9,* 544–550.

BEAMAN, A. L., KLENTZ, B., DIENER, E., et SVANUM, S. (1979). Self-awareness and transgression in children, Two field studies. *Journal of Personality and Social Psychology, 37,* 1835–1846.

BEAUVOIS, J. L., et DUBOIS, N. (1988). The norm of internality in the explanation of psychological events. *European Journal of Social Psychology, 18,* 299–316.

BECK, A. T., et YOUNG, J. E. (septembre 1978). College blues. *Psychology Today,* 80–92.

BECK, S. B., WARD-HULL, C. I., et McLEAR, P. M. (1976). Variables related to women's somatic preferences of the male and female body. *Journal of Personality and Social Psychology, 34,* 1200–1210.

BELL, P. A. (1980). Effects of heat, noise, and provocation on retaliatory evaluative behavior. *Journal of Social Psychology, 110,* 97–100.

BELL, R. Q., et CHAPMAN, M. (1986). Child effects in studies using experimental or brief longitudinal approaches to socialization. *Developmental Psychology, 22,* 595–603.

BELSON, W. A. (1978). *Television violence and the adolescent boy.* Westmead, England, Saxon House, Teakfield.

BEM, D. J. (1972). Self-perception theory. Dans L. Berkowitz (dir.). *Advances in experimental social psychology.* vol. 6. New York, Academic Press.

BEM, D. J., et McCONNELL, H. K. (1970). Testing the self-perception explanation of dissonance phenomena, On the salience of premanipulation attitudes. *Journal of Personality and Social Psychology, 14,* 23–31.

BENNIS, W. (1984). Transformative power and leadership. Dans T. J. Sergiovani et J. E. Corbally (dir.).

Leadership and organizational culture. Urbana, University of Illinois Press.

BERG, J. H. (1987). Responsiveness and self-disclosure. Dans V. J. Derlega et J. H. Berg (dir.). *Self-disclosure, Theory, research, and therapy*. New York, Plenum.

BERG, J. H., et McQUINN, R. D. (1986). Attraction and exchange in continuing and noncontinuing dating relationships. *Journal of Personality and Social Psychology, 50*, 942–952.

BERG, J. H., et McQUINN, R. D. (1988). Loneliness and aspects of social support networks. Manuscrit inédit, University of Mississippi.

BERG, J. H., et PEPLAU, L. A. (1982). Loneliness, The relationship of self-disclosure and androgyny. *Personality and Social Psychology Bulletin, 8*, 624–630.

BERGER, P. (1963). *Invitation to sociology, A humanistic perspective*. Garden City, NY, Doubleday Anchor.

BERGLAS, S., et JONES, E. E. (1978). Drug choice as a self-handicapping strategy in response to noncontingent success. *Journal of Personality and Social Psychology, 36*, 405–417.

BERKOWITZ, L. (1954). Group standards, cohesiveness, and productivity. *Human Relations, 7*, 509–519.

BERKOWITZ, L. (septembre 1968). Impulse, aggression and the gun. *Psychology Today*, 18–22.

BERKOWITZ, L. (1978). Whatever happened to the frustration-aggression hypothesis? *American Behavioral Scientists, 21*, 691–708.

BERKOWITZ, L. (juin 1981). How guns control us. *Psychology Today*, 11–12.

BERKOWITZ, L. (1983). Aversively stimulated aggression, Some parallels and differences in research with animals and humans. *American Psychologist, 38*, 1135–1144.

BERKOWITZ, L. (1984). Some effects of thoughts on anti- and prosocial influences of media events, A cognitive-neoassociation analysis. *Psychological Bulletin, 95*, 410–427.

BERKOWITZ, L. (1989). Frustration-aggression hypothesis, Examination and reformulation. *Psychological Bulletin, 106*, 59–73.

BERKOWITZ, L., et GEEN, R. G. (1966). Film violence and the cue properties of available targets. *Journal of Personality and Social Psychology, 3*, 525–530.

BERKOWITZ, L., et LEPAGE, A. (1967). Weapons as aggression-eliciting stimuli. *Journal of Personality and Social Psychology, 7*, 202–207.

BERNARD, J. (1976). *Sex differences, An overview*. New York, MSS Modular Publications.

BERSCHEID, E. (1981). An overview of the psychological effects of physical attractiveness and some comments upon the psychological effects of knowledge of the effects of physical attractiveness. Dans W. Lucker, K. Ribbens, et J. A. McNamera (dir.). *Logical aspects of facial form (craniofacial growth series)*. Ann Arbor, Univ. of Michigan Press.

BERSCHEID, E. (1985). Interpersonal attraction. Dans G. Lindzey et E. Aronson (dir.). *The handbook of social psychology*. New York, Random House.

BERSCHEID, E., BOYE, D., et WALSTER (Hatfield), E. (1968). Retaliation as a means of restoring equity. *Journal of Personality and Social Psychology, 10*, 370–376.

BERSCHEID, E., DION, K., WALSTER (Hatfield), E., et WALSTER, G. W. (1971). Physical attractiveness and dating choice, A test of the matching hypothesis. *Journal of Experimental Social Psychology, 7*, 173–189.

BERSCHEID, E., GRAZIANO, W., MONSON, T., et DERMER, M. (1976). Outcome dependency, Attention, attribution, and attraction. *Journal of Personality and Social Psychology, 34*, 978–989.

BERSCHEID, E., et PEPLAU, L. A. (1983). The emerging science of relationships. Dans H. H. Kelley, E. Berscheid, A. Christensen, J. H. Harvey, T. L. Huston, G. Levinger, E. McClintock, L. A. Peplau, et D. R. Peterson (dir.). *Close relationships*. New York, Freeman.

BERSCHEID, E., SNYDER, M., et OMOTO, A. M. (1989). Issues in studying close relationships, Conceptualizing and measuring closeness. Dans C. Hendrick (dir.). *Review of personality and social psychology*, vol. 10. Newbury Park, CA, Sage.

BERSCHEID, E., et WALSTER (Hatfield), E. (1978). *Interpersonal attraction*. Reading, MA, Addison-Wesley.

BERSCHEID, E., WALSTER, G. W., et WALSTER (Hatfield), E. (1969). Effects of accuracy and positivity of evaluation on liking for the evaluator. Manuscrit inédit. Résumé de E. Berscheid et E. Walster (Hatfield) publié dans *Interpersonal attraction*. Reading, MA, Addison-Wesley, 1978.

BIERBRAUER, G. (1979). Why did he do it? Attribution of obedience and the phenomenon of dispositional bias. *European Journal of Social Psychology, 9*, 67–84.

BIERLY, M. M. (1985). Prejudice toward contemporary outgroups as a generalized attitude. *Journal of Applied Social Psychology, 15*, 189–199.

BIERNAT, M. (1991). Gender stereotypes and the relationship between masculinity and femininity, A developmental analysis. *Journal of Personality and Social Psychology, 61*, 351–365.

BIERNAT, M., et WORTMAN, C. B. (1991). Sharing of home responsibilities between professionally employed women and their husbands. *Journal of Personality and Social Psychology, 60*, 844–860.

BILLIG, M., et TAJFEL, H. (1973). Social categorization and similarity in intergroup behaviour. *European Journal of Social Psychology, 3*, 27–52.

BLACKBURN, R. T., PELLINO, G. R., BOBERG, A., et O'CONNELL, C. (1980). Are instructional improvement programs off target? *Current Issues in Higher Education, 1*, 31–48.

BLAKE, R. R., et MOUTON, J. S. (1962). The intergroup dynamics of win-lose conflict and problem-solving collaboration in union-management relations. Dans M. Sherif (dir.). *Intergroup relations and leadership*. New York, Wiley.

341

BLAKE, R. R., et MOUTON, J. S. (1979). Intergroup problem solving in organizations, From theory to practice. Dans W. G. Austin et S. Worchel (dir.). *The social psychology of intergroup relations*. Monterey, CA, Brooks/Cole.

BLANCHARD, F. A., et COOK, S. W. (1976). Effects of helping a less competent member of a cooperating interracial group on the development of interpersonal attraction. *Journal of Personality and Social Psychology, 34*, 1245–1255.

BLOCK J., et FUNDER, D. C. (1986). Social roles and social perception, Individual differences in attribution and error. *Journal of Personality and Social Psychology, 51*, 1200–1207.

BODENHAUSEN, G. V. (1990). Stereotypes as judgmental heuristics, Evidence of circadian variations in discrimination. *Psychological Science, 1*, 319–322.

BOLT, M., et BRINK, J. (1991). Personal correspondence 1er novembre.

BOND, C. F., J^r et TITUS, L. J. (1983). Social facilitation, A meta-analysis of 241 studies. *Psychological Bulletin, 94*, 265–292.

BORGIDA, E., et BREKKE, N. (1985). Psycholegal research on rape trials. Dans A. W. Burgess (dir.). *Rape and sexual assault, A research handbook*. New York, Garland.

BORNSTEIN, R. F. (1989). Exposure and affect, Overview and meta-analysis of research, 1968–1987. *Psychological Bulletin, 106*, 265–289.

BORNSTEIN, R. F., KALE, A. R., et CORNELL, K. R. (1990). Boredom as a limiting condition on the mere exposure effect. *Journal of Personality and Social Psychology, 58*, 791–800.

BOSSARD, J. H. S. (1932). Residential propinquity as a factor in marriage selection. *American Journal of Sociology, 38*, 219–224.

BOTHWELL, R. K., BRIGHAM, J. C., et MALPASS, R. S. (1989). Cross-racial identification. *Personality and Social Psychology Bulletin, 15*, 19–25.

BOWER, G. H. (1987). Commentary on mood and memory. *Behavioral Research and Therapy, 25*, 443–455.

BREHM, S., et BREHM, J. W. (1981). *Psychological reactance, A theory of freedom and control*. New York, Academic Press.

BREHM, S. S., et SMITH, T. W. (1986). Social psychological approaches to psychotherapy and behavior change. Dans S. L. Garfield et A. E. Bergin (dir.). *Handbook of psychotherapy and behavior change*, 3e éd. New York, Wiley.

BRENNER, S. N., et MOLANDER, E. A. (1977). Is the ethics of business changing? *Harvard Business Review*, janvier-février, 57–71.

BREWER, M. B. (1987). Collective decisions. *Social Science, 72*, 140–143.

BREWER, M. B., et MILLER, N. (1988). Contact and cooperation, When do they work? Dans P. A. Katz et D. Taylor (dir.). *Towards the elimination of racism, Profiles in controversy*. New York, Plenum.

BREWER, M. B., et SILVER, M. (1978). In-group bias as a function of task characteristics. *European Journal of Social Psychology, 8*, 393–400.

BRICKNER, M. A., HARKINS, S. G., et OSTROM, T. M. (1986). Effects of personal involvement, Thought-provoking implications for social loafing. *Journal of Personality and Social Psychology, 51*, 763–769.

BRIGHAM, J. C., et MALPASS, R. S. (1985). The role of experience and contact in the recognition of faces of own- and other-race persons. *Journal of Social Issues, 41*, 139–155.

BRIGHAM, J. C., et WILLIAMSON, N. L. (1979). Cross-racial recognition and age, When you're over 60, do they still all look alike? *Personality and Social Psychology Bulletin, 5*, 218–222.

BRITISH PSYCHOLOGICAL SOCIETY (1991). *Code of conduct ethical principles and guidelines*. Leicester.

BROCKNER, J., et HULTON, A. J. B. (1978). How to reverse the vicious cycle of low self-esteem, The importance of attentional focus. *Journal of Experimental Social Psychology, 14*, 564–578.

BROCKNER, J., RUBIN, J. Z., FINE, J., HAMILTON, T. P., THOMAS, B., et TURETSKY, B. (1982). Factors affecting entrapment in escalating conflicts, The importance of timing. *Journal of Research in Personality, 16*, 247–266.

BRODT, S. E., et ZIMBARDO, P. G. (1981). Modifying shyness-related social behavior through symptom misattribution. *Journal of Personality and Social Psychology, 41*, 437–449.

BRONFENBRENNER, U. (1961). The mirror image in Soviet-American relations. *Journal of Social Issues, 17*(3), 45–56.

BROWN, J. D. (1986). Evaluations of self and others, Self-enhancement biases in social judgments. *Social Cognition, 4*, 353–376.

BROWN, J. D. (1991). Accuracy and bias in self-knowledge, Can knowing the truth be hazardous to your health? Dans C. R. Snyder et D. F. Forsyth (dir.). *Handbook of social and clinical psychology, The health perspective*. New York, Pergamon.

BROWN, J. D., COLLINS, R. L., et SCHMIDT, G. W. (1988). Self-esteem and direct versus indirect forms of self-enhancement. *Journal of Personality and Social Psychology, 55*, 445–453.

BROWN, J. D., NOVICK, N. J., LORD, K. A., et RICHARDS, J. M. (1992). When Gulliver travels, Social context, psychological closeness, and self-appraisals. *Journal of Personality and Social Psychology*.

BROWN, J. D., et SIEGEL, J. M. (1988). Attributions for negative life events and depression, The role of perceived control. *Journal of Personality and Social Psychology, 54*, 316–322.

BROWN, J. D., et TAYLOR, S. E. (1986). Affect and the processing of personal information, Evidence for mood-activated self-schemata. *Journal of Experimental Social Psychology, 22*, 436–452.

BURCHILL, S. A. L., et STILES, W. B. (1988). Interactions of depressed college students with their roommates, Not necessarily negative. *Journal of Personality and Social Psychology, 55*, 410–419.

BURGER, J. M. (1987). Increased performance with increased personal control, A self-presentation interpretation. *Journal of Experimental Social Psychology, 23*, 350–360.

BURGER, J. M. (1991). Changes in attributions over time, The ephemeral fundamental attribution error. *Social Cognition, 9*, 182–193.

BURGER, J. M., et BURNS, L. (1988). The illusion of unique invulnerability and the use of effective contraception. *Personality and Social Psychology Bulletin, 14*, 264–270.

BURGER, J. M., et PALMER, M. L. (1991). Changes in and generalization of unrealistic optimism following experiences with stressful events, Reactions to the 1989 California earthquake. *Personality and Social Psychology Bulletin, 18*, 39–43.

BURGER, J. M., et PAVELICH, J. L. (1991). Attributions for presidential elections, The situational shift over time. Manuscrit inédit, Santa Clara University.

BURNS, D. D. (1980). *Feeling good, The new mood therapy*. New York, Signet.

BURNSTEIN, E., et KITAYAMA, S. (1989). Persuasion in groups. Dans T. C. Brock et S. Shavitt (dir.). *The psychology of persuasion*. San Francisco, Freeman.

BURNSTEIN, E., et VINOKUR, A. (1977). Persuasive argumentation and social comparison as determinants of attitude polarization. *Journal of Experimental Social Psychology, 13*, 315–332.

BURNSTEIN, E., et WORCHEL, P. (1962). Arbitrariness of frustration and its consequences for aggression in a social situation. *Journal of Personality, 30*, 528–540.

BURR, W. R. (1973). *Theory construction and the sociology of the family*. New York, Wiley.

BURROS, M. (1988). Women, Out of the house but not out of the kitchen. *New York Times*, 24 février.

BURTON, J. W. (1969). *Conflict and communication*. New York, Free Press.

BUSHMAN, B. J., et COOPER, H. M. (1990). Effects of alcohol on human aggression, An integrative research review. *Psychological Review, 107*, 341–354.

BUSHMAN, B. J., et GEEN, R. G. (1990). Role of cognitive-emotional mediators and individual differences in the effects of media violence on aggression. *Journal of Personality and Social Psychology, 58*, 156–163.

BUSS, D. M. (1984). Toward a psychology of person-environment (PE) correlation, The role of spouse selection. *Journal of Personality and Social Psychology, 47*, 361–377.

BUSS, D. M. (1985). Human mate selection. *American Scientist, 73*, 47–51.

BUSS, D. M. (1989). Sex differences in human mate preferences, Evolutionary hypotheses tested in 37 cultures. *Behavioral and Brain Sciences, 12*, 1–49.

BUSS, D. M. (1991). Evolutionary personality psychology. *Annual Review of Psychology*. Palo Alto, CA, Annual Reviews.

BUTCHER, S. H. (1951). *Aristotle's theory of poetry and fine art*. New York, Dover.

BYRNE, D. (1971). *The attraction paradigm*. New York, Academic Press.

BYRNE, D., et Wong, T. J. (1962). Racial prejudice, interpersonal attraction, and assumed dissimilarity of attitudes. *Journal of Abnormal and Social Psychology, 65*, 246–253.

BYTWERK, R. L. (1976). Julius Streicher and the impact of *Der Stürmer*. *Wiener Library Bulletin, 29*, 41–46.

CACIOPPO, J. T., PETTY, R. E., KAO, C. F., et RODRIGUEZ, R. (1986). Central and peripheral routes to persuasion, An individual difference perspective. *Journal of Personality and Social Psychology, 51*, 1032–1043.

CACIOPPO, J. T., PETTY, R. E., et MORRIS, K. J. (1983). Effects of need for cognition on message evaluation, recall, and persuasion. *Journal of Personality and Social Psychology, 45*, 805–818.

CACIOPPO, J. T., UCHINO, B. N., CRITES, S. L., SNYDER-SMITH, M. A., SMITH, G., BERNTSON, G. G., et LANG, P. J. (1991). Relationship between facial expressiveness and sympathetic activation in emotion, A critical review, with emphasis on modeling underlying mechanisms and individual differences. *Journal of Personality and Social Psychology, 62*, 110–128.

CALHOUN, J. B. (février 1962). Population density and social pathology. *Scientific American*, 139–148.

CAMPBELL, E. Q., et PETTIGREW, T. F. (1959). Racial and moral crisis, The role of Little Rock ministers. *American Journal of Sociology, 64*, 509–516.

CANTRIL, H., et BUMSTEAD, C. H. (1960). *Reflections on the human venture*. New York, New York University Press.

CARDUCCI, B. J., COSBY, P. C., et WARD, D. D. (1978). Sexual arousal and interpersonal evaluations. *Journal of Experimental Social Psychology, 14*, 449–457.

CARLI, L. L. (1991). Gender, status, and influence. Dans E. J. Lawler et B. Markovsky (dir.). *Advances in group processes, Theory and research*, vol. 8. Greenwich, CT, JAI.

CARLI, L. L., COLUMBO, J., DOWLING, S., KULIS, M., et MINALGA, C. (1990). Victim derogation as a function of hindsight and cognitive bolstering. Communication présentée à la convention de l'American Psychological Association.

CARLI, L. L., et LEONARD, J. B. (1989). The effect of hindsight on victim derogation. *Journal of Social and Clinical Psychology, 8*, 331–343.

CARLSON, J., et HATFIELD, E. (1992). *The psychology of emotion*. Fort Worth, TX, Holt, Rinehart et Winston.

CARLSON, M., MARCUS-NEWHALL, A., et MILLER, N. (1990). Effects of situational aggression cues, A quantitative review. *Journal of Personality and Social Psychology, 58*, 622–633.

CARLSTON, D. E., et SHOVAR, N. (1983). Effects of performance attributions on others' perceptions of the attributor. *Journal of Personality and Social Psychology, 44*, 515–525.

CARTWRIGHT, D. S. (1975). The nature of gangs. Dans D. S. Cartwright, B. Tomson, et H. Schwartz (dir.). *Gang delinquency*. Monterey, CA, Brooks/Cole.

CARVER, C. S., et SCHEIER, M. F. (1986). Analyzing shyness, A specific application of broader self-regulatory principles. Dans W. H. Jones, J. M. Cheek, et S. R. Briggs (dir.). *Shyness, Perspectives on research and treatment*. New York, Plenum.

CASH, T. F., et JANDA, L. H. (décembre 1984). The eye of the beholder. *Psychology Today*, 46–52.

CASPI, A., et HERBENER, E. S. (1990). Continuity and change, Assortative marriage and the consistency of personality in adulthood. *Journal of Personality and Social Psychology, 58*, 250–258.

CASTRO, J. (1990). Get set, Here they come. *Time*, numéro d'automne sur les femmes, 50–52.

CENTERWALL, B. S. (1989). Exposure to television as a risk factor for violence. *American Journal of Epidemiology, 129*, 643–652.

CHAIKEN, S. (1979). Communicator physical attractiveness and persuasion. *Journal of Personality and Social Psychology, 37*, 1387–1397.

CHAIKEN, S. (1980). Heuristic versus systematic information processing and the use of source versus message cues in persuasion. *Journal of Personality and Social Psychology, 39*, 752–766.

CHAIKEN, S. (1987). The heuristic model of persuasion. Dans M. P. Zanna, J. M. Olson, et C. P. Herman (dir.) *Social influence, The Ontario symposium*, vol. 5. Hillsdale, NJ, Erlbaum.

CHANCE, J. E. (1985). Faces, folklore, and research hypotheses. Discours du président lors de la convention de la Midwestern Psychological Association.

CHANCE, J. E., et GOLDSTEIN, A. G. (1981). Depth of processing in response to own and other-race faces. *Personality and Social Psychology Bulletin, 7*, 475–480.

CHAPMAN, L. J., et CHAPMAN, J. P. (1969). Genesis of popular but erroneous psychodiagnostic observations. *Journal of Abnormal Psychology, 74*, 272–280.

CHAPMAN, L. J., et CHAPMAN, J. P. (novembre 1971). Test results are what you think they are. *Psychology Today*, 18–22, 106–107.

CHECK, J., et MALAMUTH, N. (1984). Can there be positive effects of participation in pornography experiments? *Journal of Sex Research, 20*, 14–31.

CHECK, J. M., et MELCHIOR, L. A. (1990). Shyness, self-esteem, and self-consciousness. Dans H. Leitenberg (dir.). *Handbook of social and evaluation anxiety*. New York, Plenum.

CHEN, S. C. (1937). Social modification of the activity of ants in nest-building. *Physiological Zoology, 10*, 420–436.

CHICKERING, A. W., et McCORMICK, J. (1973). Personality development and the college experience. *Research in Higher Education, 1*, 62–64.

CHODOROW, N. J. (1978). *The reproduction of mother, Psychoanalysis and the sociology of gender*. Berkeley, CA, University of California Press.

CHODOROW, N. J. (1989). *Feminism and psychoanalytic theory*. New Haven, CT, Yale University Press.

CHRISTENSEN, L. (1988). Deception in psychological research, When is its use justified? *Personality and Social Psychology Bulletin, 14*, 664–675.

CHRISTIAN, J. J., FLYGER, V., et DAVIS, D. E. (1960). Factors in the mass mortality of a herd of sika deer, *Cervus Nippon*. *Chesapeake Science, 1*, 79–95.

CHURCH, G. J. (1986). China. *Time*, 6 janvier, 6–19.

CIALDINI, R. B. (1988). *Influence, Science and practice*. Glenview, IL, Scott, Foresman/Little, Brown.

CIALDINI, R. B., CACIOPPO, J. T., BASSETT, R., et MILLER, J. A. (1978). Lowball procedure for producing compliance, Commitment then cost. *Journal of Personality and Social Psychology, 36*, 463–476.

CIALDINI, R. B., et RICHARDSON, K. D. (1980). Two indirect tactics of image management, Basking and blasting. *Journal of Personality and Social Psychology, 39*, 406–415.

CLARK, K., et CLARK, M. (1947). Racial identification and preference in Negro children. Dans T. M. Newcomb et E. L. Hartley (dir.). *Readings in social psychology*. New York, Holt.

CLARK, M. S., et BENNETT, M. E. (1992). Research on relationships, Implications for mental health. Dans D. Ruble, P. Costanzo, et M. Oliveri (dir.). *Basic social psychological processes in mental health*. New York, Guilford.

CLARK, R. D., III, et MAASS, A. (1990). The effects of majority size on minority influence. *European Journal of Social Psychology, 20*, 99–117.

CLARKE, A. C. (1952). An examination of the operation of residual propinquity as a factor in mate selection. *American Sociological Review, 27*, 17–22.

CLORE, G. L., BRAY, R. M., ITKIN, S. M., et MURPHY, P. (1978). Interracial attitudes and behavior at a summer camp. *Journal of Personality and Social Psychology, 36*, 107–116.

COATES, B., PUSSER, H. E., et GOODMAN, I. (1976). The influence of «Sesame Street» and «Mister Rogers' Neighborhood» on children's social behavior in the preschool. *Child Development, 47*, 138–144.

CODOL, J.-P. (1976). On the so-called superior conformity of the self behavior, Twenty experimental investigations. *European Journal of Social Psychology, 5*, 457–501.

COHEN, M., et DAVIS, N. (1981). *Medication errors, Causes and prevention.* Philadelphia, Stickley. Cité par R. B. Cialdini (1989). Agents of influence, Bunglers, smugglers, and sleuths. Communication présentée à la convention de l'American Psychological Association.

COHEN, S. (1980). Training to understand TV advertising, Effects and some policy implications. Communication présentée à la convention de l'American Psychological Association.

CONWAY, F., et SIEGELMAN, J. (1979). *Snapping, America's epidemic of sudden personality change.* New York, Delta.

CONWAY, M., et ROSS, M. (1985). Remembering one's own past, The construction of personal histories. Dans R. Sorrentino et E. T. Higgins (dir.). *Handbook of motivation and cognition.* New York, Guilford.

COOK, T. D., et CURTIN, T. R. (1987). The mainstream and the underclass, Why are the differences so salient and the similarities so unobtrusive? Dans J. C. Masters et W. P. Smith (dir.). *Social comparison, social justice, and relative deprivation, Theoretical, empirical, and policy perspectives.* Hillsdale, NJ, Erlbaum.

COOK, T. D., et FLAY, B. R. (1978). The persistence of experimentally induced attitude change. Dans L. Berkowitz (dir.). *Advances in experimental social psychology.* vol. 11. New York, Academic Press.

COOPER, H. (1983). Teacher expectation effects. Dans L. Bickman (dir.). *Applied social psychology annual,* vol. 4. Beverly Hills, CA, Sage.

COSTA, P. T., Jʳ, McCRAE, R. R., et ZONDERMAN, A. B. (1987). Environmental and dispositional influences on well-being, Longitudinal follow-up of an American national sample. *British Journal of Psychology, 78,* 299–306.

COTA, A. A., et DION, K. L. (1986). Salience of gender and sex composition of ad hoc groups, An experimental test of distinctiveness theory. *Journal of Personality and Social Psychology, 50,* 770–776.

COTTON, J. L. (1981). Ambient temperature and violent crime. Communication présentée à la convention de la Midwestern Psychological Association.

COTTON, J. L. (1986). Ambient temperature and violent crime. *Journal of Applied Social Psychology, 16,* 786–801.

COTTRELL, N. B., WACK, D. L., SEKERAK, G. J., et RITTLE, R. M. (1968). Social facilitation of dominant responses by the presence of an audience and the mere presence of others. *Journal of Personality and Social Psychology, 9,* 245–250.

COURT, J. H. (1984). Sex and violence, A ripple effect. Dans N. M. Malamuth et E. Donnerstein (dir.). *Pornography and sexual aggression.* New York, Academic Press.

COUSINS, N. (1989). *Head first, The biology of hope.* New York, Dutton.

COUSINS, S. D. (1989). Culture and self-perception in Japan and the United States. *Journal of Personality and Social Psychology, 56,* 124–131.

COYNE, J. C., BURCHILL, S. A. L., et STILES, W. B. (1991). Dans C. R. Snyder et D. O. Forsyth (dir.). *Handbook of social and clinical psychology, The health perspective.* New York, Pergamon.

CRAIG, M. E. (1990). Coercive sexuality in dating relationships, A situational model. *Clinical Psychology Review, 10,* 395–423.

CROCKER, J., et MAJOR, B. (1989). Social stigma and self-esteem, The self-protective properties of stigma. *Psychological Review, 96,* 608–630.

CROCKER, J., et McGRAW, K. M. (1984). What's good for the goose is not good for the gander, Solo status as an obstacle to occupational achievement for males and females. *American Behavioral Scientist, 27,* 357–370.

CROCKER, J., THOMPSON, L. L., McGRAW, K. M., et INGERMAN, C. (1987). Downward comparison, prejudice, and evaluations of others, Effects of self-esteem and threat. *Journal of Personality and Social Psychology, 52,* 907–916.

CROSBY, F., BROMLEY, S., et SAXE, L. (1980). Recent unobtrusive studies of black and white discrimination and prejudice, A literature review. *Psychological Bulletin, 87,* 546–563.

CROSBY, F., PUFALL, A., SNYDER, R. C., O'CONNELL, M., et WHALEN, P. (1989). The denial of personal disadvantage among you, me, and all the other ostriches. Dans M. Crawford et M. Gentry (dir.). *Gender and thought.* New York, Springer-Verlag.

CROSS, P. (1977). Not *can* but *will* college teaching be improved? *New Directions for Higher Education,* printemps, 17, p. 1–15.

CROXTON, J. S., et MILLER, A. G. (1987). Behavioral disconfirmation and the observer bias. *Journal of Social Behavior and Personality, 2,* 145–152.

CROXTON, J. S., et MORROW, N. (1984). What does it take to reduce observer bias? *Psychological Reports, 55,* 135–138.

CROYLE, R. T., et COOPER, J. (1983). Dissonance arousal, Physiological evidence. *Journal of Personality and Social Psychology, 45,* 782–791.

CSIKSZENTMIHALYI, M. (1988). The future of flow. Dans M. Csikszentmihalyi et I. S. Csikszentmihalyi (dir.). *Optimal experience, Psychological studies of flow in consciousness.* Cambridge, Cambridge University Press.

CSIKSZENTMIHALYI, M., et CSIKSZENTMIHALYI, I. S. (1988). *Optimal experience, Psychological studies of flow in consciousness.* Cambridge, Cambridge University Press.

CUNNINGHAM, J. D. (1981). Self-disclosure intimacy, Sex, sex-of-target, cross-national, and generational differences. *Personality and Social Psychology Bulletin, 7,* 314–319.

DABBS, J. M., et JANIS, I. L. (1965). Why does eating while reading facilitate opinion change? An

345

experimental inquiry. *Journal of Experimental Social Psychology, 1,* 133–144.

DABBS, J. M., J^r et MORRIS, R. (1990). Testosterone, social class, and antisocial behavior in a sample of 4,462 men. *Psychological Science, 1,* 209–211.

DABBS, J. M., J^r RUBACK, R. B., FRADY, R. L., HOPPER, C. H., et SGOUTAS, D. S. (1988). Saliva testosterone and criminal violence among women. *Personality and Individual Differences, 7,* 269–275.

DALLAS, M. E. W., et BARON, R. S. (1985). Do psychotherapists use a confirmatory strategy during interviewing? *Journal of Social and Clinical Psychology, 3,* 106–122.

DARLEY, J. M., et BATSON, C. D. (1973). From Jerusalem to Jericho, A study of situational and dispositional variables in helping behavior. *Journal of Personality and Social Psychology, 27,* 100–108.

DARLEY, J. M., et BERSCHEID, E. (1967). Increased liking as a result of the anticipation of personal contact. *Human Relations, 20,* 29–40.

DARLEY, J. M., et LATANÉ, B. (1968). Bystander intervention in emergencies, Diffusion of responsibility. *Journal of Personality and Social Psychology, 8,* 377–383.

DARLEY, J. M., et LATANÉ, B. (décembre 1968). When will people help in a crisis? *Psychology Today,* 54–57, 70–71.

DARLEY, S., et COOPER, J. (1972). Cognitive consequences of forced noncompliance. *Journal of Personality and Social Psychology, 24,* 321–326.

DASHIELL, J. F. (1930). An experimental analysis of some group effects. *Journal of Abnormal and Social Psychology, 25,* 190–199.

DAVIS, B. M., et GILBERT, L. A. (1989). Effect of dispositional and situational influences on women's dominance expression in mixed-sex dyads. *Journal of Personality and Social Psychology, 57,* 294–300.

DAVIS, K. E. (février 1985). Near and dear, Friendship and love compared. *Psychology Today,* 22–30.

DAVIS, K. E., et JONES, E. E. (1960). Changes in interpersonal perception as a means of reducing cognitive dissonance. *Journal of Abnormal and Social Psychology, 61,* 402–410.

DAVIS, L., LAYLASEK, L., et PRATT, R. (1984). Teamwork and friendship, Answers to social loafing. Communication présentée à la Southwestern Psychological Association, New Orleans.

DAVIS, M. H., et FRANZOI, S. L. (1986). Adolescent loneliness, self-disclosure, and private self-consciousness, A longitudinal investigation. *Journal of Personality and Social Psychology, 51,* 595–608.

DAVIS, M. H., et STEPHAN, W. G. (1980). Attributions for exam performance. *Journal of Applied Social Psychology, 10,* 235–248.

DAWES, R. M. (1976). Shallow psychology. Dans J. S. Carroll et J. W. Payne (dir.). *Cognition and social behavior.* Hillsdale, NJ, Erlbaum.

DAWES, R. M. (1980). You can't systematize human judgment, Dyslexia. Dans R. A. Shweder (dir.). *New directions for methodology of social and behavioral science, Fallible judgment in behavioral research.* San Francisco, Jossey-Bass.

DAWES, R. M. (1990). The potential nonfalsity of the false consensus effect. Dans R. M. Hogarth (dir.). *Insights in decision making, A tribute to Hillel J. Einhorn.* Chicago, University of Chicago Press.

DAWES, R. M. (1991). Social dilemmas, economic self-interest, and evolutionary theory. Dans D. R. Brown et J. E. Keith Smith (dir.) *Frontiers of mathematical psychology, Essays in honor of Clyde Coombs.* New York, Springer-Verlag.

DAWES, R. M., FAUST, D., et MEEHL, P. E. (1989). Clinical versus actuarial judgment. *Science, 243,* 1668–1674.

DAWSON, N. V., ARKES, H. R., SICILIANO, C., BLINKHORN, R., LAKSHMANAN, M., et PETRELLI, M. (1988). Hindsight bias, An impediment to accurate probability estimation in clinicopathologic conferences. *Medical Decision Making, 8,* 259–264.

DE VRIES, N. K., et VAN KNIPPENBERG, A. (1987). Biased and unbiased self-evaluations of ability, The effects of further testing. *British Journal of Social Psychology, 26,* 9–15.

DECI, E. L., et RYAN, R. M. (1987). The support of autonomy and the control of behavior. *Journal of Personality and Social Psychology, 53,* 1024–1037.

DEJONG-GIERVELD, J. (1987). Developing and testing a model of loneliness. *Journal of Personality and Social Psychology, 53,* 119–128.

DEMBROSKI, T. M., LASATER, T. M., et RAMIREZ, A. (1978). Communicator similarity, fear arousing communications, and compliance with health care recommendations. *Journal of Applied Social Psychology, 8,* 254–269.

DENGERINK, H. A., et MYERS, J. D. (1977). Three effects of failure and depression on subsequent aggression. *Journal of Personality and Social Psychology, 35,* 88–96.

DEPAULO, B. M., KENNY, D. A., HOOVER, C. W., WEBB, W., et OLIVER, P. V. (1987). Accuracy of person perception, Do people know what kinds of impressions they convey? *Journal of Personality and Social Psychology, 52,* 303–315.

DERMER, M., et PYSZCZYNSKI, T. A. (1978). Effects of erotica upon men's loving and liking responses for women they love. *Journal of Personality and Social Psychology, 36,* 1302–1309.

DESFORGES, D. M., LORD, C. G., RAMSEY, S. L., MASON, J. A., VAN LEEUWEN, M. D., WEST, S. C., et LEPPER, M. R. (1991). Effects of structured cooperative contact on changing negative attitudes toward stigmatized social groups. *Journal of Personality and Social Psychology, 60,* 531–544.

DESMOND, E. W. (1987). Out in the open. *Time,* 30 novembre, 80–90.

DESTEFANO, L., et COLASANTO, D. (1990). Unlike 1975, today most Americans think men have it better. *Gallup Poll Monthly, 293,* février, 25–36.

DEUTSCH, M. (1985). *Distributive justice, A social psychological perspective.* New Haven, Yale University Press.

DEUTSCH, M. (1986). Folie à deux, A psychological perspective on Soviet-American relations. Dans M. P. Kearns (dir.). *Persistent patterns and emergent structures in a waving century.* New York, Praeger.

DEUTSCH, M. (1991). Educating for a peaceful world. Discours du président à la Division of Peace Psychology, lors de la convention de l'American Psychological Association.

DEUTSCH, M., et GERARD, H. B. (1955). A study of normative and informational social influence upon individual judgment. *Journal of Abnormal and Social Psychology, 51,* 629–636.

DEVINE, P. G. (1989). Stereotypes and prejudice, Their automatic and controlled components. *Journal of Personality and Social Psychology, 56,* 5–18.

DEVINE, P. G., HIRT, E. R., et GEHRKE, E. M. (1990). Diagnostic and confirmation strategies in trait hypothesis testing. *Journal of Personality and Social Psychology, 58,* 952–963.

DEVINE, P. G., MONTEITH, M. J., ZUWERINK, J. R., et ELLIOT, A. J. (1991). Prejudice with and without compunction. *Journal of Personality and Social Psychology, 60,* 817–830.

DIENER, E. (1976). Effects of prior destructive behavior, anonymity, and group presence on deindividuation and aggression. *Journal of Personality and Social Psychology, 33,* 497–507.

DIENER, E. (1979). Deindividuation, self-awareness, and disinhibition. *Journal of Personality and Social Psychology, 37,* 1160–1171.

DIENER, E. (1980). Deindividuation, The absence of self-awareness and self-regulation in group members. Dans P. Paulus (dir.). *The psychology of group influence.* Hillsdale, NJ, Erlbaum.

DIENER, E., et CRANDALL, R. (1979). An evaluation of the Jamaican anticrime program. *Journal of Applied Social Psychology, 9,* 135–146.

DIENER, E., FRASER, S. C., BEAMAN, A. L., et KELEM, R. T. (1976). Effects of deindividuation variables on stealing among Halloween trick-or-treaters. *Journal of Personality and Social Psychology, 33,* 178–183.

DIENER, E., HORWITZ, J. et EMMONS, R. A. (1985). Happiness of the very wealthy. *Social Indicators, 16,* 263–274.

DIENER, E., et WALLBOM, M. (1976). Effects of self-awareness on antinormative behavior. *Journal of Research in Personality, 10,* 107–111.

DION, K. K. (1979). Physical attractiveness and interpersonal attraction. Dans M. Cook et G. Wilson (dir.). *Love and attraction.* New York, Pergamon.

DION, K. K., et DION, K. L. (1978). Defensiveness, intimacy, and heterosexual attraction. *Journal of Research in Personality, 12,* 479–487.

DION, K. K., et DION, K. L. (1985). Personality, gender, and the phenomenology of romantic love. Dans P. R. Shaver (dir.). *Review of personality and social psychology,* vol. 6. Beverly Hills, CA, Sage.

DION, K. K., et DION, K. L. (1991). Psychological individualism and romantic love. *Journal of Social Behavior and Personality, 6,* 17–33.

DION, K. K., PAK, A. W-P., et DION, K. L. (1990). Stereotyping physical attractiveness, A sociocultural perspective. *Journal of Cross-Cultural Psychology, 21,* 378–398.

DION, K. K., et STEIN, S. (1978). Physical attractiveness and interpersonal influence. *Journal of Experimental Social Psychology, 14,* 97–109.

DION, K. L. (1987). What's in a title? The Ms. stereotype and images of women's titles of address. *Psychology of Women Quarterly, 11,* 21–36.

DION, K. L., et COTA, A. A. (1991). The Ms. stereotype, Its domain and the role of explicitness in title preference. *Psychology of Women Quarterly, 15,* 403–410.

DION, K. L., et DION, K. K. (1988). Romantic love, Individual and cultural perspectives. Dans R. J. Sternberg et M. L. Barnes (dir.). *The psychology of love.* New Haven, CT, Yale University Press.

DION, K. L., DION, K. K., et KEELAN, J. P. (1990). Appearance anxiety as a dimension of social-evaluative anxiety, Exploring the ugly duckling syndrome. *Contemporary Social Psychology, 14*(4), 220–224.

DION, K. L., et SCHULLER, R. A. (1991). The Ms. stereotype, Its generality and its relation to managerial and marital status stereotypes. *Canadian Journal of Behavioural Science, 23,* 25–40.

DOBSON, K., et FRANCHE, R. L. (1989). A conceptual and empirical review of the depressive realism hypothesis. *Canadian Journal of Behavioural Science, 21,* 419–433.

DOLLARD, J., DOOB, L., MILLER, N., MOWRER, O. H., et SEARS, R. R. (1939). *Frustration and aggression.* New Haven, CT, Yale University Press.

DONNERSTEIN, E. (1980). Aggressive erotica and violence against women. *Journal of Personality and Social Psychology, 39,* 269–277.

DONNERSTEIN, E., et BERKOWITZ, L. (1981). Victim reactions in aggressive erotic films as a factor in violence against women. *Journal of Personality and Social Psychology, 41,* 710–724.

DONNERSTEIN, E., LINZ, D., et PENROD, S. (1987). *The question of pornography.* London, Free Press.

DOOB, A. N., et ROBERTS, J. (1988). Public attitudes toward sentencing in Canada. Dans N. Walker et M. Hough (dir.). *Sentencing and the public.* London, Gower.

DOTY, R. M., PETERSON, B. E., et WINTER, D. G. (1991). Threat and authoritarianism in the United States, 1978–1987. *Journal of Personality and Social Psychology, 61,* 629–640.

347

DUMONT, M. P. (septembre 1989). An unfolding memoir of community mental health. *Readings, A Journal of Reviews and Commentary in Mental Health,* 4–7.

DUNCAN, B. L. (1976). Differential social perception and attribution of intergroup violence, Testing the lower limits of stereotyping of blacks. *Journal of Personality and Social Psychology, 34,* 590–598.

DUNNING, D., GRIFFIN, D. W., MILOJKOVIC, J. D., et ROSS, L. (1990). The overconfidence effect in social prediction. *Journal of Personality and Social Psychology, 58,* 568–581.

DUNNING, D., et PARPAL, M. (1989). Mental addition versus subtraction in counterfactual reasoning, On assessing the impact of personal actions and life events. *Journal of Personality and Social Psychology, 57,* 5–15.

DUNNING, D., PERIE, M., et STORY, A. L. (1991). Self-serving prototypes of social categories. *Journal of Personality and Social Psychology, 61,* 957–968.

DUTTON, D. G., et ARON, A. (1989). Romantic attraction and generalized liking for others who are sources of conflict-based arousal. *Canadian Journal of Behavioural Science, 21,* 246–257.

DUTTON, D. G., et ARON, A. P. (1974). Some evidence for heightened sexual attraction under conditions of high anxiety. *Journal of Personality and Social Psychology, 30,* 510–517.

DUVAL, S. (1976). Conformity on a visual task as a function of personal novelty on attitudinal dimensions and being reminded of the object status of self. *Journal of Experimental Social Psychology, 12,* 87–98.

EAGLY, A. H. (1986). Some meta-analytic approaches to examining the validity of gender-difference research. Dans J. S. Hyde et M. C. Linn (dir.). *The psychology of gender, Advances through meta-analysis.* Baltimore, Johns Hopkins University Press.

EAGLY, A. H. (1987). Sex differences in social behavior, A social-role interpretation. Hillsdale, NJ, Erlbaum.

EAGLY, A. H., ASHMORE, R. D., MAKHIJANI, M. G., et LONGO, L. C. (1991). What is beautiful is good, but..., A meta-analytic review of research on the physical attractiveness stereotype. *Psychological Bulletin, 110,* 109–128.

EAGLY, A. H., et CHAIKEN, S. (1992). *The psychology of attitudes.* San Diego, Harcourt Brace Jovanovich.

EAGLY, A. H., et CROWLEY, M. (1986). Gender and helping behavior, A meta-analytic review of the social psychological literature. *Psychological Bulletin, 100,* 283–308.

EAGLY, A. H., et JOHNSON, B. T. (1990). Gender and leadership style, A meta-analysis. *Psychological Bulletin, 108,* 233–256.

EAGLY, A. H., et KARAU, S. J. (1991). Gender and the emergence of leaders, A meta-analysis. *Journal of Personality and Social Psychology, 60,* 685–710.

EAGLY, A. H., et STEFFEN, V. J. (1986). Gender and aggressive behavior, A meta-analytic review of the social psychological literature. *Psychological Bulletin, 100,* 309–330.

EAGLY, A. H., et WOOD, W. (1991). Explaining sex differences in social behavior, A meta-analytic perspective. *Personality and Social Psychology Bulletin, 17,* 306–315.

EARLY, P. C. (1989). Social loafing and collectivism, A comparison of the United States and the People's Republic of China. *Administrative Science Quarterly, 34,* 565–581.

EBBESEN, E. B., DUNCAN, B., et KONECNI, V. J. (1975). Effects of content of verbal aggression on future verbal aggression, A field experiment. *Journal of Experimental Social Psychology, 11,* 192–204.

EDNEY, J. J. (1979). The nuts game, A concise commons dilemma analog. *Environmental Psychology and Nonverbal Behavior, 3,* 252–254.

EDWARDS, C. P. (1991). Behavioral sex differences in children of diverse cultures, The case of nurturance to infants. Dans M. Pereira et L. Fairbanks (dir.). *Juveniles, Comparative socioecology.* Oxford, Oxford University Press.

EISENBERG, N., et LENNON, R. (1983). Sex differences in empathy and related capacities. *Psychological Bulletin, 94,* 100–131.

ELDER, G. H., Jr (1969). Appearance and education in marriage mobility. *American Sociological Review, 34,* 519–533.

ELDER, G. H., Jr, et CLIPP, E. C. (1988). Wartime losses and social bonding, Influences across 40 years in men's lives. *Psychiatry, 51,* 177–197.

ELLICKSON, P. L., et BELL, R. M. (1990). Drug prevention in junior high, A multi-site longitudinal test. *Science, 247,* 1299–1305.

ELLIS, H. D. (1981). Theoretical aspects of face recognition. Dans G. H. Davies, H. D. Ellis, et J. Shepherd (dir.). *Perceiving and remembering faces.* London, Academic Press.

ELLYSON, S. L., DOVIDIO, J. F., et BROWN, C. E. (1991). The look of power, Gender differences and similarities in visual dominance behavior. Dans C. Ridgeway (dir.). *Gender and interaction, The role of microstructures in inequality.* New York, Springer-Verlag.

ENGS, R., et HANSON, D. J. (1989). Reactance theory, A test with collegiate drinking. *Psychological Reports, 64,* 1083–1086.

ENNIS, B. J., et VERRILLI, D. B., Jr (1989). Motion for leave to file brief amicus curiae and brief of Society for the Scientific Study of Religion, American Sociological Association, et autres. Cour suprême des États-Unis, cause n° 88–1600, Holy Spirit Association for the Unification of World Christianity, *et autres.,* v. David Molko and Tracy Leal. Pour obtenir le certiorari, écrire à: The Supreme Court of California. Washington, DC, Jenner & Block, 21, Dupont Circle, N.O.

ENNIS, R., et ZANNA, M. P. (1991). Hockey assault, Constitutive versus normative violations. Communication présentée à la convention de la Canadian Psychological Association.

EPSTEIN, S., et FEIST, G. J. (1988). Relation between self- and other-acceptance and its moderation by identification. *Journal of Personality and Social Psychology, 54,* 309–315.

ERICKSON, B., HOLMES, J. G., FREY, R., WALKER, L., et THIBAUT, J. (1974). Functions of a third party in the resolution of conflict, The role of a judge in pretrial conferences. *Journal of Personality and Social Psychology, 30,* 296–306.

ERNST, J. M., et HEESACKER, M. (1991). Application of the Elaboration Likelihood Model of attitude change to assertion training. Manuscrit inédit, University of Florida.

ERON, L. D. (1987). The development of aggressive behavior from the perspective of a developing behaviorism. *American Psychologist, 42,* 425–442.

ERON, L. D., et HUESMANN, L. R. (1980). Adolescent aggression and television. *Annals of the New York Academy of Sciences, 347,* 319–331.

ERON, L. D., et HUESMANN, L. R. (1984). The control of aggressive behavior by changes in attitudes, values, and the conditions of learning. Dans R. J. Blanchard et C. Blanchard (dir.). *Advances in the study of aggression,* vol. 1. Orlando, FL, Academic Press.

ERON, L. D., et HUESMANN, L. R. (1985). The role of television in the development of prosocial and antisocial behavior. Dans D. Olweus, M. Radke-Yarrow, et J. Block (dir.). *Development of antisocial and prosocial behavior.* Orlando, FL, Academic Press.

ESSER, J. K., et LINDOERFER, J. S. (1989). Groupthink and the space shuttle Challenger accident, Toward a quantitative case analysis. *Journal of Behavioral Decision Making, 2,* 167–177.

ETZIONI, A. (1967). The Kennedy experiment. *The Western Political Quarterly, 20,* 361–380.

ETZIONI, A. (1991), (mai-juin 1991). The community in an age of individualism (interview). *The Futurist,* 35–39.

EVANS, C. R., et DION, K. L. (1991). Group cohesion and performance, A meta-analysis. *Small Group Research, 22,* 175–186.

EVANS, G. W. (1979). Behavioral and physiological consequences of crowding in humans. *Journal of Applied Social Psychology, 9,* 27–46.

EVANS, R. I., SMITH, C. K., et RAINES, B. E. (1984). Deterring cigarette smoking in adolescents, A psychosocial-behavioral analysis of an intervention strategy. Dans A. Baum, J. Singer, et S. Taylor (dir.). *Handbook of psychology and health, Social psychological aspects of health,* vol. 4, Hillsdale, NJ, Erlbaum.

FAUST, D., et ZISKIN, J. (1988). The expert witness in psychology and psychiatry. *Science, 241,* 31–35.

FAZIO, R. H. (1990). Multiple processes by which attitudes guide behavior, The mode model as an integrative framework. *Advances in Experimental Social Psychology, 23,* 75–109.

FAZIO, R. H., et ZANNA, M. P. (1981). Direct experience and attitude-behavior consistency. Dans L. Berkowitz (dir.). *Advances in experimental social psychology,* vol. 14. New York, Academic Press.

FEATHER, N. T. (1983a). Causal attributions and beliefs about work and unemployment among adolescents in state and independent secondary schools. *Australian Journal of Psychology, 35,* 211–232.

FEATHER, N. T. (1983b). Causal attributions for good and bad outcomes in achievement and affiliation situations. *Australian Journal of Psychology, 35,* 37–48.

FEIN, S., HILTON, J. L., et MILLER, D. T. (1990). Suspicion of ulterior motivation and the correspondence bias. *Journal of Personality and Social Psychology, 58,* 753–764.

FEINGOLD, A. (1988). Matching for attractiveness in romantic partners and same-sex friends, A meta-analysis and theoretical critique. *Psychological Bulletin, 104,* 226–235.

FEINGOLD, A. (1990). Gender differences in effects of physical attractiveness on romantic attraction, A comparison across five research paradigms. *Journal of Personality and Social Psychology, 59,* 981–993.

FEINGOLD, A. (1991). Sex differences in the effects of similarity and physical attractiveness on opposite-sex attraction. *Basic and Applied Social Psychology, 12,* 357–367.

FELDMAN, K. A., et NEWCOMB. T. M. (1969). *The impact of college on students.* San Francisco, Jossey-Bass.

FELDMAN, R. S., GIROUX, S. et CAUCHY, F. (1994). Introduction à la psychologie. McGraw-Hill, Montréal.

FELSON, R. B. (1984). The effect of self-appraisals of ability on academic performance. *Journal of Personality and Social Psychology, 47,* 944–952.

FENIGSTEIN, A. (1984). Self-consciousness and the overperception of self as a target. *Journal of Personality and Social Psychology, 47,* 860–870.

FESHBACH, N. D. (1980). The child as «psychologist» and «economist», Two curricula. Communication présentée à la convention de l'American Psychological Association.

FESTINGER, L. (1954). A theory of social comparison processes. *Human Relations, 7,* 117–140.

FESTINGER, L. (1957). *A theory of cognitive dissonance.* Stanford, Stanford University Press.

FESTINGER, L., et MACCOBY, N. (1964). On resistance to persuasive communications. *Journal of Abnormal and Social Psychology, 68,* 359–366.

FESTINGER, L., PEPITONE, A., et NEWCOMB, T. (1952). Some consequences of deindividuation in a group. *Journal of Abnormal and Social Psychology, 47,* 382–389.

FIEBERT, M. S. (1990). Men, women and housework, The Roshomon effect. *Men's Studies Review, 8,* 6.

FIEDLER, F. E. (septembre 1987). When to lead, when to stand back. *Psychology Today,* 26–27.

349

FIEDLER, K., SEMIN, G. R., et KOPPETSCH, C. (1991). Language use and attributional biases in close personal relationships. *Personality and Social Psychology Bulletin, 17*, 147–155.

FIELDS, J. M., et SCHUMAN, H. (1976). Public beliefs about the beliefs of the public. *Public Opinion Quarterly, 40*, 427–448.

FINCH, J. F., et CIALDINI, R. B. (1989). Another indirect tactic of (self-) image management, Boosting. *Personality and Social Psychology Bulletin, 15*, 222–232.

FINCHAM, F. D., et JASPARS, J. M. (1980). Attribution of responsibility, From man the scientist to man as lawyer. Dans L. Berkowitz (dir.). *Advances in experimental social psychology*, vol. 13. New York, Academic Press.

FINDLEY, M. J., et COOPER, H. M. (1983). Locus of control and academic achievement, A literature review. *Journal of Personality and Social Psychology, 44*, 419–427.

FINEBERG, H. V. (1988). Education to prevent AIDS, Prospects and obstacles. *Science, 239*, 592–596.

FISHHOFF, B. (1982). Debiasing. Dans D. Kahneman, P. Slovic, et A. Tversky (dir.). *Judgment under uncertainty, Heuristics and biases*. New York, Cambridge University Press.

FISCHHOFF, B., SLOVIC, P., et LICHTENSTEIN, S. (1977). Knowing with certainty, The appropriateness of extreme confidence. *Journal of Experimental Psychology, Human Perception and Performance, 3*, 552–564.

FISHBEIN, D., et THELEN, M. H. (1981a). Husband-wife similarity and marital satisfaction, A different approach. Communication présentée à la convention de la Midwestern Psychological Association.

FISHBEIN, D., et THELEN, M. H. (1981b). Psychological factors in mate selection and marital satisfaction, A review (Ms. 2374). *Catalog of Selected Documents in Psychology, 11*, 84.

FLAY, B. R., RYAN, K. B., BEST, J. A., BROWN, K. S., KERSELL, M. W., D'AVERNAS, J. R., et ZANNA, M. P. (1985). Are social-psychological smoking prevention programs effective? The Waterloo study. *Journal of Behavioral Medicine, 8*, 37–59.

FLEMING, I., BAUM, A., et WEISS, L. (1987). Social density and perceived control as mediators of crowding stress in high-density residential neighborhoods. *Journal of Personality and Social Psychology, 52*, 899–906.

FLETCHER, G. J. O., FINCHAM, F. D., CRAMER, L., et HERON, N. (1987). The role of attributions in the development of dating relationships. *Journal of Personality and Social Psychology, 53*, 481–489.

FOLEY, L. A. (1976). Personality and situational influences on changes in prejudice, A replication of Cook's railroad game in a prison setting. *Journal of Personality and Social Psychology, 34*, 846–856.

FOLLETT, M. P. (1940). Constructive conflict. Dans H. C. Metcalf et L. Urwick (dir.). *Dynamic administration, The collected papers of Mary Parker Follett*. New York, Harper.

FORGAS, J. P., BOWER, G. H., et KRANTZ, S. E. (1984). The influence of mood on perceptions of social interactions. *Journal of Experimental Social Psychology, 20*, 497–513.

FORGAS, J. P., et MOYLAN, S. (1987). After the movies, Transient mood and social judgments. *Personality and Social Psychology Bulletin, 13*, 467–477.

FÖRSTERLING, F. (1986). Attributional conceptions in clinical psychology. *American Psychologist, 41*, 275–285.

FORSYTH, D. R., BERGER, R. E., et MITCHELL, T. (1981). The effects of self-serving vs. other-serving claims of responsibility on attraction and attribution in groups. *Social Psychology Quarterly, 44*, 59–64.

FRANK, M. G., et GILOVICH, T. (1988). The dark side of self and social perception, Black uniforms and aggression in professional sports. *Journal of Personality and Social Psychology, 54*, 74–85.

FRANK, M. G., et GILOVICH, T. (1989). Effect of memory perspective on retrospective causal attributions. *Journal of Personality and Social Psychology, 57*, 399–403.

FRANKEL, A., et SNYDER, M. L. (1987). Egotism among the depressed, When self-protection becomes self-handicapping. Communication présentée à la convention de l'American Psychological Association.

FREEDMAN, J. L. (1988). Television violence and aggression, What the evidence shows. Dans S. Oskamp (dir.). *Television as a social issue. Applied social psychology annual,* vol. 8. Newbury Park, CA, Sage.

FREEDMAN, J. L., BIRSKY, J., et CAVOUKIAN, A. (1980). Environmental determinants of behavioral contagion, Density and number. *Basic and Applied Social Psychology, 1*, 155–161.

FREEDMAN, J. L., et FRASER, S. C. (1966). Compliance without pressure, The foot-in-the-door technique. *Journal of Personality and Social Psychology, 4*, 195–202.

FREEDMAN, J. L., et PERLICK, D. (1979). Crowding, contagion, and laughter. *Journal of Experimental Social Psychology, 15*, 295–303.

FREEDMAN, J. L., et SEARS, D. O. (1965). Warning, distraction, and resistance to influence. *Journal of Personality and Social Psychology, 1*, 262–266.

FREEDMAN, J. S. (1965). Long-term behavioral effects of cognitive dissonance. *Journal of Experimental Social Psychology, 1*, 145–155.

FRENCH, J. R. P. (1968). The conceptualization and the measurement of mental health in terms of self-identity theory. Dans S. B. Sells (dir.). *The definition and measurement of mental health*. Washington, DC, Department of Health, Education, and Welfare. (Cité par M. Rosenberg, 1979, *Conceiving the self*. New York, Basic Books.)

FRIEDRICH, L. K., et STEIN, A. H. (1973). Aggressive and prosocial television programs and the natural behavior of preschool children. *Monographs of the Society of Research in Child Development, 38* (4, n° de série 151).

FRIEDRICH, L. K., et STEIN, A. H. (1975). Prosocial television and young children, The effects of verbal labeling and role playing on learning and behavior. *Child Development, 46*, 27–38.

FRIEZE, I. H., OLSON, J. E., et RUSSELL, J. (1991). Attractiveness and income for men and women in management. *Journal of Applied Social Psychology, 21*, 1039–1057.

FURNHAM, A. (1982). Explanations for unemployment in Britain. *European Journal of Social Psychology, 12*, 335–352.

FURNHAM, A., et GUNTER B. (1984). Just world beliefs and attitudes towards the poor. *British Journal of Social Psychology, 23*, 265–269.

GABRENYA, W. K., Jᶜ, WANG, Y.-E., et LATANÉ, B. (1985). Social loafing on an optimizing task, Cross-cultural differences among Chinese and Americans. *Journal of Cross-Cultural Psychology, 16*, 223–242.

GAERTNER, S. L., et DOVIDIO, J. F. (1977). The subtlety of white racism, arousal, and helping behavior. *Journal of Personality and Social Psychology, 35*, 691–707.

GAERTNER, S. L., et DOVIDIO, J. F. (1986). The aversive form of racism. Dans J. F. Dovidio et S. L. Gaertner (dir.). *Prejudice, discrimination, and racism.* Orlando, FL, Academic Press.

GAERTNER, S. L., et DOVIDIO, J. F. (1991). Reducing bias, The common ingroup identity model. Manuscrit inédit, University of Delaware.

GAERTNER, S. L., MANN, J. A., DOVIDIO, J. F., MURRELL, A. J., et POMARE, M. (1990). How does cooperation reduce intergroup bias? *Journal of Personality and Social Psychology, 59*, 692–704.

GAERTNER, S. L., MANN, J., MURELL, A., et DOVIDIO, J. F. (1989). Reducing intergroup bias, The benefits of recategorization. *Journal of Personality and Social Psychology, 57*, 239–249.

GALANTER, M. (1989). *Cults, Faith, healing, and coercion.* New York, Oxford University Press.

GALANTER, M. (1990). Cults and zealous self-help movements, A psychiatric perspective. *American Journal of Psychiatry, 147*, 543–551.

GALIZIO, M., et HENDRICK, C. (1972). Effect of musical accompaniment on attitude, The guitar as a prop for persuasion. *Journal of Applied Social Psychology, 2*, 350–359.

GALLUP, G. H. (1972). *The Gallup poll, Public opinion 1935–1971*, vol. 3, New York, Random House, 551, 1716.

GALLUP, G., Jᶜ et HUGICK, L. (juin 1990). Racial tolerance grows, progress on racial equality less evident. *Gallup Poll Monthly*, 23–32.

GALLUP, G., Jᶜ et NEWPORT, F. (décembre 1990). Americans now drinking less alcohol. *Gallup Poll Monthly*, 2–6.

GALLUP ORGANIZATION (juillet 1989). Cigarette smoking at 45-year low. *Gallup Poll Monthly*, n° 286, 23–26.

GALLUP ORGANIZATION (1990). April 19–22 survey reported in *American Enterprise*, septembre-octobre, 92.

GAMSON, W. A., FIREMAN, B., et RYTINA, S. (1982). *Encounters with unjust authority.* Homewood, IL, Dorsey.

GASTORF, J. W., SULS, J., et SANDERS, G. S. (1980). Type A coronary-prone behavior pattern and social facilitation. *Journal of Personality and Social Psychology, 8*, 773–780.

GATES, M. F., et ALLEE, W. C. (1933). Conditioned behavior of isolated and grouped cockroaches on a simple maze. *Journal of Comparative Psychology, 15*, 331–358.

GECAS, V. (1989). The social psychology of self-efficacy. *Annual Review of Sociology, 15*, 291–316.

GEEN, R. G., et GANGE, J. J. (1983). Social facilitation, Drive theory and beyond. Dans H. H. Blumberg, A. P. Hare, V. Kent, et M. Davies (dir.). *Small groups and social interaction*, vol. 1. London, Wiley.

GEEN, R. G., et QUANTY, M. B. (1977). The catharsis of aggression, An evaluation of a hypothesis. Dans L. Berkowitz (dir.). *Advances in experimental social psychology*, vol. 10, New York, Academic Press.

GEEN, R. G., et THOMAS, S. L. (1986). The immediate effects of media violence on behavior. *Journal of Social Issues, 42*(3), 7–28.

GERARD, H. B., et MATHEWSON, G. C. (1966). The effects of severity of initiation on liking for a group, A replication. *Journal of Experimental Social Psychology, 2*, 278–287.

GERBNER, G., GROSS, L., MORGAN, M., et SIGNORIELLI, N. (1990). Growing up with television, The cultivation perspective. Dans J. Bryant et D. Zillmann (dir.). *Media effects, Advances in theory and research.* Hillsdale, NJ, Erlbaum.

GERGEN, K. J., GERGEN, M. M., et BARTON, W. N. (octobre 1973). Deviance in the dark. *Psychology Today*, 129–130.

GIFFORD, R., et PEACOCK, J. (1979). Crowding, More fearsome than crime-provoking? Comparison of an Asian city and a North American city. *Psychologia, 22*, 79–83.

GILBERT, D. T., et HIXON, J. G. (1991). The trouble of thinking, Activation and application of stereotypic beliefs. *Journal of Personality and Social Psychology, 60*, 509–517.

GILBERT, D. T., PELHAM, B. W., et KRULL, D. S. (1988). On cognitive busyness, When person perceivers meet persons perceived. *Journal of Personality and Social Psychology, 54*, 733–740.

351

GILLIGAN, C. (1982). Dans *A different voice, Psychological theory and women's development.* Cambridge, MA, Harvard University Press.

GILLIGAN, C., LYONS, N. P., et HANMER, T. J. (dir.) (1990). *Making connections, The relational worlds of adolescent girls at Emma Willard School.* Cambridge, MA, Harvard University Press.

GILLIS, J. S., et AVIS, W. E. (1980). The male-taller norm in mate selection. *Personality and Social Psychology Bulletin, 6*, 396–401.

GILMOR, T. M., et REID, D. W. (1979). Locus of control and causal attribution for positive and negative outcomes on university examinations. *Journal of Research in Personality, 13*, 154–160.

GILOVICH, T. (1987). Secondhand information and social judgment. *Journal of Experimental Social Psychology, 23*, 59–74.

GILOVICH, T., et DOUGLAS, C. (1986). Biased evaluations of randomly determined gambling outcomes. *Journal of Experimental Social Psychology, 22*, 228–241.

GINSBURG, B., et ALLEE, W. C. (1942). Some effects of conditioning on social dominance and subordination in inbred strains of mice. *Physiological Zoology, 15*, 485–506.

GLASS, D. C. (1964). Changes in liking as a means of reducing cognitive discrepancies between self-esteem and aggression. *Journal of Personality, 32*, 531–549.

GLENN, N. D. (1980). Aging and attitudinal stability. Dans O. G. Brim, Jʳ et J. Kagan (dir.). *Constancy and change in human development.* Cambridge, MA, Harvard University Press.

GLENN, N. D. (1981). Personal communication.

GLENN, N. D. (1990). The social and cultural meaning of contemporary marriage. Dans B. Christensen (dir.). *The retreat from marriage.* Rockford, IL, Rockford Institute.

GLENN, N. D. (1991). The recent trend in marital success in the United States. *Journal of Marriage and the Family, 53*, 261–270.

GLICK, D., GOTTESMAN, D., et JOLTON, J. (1989). The fault is not in the stars, Susceptibility of skeptics and believers in astrology to the Barnum effect. *Personality and Social Psychology Bulletin, 15*, 572–583.

GOETHALS, G. R., MESSICK, D. M., et ALLISON, S. T. (1991). The uniqueness bias, Studies of constructive social comparison. Dans J. Suls et T. A. Wills (dir.). *Social comparison, Contemporary theory and research.* Hillsdale, NJ, Erlbaum.

GOETHALS, G. R., et ZANNA, M. P. (1979). The role of social comparison in choice shifts. *Journal of Personality and Social Psychology, 37*, 1469–1476.

GOGGIN, W. C., et RANGE, L. M. (1985). The disadvantages of hindsight in the perception of suicide. *Journal of Social and Clinical Psychology, 3*, 232–237.

GOLDBERG, P. (avril 1968). Are women prejudiced against women? *Transaction*, 28–30.

GOLDING, W. (1962). *Lord of the flies.* New York, Coward-McCann.

GOLDSTEIN, J. H. (1982). Sports violence. *National Forum, 62*(1), 9–11.

GOLDSTEIN, J. H., et ARMS, R. L. (1971). Effects of observing athletic contests on hostility. *Sociometry, 34*, 83–90.

GOLEMAN, D. (1990). As bias crime seems to rise, scientists study roots of racism. *New York Times*, 29 mai, C1, C5.

GOODHART, D. E. (1986). The effects of positive and negative thinking on performance in an achievement situation. *Journal of Personality and Social Psychology, 51*, 117–124.

GOTLIB, I. H., et LEE, C. M. (1989). The social functioning of depressed patients, A longitudinal assessment. *Journal of Social and Clinical Psychology, 8*, 223–237.

GOULD, R., BROUNSTEIN, P. J., et SIGALL, H. (1977). Attributing ability to an opponent, Public aggrandizement and private denigration. *Sociometry, 40*, 254–261.

GRAY, J. D., et SILVER, R. C. (1990). Opposite sides of the same coin, Former spouses' divergent perspectives in coping with their divorce. *Journal of Personality and Social Psychology, 59*, 1180–1191.

GRAZIANO, W., BROTHEN, T., et BERSCHEID, E. (1978). Height and attraction, Do men and women see eye-to-eye? *Journal of Personality, 46*, 128–145.

GREELEY, A. M. (1991). *Faithful attraction.* New York, Tor.

GREELEY, A. M., et SHEATSLEY, P. B. (1971). Attitudes toward racial integration. *Scientific American, 225*(6), 13–19.

GREENBERG, J. (1986). Differential intolerance for inequity from organizational and individual agents. *Journal of Applied Social Psychology, 16*, 191–196.

GREENBERG, J., PYSZCZYNSKI, T., SOLOMON, S., ROSENBLATT, A., VEEDER, M., KIRKLAND, S., et LYON, D. (1990). Evidence for terror management theory II, The effects of mortality salience on reactions to those who threaten or bolster the cultural worldview. *Journal of Personality and Social Psychology, 58*, 308–318.

GREENWALD, A. G. (1980). The totalitarian ego, Fabrication and revision of personal history. *American Psychologist, 35*, 603–618.

GREENWALD, A. G. (1984). Quoted by D. Goleman, A bias puts self at center of everything. *New York Times*, 12 juin, C1, C4.

GREENWALD, A. G. (1990). What cognitive representations underlie prejudice? Présentation faite à la convention de l'American Psychological Association.

GREENWALD, A. G. (1992). Unconscious cognition reclaimed. *American Psychologist, 47*, 766–779.

GREENWALD, A. G., SPANGENBERG, E. R., PRATKANIS, A. R., et ESKENAZI, J. (1991). Double-blind tests of subliminal self-help audiotapes. *Psychological Science, 2*, 119–122.

GRIFFIN, B. Q., COMBS, A. L., LAND, M. L., et COMBS, N. N. (1983). Attribution of success and failure in college performance. *Journal of Psychology, 114*, 259–266.

GRIFFITT, W. (1970). Environmental effects on interpersonal affective behavior. Ambient effective temperature and attraction. *Journal of Personality and Social Psychology, 15*, 240–244.

GRIFFITT, W. (1987). Females, males, and sexual responses. Dans K. Kelley (dir.). *Females, males, and sexuality, Theories and research*. Albany, State University of New York Press.

GRIFFITT, W., et VEITCH, R. (1971). Hot and crowded, Influences of population density and temperature on interpersonal affective behavior. *Journal of Personality and Social Psychology, 17*, 92–98.

GRIFFITT, W., et VEITHCH, R. (1974). Preacquaintance attitude similarity and attraction revisited, Ten days in a fallout shelter. *Sociometry, 37*, 163–173.

GROSS, A. E., et CROFTON, C. (1977). What is good is beautiful. *Sociometry, 40*, 85–90.

GROVE, J. R., HANRAHAN, S. J., et McINMAN, A. (1991). Success/failure bias in attributions across involvement categories in sport. *Personality and Social Psychology Bulletin, 17*, 93–97.

GRUDER, C. L., COOK, T. D., HENNIGAN, K. M., FLAY, B., ALESSIS, C., et KALAMAJ, J. (1978). Empirical tests of the absolute sleeper effect predicted from the discounting cue hypothesis. *Journal of Personality and Social Psychology, 36*, 1061–1074.

GRUMAN, J. C., et SLOAN, R. P. (1983). Disease as justice, Perceptions of the victims of physical illness. *Basic and Applied Social Psychology, 4*, 39–46.

GRUNBERGER, R. (1971). *The 12-year-Reich, A social history of Nazi Germany 1933–1945*. New York, Holt, Rinehart and Winston.

GRUSH, J. E. (1976). Attitude formation and mere exposure phenomena, A nonartifactual explanation of empirical findings. *Journal of Personality and Social Psychology, 33*, 281–290.

GRUSH, J. E., et GLIDDEN, M. V. (1987). Power and satisfaction among distressed and nondistressed couples. Communication présentée à la convention de la Midwestern Psychological Association.

GUDYKUNST, W. B. (1989). Culture and intergroup processes. Dans M. H. Bond (dir.). *The cross-cultural challenge to social psychology*. Newbury Park, CA, Sage.

GUERIN, B. (1986). Mere presence effects in humans, A review. *Journal of Personality and Social Psychology, 22*, 38–77.

GUERIN, B., et INNES, J. M. (1982). Social facilitation and social monitoring, A new look at Zajonc's mere presence hypothesis. *British Journal of Social Psychology, 21*, 7–18.

GUPTA, U., et SINGH, P. (1982). Exploratory study of love and liking and type of marriages. *Indian Journal of Applied Psychology, 19*, 92–97.

GUTMANN, D. (1977). The cross-cultural perspective, Notes toward a comparative psychology of aging. Dans J. E. Birren et K. Warner Schaie (dir.). *Handbook of the psychology of aging*. New York, Van Nostrand Reinhold.

HACKMAN, J. R. (1986). The design of work teams. Dans J. Lorsch (dir.). *Handbook of organizational behavior*. Englewood Cliffs, NJ, Prentice-Hall.

HAEMMERLIE, F. M. (1987). Creating adaptive illusions in counseling and therapy using a self-perception theory perspective. Communication présentée à la Midwestern Psychological Association, Chicago.

HAEMMERLIE, F. M., et MONTGOMERY, R. L. (1982). Self-perception theory and unobtrusively biased interactions, A treatment for heterosocial anxiety. *Journal of Counseling Psychology, 29*, 362–370.

HAEMMERLIE, F. M., et MONTGOMERY, R. L. (1984). Purposefully biased interventions, Reducing heterosocial anxiety through self-perception theory. *Journal of Personality and Social Psychology, 47*, 900–908.

HAEMMERLIE, F. M., et MONTGOMERY, R. L. (1986). Self-perception theory and the treatment of shyness. Dans W. H. Jones, J. M. Cheek, et S. R. Briggs (dir.). *A sourcebook on shyness, Research and treatment*. New York, Plenum.

HAGIWARA, S. (1983). Role of self-based and sample-based consensus estimates as mediators of responsibility judgments for automobile accidents. *Japanese Psychological Research, 25*, 16–28.

HALBERSTADT, A. G., et SAITTA, M. B. (1987). Gender, nonverbal behavior, and perceived dominance, A test of the theory. *Journal of Personality and Social Psychology, 53*, 257–272.

HALL, J. A. (1984). *Nonverbal sex differences, Communication accuracy and expressive style*. Baltimore, John Hopkins University Press.

HALL, T. (1985). The unconverted, Smoking of cigarettes seems to be becoming a lower-class habit. *Wall Street Journal*, 25 juin, 1, 25.

HALLMARK CARDS (1990). Cité par le *Time*, numéro spécial d'automne sur les femmes.

HAMBLIN, R. L., BUCKHOLDT, D., BUSHELL, D., ELLIS, D., et FERITOR, D. (janvier 1969). Changing the game from get the teacher to learn. *Transaction*, 20–25, 28–31.

HAMILL, R., WILSON, T. D., et NISBETT, R. E. (1980). Insensitivity to sample bias, Generalizing from atypical cases. *Journal of Personality and Social Psychology, 39*, 578–589.

HANSEN, C. H. (1989). Priming sex-role stereotypic event schemas with rock music videos, Effects on impression favorability, trait inferences, and recall of a subsequent male-female interaction. *Basic and Applied Social Psychology, 10*, 371–391.

353

HANSEN, C. H., et HANSEN, R. D. (1988). Priming stereotypic appraisal of social interactions, How rock music videos can change what's seen when boy meets girl. *Sex Roles, 19,* 287–316.

HANSEN, C. H., et HANSEN, R. D. (1990). Rock music videos and antisocial behavior. *Basic and Applied Social Psychology, 11,* 357–369.

HARDIN, G. (1968). The tragedy of the commons. *Science, 162,* 1243–1248.

HARDY, C., et LATANÉ, B. (1986). Social loafing on a cheering task. *Social Science, 71,* 165–172.

HARITOS-FATOUROS, M. (1988). The official torturer, A learning model for obedience to the authority of violence. *Journal of Applied Social Psychology, 18,* 1107–1120.

HARKINS, S. G. (1981). Effects of task difficulty and task responsibility on social loafing. Présentation faite à la First International Conference on Social Processes in Small Groups, Kill Devil Hills, NC.

HARKINS, S. G., et JACKSON, J. M. (1985). The role of evaluation in eliminating social loafing. *Personality and Social Psychology Bulletin, 11,* 457–465.

HARKINS, S. G., LATANÉ, B., et WILLIAMS, K. (1980). Social loafing, Allocating effort or taking it easy? *Journal of Experimental Social Psychology, 16,* 457–465.

HARKINS, S. G., et PETTY, R. E. (1981). Effects of source magnification of cognitive effort on attitudes, An information-processing view. *Journal of Personality and Social Psychology, 40,* 401–413.

HARKINS, S. G., et PETTY, R. E. (1982). Effects of task difficulty and task uniqueness on social loafing. *Journal of Personality and Social Psychology, 43,* 1214–1229.

HARKINS, S. G., et PETTY, R. E. (1987). Information utility and the multiple source effect. *Journal of Personality and Social Psychology, 52,* 260–268.

HARKINS, S. G., et SZYMANSKI, K. (1989). Social loafing and group evaluation. *Journal of Personality and Social Psychology, 56,* 934–941.

HARPER'S MAGAZINE (novembre 1989). Harper's index, 15.

HARRIES, K. D., et STADLER, S. J. (1988). Heat and violence, New findings from Dallas field data, 1980–1981. *Journal of Applied Social Psychology, 18,* 129–138.

HARRIS, M. J., et ROSENTHAL, R. (1985). Mediation of interpersonal expectancy effects, 31 meta-analyses. *Psychological Bulletin, 97,* 363–386.

HARRIS, M. J., et ROSENTHAL, R. (1986). Four factors in the mediation of teacher expectancy effects. Dans R. S. Feldman (dir.). *The social psychology of education.* New York, Cambridge University Press.

HARRISON, A. A. (1977). Mere exposure. Dans L. Berkowitz (dir.). *Advances in experimental social psychology,* vol. 10. New York, Academic Press, 39–83.

HARVEY, J. H., TOWN, J. P., et YARKIN, K. L. (1981). How fundamental is the fundamental attribution error? *Journal of Personality and Social Psychology, 40,* 346–349.

HASSAN I. N. (1980). Role and status of women in Pakistan, An empirical research review. *Pakistan Journal of Psychology, 13,* 36–56.

HATFIELD, E. (voir aussi Walster, E.)

HATFIELD, E. (1988). Passionate and compassionate love. Dans R. J. Sternberg et M. L. Barnes (dir.). *The psychology of love.* New Haven, CT, Yale University Press.

HATFIELD, E., et SPRECHER, S. (1986). *Mirror, mirror, The importance of looks in everyday life.* Albany, NY, SUNY Press.

HATFIELD, E., TRAUPMANN, J., SPRECHER, S., UTNE, M., et HAY, J. (1985). Equity and intimate relations, Recent research. Dans W. Ickes (dir.). *Compatible and incompatible relationships.* New York, Springer-Verlag.

HAWKINS, S. A., et HASTIE, R. (1990). Hindsight, Biased judgments of past events after the outcomes are known. *Psychological Bulletin, 107,* 311–327.

HEADEY, B., et WEARING, A. (1987). The sense of relative superiority—central to well-being. *Social Indicators Research, 20,* 497–516.

HEAROLD, S. (1986). A synthesis of 1043 effects of television on social behavior. Dans G. Comstock (dir.). *Public communication and behavior,* vol. 1. Orlando, FL, Academic Press.

HEATON, A. W., et SIGALL, H. (1989). The «championship choke» revisited, The role of fear of acquiring a negative identity. *Journal of Applied Social Psychology, 19,* 1019–1033.

HEATON, A. W., et SIGALL, H. (1991). Self-consciousness, self-presentation, and performance under pressure, Who chokes, and when? *Journal of Applied Social Psychology, 21,* 175–188.

HEESACKER, M. (1989). Counseling and the elaboration likelihood model of attitude change. Dans J. F. Cruz, R. A. Goncalves, et P. P. Machado (dir.). *Psychology and education, Investigations and interventions.* (Compte rendu de l'International Conference on Interventions in Psychology and Education, Porto, Portugal, juillet, 1987.) Porto, Portugal, Portuguese Psychological Association.

HEILMAN, M. E. (1976). Oppositional behavior as a function of influence attempt intensity and retaliation threat. *Journal of Personality and Social Psychology, 33,* 574–578.

HELLMAN, P. (1980). *Avenue of the righteous of nations.* New York, Atheneum.

HENDRICK, C. (1988). Roles and gender in relationships. Dans S. Duck (dir.). *Handbook of personal relationships.* Chichester, England, Wiley.

HENDRICK, C., et HENDRICK, S. (1993). *Romantic love.* Newbury Park, CA, Sage.

HENDRICK, S. S., HENDRICK, C., et ADLER, N. L. (1988). Romantic relationships, Love, satisfaction, and staying together. *Journal of Personality and Social Psychology, 54,* 980–988.

HENDRICK, S. S., HENDRICK, C., SLAPION-FOOTE, J., et FOOTE, F. H. (1985). Gender differences in sexual attitudes. *Journal of Personality and Social Psychology, 48*, 1630–1642.

HENLEY, N. (1977). *Body politics, Power, sex, and nonverbal communication*. Englewood Cliffs, NJ, Prentice-Hall.

HENSLIN, M. (1967). Craps and magic. *American Journal of Sociology, 73*, 316–330.

HEPWORTH, J. T., et WEST, S. G. (1988). Lynchings and the economy, A time-series reanalysis of Hovland and Sears (1940). *Journal of Personality and Social Psychology, 55*, 239–247.

HERADSTVEIT, D. (1979). *The Arab-Israeli conflict, Psychological obstacles to peace*, vol. 28, Oslo, Norway, Universitetsforlaget. Distribué par la Columbia University Press. Compte rendu de R. K. White, *Contemporary Psychology*, 1980, *25*, 11–12.

HEREK, G. M. (1986). The instrumentality of attitudes, Toward a neofunctional theory. *Journal of Social Issues, 42*, 99–114.

HEREK, G. M. (1987). Can functions be measured? A new perspective on the functional approach to attitudes. *Social Psychology Quarterly, 50*, 285–303.

HEREK, G. M. (1990). The context of anti-gay violence, Notes on cultural and psychological heterosexism. *Journal of Interpersonal Violence, 5*, 316–333.

HEWSTONE, M., HANTZI, A., et JOHNSTON, L. (1991). Social categorisation and person memory, The pervasiveness of race as an organizing principle. *European Journal of Social Psychology, 21*, 517–528.

HIGBEE, K. L., MILLARD, R. J., et FOLKMAN, J. R. (1982). Social psychology research during the 1970s, Predominance of experimentation and college students. *Personality and Social Psychology Bulletin, 8*, 180–183.

HIGGINS, E. T., et McCANN, C. D. (1984). Social encoding and subsequent attitudes, impressions and memory, «Context-driven» and motivational aspects of processing. *Journal of Personality and Social Psychology, 47*, 26–39.

HIGGINS, E. T., et RHOLES, W. S. (1978). Saying is believing, Effects of message modification on memory and liking for the person described. *Journal of Experimental Social Psychology, 14*, 363–378.

HILL, T., LEWICKI, P., CZYZEWSKA, M., et BOSS, A. (1989). Self-perpetuating development of encoding biases in person perception. *Journal of Personality and Social Psychology, 57*, 373–387.

HINDE, R. A. (1984). Why do the sexes behave differently in close relationships? *Journal of Social and Personal Relationships, 1*, 471–501.

HINSZ, V. B., et DAVIS, J. H. (1984). Persuasive arguments theory, group polarization, and choice shifts. *Personality and Social Psychology Bulletin, 10*, 260–268.

HIRSCHMAN, R. S., et LEVENTHAL, H. (1989). Preventing smoking behavior in school children, An initial test of a cognitive-development program. *Journal of Applied Social Psychology, 19*, 559–583.

HIRT, E. R. (1990). Do I see only what I expect? Evidence for an expectancy-guided retrieval model. *Journal of Personality and Social Psychology, 58*, 937–951.

HIRT, E. R., et KIMBLE, C. E. (1981). The home-field advantage in sports, Differences and correlates. Communication présentée à la convention de la Midwestern Psychological Association.

HOFFMAN, C., et HURST, N. (1990). Gender stereotypes, Perception or rationalization? *Journal of Personality and Social Psychology, 58*, 197–208.

HOFFMAN, L. W. (1977). Changes in family roles, socialization, and sex differences. *American Psychologist, 32*, 644–657.

HOFLING, C. K., BROTZMAN, E., DAIRYMPLE, S., GRAVES, N., et PIERCE, C. M. (1966). An experimental study in nurse-physician relationships. *Journal of Nervous and Mental Disease, 143*, 171–180.

HOGG, M. A., et ABRAMS, D. (1988). *Social identifications, A social psychology of intergroup relations and group processes*. London, Routledge.

HOGG, M. A., TURNER, J. C., et DAVIDSON, B. (1990). Polarized norms and social frames of reference, A test of the self-categorization theory of group polarization. *Basic and Applied Social Psychology, 11*, 77–100.

HOKANSON, J. E., et EDELMAN, R. (1966). Effects of three social responses on vascular processes. *Journal of Personality and Social Psychology, 3*, 442–447.

HOLMBERG, D., et HOLMES, J. G. (sous presse). Reconstruction of relationship memories, A mental models approach. Dans N. Schwarz et S. Sudman (dir.). *Autobiographical memory and the validity of retrospective reports*. New York, Springer-Verlag.

HOLMES, J. G., et REMPEL, J. K. (1989). Trust in close relationships. Dans C. Hendrick (dir.). *Review of personality and social psychology*, vol. 10. Newbury Park, CA, Sage.

HOLTGRAVES, T., et SRULL, T. K. (1989). The effects of positive self-descriptions on impressions, General principles and individual differences. *Personality and Social Psychology Bulletin, 15*, 452–462.

HOORENS, V., NUTTIN, J. M., HERMAN, I. E., et PAVAKANUN, U. (1990). Mastery pleasure versus mere ownership, A quasi-experimental cross-cultural and cross-alphabetical test of the name letter effect. *European Journal of Social Psychology, 20*, 181–205.

HORMUTH, S. E. (1986). Lack of effort as a result of self-focused attention, An attributional ambiguity analysis. *European Journal of Social Psychology, 16*, 181–192.

HOUSE, R. J., et SINGH, J. V. (1987). Organizational behavior, Some new directions for I/O psychology. *Annual Review of Psychology, 38*, 669–718.

HOVLAND, C. I., LUMSDAINE, A. A., et SHEFFIELD, F. D. (1949). *Experiments on mass communication*.

Studies in social psychology in World War II, vol. III, Princeton, NJ, Princeton University Press.

HOVLAND, C. I., et SEARS, R. (1940). Minor studies of aggression, Correlation of lynchings with economic indices. *Journal of Psychology, 9*, 301–310.

HOWES, M. J., HOKANSON, J. E., et LOEWENSTEIN, D.A. (1985). Induction of depressive affect after prolonged exposure to a mildly depressed individual. *Journal of Personality and Social Psychology, 49*, 1110–1113.

HUESMANN, L. R., LAGERSPETZ, K., et ERON, L. D. (1984). Intervening variables in the TV violence-aggression relation, Evidence from two countries. *Developmental Psychology, 20*, 746–775.

HUI, C. H. (1988). Measurement of individualism-collectivism. *Journal of Research in Personality, 22*, 17–36.

HUI, C. H. (1990). West meets East, Individualism versus collectivism in North America and Asia. Invited address, Hope College.

HULL, J. G., et BOND, C. F., Jr, (1986). Social and behavioral consequences of alcohol consumption and expectancy, A meta-analysis. *Psychological Bulletin, 99*, 347–360.

HULL, J. G., LEVENSON, R. W., YOUNG, R. D., et SHER, K. J. (1983). Self-awareness-reducing effects of alcohol consumption. *Journal of Personality and Social Psychology, 44*, 461–473.

HULL, J. G., et YOUNG, R. D. (1983). The self-awareness-reducing effects of alcohol consumption, Evidence and implications. Dans J. Suls et A. G. Greenwald (dir.). *Psychological perspectives on the self*, vol. 2. Hillsdale, NJ, Erlbaum.

HUNT, M. (1990). *The compassionate beast, What science is discovering about the humane side of human kind.* New York, William Morrow.

HUNT, P. J., et HILLERY, J. M. (1973). Social facilitation in a location setting, An examination of the effects over learning trials. *Journal of Experimental Social Psychology, 9*, 563–571.

HUNTER, J. A., STRINGER, M., et WATSON, R. P. (1991). Intergroup violence and intergroup attributions. *British Journal of Social Psychology, 30*, 261–266.

HUSTON, T. L. (1973). Ambiguity of acceptance, social desirability, and dating choice. *Journal of Experimental Social Psychology, 9*, 32–42.

HYDE, J. S. (1986). Gender differences in aggression. Dans J. S. Hyde et M. C. Linn (dir.). *The psychology of gender, Advances through meta-analysis.* Baltimore, Johns Hopkins University Press.

HYMAN, H. H., et SHEATSLEY, P. B. (1956 et 1964). Attitudes toward desegregation. *Scientific American, 195*(6), 35–39, and *211*(1), 16–23.

ICKES, B. (1980). On disconfirming our perceptions of others. Communication présentée à la convention de l'American Psychological Association.

ICKES, W., et LAYDEN, M. A. (1978). Attributional styles. Dans J. H. Harvey, W. Ickes, et R. F. Kidd (dir.). *New directions in attribution research*, vol. 2. Hillsdale, NJ, Erlbaum.

ICKES, W., LAYDEN, M. A., et BARNES, R. D. (1978). Objective self-awareness and individuation, An empirical link. *Journal of Personality, 46*, 146–161.

ICKES, W., SNYDER, M., et CARCIA, S. (1990). Personality influences on the choice of situations. Dans S. Briggs, R. Hogan, et W. Jones (dir.). *Handbook of personality psychology.* New York, Academic Press.

INGHAM, A. G., LEVINGER, G., GRAVES, J., et PECKHAM, V. (1974). The Ringelmann effect, Studies of group size and group performance. *Journal of Experimental Social Psychology, 10*, 371–384.

INGLEHART, R. (1990). *Culture shift in advanced industrial society.* Princeton, Princeton University Press.

ISEN, A. M., et MEANS, B. (1983). The influence of positive affect on decision-making strategy. *Social Cognition, 2*, 28–31.

ISLAM, M. R., et HEWSTONE, M. (1991). Intergroup attributions and affective consequences in majority and minority groups. Manuscrit inédit, University of Bristol.

ISOZAKI, M. (1984). The effect of discussion on polarization of judgments. *Japanese Psychological Research, 26*, 187–193.

ISR NEWSLETTER (1975). Institute for Social Research, University of Michigan, *3*(4), 4–7.

JACKMAN, M. R., et SENTER, M. S. (1981). Beliefs about race, gender, and social class different, therefore unequal, Beliefs about trait differences between groups of unequal status. Dans D. J. Treiman et R. V. Robinson (dir.). *Research in stratification and mobility*, vol. 2. Greenwich, CT, JAI.

JACKSON, J., et WILLIAMS, K. D. (1985). Social loafing on difficult tasks, Working collectively can improve performance. *Journal of Personality and Social Psychology, 49*, 937–942.

JACKSON, J. M., et LATANÉ, B. (1981). All alone in front of all those people, Stage fright as a function of number and type of co-performers and audience. *Journal of Personality and Social Psychology, 40*, 73–85.

JACKSON, J. M., et WILLIAMS, K. D. (1988). Social loafing, A review and theoretical analysis. Manuscrit inédit, Fordham University.

JACKSON, L. A. (1989). Relative deprivation and the gender wage gap. *Journal of Social Issues, 45*(4), 117–133.

JACOBY, S. (décembre 1986). When opposites attract. *Reader's Digest*, 95–98.

JAIN, U. (1990). Social perspectives on causal attribution. Dans G. Misra (dir.). *Applied social psychology in India.* New Delhi, Sage.

JAMIESON, D. W., LYDON, J. E., STEWART, G., et ZANNA, M. P. (1987). Pygmalion revisited, New evidence for student expectancy effects in the classroom. *Journal of Educational Psychology, 79*, 461–466.

JAMIESON, D. W., LYDON, J. E., et ZANNA, M. P. (1987). Attitude and activity preference similarity, Differential bases of interpersonal attraction for low and high selfmonitors. *Journal of Personality and Social Psychology, 53*, 1052–1060.

JANIS, I. L. (novembre 1971). Groupthink. *Psychology Today*, 43–46.

JANIS, I. L. (1982). Counteracting the adverse effects of concurrence-seeking in policy-planning groups, Theory and research perspectives. Dans H. Brandstatter, J. H. Davis, et G. Stocker-Kreichgauer (dir.). *Group decision making*. New York, Academic Press.

JANIS, I. L., KAYE, D., et KIRSCHNER, P. (1965). Facilitating effects of eating while reading on responsiveness to persuasive communications. *Journal of Personality and Social Psychology, 1*, 181–186.

JANIS, I. L., et MANN, L. (1977). *Decision-making, A psychological analysis of conflict, choice and commitment*. New York, Free Press.

JEFFERY, R. (1964). The psychologist as an expert witness on the issue of insanity. *American Psychologist, 19*, 838–843.

JELLISON, J. M., et GREEN, J. (1981). A self-presentation approach to the fundamental attribution error, The norm of internality. *Journal of Personality and Social Psychology, 40*, 643–649.

JOHNSON, B. T., et EAGLY, A. H. (1990). Involvement and persuasion, Types, traditions, and the evidence. *Psychological Bulletin, 107*, 375–384.

JOHNSON, D. J., et RUSBULT, C. E. (1989). Resisting temptation, Devaluation of alternative partners as a means of maintaining commitment in close relationships. *Journal of Personality and Social Psychology, 57*, 967–980.

JOHNSON, D. W., MARUYAMA, G., JOHNSON, R., NELSON, D., et SKON, L. (1981). Effects of cooperative, competitive, and individualistic goal structures on achievement, A meta-analysis. *Psychological Bulletin, 89*, 47–62.

JOHNSON, E. J., et TVERSKY, A. (1983). Affect, generalization, and the perception of risk. *Journal of Personality and Social Psychology, 45*, 20–31.

JOHNSON, J. T., JEMMOTT, J. B., III, et PETTIGREW, T. F. (1984). Causal attribution and dispositional inference, Evidence of inconsistent judgments. *Journal of Experimental Social Psychology, 20*, 567–585.

JOHNSON, M. H., et MAGARO, P. A. (1987). Effects of mood and severity on memory processes in depression and mania. *Psychological Bulletin, 101*, 28–40.

JOHNSON, M. K., et SHERMAN, S. J. (1990). Constructing and reconstructing the past and the future in the present. Dans E. T. Higgins et R. M. Sorrentino (dir.). *Handbook of motivation and cognition*. New York, Guilford.

JOHNSON, R. D., et DOWNING, L. J. (1979). Deindividuation and valence of cues, Effects of prosocial and antisocial behavior. *Journal of Personality and Social Psychology, 37*, 1532–1538.

JOHNSTON, L. D., BACHMAN, J. G., et O'MALLEY, P. M. (1992). Press release with accompanying tables. Ann Arbor, University of Michigan News and Information Services 27 janvier.

JONAS, K. (1991). Modeling and suicide, A test of the Werther effect hypothesis. Manuscrit inédit, University of Tübingen.

JONES, E. E. (1976). How do people perceive the causes of behavior? *American Scientist, 64*, 300–305.

JONES, E. E., et HARRIS, V. A. (1967). The attribution of attitudes. *Journal of Experimental Social Psychology, 3*, 2–24.

JONES, E. E., et NISBETT, R. E. (1971). *The actor and the observer, Divergent perceptions of the cases of behavior*. Morristown, NJ, General Learning Press.

JONES, E. E., RHODEWALT, F., BERGLAS, S., et SKELTON, J. A. (1981). Effects of strategic self-presentation on subsequent self-esteem. *Journal of Personality and Social Psychology, 41*, 407–421.

JONES, E. E., et SIGALL, H. (1971). The bogus pipeline, A new paradigm for measuring affect and attitude. *Psychological Bulletin, 76*, 349–364.

JONES, J. M. (1983). The concept of race in social psychology, From color to culture. Dans L. Wheeler et P. Shaver (dir.). *Review of personality and social psychology*, vol. 4. Beverly Hills, CA, Sage.

JONES, W. H., CARPENTER, B. N., et QUINTANA, D. (1985). Personality and interpersonal predictors of loneliness in two cultures. *Journal of Personality and Social Psychology, 48*, 1503–1511.

JONES, W. H., FREEMON, J. E., et GOSWICK, R. A. (1981). The persistence of loneliness, Self and other determinants. *Journal of Personality, 49*, 27–48.

JONES, W. H., HOBBS, S. A., et HOCKENBURY, D. (1982). Loneliness and social skill deficits. *Journal of Personality and Social Psychology, 42*, 682–689.

JOSEPHSON, W. L. (1987). Television violence and children's aggression, Testing the priming, social script, and disinhibition predictions. *Journal of Personality and Social Psychology, 53*, 882–890.

JOURARD, S. M. (1964), *The transparent self*. Princeton, NJ, Van Nostrand.

JUSSIM, L. (1986). Self-fulfilling prophecies, A theoretical and integrative review. *Psychological Review, 93*, 429–445.

JUSSIM, L., et ECCLES, J. (1993). Teacher expectations II, Construction and reflection of student achievement. *Journal of Personality and Social Psychology*.

JUSTER, F. T., et STAFFORD, F. P. (1991). The allocation of time, Empirical findings, behavioral models, and problems of measurement. *Journal of Economic Literature*.

KAGAN, J. (1989). Temperamental contributions to social behavior. *American Psychologist, 44*, 668–674.

KAHN, M. W. (1951). The effect of severe defeat at various age levels

357

on the aggressive behavior of mice. *Journal of Genetic Psychology, 79*, 117–130.

KAHNEMAN, D., et TVERSKY, A. (1979). Intuitive prediction, Biases and corrective procedures. *Management Science, 12*, 313–327.

KAMEN, L. P., SELIGMAN, M. E. P., DWYER, J., et RODIN, J. (1988). Pessimism and cell-mediated immunity. Manuscrit inédit, University of Pennsylvania.

KAMMER, D. (1982). Differences in trait ascriptions to self and friend, Unconfounding intensity from variability. *Psychological Reports, 51*, 99–102.

KANDEL, D. B. (1978). Similarity in real-life adolescent friendship pairs. *Journal of Personality and Social Psychology, 36*, 306–312.

KAPLAN, M. F. (1989). Task, situational, and personal determinants of influence processes in group decision making. Dans E. J. Lawler (dir.). *Advances in group processes*, vol. 6. Greenwich, CT, JAI.

KAPLAN, M. F., WANSHULA, L. T., et ZANNA, M. P. (1992). Time pressure and information integration in social judgment, The effect of need for structure. Dans O. Svenson et J. Maule (dir.). *Time pressure and stress in human judgment and decision making*. Cambridge, Cambridge University Press.

KATO, P. S., et RUBLE, D. N. (1992). Toward an understanding of women's experience of menstrual cycle symptoms. Dans V. Adesso, D. Reddy, et R. Fleming (dir.). *Psychological perspectives on women's health*. Washington, DC, Hemisphere.

KATZ, A. M., et HILL, R. (1958). Residential propinquity and marital selection, A review of theory, method, and fact. *Marriage and Family Living, 20*, 237–335.

KAUFMAN, J., et ZIGLER, E. (1987). Do abused children become abusive parents? *American Journal of Orthopsychiatry, 57*, 186–192.

KEATING, J. P., et BROCK, T. C. (1974). Acceptance of persuasion and the inhibition of counterargumentation under various distraction tasks. *Journal of Experimental Social Psychology, 10*, 301–309.

KELLERMAN, J., LEWIS, J., et LAIRD, J. D. (1989). Looking and loving, The effects of mutual gaze on feelings of romantic love. *Journal of Research in Personality, 23*, 145–161.

KELLEY, H. H., et STAHELSKI, A. J. (1970). The social interaction basis of cooperators' and competitors' beliefs about others. *Journal of Personality and Social Psychology, 16*, 66–91.

KELMAN, H. C., et COHEN, S. P. (1986). Resolution of international conflict, An interactional approach. Dans S. Worchel et W. G. Austin (dir.). *Psychology of intergroup relations* (2ᵉ éd.). Chicago, Nelson-Hall.

KENNY, D. A., et ALBRIGHT, L. (1987). Accuracy in interpersonal perception, A social relations analysis. *Psychology Bulletin, 102*, 390–402.

KENNY, D. A., et NASBY, W. (1980). Splitting the reciprocity correlation. *Journal of Personality and Social Psychology, 38*, 249–256.

KENRICK, D. T. (1987). Gender, genes, and the social environment, A biosocial interactionist perspective. Dans P. Shaver et C. Hendrick (dir.). *Sex and gender, Review of personality and social psychology*, vol. 7. Beverly Hills, CA, Sage.

KENRICK, D. T., et Gutierres, S. E. (1980). Contrast effects and judgments of physical attractiveness, When beauty becomes a social problem. *Journal of Personality and Social Psychology, 38*, 131–140.

KENRICK, D. T., GUTIERRES, S. E., et GOLDBERG, L. L. (1989). Influence of popular erotica on judgments of strangers and mates. *Journal of Experimental Social Psychology, 25*, 159–167.

KENRICK, D. T., et MACFARLANE, S. W. (1986). Ambient temperature and horn-honking, A field study of the heat/aggression relationship. *Environment and Behavior, 18*, 179–191.

KENRICK, D. T., et TROST, M. R. (1987). A biosocial theory of heterosexual relationships. Dans K. Kelly (dir.). *Females, males, and sexuality*. Albany, State University of New York Press.

KERR, N. L. (1983). Motivation losses in small groups, A social dilemma analysis. *Journal of Personality and Social Psychology, 45*, 819–828.

KERR, N. L. (1989). Illusions of efficacy, The effects of group size on perceived efficacy in social dilemmas. *Journal of Experimental Social Psychology, 25*, 287–313.

KERR, N. L., et BRUUN, S. E. (1981). Ringelmann revisted, Alternative explanations for the social loafing effect. *Personality and Social Psychology Bulletin, 7*, 224–231.

KERR, N. L., et BRUUN, S. E. (1983). Dispensability of member effort and group motivation losses, Free-rider effects. *Journal of Personality and Social Psychology, 44*, 78–94.

KERR, N. L., HARMON, D. L., et GRAVES, J. K. (1982). Independence of multiple verdicts by jurors and juries. *Journal of Applied Social Psychology, 12*, 12–29.

KIDD, J. B., et MORGAN, J. R. (1969). A predictive information system for management. *Operational Research Quarterly, 20*, 149–170.

KIERKEGAARD, S. (1851/1944). *For self-examination and judge for yourself*. Trans. W. Lowrie. Princeton, Princeton University Press.

KIESLER, C. A. (1971). *The psychology of commitment, Experiments linking behavior to belief*. New York, Academic Press.

KIMMEL, M. J., PRUITT, D. G., MAGENAU, J. M., KONAR-GOLDBAND, E., et CARNEVALE, P. J. D. (1980). Effects of trust, aspiration, and gender on negotiation tactics. *Journal of Personality and Social Psychology, 38*, 9–22.

KINDER, D. R., et SEARS, D. O. (1985). Public opinion and political action. Dans G. Lindzey et E. Aronson (dir.). *The handbook of social psychology* (3ᵉ éd.). New York, Random House.

KIRMEYER, S. L. (1978). Urban density and pathology, A review of research. *Environment and Behavior, 10*, 257–269.

KLAAS, E. T. (1978). Psychological effects of immoral actions, The experimental evidence. *Psychological Bulletin, 85*, 756–771.

KLECK, R. E., et STRENTA, A. (1980). Perceptions of the impact of negatively valued physical characteristics on social interaction. *Journal of Personality and Social Psychology, 39*, 861–873.

KLEIN, J. G. (1991). Negative effects in impression formation, A test in the political arena. *Personality and Social Psychology Bulletin, 17*, 412–418.

KLEINKE, C. L. (1977). Compliance to requests made by gazing and touching experimenters in field settings. *Journal of Experimental Social Psychology, 13*, 218–223.

KLENTZ, B., BEAMAN, A. L., MAPELLI, S. D., et ULLRICH, J. R. (1987). Perceived physical attractiveness of supporters and nonsupporters of the women's movement, An attitude-similarity-mediated error (AS-ME). *Personality and Social Psychology Bulletin, 13*, 513–523.

KLOPFER, P. M. (1958). Influence of social interaction on learning rates in birds. *Science, 128*, 903–904.

KNIGHT, J. A., et VALLACHER, R. R. (1981). Interpersonal engagement in social perception, The consequences of getting into the action. *Journal of Personality and Social Psychology, 40*, 990–999.

KNOWLES, E. S. (1983). Social physics and the effects of others, Tests of the effects of audience size and distance on social judgment and behavior. *Journal of Personality and Social Psychology, 45*, 1263–1279.

KNUDSON, R. M., SOMMERS, A. A., et GOLDING, S. L. (1980). Interpersonal perception and mode of resolution in marital conflict. *Journal of Personality and Social Psychology, 38*, 751–763.

KOEHLER, D. J. (1991). Explanation, imagination, and confidence in judgment. *Psychological Bulletin, 110*, 499–519.

KOESTNER, R., et WHEELER, L. (1988). Self-presentation in personal advertisements, The influence of implicit notions of attraction and role expectations. *Journal of Social and Personal Relationships, 5*, 149–160.

KOMORITA, S. S., et BARTH, J. M. (1985). Components of reward in social dilemmas. *Journal of Personality and Social Psychology, 48*, 364–373.

KOOP, C. E. (1987). Report of the Surgeon General's workshop on pornography and public health. *American Psychologist, 42*, 944–945.

KORIAT, A., LICHTENSTEIN, S., et FISCHHOFF, B. (1980). Reasons for confidence. *Journal of Experimental Social Psychology, Human Learning and Memory, 6*, 107–118.

KOSS, M. P. (1990). Rape incidence, A review and assessment of the data. Témoignage, au nom de l'American Psychological Association, devant le U.S. Senate Judiciary Committee, 29 août.

KOSS, M. P. (1992). The underdetection of rape, Methodological choices influence incidence estimates. *Journal of Social Issues, 48*, 61–75.

KOSS, M. P., et BURKHART, B. R. (1989). A conceptual analysis of rape victimization. *Psychology of Women Quarterly, 13*, 27–40.

KOSS, M. P., DINERO, T. E., SEIBEL, C. A., et COX, S. L. (1988). Stranger and acquaintance rape. *Psychology of Women, 12*, 1–24.

KRAUT, R. E., et POE, D. (1980). Behavioral roots of person perception, The deception judgments of customs inspectors and laymen. *Journal of Personality and Social Psychology, 39*, 784–798.

KRAVITZ, D. A., et MARTIN, B. (1986). Ringelmann rediscovered, The original article. *Journal of Personality and Social Psychology, 50*, 936–941.

KREBS, D., et ADINOLFI, A. A. (1975). Physical attractiveness, social relations, and personality style. *Journal of Personality and Social Psychology, 31*, 245–253.

KROSNICK, J. A., et ALWIN, D. F. (1989). Aging and susceptibility to attitude change. *Journal of Personality and Social Psychology, 57*, 416–425.

KRUGLANSKI, A. W., et WEBSTER, D. M. (1991). Group members' reactions to opinion deviates and conformists at varying degrees of proximity to decision deadline and of environmental noise. *Journal of Personality and Social Psychology, 61*, 212–225.

KUIPER, N. A., et HIGGINS, E. T. (1985). Social cognition and depression, A general integrative perspective. *Social Cognition, 3*, 1–15.

KUNDA, Z. (1990). The case for motivated reasoning. *Psychological Bulletin, 108*, 480–498.

LAFRANCE, M. (1985). Does your smile reveal your status? *Social Science News Letter, printemps, 70*, 15–18.

LAGERSPETZ, K. (1979). Modification of aggressiveness in mice. Dans S. Feshbach et A. Fraczek (dir.). *Aggression and behavior change*. New York, Praeger.

LALLJEE, M., LAMB, R., FURNHAM, A., et JASPARS, J. (1984). Explanations and information search, Inductive and hypothesis-testing approaches to arriving at an explanation. *British Journal of Social Psychology, 23*, 201–212.

LAMAL, P. A. (1979). College student common beliefs about psychology. *Teaching of Psychology, 6*, 155–158.

LANDERS, A. (septembre 1973). Syndicated newspaper column. April 8, 1969. Cité par L. Berkowitz, The case for bottling up rage. *Psychology Today*, 24–31.

LANGER, E. J. (1977). The psychology of chance. *Journal for the Theory of Social Behavior, 7*, 185–208.

LANGER, E. J., et IMBER, L. (1980). The role of mindlessness in the perception of deviance. *Journal of Personality and Social Psychology, 39*, 360–367.

LANGER, E. J., JANIS, I. L., et WOFER, J. A. (1975). Reduction of psychological stress in surgical patients.

Journal of Experimental Social Psychology, 11, 155–165.

LANGER, E. J., et RODIN, J. (1976). The effects of choice and enhanced personal responsibility for the aged, A field experiment in an institutional setting. *Journal of Personality and Social Psychology, 334*, 191–198.

LANGLOIS, J. H., et ROGGMAN, L. A. (1990). Attractive faces are only average. *Psychological Science, 1*, 115–121.

LANZETTA, J. T. (1955). Group behavior under stress. *Human Relations, 8*, 29–53.

LARSEN, R. J., et DIENER, E. (1987). Affect intensity as an individual difference characteristic, A review. *Journal of Research in Personality, 21*, 1–39.

LARSON, R. J., CSIKSZENTMIHALYI, N., et GRAEF, R. (1982). Time alone in daily experience, Loneliness or renewal? Dans L. A. Peplau et D. Perlman (dir.). *Loneliness, A sourcebook of current theory, research and therapy*. New York, Wiley.

LARWOOD, L. (1978). Swine flu, A field study of self-serving biases. *Journal of Applied Social Psychology, 18*, 283–289.

LARWOOD, L., et WHITTAKER, W. (1977). Managerial myopia, Self-serving biases in organizational planning. *Journal of Applied Psychology, 62*, 194–198.

LASSITER, G. D., et DUDLEY, K. A. (1991). The *a priori* value of basic research, The case of videotaped confessions. *Journal of Social Behavior and Personality, 6*, 7–16.

LASSITER, G. D., et IRVINE, A. A. (1986). Videotaped confessions, The impact of camera point of view on judgments of coercion. *Journal of Applied Social Psychology, 16*, 268–276.

LATANÉ, B., et DABBS, J. M., Jr (1975). Sex, group size and helping in three cities. *Sociometry, 38*, 180–194.

LATANÉ, B., et DARLEY, J. M. (1970). *The unresponsive bystander, Why doesn't he help?* New York, Appleton-Century-Crofts.

LATANÉ, B., et DARLEY, J. M. (1968). Group inhibition of bystander intervention in emergencies. *Journal of Personality and Social Psychology, 10*, 215–221.

LATANÉ, B., et NIDA, S. (1981). Ten years of research on group size and helping. *Psychological Bulletin, 89*, 308–324.

LATANÉ, B., WILLIAMS, K., et HARKINS, S. (1979). Many hands make light the work, The causes and consequences of social loafing. *Journal of Personality and Social Psychology, 37*, 822–832.

LAYDEN, M. A. (1982). Attributional therapy. Dans C. Antaki et C. Brewin (dir.). *Attributions and psychological change, Applications of attributional theories to clinical and educational practice*. London, Academic Press.

LAZARSFELD, P. F. (1949). *The American soldier*—an expository review. *Public Opinion Quarterly, 13*, 377–404.

LEARY, M. R. (1982). Hindsight distortion and the 1980 presidential election. *Personality and Social Psychology Bulletin, 8*, 257–263.

LEARY, M. R. (1984). *Understanding social anxiety*. Beverly Hills, CA, Sage.

LEARY, M. R. (1986). The impact of interactional impediments on social anxiety and self-presentation. *Journal of Experimental Social Psychology, 22*, 122–135.

LEARY, M. R., et MADDUX, J. E. (1987). Progress toward a viable interface between social and clinical counseling psychology. *American Psychologist, 42*, 904–911.

LEE, J. A. (1988). Love-styles. Dans R. J. Sternberg et M. L. Barnes (dir.). *The psychology of love*. New Haven, Yale University Press.

LEFCOURT, H. M. (1982). *Locus of control, Current trends in theory and research*. Hillsdale, NJ, Erlbaum.

LEFEBVRE, L. M. (1979). Causal attributions for basketball outcomes by players and coaches. *Psychological Belgica, 19*, 109–115.

LEHMAN, D. R., et NISBETT, R. E. (1985). Effects of higher education on inductive reasoning. Manuscrit inédit, University of Michigan.

LEIPPE, M. R., et ELKIN, R. A. (1987). Dissonance reduction strategies and accountability to self and others, Ruminations and some initial research. Présentation faite à la Fifth International Conference on Affect, Motivation, and Cognition, Nags Head Conference Center.

LEMYRE, L., et SMITH, P. M. (1985). Intergroup discrimination and self-esteem in the minimal group paradigm. *Journal of Personality and Social Psychology, 49*, 660–670.

LENIHAN, K. J. (1965). Perceived climates as a barrier to housing desegregation. Manuscrit inédit, Bureau of Applied Social Research, Columbia University.

LEON, D. (1969). *The Kibbutz, A new way of life*. London, Pergamon, 1969. Cité par B. Latané, K. Williams, et S. Harkins, Many hands make light the work, The causes and consequences of social loafing. *Journal of Personality and Social Psychology, 37*, 822–832.

LERNER, M. J. (1980). *The belief in a just world, A fundamental delusion*. New York, Plenum.

LERNER, M. J., et MILLER, D. T. (1978). Just world research and the attribution process, Looking back and ahead. *Psychological Bulletin, 85*, 1030–1051.

LERNER, M. J., et SIMMONS, C. H. (1966). Observer's reaction to the «innocent victim», Compassion or rejection? *Journal of Personality and Social Psychology, 4*, 203–210.

LERNER, M. J., SOMERS, D. G., REID, D., CHIRIBOGA, D., et TIERNEY, M. (1991). Adult children as caregivers, Egocentric biases in judgments of sibling contributions. *Gerontologist, 31*, 746–755.

LEVENTHAL, H. (1970). Findings and theory in the study of fear communications. Dans L. Berkowitz (dir.). *Advances in experimental social psychology*, vol. 5. New York, Academic Press.

LEVER, J. (1978). Sex differences in the complexity of children's play and games. *American Sociological Review, 43*, 471–483.

LEVINE, A. (1990). America's youthful bigots. *U.S. News and World Report*, 7 mai, 59–60.

LEVINE, J. M. (1989). Reaction to opinion deviance in small groups. Dans P. Paulus (dir.). *Psychology of group influence, New perspectives*. Hillsdale, NJ, Erlbaum.

LEVINE, J. M., et MORELAND, R. L. (1985). Innovation and socialization in small groups. Dans S. Moscovici, G. Mugny, et E. Van Avermaet (dir.). *Perspectives on minority influence*. Cambridge, Cambridge University Press.

LEVINE, J. M., et RUSSO, E. M. (1987). Majority and minority influence. Dans C. Hendrick (dir.). *Group processes, Review of personality and social psychology*, vol. 8. Newbury Park, CA, Sage.

LEVINE, R., et ULEMAN, J. S. (1979). Perceived locus of control, chronic self-esteem, and attributions to success and failure. *Journal of Personality and Social Psychology, 5*, 69–72.

LEVY, S., LEE, J., BAGLEY, C., et LIPPMAN, M. (1988). Survival hazards analysis in first recurrent breast cancer patients, Seven-year follow-up. *Psychosomatic Medicine, 50*, 520–528.

LEVY-LEBOYER, C. (1988). Success and failure in applying psychology. *American Psychologist, 43*, 779–785.

LEWICKI, P. (1983). Self-image bias in person perception. *Journal of Personality and Social Psychology, 45*, 384–393.

LEWINSOHN, P. M., HOBERMAN, H., TERI, L., et HAUTZINER, M. (1985). An integrative theory of depression. Dans S. Reiss et R. Bootzin (dir.). *Theoretical issues in behavior therapy*. New York, Academic Press.

LEWINSOHN, P. M., MISCHEL, W., CHAPLINE, W., et BARTON, R. (1980). Social competence and depression, The role of illusionary self-perceptions. *Journal of Abnormal Psychology, 89*, 203–212

LEWINSOHN, P. M., et ROSENBAUM, M. (1987). Recall of parental behavior by acute depressives, remitted depressives, and nondepressives. *Journal of Personality and Social Psychology, 52*, 611–619.

LEWIS, C. S. (1960). *Mere Christianity*. New York, Macmillan.

LEWIS, M., et FEIRING, C. (1992). Development as history. *Child Development*.

LEYENS, J. P. (1989). Another look at confirmatory strategies during a real interview. *European Journal of Social Psychology, 19*, 255–262.

LEYENS, J. P., CAMINO, L., PARKE, R. D., et BERKOWITZ, L. (1975). Effects of movie violence on aggression in a field setting as a function of group dominance and cohesion. *Journal of Personality and Social Psychology, 32*, 346–360.

LICHTENSTEIN, S., et FISCHHOFF, B. (1980). Training for calibration. *Organizational Behavior and Human Performance*, 26, 149–171.

LIEBERMAN, S. (1956). The effects of changes in roles on the attitudes of role occupants. *Human Relations, 9*, 385–402.

LIEBERT, R. M., et BARON, R. A. (1972). Some immediate effects of televised violence on children's behavior. *Developmental Psychology, 6*, 469–475.

LIEBRAND, W. B. G., MESSICK, D. M., et WOLTERS, F. J. M. (1986). Why we are fairer than others, A cross-cultural replication and extension. *Journal of Experimental Social Psychology, 22*, 590–604.

LIFE (1988). What we believe, printemps, 69–70.

LINDSKOLD, S. (1978). Trust development, the GRIT proposal, and the effects of conciliatory acts on conflict and cooperation. *Psychological Bulletin, 85*, 772–793.

LINDSKOLD, S. (1979). Conciliation with simultaneous or sequential interaction, Variations in trustworthiness and vulnerability in the prisoner's dilemma. *Journal of Conflict Resolution, 27*, 704–714.

LINDSKOLD, S. (1979). Managing conflict through announced conciliatory initiatives backed with retaliatory capability. Dans W. G. Austin et S. Worchel (dir.). *The social psychology of intergroup relations*. Monterey, CA, Brooks/Cole.

LINDSKOLD, S. (1981). The laboratory evaluation of GRIT, Trust, cooperation, aversion to using conciliation. Communication présentée à la convention de l'American Association for the Advancement of Science.

LINDSKOLD, S. (1983). Cooperators, competitors, and response to GRIT. *Journal of Conflict Resolution, 27*, 521–532.

LINDSKOLD, S., et ARONOFF, J. R. (1980). Conciliatory strategies and relative power. *Journal of Experimental Social Psychology, 16*, 187–198.

LINDSKOLD, S., BENNETT, R., et WAYNER, M. (1976). Retaliation level as a foundation for subsequent conciliation. *Behavioral Science, 21*, 13–18.

LINDSKOLD, S., BETZ, B., et WALTERS, P. S. (1986). Transforming competitive or cooperative climate. *Journal of Conflict Resolution, 30*, 99–114.

LINDSKOLD, S., et COLLINS, M. G. (1978). Inducing cooperation by groups and individuals. *Journal of Conflict Resolution, 22*, 679–690.

LINDSKOLD, S., et FINCH, M. L. (1981). Styles of announcing conciliation. *Journal of Conflict Resolution, 25*, 145–155.

LINDSKOLD, S., et HAN, G. (1988). GRIT as a foundation for integrative bargaining. *Personality and Social Psychology Bulletin, 14*, 335–345.

LINDSKOLD, S., HAN, G., et BETZ, B. (1986a). The essential elements of communication in the GRIT strategy. *Personality and Social Psychology Bulletin, 12*, 179–186.

LINDSKOLD, S., HAN, G., et BETZ, B. (1986b). Repeated persuasion in interpersonal conflict. *Journal of Personality and Social Psychology, 51,* 1183–1188.

LINDSKOLD, S., WALTERS, P. S., KOUTSOURAIS, H., et SHAYO, R. (1981). Cooperators, competitors, and response to GRIT. Manuscrit inédit, Ohio University.

LINVILLE, P. W., GISCHER, G. W., et SALOVEY, P. (1989). Perceived distributions of the characteristics of in-group and out-group members, Empirical evidence and a computer simulation. *Journal of Personality and Social Psychology, 57,* 165–188.

LINZ, D. G., DONNERSTEIN, E., et ADAMS, S. M. (1989). Physiological desensitization and judgments about female victims of violence. *Human Communication Research, 15,* 509–522.

LINZ, D. G., DONNERSTEIN, E., et PENROD, S. (1988). Effects of long term exposure to violent and sexually degrading depictions of women. *Journal of Personality and Social Psychology, 55,* 758–768.

LIPSITZ, A., KALLMEYER, K., FERGUSON, M., et ABAS, A.(1989). Counting on blood donors, Increasing the impact of reminder calls. *Journal of Applied Social Psychology, 19,* 1057–1067.

LOCKE, E. A., et LATHAM, G. P. (1990). Work motivation and satisfaction, Light at the end of the tunnel. *Psychological Science, 1,* 240–246.

LOCKSLEY, A., BORGIDA, E., BREKKE, N., et HEPBURN, C. (1980). Sex stereotypes and social judgment. *Journal of Personality and Social Psychology, 39,* 821–831.

LOFLAND, J., et STARK, R. (1965). Becoming a world-saver, A theory of conversion to a deviant perspective. *American Sociological Review, 30,* 862–864.

LOFTIN, C., McDOWALL, D., WIERSEMA, B., et COTTEY, T. J. (1991). Effects of restrictive licensing of handguns on homicide and suicide in the District of Columbia. *New England Journal of Medicine, 325,* 1615–1620.

LOFTUS, E. F., et KLINGER, M. R. (1992). Is the unconscious smart or dumb? *American Psychologist, 47,* 761–765.

LONNER, W. J. (1989). The introductory psychology text and cross-cultural psychology, Beyond Ekman, Whorf, and biased I.Q. tests. Dans D. Keats, D. R. Munro, et L. Mann (dir.). *Heterogeneity in cross-cultural psychology.* Bellingham, WA, Western Washington University.

LORD, C. G., ROSS, L., et LEPPER, M. (1979). Biased assimilation and attitude polarization, The effects of prior theories on subsequently considered evidence. *Journal of Personality and Social Psychology, 37,* 2098–2109.

LOUW-POTGIETER, J. (1988). The authoritarian personality, An inadequate explanation for intergroup conflict in South Africa. *Journal of Social Psychology, 128,* 75–87.

LOWE, R. H., et WITTIG, M. A. (1989). Comparable worth, Individual, interpersonal, and structural considerations. *Journal of Social Issues, 45,* 223–246.

LOWENTHAL, M. F., THURNHER, M., CHIRIBOGA, D., BEEFON, D., GIGY, L., LURIE, E., PIERCE, R.,

SPENCE, D., et WEISS, L. (1975). *Four stages of life.* San Francisco, Jossey-Bass.

MAASS, A., BRIGHAM, J. C., et WEST, S. G. (1985). Testifying on eyewitness reliability, Expert advice is not always persuasive. *Journal of Applied Social Psychology, 15,* 207–229.

MAASS, A., et CLARK, R. D., III (1984). Hidden impact of minorities, Fifteen years of minority influence research. *Psychological Bulletin, 95,* 428–450.

MAASS, A., et CLARK, R. D., III (1986). Conversion theory and simultaneous majority/minority influence, Can reactance offer an alternative explanation? *European Journal of Social Psychology, 16,* 305–309.

MACK, D., et RAINEY, D. (1990). Female applicants' grooming and personnel selection. *Journal of Social Behavior and Personality, 5,* 399–407.

MACKAY, J. L. (1980). Selfhood, Comment on Brewster Smith. *American Psychologist, 35,* 106–107.

MACKIE, D. M. (1987). Systematic and nonsystematic processing of majority and minority persuasive communications. *Journal of Personality and Social Psychology, 53,* 41–52.

MACKIE, D. M., WORTH, L. T., et ASUNCION, A. G. (1990). Processing of persuasive in-group messages. *Journal of Personality and Social Psychology, 58,* 812–822.

MADDUX, J. E. (1991). Personal efficacy. Dans V. Derlega, B. Winstead, et W. Jones (dir.). *Personality, Contemporary theory and research.* Chicago, Nelson-Hall.

MADDUX, J. E., NORTON, L. W., et LEARY, M. R. (1988). Cognitive components of social anxiety, An investigation of the integration of self-presentation theory and self-efficacy theory. *Journal of Social and Clinical Psychology, 6,* 180–190.

MADDUX, J. E., et ROGERS, R. W. (1983). Protection motivation and self-efficacy, A revised theory of fear appeals and attitude change. *Journal of Experimental Social Psychology, 19,* 469–479.

MAGNUSON, E. (1986). «A serious deficiency», The Rogers Commission faults NASA's «flawed» decision-making process. *Time,* 10 mars, p. 40–42, édition internationale.

MAJOR, B. (1989). Gender differences in comparisons and entitlement, Implications for comparable worth. *Journal of Social Issues, 45,* 99–116.

MAJOR, B., SCHMIDLIN, A. M., et WILLIAMS, L. (1990). Gender patterns in social touch, The impact of setting and age. *Journal of Personality and Social Psychology, 58,* 634–643.

MALAMUTH, N. M., et CHECK, J. V. P. (1981). The effects of media exposure on acceptance of violence against women, A field experiment. *Journal of Research in Personality, 15,* 436–446.

MALAMUTH, N. M., et CHECK, J. V. P. (1984). Debriefing effectiveness following exposure to pornographic rape depictions. *Journal of Sex Research, 20,* 1–13.

MALKIEL, B. G. (1985). *A random walk down Wall Street* (4e éd.). New York, W. W. Norton.

MANIS, M. (1977). Cognitive social psychology. *Personality and Social Psychology Bulletin, 3*, 550–566.

MANN, L. (1981). The baiting crowd in episodes of threatened suicide. *Journal of Personality and Social Psychology, 41*, 703–709.

MARCUS, S. (1974). Review of *Obedience to authority*. New York Times Book Review, 13 janvier, p. 1–2.

MARKS, G., et MILLER, N. (1987). Ten years of research on the false-consensus effect, An empirical and theoretical review. *Psychological Bulletin, 102*, 72–90.

MARKS, G., MILLER, N., et MARUYAMA, G. (1981). Effect of targets' physical attractiveness on assumptions of similarity. *Journal of Personality and Social Psychology, 41*, 198–206.

MARKUS, G. B. (1986). Stability and change in political attitudes, Observe, recall, and «explain.» *Political Behavior, 8*, 21–44.

MARKUS, H., et KITAYAMA, S. (1991). Culture and the self, Implications for cognition, emotion, and motivation. *Psychological Review, 98*, 224–253.

MARSHALL, W. L. (1989). Pornography and sex offenders. Dans D. Zillmann et J. Bryant (dir.). *Pornography, Research advances and policy considerations*. Hillsdale, NJ, Erlbaum.

MARTIN, C. L. (1987). A ratio measure of sex stereotyping. *Journal of Personality and Social Psychology, 52*, 489–499.

MARUYAMA, G., RUBIN, R. A., et KINGBURY, G. (1981). Self-esteem and educational achievement, Independent constructs with a common cause? *Journal of Personality and Social Psychology, 40*, 962–975.

MARVELLE, K., et GREEN, S. (1980). Physical attractiveness and sex bias in hiring decisions for two types of jobs. *Journal of the National Association of Women Deans, Administrators, and Counselors, 44*(1), 3–6.

MAXWELL, G. M. (1985). Behaviour of lovers, Measuring the closeness of relationships. *Journal of Personality and Social Psychology, 2*, 215–238.

MAYER, J. D., et SALOVEY, P. (1987). Personality moderates the interaction of mood and cognition. Dans K. Fiedler et J. Forgas (dir.). *Affect, cognition, and social behavior*. Toronto, Hogrefe.

McALISTER, A., PERRY, C., KILLEN, J., SLINKARD, L. A., et MACCOBY, N. (1980). Pilot study of smoking, alcohol and drug abuse prevention. *American Journal of Public Health, 70*, 719–721.

McCARREY, M., EDWARDS, H. P., et ROZARIO, W. (1982). Ego-relevant feedback, affect, and self-serving attributional bias. *Personality and Social Psychology Bulletin, 8*, 189–194.

McCARTHY, J. D., et HOGE, D. R. (1984). The dynamics of self-esteem and delinquency. *American Journal of Sociology, 90*, 396–410.

McCARTHY, J. F., et KELLY, B. R. (1978a). Aggressive behavior and its effect on performance over time in ice hockey athletes, An archival study. *International Journal of Sport Psychology, 9*, 90–96.

McCARTHY, J. F., et KELLY, B. R. (1978b). Aggression, performance variables, and anger self-report in ice hockey players. *Journal of Psychology, 99*, 97–101.

McCAULEY, C. (1989). The nature of social influence in groupthink, Compliance and internalization. *Journal of Personality and Social Psychology, 57*, 250–260.

McCAULEY, C., et STITT, C. L. (1978). An individual and quantitative measure of stereotypes. *Journal of Personality and Social Psychology, 36*, 929–940.

McCAULEY, C. R., et SEGAL, M. E. (1987). Social psychology of terrorist groups. Dans C. Hendrick (dir.). *Group processes and intergroup relations, Review of personality and social psychology*, vol. 9. Newbury Park, CA, Sage.

McCONAHAY, J. B. (1981). Reducing racial prejudice in desegregated schools. Dans W. D. Hawley (dir.). *Effective school desegregation*. Beverly Hills, CA, Sage.

McCULLOUGH, J. L., et OSTROM, T. M. (1974). Repetition of highly similar messages and attitude change. *Journal of Applied Psychology, 59*, 395–397.

McFARLAND, C., et ROSS, M. (1985). The relation between current impressions and memories of self and dating partners. Manuscrit inédit, University of Waterloo.

McFARLAND, C., ROSS, M., et DECOURVILLE, N. (1989). Women's theories of menstruation and biases in recall of menstrual symptoms. *Journal of Personality and Social Psychology, 57*, 522–531.

McGILLICUDDY, N. B., WELTON, G. L., et PRUITT, D. G. (1987). Third-party intervention, A field experiment comparing three different models. *Journal of Personality and Social Psychology, 53*, 104–112.

McGUIRE, W. J. (1964). Inducing resistance to persuasion, Some contemporary approaches. Dans L. Berkowitz (dir.). *Advances in experimental social psychology*, vol. 1. New York, Academic Press.

McGUIRE, W. J. (1986). The myth of massive media impact, Savagings and salvagings. Dans G. Comstock (dir.). *Public communication and behavior*, vol. 1. Orlando, FL, Academic Press.

McGUIRE, W. J., et McGUIRE, C. V. (1986). Differences in conceptualizing self versus conceptualizing other people as manifested in contrasting verb types used in natural speech. *Journal of Personality and Social Psychology, 51*, 1135–1143.

McGUIRE, W. J., McGUIRE, C. V., CHILD, P., et FUJIOKA, T. (1978). Salience of ethnicity in the spontaneous self-concept as a function of one's ethnic distinctiveness in the social environment. *Journal of Personality and Social Psychology, 36*, 511–520.

McGUIRE, W. J., McGUIRE, C. V., et WINTON, W. (1979). Effects of household sex composition on the salience of one's gender in the spontaneous self-concept. *Journal of Experimental Social Psychology, 15*, 77–90.

363

McGUIRE, W. J., et PADAWER-SINGER, A. (1978). Trait salience in the spontaneous self-concept. *Journal of Personality and Social Psychology, 33,* 743–754.

McNEEL, S. P. (1980). Tripling up, Perceptions and effects of dormitory crowding. Communication présentée à la convention de l'American Psychological Association.

McNEILL, B. W., et STOLTENBERG, C. D. (1988). A test of the elaboration likelihood model for therapy. *Cognitive Therapy and Research, 12,* 69–79.

MEEHL, P. E. (1954). *Clinical vs. statistical prediction, A theoretical analysis and a review of evidence.* Minneapolis, University of Minnesota Press.

MEEHL, P. E. (1986). Causes and effects of my disturbing little book. *Journal of Personality Assessment, 50,* 370–375.

MEINDL, J. R., et LERNER, M. J. (1984). Exacerbation of extreme responses to an out-group. *Journal of Personality and Social Psychology, 47,* 71–84.

MENAND, L. (1991). Illiberalisms. *New Yorker,* 20 mai, 101–107.

MESSÉ, L. A., et SIVACEK, J. M. (1979). Predictions of others' responses in a mixed-motive game, Self-justification or false consensus? *Journal of Personality and Social Psychology, 37,* 602–607.

MESSICK, D. M., BLOOM, S., BOLDIZAR, J. P., et SAMUELSON, C. D. (1985). Why we are fairer than others. *Journal of Experimental Social Psychology, 21,* 480–500.

MESSICK, D. M., et SENTIS, K. P. (1979). Fairness and preference. *Journal of Experimental Social Psychology, 15,* 418–434.

MICHAELS, J. W., BLOMMEL, J. M., BROCATO, R. M., LINKOUS, R. A., et ROWE, J. S. (1982). Social facilitation and inhibition in a natural setting. *Replications in Social Psychology, 2,* 21–24.

MIELL, E., DUCK, S., et LA GAIPA, J. (1979). Interactive effects of sex and timing in self disclosure. *British Journal of Social and Clinical Psychology, 18,* 355–362.

MIKULA, G. (1984). Justice and fairness in interpersonal relations, Thoughts and suggestions. Dans H. Taijfel (dir.). *The social dimension, European developments in social psychology,* vol. 1, Cambridge, Cambridge University Press.

MILGRAM, S. (1965). Some conditions of obedience and disobedience to authority. *Human Relations, 18,* 57–76.

MILGRAM, S. (1974). *Obedience to authority.* New York, Harper et Row.

MILGRAM, S., et SABINI, J. (1983). On maintaining social norms, A field experiment in the subway. Dans H. H. Blumberg, A. P. Hare, V. Kent, et M. Davies (dir.). *Small groups and social interaction,* vol. 1. London, Wiley.

MILLER, A. (trans. H. et H. Hannum) (1990). *For your own good, Hidden cruelty in child-rearing and the roots of violence.* New York, Noonday.

MILLER, A. G. (1986). *The obedience experiments, A case study of controversy in social science.* New York, Praeger.

MILLER, A. G., ASHTON, W., et MISHAL, M. (1990). Beliefs concerning the features of constrained behavior, A basis for the fundamental attribution error. *Journal of Personality and Social Psychology, 59,* 635–650.

MILLER, A. G., GILLEN, G., SCHENKER, C., et RADLOVE, S. (1973). Perception of obedience to authority. Compte rendu de la 81e convention annuelle de l'American Psychological Association, 8, 127–128.

MILLER, D. T., TAYLOR, B., et BUCK, M. L. (1991). Gender gaps, Who needs to be explained? *Journal of Personality and Social Psychology, 61,* 5–12.

MILLER, D. T., et TURNBULL, W. (1986). Expectancies and interpersonal processes. Dans M. R. Rosenzweig et L. W. Porter (dir.). *Annual review of psychology,* vol. 37. Palo Alto, Annual Reviews.

MILLER, J. B. (1986). *Toward a new psychology of women* (2e éd.). Boston, MA,

MILLER, J. G. (1984). Culture and the development of everyday social explanation. *Journal of Personality and Social Psychology, 46,* 961–978.

MILLER, K. I., et MONGE, P. R. (1986). Participation, satisfaction, and productivity, A meta-analytic review. *Academy of Management Journal, 29,* 727–753.

MILLER, L. C., BERG, J. H., et ARCHER, R. L. (1983). Openers, Individuals who elicit intimate self-disclosure. *Journal of Personality and Social Psychology, 44,* 1234–1244.

MILLER, N., et MARKS, G. (1982). Assumed similarity between self and other, Effect of expectation of future interaction with that other. *Social Psychology Quarterly, 45,* 100–105.

MILLER, N. E. (1941). The frustration-aggression hypothesis. *Psychological Review, 48,* 337–342.

MILLER, N. E., et BUGELSKI, R. (1948). Minor studies of aggression, II. The influence of frustrations imposed by the in-group on attitudes expressed toward out-groups. *Journal of Psychology, 25,* 437–442.

MILLER, P. A., et EISENBERG, N. (1988). The relation of empathy to aggressive and externalizing/antisocial behavior. *Psychological Bulletin, 103,* 324–344.

MILLER, P. C., LEFCOURT, H. M., HOLMES, J. G., WARE, E. E., et SALEY, W. E. (1986). Marital locus of control and marital problem solving. *Journal of Personality and Social Psychology, 51,* 161–169.

MILLER, R. L., BRICKMAN, P., et BOLEN, D. (1975). Attribution versus persuasion as a means for modifying behavior. *Journal of Personality and Social Psychology, 31,* 430–441.

MILLER, R. S., et SCHLENKER, B. R. (1985). Egotism in group members, Public and private attributions of responsibility for group performance. *Social Psychology Quarterly, 48,* 85–89.

MILLER, R. S., et SIMPSON, J. A. (1990). Relationship satisfaction and attentiveness to alternatives. Communication présentée à la convention de l'American Psychological Association.

MILLETT, K. (janvier 1975). The shame is over. *Ms.*, 26–29.

MINARD, R. D. (1952). Race relationships in the Pocohontas coal field. *Journal of Social Issues, 8*(1), 29–44.

MIRELS, H. L., et McPEEK, R. W. (1977). Self-advocacy and self-esteem. *Journal of Consulting and Clinical Psychology, 45*, 1132–1138.

MITA, T. H., DERMER, M., et KNIGHT, J. (1977). Reversed facial images and the mere-exposure hypothesis. *Journal of Personality and Social Psychology, 35*, 597–601.

MONSON, T. C., et SNYDER, M. (1977). Actors, observers, and the attribution process, Toward a reconceptualization. *Journal of Experimental Social Psychology, 13*, 89–111.

MOODY, K. (1980). *Growing up on television, The TV effect.* New York, Times.

MOORE, D. L., et BARON, R. S. (1983). Social facilitation, A physiological analysis. Dans J. T. Cacioppo et R. Petty (dir.). *Social psychophysiology.* New York, Guilford.

MORRISON, D. M. (1989). Predicting contraceptive efficacy, A discriminant analysis of three groups of adolescent women. *Journal of Applied Social Psychology, 19*, 1431–1452.

MORSE, S. J., et GRUZEN, J. (1976). The eye of the beholder, A neglected variable in the study of physical attractiveness. *Journal of Psychology, 44*, 209–225.

MOSCOVICI, S. (1985). Social influence and conformity. Dans G. Lindzey et E. Aronson (dir.). *The handbook of social psychology.* (3ᵉ éd.). Hillsdale, NJ, Erlbaum.

MOSCOVICI, S., LAGE, S., et NAFFRECHOUX, M. (1969). Influence of a consistent minority on the responses of a majority in a color perception task. *Sociometry, 32*, 365–380.

MOSCOVICI, S., et ZAVALLONI, M. (1969). The group as a polarizer of attitudes. *Journal of Personality and Social Psychology, 12*, 124–135.

MOYER, K. E. (1976). *The psychobiology of aggression.* New York, Harper et Row.

MOYER, K. E. (1983). The physiology of motivation, Aggression as a model. Dans C. J. Scheier et A. M. Rogers (dir.). *G. Stanley Hall Lecture Series*, vol. 3. Washington, DC, American Psychological Association.

MUCCHI-FAINA, A., MAASS, A., et VOLPATO, C. (1991). Social influence, The role of originality. *European Journal of Social Psychology, 21*, 183–197.

MUELLER, C. W., DONNERSTEIN, E., et HALLAM, J. (1983). Violent films and prosocial behavior. *Personality and Social Psychology Bulletin, 9*, 83–89.

MULLEN, B. (1986a). Atrocity as a function of lynch mob composition, A self-attention perspective. *Personality and Social Psychology Bulletin, 12*, 187–197.

MULLEN, B. (1986b). Stuttering, audience size, and the other-total ratio, A self-attention perspective. *Journal of Applied Social Psychology, 16*, 139–149.

MULLEN, B. (1991). Group composition, salience, and cognitive representations, The phenomenology of being in a group. *Journal of Experimental Social psychology, 27*, 297–323.

MULLEN, B., et BAUMEISTER, R. F. (1987). Group effects on self-attention and performance, Social loafing, social facilitation, and social impairment. Dans C. Hendrick (dir.). *Group processes and intergroup relations, Review of personality and social psychology*, vol. 9. Newbury Park, CA, Sage.

MULLEN, B., et GOETHALS, G. R. (1990). Social projection, actual consensus and valence. *British Journal of Social Psychology, 29*, 279–282.

MULLEN, B., et RIORDAN, C. A. (1988). Self-serving attributions for performance in naturalistic settings, A meta-analytic review. *Journal of Applied Social Psychology, 18*, 3–22.

MULLEN, B., SALAS, E., et DRISKELL, J. E. (1989). Salience, motivation, and artifact as contributions to the relation between participation rate and leadership. *Journal of Experimental Social Psychology, 25*, 545–559.

MULLER, S., et JOHNSON, B. T. (1990). Fear and persuasion, A linear relationship? Communication présentée à la convention de l'Eastern Psychological Association.

MUMFORD, M. D. (1986). Leadership in the organizational context, A conceptual approach and its applications. *Journal of Applied Social Psychology, 16*, 508–531.

MURPHY, C. (1990). New findings, Hold on to your hat. *The Atlantic, 265*(6), 22–23.

MURPHY-BERMAN, V., et SHARMA, R. (1986). Testing the assumptions of attribution theory in India. *Journal of Social Psychology, 126*, 607–616.

MURRAY, J. P., et LONNBORG, B. (1989). Using TV sensibly. Cooperative Extension Service, Kansas State University.

MURSTEIN, B. L. (1986). *Paths to marriage.* Newbury Park, CA, Sage.

MUSON, G. (mars 1978). Teenage violence and the telly. *Psychology Today*, 50–54.

MYERS, D. G. (1992a). *Psychology.* (3ᵉ éd.). New York, Worth.

MYERS, D. G. (1992b). *The pursuit of happiness, Who is happy—and why.* New York, William Morrow.

MYERS, D. G. (1993). *Social psychology.* (4ᵉ éd.). New York, McGraw-Hill.

MYERS, D. G., et BACH, P. J. (1976). Group discussion effects on conflict behavior and self-justification. *Psychological Reports, 38*, 135–140.

MYERS, D. G., et BISHOP, G. D. (1970). Discussion effects on racial attitudes. *Science, 169*, 778–789.

NADLER, A., GOLDBERG, M., et JAFFE, Y. (1982). Effect of self-differentiation and anonymity in group on deindividuation. *Journal of Personality and Social Psychology, 42,* 1127–1136.

NAGAR, D., et PANDEY, J. (1987). Affect and performance on cognitive task as a function of crowding and noise. *Journal of Applied Social Psychology, 17,* 147–157.

NAPOLITAN, D. A., et GOETHALS, G. R. (1979). The attribution of friendliness. *Journal of Experimental Social Psychology, 15,* 105–113.

NATIONAL SAFETY COUNCIL (1991). *Accident facts.* Chicago, Author.

NAYLOR, T. H. (1990). Redefining corporate motivation, Swedish style. *Christian Century, 107,* 566–570.

NBC NEWS POLL (29 et 30 novembre 1977). Cité par *Public Opinion,* janvier–février, 1979, p. 36.

NCTV (1988). TV and film alcohol research. *NCTV News, 9*(3–4), 4.

NEIMEYER, G. J., MACNAIR, R., METZLER, A. E., et COURCHAINE, K. (1991). Changing personal beliefs, Effects of forewarning, argument quality, prior bias, and personal exploration. *Journal of Social and Clinical Psychology, 10,* 1–20.

NEMETH, C. (1979). The role of an active minority in intergroup relations. Dans W. G. Austin and S. Worchel (dir.). *The social psychology of intergroup relations.* Monterey, CA, Brooks/Cole.

NEMETH, C. (1986). Intergroup relations between majority and minority. Dans S. Worchel and W. G. Austin (dir.). *Psychology of intergroup relations.* Chicago, Nelson-Hall.

NEMETH, C., et WACHTLER, J. (1974). Creating the perceptions of consistency and confidence, A necessary condition for minority influence. *Sociometry, 37,* 529–540.

NEMETH, C. J. (1992). Minority dissent as a stimulant to group performance. Dans S. P. Worchel, W. Wood, et Simpson, J. L. (dir.). *Group process and productivity.* Newbury Park, CA, Sage.

NEWCOMB, T. M. (1961). *The acquaintance process.* New York, Holt, Rinehart et Winston.

NEWMAN, H. M., et LANGER, E. J. (1981). Post-divorce adaptation and the attribution of responsibility. *Sex Roles, 7,* 223–231.

NIAS, D. K. B. (1979). Marital choice, Matching or complementation? Dans M. Cook and G. Wilson (dir.). *Love and attraction.* Oxford, Pergamon.

NIEMI, R. G., MUELLER, J., et SMITH, T. W. (1989). *Trends in public opinion, A compendium of survey data.* New York, Greenwood.

NISBETT, R. (1988, Fall). The Vincennes incident, Congress hears psychologists. *Science Agenda* (American Psychological Association), p. 4.

NISBETT, R. E., BORGIDA, E., CRANDALL, R., et REED, H. (1976). Popular induction, Information is not necessarily informative. Dans J. S. Carroll and J. W. Payne (dir.). *Cognition and social behavior.* Hillsdale, NJ, Erlbaum.

NISBETT, R. E., et ROSS, L. (1991). *The person and the situation.* New York, McGraw-Hill.

NISBETT, R. E., et SCHACHTER, S. (1966). Cognitive manipulation of pain. *Journal of Experimental Social Psychology, 2,* 227–236.

NISBETT, R. E., et SMITH, M. (1989). Predicting interpersonal attraction from small samples, A reanalysis of Newcomb's acquaintance study. *Social Cognition, 7,* 67–73.

NISBETT, R. E., et WILSON, T. D. (1977). Telling more than we can know, Verbal reports on mental processes. *Psychological Review, 84,* 231–259.

NOEL, J. G., FORSYTH, D. R., et KELLY, K. N. (1987). Improving the performance of failing students by overcoming their self-serving attributional biases. *Basic and Applied Social Psychology, 8,* 151–162.

NOLEN-HOEKSEMA, S., GIRGUS, J. S., et SELIGMAN, M. E. P. (1986). Learned helplessness in children, A longitudinal study of depression, achievement, and explanatory style. *Journal of Personality and Social Psychology, 51,* 435–442.

NOLLER, P., et FITZPATRICK, M. A. (1990). Marital communication in the eighties. *Journal of Marriage and the Family, 52,* 832–843.

NOREM, J. K., et CANTOR, N. (1986). Defensive pessimism, Harnessing anxiety as motivation. *Journal of Personality and Social Psychology, 51,* 1208–1217.

NUTTIN, J. M., Jr (1987). Affective consequences of mere ownership, The name letter effect in twelve European languages. *European Journal of Social Psychology, 17,* 318–402.

O'DEA, T. F. (1968). Sects and cults. Dans D. L. Sills (dir.). *International encyclopedia of the social sciences,* vol. 14. New York, Macmillan.

O'GORMAN, H. J., et GARRY, S. L. (1976). Pluralistic ignorance—A replication and extension. *Public Opinion Quarterly, 40,* 449–458.

OHBUCHI, K., et KAMBARA, T. (1985). Attacker's intent and awareness of outcome, impression management, and retaliation. *Journal of Experimental Social Psychology, 21,* 321–330.

OKUN, M. A., et STOCK, W. A. (1987). Correlates and components of subjective well-being among the elderly. *Journal of Applied Gerontology, 6,* 95–112.

OLSON, J. M., et ZANNA, M. P. (novembre 1981). Promoting physical activity, A social psychological perspective. Rapport préparé pour le Ministry of Culture and Recreation, Sports and Fitness Branch, 77, rue Bloor Ouest, 8e étage, Toronto (Ontario) M7A 2R9.

OLWEUS, D. (1979). Stability of aggressive reaction patterns in males, A review. *Psychological Bulletin, 86,* 852–875.

OLWEUS, D., MATTSSON, A., SCHALLING, D., et LOW, H. (1988). Circulating testosterone levels and aggression in adolescent males, A causal analysis. *Psychosomatic Medicine, 50,* 261–272.

ORBELL, J. M., VAN DE KRAGT, A. J. C., et DAWES, R. M. (1988). Explaining discussion-induced cooperation.

Journal of Personality and Social Psychology, 54, 811–819.

ORIVE, R. (1984). Group similarity, public self-awareness, and opinion extremity, A social projection explanation of deindividuation effects. *Journal of Personality and Social Psychology, 47,* 727–737.

ORNSTEIN, R. (1991). *The evolution of consciousness.* New York, Prentice-Hall.

OSBERG, T. M., et SHRAUGER, J. S. (1986). Self-prediction, Exploring the parameters of accuracy. *Journal of Personality of Social Psychology, 51,* 1044–1057.

OSGOOD, C. E. (1962). *An alternative to war or surrender.* Urbana, University of Illinois Press.

OSGOOD, C. E. (1980). GRIT, A strategy for survival in mankind's nuclear age? Communication présentée à la Pugwash Conference on New Directions in Disarmament, Racine, Wis.

OSKAMP, S. (1991). Curbside recycling, Knowledge, attitudes, and behavior. Communication présentée lors d'une rencontre de la Society for Experimental Social Psychology, Columbus, Ohio.

OSTERHOUSE, R. A., et BROCK, T. C. (1970). Distraction increases yielding to propaganda by inhibiting counterarguing. *Journal of Personality and Social Psychology, 15,* 344–358.

OZER, E. M., et BANDURA, A. (1990). Mechanisms governing empowerment effects, A self-efficacy analysis. *Journal of Personality and Social Psychology, 58,* 472–486.

PADGETT, V. R. (1989). Predicting organizational violence, An application of 11 powerful principles of obedience. Communication présentée à la convention de l'American Psychological Association.

PAK, A. W., DION, K. L., et DION, K. K. (1991). Social-psychological correlates of experienced discrimination, Test of the double jeopardy hypothesis. *International Journal of Intercultural Relations, 15,* 243–254.

PALLAK, S. R., MURRONI, E., et KOCH, J. (1983). Communicator attractiveness and expertise, emotional versus rational appeals, and persuasion, A heuristic versus systematic processing interpretation. *Social Cognition, 2,* 122–141.

PALMER, E. L., et DORR, A. (dir.) (1980). *Children and the faces of television, Teaching, violence, selling.* New York, Academic Press.

PANDEY, J., SINHA, Y., PRAKASH, A., et TRIPATHI, R. C. (1982). Right-left political ideologies and attribution of the causes of poverty. *European Journal of Social Psychology, 12,* 327–331.

PAPASTAMOU, S., et MUGNY, G. (1990). Synchronic consistency and psychologization in minority influence. *European Journal of Social Psychology, 20,* 85–98.

PARKE, R. D., BERKOWITZ, L., LEYENS, J. P., WEST, S. G., et SEBASTIAB, J. (1977). Some effects of violent and nonviolent movies on the behavior of juvenile delinquents. Dans L. Berkowitz (dir.). *Advances in experimental social psychology,* vol. 10. New York, Academic Press.

PASCAL, B. (1670/1965). *Thoughts* (trans. W. F. Trotter). Dans M. Mack (dir.). *World masterpieces.* New York, Norton.

PASCARELLA, E. T., et TERENZINI, P. T. (1991). *How college affects students, Findings and insights from twenty years of research.* San Francisco, Jossey-Bass.

PATTERSON, G. R., LITTMAN, R. A., et BRICKER, W. (1967). Assertive behavior in children, A step toward a theory of aggression. *Monographs of the Society of Research in Child Development* (n° de série 113), *32,* 5.

PATTERSON, T. E. (1980). The role of the mass media in presidential campaigns, The lessons of the 1976 election. *Items, 34,* 25–30. Social Science Research Council, 605 Third Avenue, New York, N.Y. 10016.

PELHAM, B. W. (1991). On the benefits of misery, Self-serving biases in the depressive self-concept. *Journal of Personality and Social Psychology, 61,* 670–681.

PENNEBAKER, J. (1990) *Opening up, The healing power of confiding in others.* New York, William Morrow.

PEPLAU, L. A., et GORDON, S. L. (1985). Women and men in love, Gender differences in close heterosexual relationships. Dans V. E. O'Leary, R. K. Unger, et B. S. Wallston (dir.). *Women, gender, and social psychology.* Hillsdale, NJ, Erlbaum.

PERDUE, C. W., DOVIDIO, J. F., GURTMAN, M. B., et TYLER, R. B. (1990). Us and them, Social categorization and the process of intergroup bias. *Journal of Personality and Social Psychology, 59,* 475–486.

PERLOFF, L. S. (1987). Social comparison and illusions of invulnerability. Dans C. R. Snyder et C. R. Ford (dir.). *Coping with negative life events, Clinical and social psychological perspectives.* New York, Plenum.

PERLOFF, R. M., et BROCK, T. C. (1980). «. . . And thinking makes it so», Cognitive responses to persuasion. Dans M. E. Roloff et G. R. Miller (dir.). *Persuasion, New directions in theory and research.* Beverly Hills, CA, Sage.

PERLS, F. S. (juillet 1973). *Ego, hunger and aggression, The beginning of Gestalt therapy.* Random House, 1969. Cité par Berkowitz, The case for bottling up rage. *Psychology Today,* 24–30.

PESSIN, J. (1933). The comparative effects of social and mechanical stimulation on memorizing. *American Journal of Psychology, 45,* 263–270.

PESSIN, J., et HUSBAND, R. W. (1933). Effects of social stimulation on human maze learning. *Journal of Abnormal and Social Psychology, 28,* 148–154.

PETERSON, C., et BARRETT, L. C. (1987). Explanatory style and academic performance among university freshmen. *Journal of Personality and Social Psychology, 53,* 603–607.

PETERSON, C., SCHWARTZ, S. M., et SELIGMAN, M. E. P. (1981). Self-blame and depression symptoms. *Journal of Personality and Social Psychology, 41,* 253–259.

367

PETERSON, C., et SELIGMAN, M. E. P. (1987). Explanatory style and illness. *Journal of Personality, 55*, 237–265.

PETERSON, C., SELIGMAN, M. E. P., et VAILLANT, G. E. (1988). Pessimistic explanatory style is a risk factor for physical illness, A thirty-five-year longitudinal study. *Journal of Personality and Social Psychology, 55*, 23–27.

PETTIGREW, T., et MEERTENS, R. (1991). Relative deprivation and intergroup prejudice. Manuscrit inédit, University of Amsterdam.

PETTIGREW, T. F. (1958). Personality and socio-cultural factors in intergroup attitudes, A cross-national comparison. *Journal of Conflict Resolution, 2*, 29–42.

PETTIGREW, T. F. (1969). Racially separate or together? *Journal of Social Issues, 2*, 43–69.

PETTIGREW, T. F. (1978). Three issues in ethnicity, Boundaries, deprivations, and perceptions. Dans J. M. Yinger et S. J. Cutler (dir.). *Major social issues, A multidisciplinary view*. New York, Free Press.

PETTIGREW, T. F. (1986). The intergroup contact hypothesis reconsidered. Dans M. Hewstone et R. Brown (dir.). *Contact and conflict in intergroup encounters*. Oxford, Basil Blackwell.

PETTIGREW, T. F. (1987). «Useful» modes of thought contribute to prejudice. *The New York Times*, 12 mai, 17–20.

PETTIGREW, T. F. (1988). Advancing racial justice, Past lessons for future use. Communication préparée pour l'University of Alabama Conference, «Opening Doors, An Appraisal of Race Relations in America.»

PETTINGALE, K. W., MORRIS, T., GREER, S., et HAYBITTLE, J. L. (1985). Mental attitudes to cancer, An additional prognostic factor. *Lancet,* 30 mars, p. 750.

PETTY, R. E., et CACIOPPO, J. T. (1977). Forewarning cognitive responding, and resistance to persuasion. *Journal of Personality and Social Psychology, 35*, 645–655.

PETTY, R. E., et CACIOPPO, J. T. (1979a). Effects of forewarning of persuasive intent and involvement on cognitive response and persuasion. *Personality and Social Psychology Bulletin, 5*, 173–176.

PETTY, R. E., et CACIOPPO, J. T. (1979b). Issue involvement can increase or decrease persuasion by enhancing message-relevant cognitive responses. *Journal of Personality and Social Psychology, 37*, 1915–1926.

PETTY, R. E., et CACIOPPO, J. T. (1986). *Communication and persuasion, Central and peripheral routes to attitude change*. New York, Springer-Verlag.

PETTY, R. E., CACIOPPO, J. T., et GOLDMAN, R. (1981). Personal involvement as a determinant of argument-based persuasion. *Journal of Personality and Social Psychology, 41*, 847–855.

PETTY, R. E., GLEICHER, F., et BAKER, S. M. (1991). Multiple roles for affect in persuasion. Dans J. Forgas (dir.). *Emotion and social judgments*. London, Pergamon.

PHILLIPS, D. P. (1985). Natural experiments on the effects of mass media violence on fatal aggression, Strengths and weaknesses of a new approach. Dans L. Berkowitz (dir.). *Advances in experimental social psychology,* vol. 19. Orlando, FL, Academic Press.

PHILLIPS, D. P., CARSTENSEN, L. L., et PAIGHT, D. J. (1989). Effects of mass media news stories on suicide, with new evidence on the role of story content. Dans D. R. Pfeffer (dir.). *Suicide among youth, Perspectives on risk and prevention*. Washington, DC, American Psychiatric Press.

PLATZ, S. J., et HOSCH, H. M. (1988). Cross-racial/ethnic eyewitness identification, A field study. *Journal of Applied Social Psychology, 18*, 972–984.

PLINER, P., HART, H., KOHL, J., et SAARI, D. (1974). Compliance without pressure, Some further data on the foot-in-the-door technique. *Journal of Experimental Social Psychology, 10*, 17–22.

POMERLEAU, O. F., et RODIN, J. (1986). Behavioral medicine and health psychology. Dans S. L. Garfield et A. E. Bergin (dir.). *Handbook of psychotherapy and behavior change* (3e éd.). New York, Wiley.

PORTER, N., GEIS, F. L., et JENNINGS (Walstedt), J. (1983). Are women invisible as leaders? *Sex Roles, 9*, 1035–1049.

POWELL, J. (1989). *Happiness is an inside job*. Valencia, CA, Tabor.

POWELL, J. L. (1988). A test of the knew-it-all-along effect in the 1984 presidential and statewide elections. *Journal of Applied Social Psychology, 18*, 760–773.

POZO, C., CARVER, C. S., WELLENS, A. R., et SCHEIER, M. F. (1991). Social anxiety and social perception, Construing others' reactions to the self. *Personality and Social Psychology Builletin, 17*, 355–362.

PRAGER, I. G., et CUTLER, B. L. (1990). Attributing traits to oneself and to others, The role of acquaintance level. *Personality and Social Psychology Bulletin, 16*, 309–319.

PRATKANIS, A. R., GREENWALD, A. G., LEIPPE, M. R., et BAUMGARDNER, M. H. (1988). Dans search of reliable persuasion effects, III. The sleeper effect is dead. Long live the sleeper effect. *Journal of Personality and Social Psychology, 54*, 203–218.

PRATT, M. W., PANCER, M., HUNSBERGER, B., et MANCHESTER, J. (1990). Reasoning about the self and relationships in maturity, An integrative complexity analysis of individual differences. *Journal of Personality and Social Psychology, 59*, 575–581.

PRENTICE-DUNN, S., et ROGERS, R. W. (1980). Effects of deindividuating situational cues and aggressive models on subjective deindividuation and aggression. *Journal of Personality and Social Psychology, 39*, 104–113.

PRENTICE-DUNN, S., et ROGERS, R. W. (1989). Deindividuation and the self-regulation of behavior. Dans P. B. Paulus (dir.). *Psychology of group influence* (2e éd.). Hillsdale, NJ, Erlbaum.

PRICE, G. H., DABBS, J. M., Jr, CLOWER, B. J., et RESIN, R. P. (1974). At first glance—Or, is physical attractiveness more than skin deep? Communication présentée à la convention de l'Eastern Psychological Association. Cité par K. L. Dion et K. K. Dion. Personality and behavioral correlates of romantic love. Dans M. Cook et G. Wilson (dir.). *Love and attraction*. Oxford, Pergamon, 1979.

PRUITT, D. G. (1981a). Kissinger as a traditional mediator with power. Dans J. Z. Rubin (dir.). *Dynamics of third party intervention, Kissinger in the Middle East*. New York, Praeger.

PRUITT, D. G. (1981b). *Negotiation behavior*. New York, Academic Press.

PRUITT, D. G. (juillet 1986). Trends in the scientific study of negotiation. *Negotiation Journal*, 237–244.

PRUITT, D. G. (1986). Achieving integrative agreements in negotiation. Dans R. K. White (dir.). *Psychology and the prevention of nuclear war*. New York, New York University Press.

PRUITT, D. G., et KIMMEL, M. J. (1977). Twenty years of experimental gaming, Critique, synthesis, and suggestions for the future. *Annual Review of Psychology, 28*, 363–392.

PRUITT, D. G., et LEWIS, S. A. (1975). Development of integrative solutions in bilateral negotiation. *Journal of Personality and Social Psychology, 31*, 621–633.

PRUITT, D. G., et LEWIS, S. A. (1977). The psychology of integrative bargaining. Dans D. Druckman (dir.). *Negotiations, A social-psychological analysis*. New York, Halsted.

PRUITT, D. G., et RUBIN, J. Z. (1986). *Social conflict*. San Francisco, Random House.

PRYOR, J. B. (1987). Sexual harassment proclivities in men. *Sex Roles, 17*, 269–290.

PUBLIC OPINION (1984). Need vs. greed (summary of Roper Report 84–1), août-septembre p. 25.

PUBLIC OPINION (1984). Vanity fare, août-septembre, p. 22.

PURVIS, J. A., DABBS, J. M., Jr, et HOPPER, C. H. (1984). The «opener», Skilled user of facial expression and speech pattern. *Personality and Social Psychology Bulletin, 10*, 61–66.

PYSZCZYNSKI, T., et GREENBERG, J. (1983). Determinants of reduction in intended effort as a strategy for coping with anticipated failure. *Journal of Research in Personality, 17*, 412–422.

PYSZCZYNSKI, T., GREENBERG, J., et HOLT, K. (1985). Maintaining consistency between self-serving beliefs and available data, A bias in information evaluation. *Personality and Social Psychology Bulletin, 11*, 179–190.

PYSZCZYNSKI, T., HAMILTON, J. C., GREENBERG, J., et BECKER, S. E. (1991). Self-awareness and psychological dysfunction. Dans C. R. Snyder et D. O. Forsyth (dir.). *Handbook of social and clinical psychology, The health perspective*. New York, Pergamon.

QUATTRONE, G. A. (1982). Behavioral consequences of attributional bias. *Social Cognition, 1*, 358–378.

QUATTRONE, G. A., et JONES, E. E. (1980). The perception of variability within in-groups and out-groups, Implications for the law of small numbers. *Journal of Personality and Social Psychology, 38*, 141–152.

RADECKI, T. (février-mars 1989). On picking good television and film entertainment. *NCTV NEWS, 10*(1–2), p. 5–6.

RAMIREZ, A. (1988). Racism toward Hispanics, The culturally monolithic society. Dans P. A. Katz et D. A. Taylor (dir.) *Eliminating racism, Profiles in controversy*. New York, Plenum.

RANK, S. G., et JACOBSON, C. K. (1977). Hospital nurses' compliance with medication overdose orders, A failure to replicate. *Journal of Health and Social Behavior, 18*, 188–193.

RAPOPORT, A. (1960). *Fights, games, and debates*. Ann Arbor, University of Michigan Press.

RCAgenda (novembre-décembre 1979). P. 11. 475, Riverside Drive, New York, N.Y. 10027.

REEDER, G. D., FLETCHER, G. J., et FURMAN, K. (1989). The role of observers' expectations in attitude attribution. *Journal of Experimental Social Psychology, 25*, 168–188.

REGAN, D. T., et CHENG, J. B. (1973). Distraction and attitude change, A resolution. *Journal of Experimental Social Psychology, 9*, 138–147.

REIFMAN, A. S., LARRICK, R. P., et FEIN, S. (1991). Temper and temperature on the diamond, The heat-aggression relationship in major league baseball. *Personality and Social Psychology Bulletin, 17*, 580–585.

REIS, H. T., NEZLEK, J., et WHEELER, L. (1980). Physical attractiveness in social interaction. *Journal of Personality and Social Psychology, 38*, 604–617.

REIS, H. T., et SHAVER, P. (1988). Intimacy as an interpersonal process. Dans S. Duck (dir.). *Handbook of personal relationships, Theory, relationships and interventions*. Chichester, England, Wiley.

REIS, H. T., WHEELER, L., SPIEGEL, N., KERNIS, M. H., NEZLEK, J., et PERRI, M. (1982). Physical attractiveness in social interaction, II. Why does appearance affect social experience? *Journal of Personality and Social Psychology, 43*, 979–996.

REITZES, D. C. (1953). The role of organizational structures, Union versus neighborhood in a tension situation. *Journal of Social Issues, 9*(1), 37–44.

REMLEY, A. (octobre 1988). From obedience to independence. *Psychology Today*, 56–59.

RENAUD, H., et ESTESS, F. (1961). Life history interviews with one hundred normal American males, «Pathogenicity» of childhood. *American Journal of Orthopsychiatry, 31*, 786–802.

RESSLER, R. K., BURGESS, A. W., et DOUGLAS, J. E. (1988). *Sexual homicide patterns*. Boston, Lexington.

RHODEWALT, F. (1987). Is self-handicapping an effective self-protective attributional strategy? Communication présentée à la convention de l'American Psychological Association.

RHODEWALT, F., et AUGUSTDOTTIR, S. (1986). Effects of self-presentation on the phenomenal self. *Journal of Personality and Social Psychology, 50*, 47–55.

RHODEWALT, F., SALTZMAN, A. T., et WITTMER J. (1984). Self-handicapping among competitive athletes, The role of practice in self-esteem protection. *Basic and Applied Social Psychology, 5*, 197–209.

RHOLES, W. S., NEWMAN, L. S., et RUBLE, D. N. (1990). Understanding self and other, Developmental and motivational aspects of perceiving persons in terms of invariant dispositions. Dans E. T. Higgins et R. M. Sorrentino (dir.). *Handbook of motivation and cognition, Foundations of social behavior,* vol. 2. New York, Guilford.

RICE, B. (1985, September). Performance review, The job nobody likes. *Psychology Today*, 30–36.

RICHARDSON, L. F. (1969). Generalized foreign policy. *British Journal of Psychology Monographs Supplements, 23*. Cité par A. Rapoport in *Fights, games, and debates.* Ann Arbor, University of Michigan Press, 1960, p. 15.

RIESS, M., ROSENFELD, P., MELBURG, V., et TEDESCHI, J. T. (1981). Self-serving attributions, Biased private perceptions and distorted public descriptions. *Journal of Personality and Social Psychology, 41*, 224–231.

ROBBERSON, M. R., et ROGERS, R. W. (1988). Beyond fear appeals, Negative and positive persuasive appeals to health and self-esteem. *Journal of Applied Social Psychology, 18*, 277–287.

ROBINS, L. N., et REGIER, D. A. (dir.) (1991). *Psychiatric disorders in America.* New York, Free Press.

ROBINSON, C. L., LOCKARD, J. S., et ADAMS, R. M. (1979). Who looks at a baby in public. *Ethology and Sociobiology, 1*, 87–91.

ROBINSON, J. P. (décembre 1988). Who's doing the housework? *American Demographics,* 24–28, 63.

ROBINSON, R. J., KELTNER, D., et ROSS, L. (1991). Misconstruing the views of the «other side», Real and perceived differences in three ideological conflicts. Document de travail n° 18, Stanford Center on Conflict and Negotiation, Stanford University.

ROGERS, C. R. (1958). Reinhold Niebuhr's *The self and the dramas of history,* A criticism. *Pastoral Psychology, 9*, 15–17.

ROGERS, C. R. (1980). *A way of being.* Boston, Houghton Mifflin.

ROGERS, R. W., et MEWBORN, C. R. (1976). Fear appeals and attitude change, Effects of a threat's noxiousness, probability of occurrence, and the efficacy of coping responses. *Journal of Personality and Social Psychology, 34*, 54–61.

ROGERS, R. W., et PRENTICE-DUNN, S. (1981). Deindividuation and anger-mediated interracial aggression, Unmasking regressive racism. *Journal of Personality and Social Psychology, 41*, 63–73.

ROKEACH, M., et MEZEI, L. (1966). Race and shared beliefs as factors in social choice. *Science, 151*, 167–172.

ROOK, K. S. (1984). Promoting social bonding, Strategies for helping the lonely and socially isolated. *American Psychologist, 39*, 1389–1407.

ROSENFELD, D. (1979). The relationship between self-esteem and egotism in males and females. Manuscrit inédit, Southern Methodist University.

ROSENHAN, D. L. (1973). On being sane in insane places. *Science, 179*, 250–258.

ROSENTHAL, R. (1985). From unconscious experimenter bias to teacher expectancy effects. Dans J. B. Dusek, V. C. Hall, et W. J. Meyer (dir.). *Teacher expectancies.* Hillsdale, NJ, Erlbaum.

ROSENTHAL, R. (1991). Teacher expectancy effects, A brief update 25 years after the Pygmalion experiment. *Journal of Research in Education, 1*, 3–12.

ROSENZWEIG, M. R. (1972). Cognitive dissonance. *American Psychologist, 27*, 769.

ROSS, L. D. (1977). The intuitive psychologist and his shortcomings, Distortions in the attribution process. Dans L. Berkowitz (dir.). *Advances in experimental social psychology,* vol. 10. New York, Academic Press.

ROSS, L. D. (1981). The «intuitive scientist» formulation and its developmental implications. Dans J. H. Havell et L. Ross (dir.). *Social cognitive development, Frontiers and possible futures.* Cambridge, England, Cambridge University Press.

ROSS, L. D. (1988). Situationist perspectives on the obedience experiments. Review of A. G. Miller's *The obedience experiments. Contemporary Psychology, 33*, 101–104.

ROSS, L. D., AMABILE, T. M., et STEINMETZ, J. L. (1977). Social roles, social control, and biases in social-perception processes. *Journal of Personality and Social Psychology, 35*, 485–494.

ROSS, M., et FLETCHER, G. J. O. (1985). Attribution and social perception. Dans G. Lindzey et E. Aronson (dir.). *The handbook of social psychology,* (3ᵉ éd.). New York, Random House.

ROSS, M., McFARLAND, C., et FLETCHER, G. J. O. (1981). The effect of attitude on the recall of personal histories. *Journal of Personality and Social Psychology, 40*, 627–634.

ROSS, M., et SICOLY, F. (1979). Egocentric biases in availability and attribution. *Journal of Personality and Social Psychology, 37*, 322–336.

ROSS, M., THIBAUT, J., et EVENBECK, S. (1971). Some determinants of the intensity of social protest. *Journal of Experimental Social Psychology, 7*, 401–418.

ROSSI, A. (juin 1978). The biosocial side of parenthood. *Human Nature,* 72–79.

ROSZELL, P., KENNEDY, D., et GRABB, E. (1990). Physical attractiveness and income attainment among Canadians. *Journal of Psychology, 123*, 547–559.

ROTH, D. L., SNYDER, C. R., et PACE, L. M. (1986). Dimensions of favorable self-presentation. *Journal of Personality and Social Psychology, 51*, 867–874.

ROTHBART, M., et BIRRELL, P. (1977). Attitude and perception of faces. *Journal of Research Personality, 11*, 209–215.

ROTHBART M., FULERO, S., JENSEN, C., HOWARD, J., et BIRRELL, P. (1978). From individual to group impressions, Availability heuristics in stereotype formation. *Journal of Experimental Social Psychology, 14*, 237–255.

ROTTER, J. (1973). Internal-external locus of control scale. Dans J. P. Robinson et R. P. Shaver (dir.). *Measures of social psychological attitudes*. Ann Arbor, Institute for Social Research.

ROTTON, J., et FREY, J. (1985). Air pollution, weather, and violent crimes, Concomitant time-series analysis of archival data. *Journal of Personality and Social Psychology, 49*, 1207–1220.

RUBACK, R. B., CARR, T. S., et HOPER, C. H. (1986). Perceived control in prison, Its relation to reported crowding, stress, and symptoms. *Journal of Applied Social Psychology, 16*, 375–386.

RUBIN, J. Z. (1986). Can we negotiate with terrorists, Some answers from psychology. Communication présentée à la convention de l'American Psychological Association.

RUBIN, J. Z. (1989). Some wise and mistaken assumptions about conflict and negotiation. *Journal of Social Issues, 45*, 195–209.

RUBIN, L. B. (1985). *Just friends, The role of friendship in our lives*. New York, Harper et Row.

RUBIN, Z. (1970). Measurement of romantic love. *Journal of Personality and Social Psychology, 16*, 265–273.

RUBIN, Z. (1973). *Liking and loving, An invitation to social psychology*. New York, Holt, Rinehart et Winston.

RULE, B. G., TAYLOR, B. R., et DOBBS, A. R. (1987). Priming effects of heat on aggressive thoughts. *Social Cognition, 5*, 131–143.

RUSBULT, C. E., JOHNSON, D. J., et MORROW, G. D. (1986). Impact of couple patterns of problem solving on distress and nondistress in dating relationships. *Journal of Personality and Social Psychology, 50*, 744–753.

RUSBULT, C. E., MORROW, G. D., et JOHNSON, D. J. (1987). Self-esteem and problem-solving behaviour in close relationships. *British Journal of Social Psychology, 26*, 293–303.

RUSHTON, J. P., FULKER, D. W., NEALE, M. C., NIAS, D. K. B., et EYSENCK, H. J. (1986). Altruism and aggression, The heritability of individual differences. *Journal of Personality and Social Psychology, 50*, 1192–1198.

RUSSELL, B. (1930/1980). *The conquest of happiness*. London, Unwin.

RUSSELL, G. W. (1983). Psychological issues in sports aggression. Dans J. H. Goldstein (dir.). *Sports violence*. New York, Springer-Verlag.

RUZZENE, M., et NOLLER, P. (1986). Feedback motivation and reactions to personality interpretations that differ in favorability and accuracy. *Journal of Personality and Social Psychology, 51*, 1293–1299.

SABINI, J., et SILVER, M. (1982). *Moralities of everyday life*. New York, Oxford University Press.

SACCO, W. P., et DUNN, V. K. (1990). Effect of actor depression on observer attributions, Existence and impact of negative attributions toward the depressed. *Journal of Personality and Social Psychology, 59*, 517–524.

SACKS, C. H., et BUGENTAL, D. P. (1987). Attributions as moderators of affective and behavioral responses to social failure. *Journal of Personality and Social Psychology, 53*, 939–947.

SALES, S. M. (1972). Economic threat as a determinant of conversion rates in authoritarian and nonauthoritarian churches. *Journal of Personality and Social Psychology, 23*, 420–428.

SALES, S. M. (1973). Threat as a factor in authoritarianism, An analysis of archival data. *Journal of Personality and Social Psychology, 28*, 44–57.

SALTZMAN, A. (1991). Trouble at the top. *U.S. News and World Report*, 17 juin, 40–48.

SANDBERG, G. G., JACKSON, T. L., et PETRETIC-JACKSON, P. (1985). Sexual aggression and courtship violence in dating relationships. Communication présentée à la convention de la Midwestern Psychological Association.

SANDE, G. N., GOETHALS, G. R., et RADLOFF, C. E. (1988). Perceiving one's own traits and others', The multifaceted self. *Journal of Personality and Social Psychology, 54*, 13–20.

SANDERS, G. S. (1981a). Driven by distraction, An integrative review of social facilitation and theory and research. *Journal of Experimental Social Psychology, 17*, 227–251.

SANDERS, G. S. (1981b). Toward a comprehensive account of social facilitation, Distraction/conflict does not mean theoretical conflict. *Journal of Experimental Social Psychology, 17*, 262–265.

SANDERS, G. S., et BARON, R. S. (1977). Is social comparison irrelevant for producing choice shifts? *Journal of Experimental Social Psychology, 13*, 303–314.

SANDERS, G. S., BARON, R. S., et MOORE, D. L. (1978). Distraction and social comparison as mediators of social facilitation effects. *Journal of Experimental Social Psychology, 14*, 291–303.

SANISLOW, C. A., III, PERKINS, D. V., et BALOGH, D. W. (1989). Mood induction, interpersonal perceptions, and rejection in the roommates of depressed, nondepressed-disturbed, and normal college students. *Journal of Social and Clinical Psychology, 8*, 345–358.

SAPADIN, L. A. (1988). Friendship and gender, Perspectives of pro-

fessional men and women. *Journal of Social and Personal Relationships, 5*, 387–403.

SARAWATHI, T. S., et DUTTA, R. (1988). *Invisible boundaries, Grooming for adult roles.* New Delhi, Northern Book Centre. Cité par R. Larson et M. H. Richards (1989). Introduction, The changing life space of early adolescence. *Journal of Youth and Adolescence, 18*, 501–509.

SARNOFF, I., et SARNOFF, S. (1989). *Love-centered marriage in a self-centered world.* New York, Hemisphere.

SCHACHTER, S. (1951). Deviation, rejection and communication. *Journal of Abnormal and Social Psychology, 46*, 190–207.

SCHACHTER, S., et SINGER, J. E. (1962). Cognitive, social and physiological determinants of emotional state. *Psychological Review, 69*, 379–399.

SCHAFER, R. B., et KEITH, P. M. (1980). Equity and depression among married couples. *Social Psychology Quarterly, 43*, 430–435.

SCHAFFNER, P. E., WANDERSMAN, A., et STANG, D. (1981). Candidate name exposure and voting, Two field studies. *Basic and Applied Social Psychology, 2*, 195–203.

SCHEIER, M. F., et CARVER, C. S. (1992). Effects of optimism on psychological and physical well-being, Theoretical overview and empirical update. *Cognitive Therapy and Research*, sous presse.

SCHEIN, E. H. (1956). The Chinese indoctrination program for prisoners of war, A study of attempted brainwashing. *Psychiatry, 19*, 149–172.

SCHIFFENBAUER, A., et SCHIAVO, R. S. (1976). Physical distance and attraction, An intensification effect. *Journal of Experimental Social Psychology, 12*, 274–282.

SCHLENKER, B. R. (1976). Egocentric perceptions in cooperative groups, A conceptualization and research review. Rapport final, Office of Naval Research, subvention n° 170–797.

SCHLENKER, B. R., et LEARY, M. R. (1982). Social anxiety and self-presentation, A conceptualization and model. *Psychological Bulletin, 92*, 641–669.

SCHLENKER, B. R., et LEARY, M. R. (1985). Social anxiety and communication about the self. *Journal of Language and Social Psychology, 4*, 171–192.

SCHLENKER, B. R., et MILLER, R. S. (1977a). Group cohesiveness as a determinant of egocentric perceptions in cooperative groups. *Human Relations, 30*, 1039–1055.

SCHLENKER, B. R., et MILLER, R. S. (1977b). Egocentrism in groups, Self-serving biases or logical information processing? *Journal of Personality and Social Psychology, 35*, 755–764.

SCHLENKER, B. R., et WEIGOLD, M. F. (1992). Interpersonal processes involving impression regulation and management. *Annual Review of Psychology, 43.*

SCHLENKER, B. R., WEIGOLD, M. E., et HALLAM, J. R. (1990). Self-serving attributions in social context, Effects of self-esteem and social pressure. *Journal of Personality and Social Psychology, 58*, 855–863.

SCHLESINGER, A., Jr (1949). The statistical soldier. *Partisan Review, 16*, 852–856.

SCHLESINGER, A., Jr (1991). The cult of ethnicity, good and bad. *Time*, 8 juillet, p. 21.

SCHLESINGER, A. M., Jr (1965). *A thousand days.* Boston, Houghton Mifflin. Cité par I. L. Janis, *Victims of groupthink.* Boston, Houghton Mifflin, 1972, p. 40.

SCHOFIELD, J. (1982). *Black and white in school, Trust, tension, or tolerance?* New York, Praeger.

SCHOFIELD, J. W. (1986). Causes and consequences of the colorblind perspective. Dans J. F. Dovidio et S. L. Gaertner (dir.). *Prejudice, discrimination, and racism.* Orlando, FL, Academic Press.

SCHULZ, J. W., et PRUITT, D. G. (1978). The effects of mutual concern on joint welfare. *Journal of Experimental Social Psychology, 14*, 480–492.

SCHUMAN, H., et SCOTT, J. (1989). Generations and collective memories. *American Sociological Review, 54*, 359–381.

SCHWARTZ, S. H., et GOTTLIEB, A. (1981). Participants' post-experimental reactions and the ethics of bystander research. *Journal of Experimental Social Psychology, 17*, 396–407.

SCHWARZ, N., BLESS, H., et BOHNER, G. (1991). Mood and persuasion, Affective states influence the processing of persuasive communications. Dans M. Zanna (dir.). *Advances in experimental social psychology*, vol. 24. New York, Academic Press.

SCHWARZ, N., et KURZ, E. (1989). What's in a picture? The impact of face-ism on trait attribution. *European Journal of Social Psychology, 19*, 311–316.

SCHWARZ, N., STRACK, F., KOMMER, D., et WAGNER, D. (1987). Soccer, rooms, and the quality of your life, Mood effects on judgments of satisfaction with life in general and with specific domains. *Journal of Applied Social Psychology, 17*, 69–79.

SCHWARZWALD, J., BIZMAN, A., et RAZ, M. (1983). The foot-in-the-door paradigm, Effects of second request size on donation probability and donor generosity. *Personality and Social Psychology Bulletin, 9*, 443–450.

SCOTT, J. P., et MARSTON, M. V. (1953). Nonadaptive behavior resulting from a series of defeats in fighting mice. *Journal of Abnormal and Social Psychology, 48*, 417–428.

SEARS, D. O. (1979). Life stage effects upon attitude change, especially among the elderly. Manuscrit préparé pour le Workshop on the Elderly of the Future, Committee on Aging, National Research Council, Annapolis, Md., 3–5 mai.

SEARS, D. O. (1986). College sophomores in the laboratory, Influences of a narrow data base on social psychology's view of human nature. *Journal of Personality and Social Psychology, 51*, 515–530.

SEGAL, H. A. (1954). Initial psychiatric findings of recently repatriated prisoners of war. *American Journal of Psychiatry, 61*, 358–363.

SEGALL, M. H., DASEN, P. R., BERRY, J. W., et POORTINGA, Y. H. (1990). *Human behavior in global perspective, An introduction to cross-cultural psychology*. New York, Pergamon.

SELIGMAN, M. E. P. (1975). *Helplessness, On depression, development and death*. San Francisco, W. H. Freeman.

SELIGMAN, M. E. P. (1988). Why is there so much depression today? The waxing of the individual and the waning of the commons. The G. Stanley Hall Lecture, American Psychological Association convention.

SELIGMAN, M. E. P. (1991). *Learned optimism*. New York, Knopf.

SELIGMAN, M. E. P., NOLEN-HOEKSEMA, S., THORNTON, N., et THORNTON, K. M. (1990). Explanatory style as a mechanism of disappointing athletic performance. *Psychological Science, 1*, 143–146.

SELIGMAN, M. E. P., et SCHULMAN, P. (1986). Explanatory style as a predictor of productivity and quitting among life insurance sales agents. *Journal of Personality and Social Psychology, 50*, 832–838.

SELTZER, L. F. (1983). Influencing the «shape» of resistance, An experimental exploration of paradoxical directives and psychological reactance. *Basic and Applied Social Psychology, 4*, 47–71.

SETA, C. E., et SETA, J. J. (1992). Increments and decrements in mean arterial pressure levels as a function of audience composition, An averaging and summation analysis. *Personality and Social Psychology Bulletin*.

SETA, J. J. (1982). The impact of comparison processes on coactors' task performance. *Journal of Personality and Social Psychology, 42*, 281–291.

SHARMA, N. (1981). Some aspect of attitude and behaviour of mothers. *Indian Psychological Review, 20*, 35–42.

SHEPPERD, J. A., et ARKIN, R. M. (1991). Behavioral other-enhancement, Strategically obscuring the link between performance and evaluation. *Journal of Personality and Social Psychology, 60*, 79–88.

SHEPPERD, J. A., et WRIGHT, R. A. (1989). Individual contributions to a collective effort, An incentive analysis. *Personality and Social Psychology Bulletin, 15*, 141–149.

SHERIF, M. (1966). Dans *common predicament, Social psychology of intergroup conflict and cooperation*. Boston, Houghton Mifflin.

SHORT, J. F., J^r (dir.) (1969). *Gang delinquency and delinquent subcultures*. New York, Harper et Row.

SHOTLAND, R. L., et CRAIG, J. M. (1988). Can men and women differentiate between friendly and sexually interested behavior? *Social Psychology Quarterly, 51*, 67–73.

SHOWERS, C., et RUBEN, C. (1987). Distinguishing pessimism from depression, Negative expectations and positive coping mechanisms. Communication présentée à la convention de l'American Psychological Association.

SHRAUGER, J. S. (1975). Responses to evaluation as a function of initial self-perceptions. *Psychological Bulletin, 82*, 581–596.

SHRAUGER, J. S. (1983). The accuracy of self-prediction, How good are we and why? Communication présentée à la convention de la Midwestern Psychological Association.

SILVER, M., et GELLER, D. (1978). On the irrelevance of evil, The organization and individual action. *Journal of Social Issues, 34*, 125–136.

SIMPSON, J. A. (1987). The dissolution of romantic relationships, Factors involved in relationship stability and emotional distress. *Journal of Personality and Social Psychology, 53*, 683–692.

SIMPSON, J. A., CAMPBELL, B., et BERSCHEID, E. (1986). The association between romantic love and marriage, Kephart (1967) twice revisited. *Personality and Social Psychology Bulletin, 12*, 363–372.

SIMPSON, J. A., GANGESTAD, S. W., et LERMA, M. (1990). Perception of physical attractiveness, Mechanisms involved in the maintenance of romantic relationships. *Journal of Personality and Social Psychology, 59*, 1192–1201.

SINGER, M. (1979a). Cults and cult members. Discours à l'occasion de la convention de l'American Psychological Association.

SINGER, M. (juillet-août 1979b). Interviewed by M. Freeman. Of cults and communication, A conversation with Margaret Singer. *APA Monitor*, 6–7.

SIVARD, R. L. (1991). *World military and social expenditures*. Washington, DC, World Priorities.

SKAALVIK, E. M., et HAGTVET, K. A. (1990). Academic achievement and self-concept, An analysis of causal predominance in a developmental perspective. *Journal of Personality and Social Psychology, 58*, 292–307.

SLAVIN, R. E. (décembre-janvier 1990). Research on cooperative learning, Consensus and controversy. *Educational Leadership*, 52–54.

SLOAN, J. H., KELLERMAN, A. L., REAY, D. T., FERRIS, J. A., KOEPSELL, T., RIVARA, F. P., RICE, C., GRAY, L., et LOGERFO, J. (1988). Handgun regulations, crime, assaults, and homicide, A tale of two cities. *New England Journal of Medicine, 319*, 1256–1261.

SLOVIC, P. (1972). From Shakespeare to Simon, Speculations—and some evidence—about man's ability to process information. *Oregon Research Institute Research Bulletin, 12*(2).

SLOVIC, P., et FISCHHOFF, B. (1977). On the psychology of experimental surprises. *Journal of Experimental Psychology, Human Perception and Performance, 3*, 455–551.

SLOWIACZEK, L. M., KLAYMAN, J., SHERMAN, S. J., et SKOV, R. B. (1991). Information selection and use in hypothesis testing, What is a good question, and what is a good answer? Manuscrit inédit, State University of New York at Albany.

SMEDLEY, J. W., et BAYTON, J. A. (1978). Evaluative race-class stereotypes by race and perceived class of subjects. *Journal of Personality and Social Psychology, 3*, 530–535.

SMITH, A. (1976). *The wealth of nations*. Book 1. Chicago, University of Chicago Press. (Publication initiale en 1776.)

SMITH, D. E., GIER, J. A., et WILLIS, F. N. (1982). Interpersonal touch and compliance with a marketing request. *Basic and Applied Social Psychology, 3*, 35–38.

SMITH, D. S., et STRUBE, M. J. (1991). Self-protective tendencies as moderators of self-handicapping impressions. *Basic and Applied Social Psychology, 12*, 63–80.

SMITH, H. (1976). *The Russians*. New York, Ballantine. Cité par B. Latané, K. Williams, et S. Harkins, Many hands make light work. *Journal of Personality and Social Psychology*, 1979, *37*, 822–832.

SMITH, P. B., et Tayeb, M. (1989). Organizational structure and processes. Dans M. Bond (dir.). *The cross-cultural challenge to social psychology*. Newbury Park, CA, Sage.

SMITH, T. W. (décembre 1990). Personal communication. Chicago, National Opinion Research Center.

SMITH, W. P. (1987). Conflict and negotiation, Trends and emerging issues. *Journal of Applied Social Psychology, 17*, 641–677.

SNODGRASS, M. A. (1987). The relationships of differential loneliness, intimacy, and characterological attributional style to duration of loneliness. *Journal of Social Behavior and Personality, 2*, 173–186.

SNYDER, C. R. (1978). The «illusion» of uniqueness. *Journal of Humanistic Psychology, 18*, 33–41.

SNYDER, C. R. (mars 1980). The uniqueness mystique. *Psychology Today*, 86–90.

SNYDER, C. R., et FROMKIN, H. L. (1980). *Uniqueness, The human pursuit of difference*. New York, Plenum.

SNYDER, C. R., et HIGGINS, R. L. (1988). Excuses, Their effective role in the negotiation of reality. *Psychological Bulletin, 104*, 23–35.

SNYDER, C. R., et SMITH, T. W. (1986). On being «shy like a fox», A self-handicapping analysis. Dans W. H. Jones et coll. (dir.). *Shyness, Perspectives on research and treatment*. New York, Plenum.

SNYDER, M. (1981). Seek, and ye shall find, Testing hypotheses about other people. Dans E. T. Higgins, C. P. Herman, et M. P. Zanna (dir.). *Social cognition, The Ontario symposium on personality and social psychology*. Hillsdale, NJ, Erlbaum.

SNYDER, M. (1983). The influence of individuals on situations, Implications for understanding the links between personality and social behavior. *Journal of Personality, 51*, 497–516.

SNYDER, M. (1984). When belief creates reality. Dans L. Berkowitz (dir.). *Advances in experimental social psychology*, vol. 18. New York, Academic Press.

SNYDER, M. (1991). Selling images versus selling products, Motivational foundations of consumer attitudes and behavior. *Advances in Consumer Research*.

SNYDER, M., BERSCHEID, E., et GLICK, P. (1985). Focusing on the exterior and the interior, Two investigations of the initiation of personal relationships. *Journal of Personality and Social Psychology, 48*, 1427–1439.

SNYDER, M., BERSCHEID, E., et MATWYCHUK, A. (1988). Orientations toward personnel selection, Differential reliance on appearance and personality. *Journal of Personality and Social Psychology, 54*, 972–979.

SNYDER, M., CAMPBELL, B., et PRESTON, E. (1982). Testing hypotheses about human nature, Assessing the accuracy of social stereotypes. *Social Cognition, 1*, 256–272.

SNYDER, M., et DEBONO, K. G. (1987). A functional approach to attitudes and persuasion. Dans M. P. Zanna, J. M. Olson, et C. P. Herman (dir.). *Social influence, The Ontario symposium*, vol. 5. Hillsdale, NJ, Erlbaum.

SNYDER, M., et ICKES, W. (1985). Personality and social behavior. Dans G. Lindzey et E. Aronson (dir.). *Handbook of social psychology* (3e éd.). New York, Random House.

SNYDER, M., et SIMPSON, J. (1985). Orientations toward romantic relationships. Dans S. Duckk et D. Perlman (dir.). *Understanding personal relationships*. Beverly Hills, CA, Sage.

SNYDER, M., TANKE, E. D., et BERSCHEID, E. (1977). Social perception and interpersonal behavior, On the self-fulfilling nature of social stereotypes. *Journal of Personality and Social Psychology, 35*, 656–666.

SNYDER, M., et THOMSEN, C. J. (1988). Interactions between therapists and clients, Hypothesis testing and behavioral confirmation. Dans D. C. Turk et P. Salovey (dir.). *Reasoning, inference, and judgment in clinical psychology*. New York, Free Press.

SOKOLL, G. R., et MYNATT, C. R. (1984). Arousal and free throw shooting. Communication présentée à la convention de la Midwestern Psychological Association, Chicago.

SOLANO, C. H., BATTEN, P. G., et PARISH, E. A. (1982). Loneliness and patterns of self-disclosure. *Journal of Personality and Social Psychology, 43*, 524–531.

SOLOMON, S., GREENBERG, J., et PYSZCZYNSKI, T. (1991). A terror management theory of social behavior, The psychological functions of self-esteem and cultural worldviews. *Advances in Experimental Social Psychology, 24*, 93–159.

SORENSON, S. B., STEIN, J. A., SIEGEL, J. M., GOLDING, J. M., et BURNAM, M. A. (1987). Prevalence of adult sexual assault, The Los Angeles Epidemiologic Catchment Area Study. *American Journal of Epidemiology, 126*, 1154–1164.

SORRENTINO, R. M., BOBOCEL, D. R., GITTA, M. Z., OLSEN, J. M., et HEWITT, E. C. (1988). Uncertainty orientation and persuasion, Individual differences in the effects of personal relevance on social judgments. *Journal of Personality and Social Psychology, 55*, 357–371.

SPARRELL, J. A., et SHRAUGER, J. S. (1984). Self-confidence and optimism in self-prediction. Communication présentée à la convention de l'American Psychological Association.

SPECTOR, P. E. (1986). Perceived control by employees, A meta-analysis of studies concerning autonomy and participation at work. *Human Relations, 39*, 1005–1016.

SPEER, A. (1971). *Inside the Third Reich, Memoirs.* (P. Winston et C. Winston, trans.). New York, Avon.

SPIEGEL, D., BLOOM, J. R., KRAEMER, H. C., et GOTTHEIL, E. (1989). Effect of psychosocial treatment on survival of patients with metastatic breast cancer. *The Lancet*, 14 octobre, 888–891.

SPIEGEL, H. W. (1971). *The growth of economic thought.* Durham, NC, Duke University Press.

SPITZBERG, B. H., et HURT, H. T. (1987). The relationship of interpersonal competence and skills to reported loneliness across time. *Journal of Social Behavior and Personality, 2*, 157–172.

SPIVAK, J. (1979). *Wall Street Journal*, 6 juin.

SPIVEY, C. B., et PRENTICE-DUNN, S. (1990). Assessing the directionality of deindividuated behavior, Effects of deindividuation, modeling, and private self-consciousness on aggressive and prosocial responses. *Basic and Applied Social Psychology, 11*, 387–403.

SPRECHER, S. (1987). The effects of self-disclosure given and received on affection for an intimate partner and stability of the relationship. *Journal of Personality and Social Psychology, 4*, 115–127.

ST. LAWRENCE, J. S., et JOYNER, D. J. (1991). The effects of sexually violent rock music on males' acceptance of violence against women. *Psychology of Women Quarterly, 15*, 49–63.

STARK, R., et BAINBRIDGE, W. S. (1980). Networks of faith, Interpersonal bonds and recruitment of cults and sects. *American Journal of Sociology, 85*, 1376–1395.

STASSER, G. (1991). Pooling of unshared information during group discussion. Dans S. Worchel, W. Wood, et J. Simpson (dir.). *Group process and productivity.* Beverly Hills, CA, Sage.

STAUB, E. (1989). *The roots of evil, The origins of genocide and other group violence.* Cambridge, Cambridge University Press.

STEELE, C. M., et SOUTHWICK, L. (1985). Alcohol and social behavior I, The psychology of drunken excess. *Journal of Personality and Social Psychology, 48*, 18–34.

STEIN, A. H., et FRIEDRICH, L. K. (1972). Television content and young children's behavior. Dans J. P. Murray, E. A. Rubinstein, et G. A. Comstock (dir.). *Television and social learning.* Washington, DC, Government Printing Office.

STEIN, D. D., HARDYCK, J. A., et SMITH, M. B. (1965). Race and belief, An open and shut case. *Journal of Personality and Social Psychology, 1*, 281–289.

STEPHAN, W. G. (1986). The effects of school desegregation, An evaluation 30 years after *Brown*. Dans R. Kidd, L. Saxe, et M. Saks (dir.). *Advances in applied social psychology.* New York, Erlbaum.

STEPHAN, W. G. (1987). The contact hypothesis in intergroup relations. Dans C. Hendrick (dir.). *Group processes and intergroup relations.* Newbury Park, CA, Sage.

STEPHAN, W. G. (1988). School desegregation, Short-term and long-term effects. Communication présentée à la conférence nationale, «Opening doors, An appraisal of race relations in America,» University of Alabama.

STEPHAN, W. G., BERSCHEID, E., et WALSTER, E. (1971). Sexual arousal and heterosexual perception. *Journal of Personality and Social Psychology, 20*, 93–101.

STERNBERG, R. J. (1988). Triangulating love. Dans R. J. Sternberg et M. L. Barnes (dir.). *The psychology of love.* New Haven, Yale University Press.

STERNBERG, R. J., et GRAJEK, S. (1984). The nature of love. *Journal of Personality and Social Psychology, 47*, 312–329.

STILLINGER, C., EPELBAUM, M., KELTNER, D., et ROSS, L. (1991). The «reactive devaluation» barrier to conflict resolution. Manuscrit inédit, Stanford University.

STOKES, J., et LEVIN, I. (1986). Gender differences in predicting loneliness from social network characteristics. *Journal of Personality and Social Psychology, 51*, 1069–1074.

STONE, A. A., HEDGES, S. M., NEALE, J. M., et SATIN, M. S. (1985). Prospective and cross-sectional mood reports offer no evidence of a «blue Monday» phenomenon. *Journal of Personality and Social Psychology, 49*, 129–134.

STONE, A. L., et GLASS, C. R. (1986). Cognitive distortion of social feedback in depression. *Journal of Social and Clinical Psychology, 4*, 179–188.

STONER, J. A. F. (1961). A comparison of individual and group decisions involving risk. Mémoire de maîtrise, Massachusetts Institute of Technology. Cité par D. G. Marquis, dans «Individual responsibility and group decisions involving risk». *Industrial Management Review*, 1962, *3*, 8–23.

STORMS, M. D. (1973). Videotape and the attribution process, Reversing actors' and observers' points of view. *Journal of Personality and Social Psychology, 27*, 165–175.

STORMS, M. D., et THOMAS, G. C. (1977). Reactions to physical closeness. *Journal of Personality and Social Psychology, 35*, 412–418.

STOUFFER, S. A., SUCHMAN, E. A., DEVINNEY, L. C., STAR, S. A., et WILLIAMS, R. M., Jr (1949). *The American soldier, Adjustment during army life*, vol. 1. Princeton, NJ, Princeton University Press.

STRACK, S., et COYNE, J. C. (1983). Social confirmation of dysphoria, Shared and private reactions to depression. *Journal of Personality and Social Psychology, 44*, 798–806.

STRAUSS, M. A., et GELLES, R. J. (1980). *Behind closed doors, Violence in the American family*. New York, Anchor/Doubleday.

STROEBE, W., et INSKO, C. A. (1989). Stereotype, prejudice, and discrimination, Changing conceptions in theory and research. Dans D. Bar-Tal, C. F. Graumann, A. W. Kruglanski, et W. Stroebe (dir.). *Stereotyping and prejudice*. New York, Springer-Verlag.

STROEBE, W., INSKO, C. A., THOMPSON, V. D., et LAYTON, B. D. (1971). Effects of physical attractiveness, attitude similarity, and sex on various aspects of interpersonal attraction. *Journal of Personality and Social Psychology, 18*, 79–91.

STROESSNER, S. J., HAMILTON, D. L., et LEPORE, L. (1990). Intergroup categorization and intragroup differentiation, Ingroup-outgroup differences. Communication présentée à la convention de l'American Psychological Association.

STRONG, S. R. (1968). Counseling, An interpersonal influence process. *Journal of Counseling Psychology, 17*, 81–87.

STRONG, S. R. (1978). Social psychological approach to psychotherapy research. Dans S. L. Garfield et A. E. Bergin (dir.). *Handbook of psychotherapy and behavior change* (2e éd.). New York, Wiley.

SULS, J., WAN, C. K., et SANDERS, G. S. (1988). False consensus and false uniqueness in estimating the prevalence of health-protective behaviors. *Journal of Applied Social Psychology, 18*, 66–79.

SUMMERS, G., et FELDMAN, N. S. (1984). Blaming the victim versus blaming the perpetrator, An attributional analysis of spouse abuse. *Journal of Social and Clinical Psychology, 2*, 339–347.

SUNDSTROM, E., DE MEUSE, K. P., et FUTRELL, D. (1990). Work teams, Applications and effectiveness. *American Psychologist, 45*, 120–133.

SVENSON, O. (1981). Are we all less risky and more skillful than our fellow drivers? *Acta Psychologica, 47*, 143–148.

SWANN, W. B., Jr, et GIULIANO, T. (1987). Confirmatory search strategies in social interaction, How, when, why, and with what consequences. *Journal of Social and Clinical Psychology, 5*, 511–524.

SWANN, W. B., Jr, GIULIANO, T., et WEGNER, D. M. (1982). Where leading questions can lead, The power of conjecture in social interaction. *Journal of Personality and Social Psychology, 42*, 1025–1035.

SWANN, W. B., Jr, et PREDMORE, S. C. (1985). Intimates as agents of social support, Sources of consolation or despair? *Journal of Personality and Social Psychology, 49*, 1609–1617.

SWANN, W. B., Jr, WENZLAFF, R. M., KRULL, D. S., et PELHAM, B. W. (1991). Seeking truth, reaping despair, Depression, self-verification and selection of relationship partners. *Journal of Abnormal Psychology.*

SWAP, W. C. (1977). Interpersonal attraction and repeated exposure to rewarders and punishers. *Personality and Social Psychology Bulletin, 3*, 248–251.

SWEDISH INFORMATION SERVICE (septembre 1980). *Social change in Sweden,* 19, p. 5. (Publié par le Consulat général de Suède, 825, Third Avenue, New York, NY 10022.)

SWEENEY, J. (1973). An experimental investigation of the free rider problem. *Social Science Research, 2*, 277–292.

SWEENEY, P. D., ANDERSON, K., et BAILEY, S. (1986). Attributional style in depression, A meta-analytic review. *Journal of Personality and Social Psychology, 50*, 947–991.

SWIM, J., AIKIN, K., HUNTER, B., et HALL, W. (1991). Sexism and racism, Old fashioned and modern prejudices. Manuscrit inédit, Pennsylvania State University.

SWIM, J., BORGIDA, E., MARUYAMA, G., et MYERS, D. G. (1989). Joan McKay vs. John McKay, Do gender stereotypes bias evaluations? *Psychological Bulletin, 105*, 409–429.

SYMONS, D. (entrevue réalisée par S. Keen). (février 1981). Eros and alley cop. *Psychology Today*, p. 54.

TAJFEL, H. (novembre 1970). Experiments in intergroup discrimination. *Scientific American*, 96–102.

TAJFEL, H. (1981). *Human groups and social categories, Studies in social psychology*. London, Cambridge University Press.

TAJFEL, H. (1982). Social psychology of intergroup relations. *Annual Review of Psychology, 33*, 1–39.

TAJFEL, H., et BILLIG, M. (1974). Familiarity and categorization in intergroup behavior. *Journal of Experimental Social Psychology, 10*, 159–170.

TAYLOR, D. A. (1979). Motivational bases. Dans G. J. Chelune (dir.). *Self-disclosure, Origins, patterns, and implications of openness in interpersonal relationships*. San Francisco, Jossey-Bass.

TAYLOR, D. A., GOULD, R. J., et BROUNSTEIN, P. J. (1981). Effects of personalistic self-disclosure. *Personality and Social Psychology Bulletin, 7*, 487–492.

TAYLOR, D. M., et DORIA, J. R. (1981). Self-serving and group-serving bias in attribution. *Journal of Social Psychology, 113*, 201–211.

TAYLOR, D. M., WRIGHT, S. C., MOGHADDAM, F. M., et LALONDE, R. N. (1990). The personal/group discrimination discrepancy, Perceiving my group, but not myself, to be a target for discrimination. *Personality and Social Psychology Bulletin, 16*, 254–262.

TAYLOR, S. E. (1981). A categorization approach to stereotyping. Dans D. L. Hamilton (dir.). *Cognitive processes in stereotyping and intergroup behavior*. Hillsdale, NJ, Erlbaum.

TAYLOR, S. E. (1989). *Positive illusions, Creative self-deception and the healthy mind*. New York, Basic Books.

TAYLOR, S. E., et BROWN, J. D. (1988). Illusion and well-being, A social psychological perspective on mental health. *Psychological Bulletin, 103*, 193–210.

TAYLOR, S. E., CROCKER, J., FISKE, S. T., SPRINZEN, M., et WINKLER, J. D. (1979). The generalizability of salience effects. *Journal of Personality and Social Psychology, 37*, 357–368.

TAYLOR, S. E., et FISKE, S. T. (1978). Salience, attention, and attribution, Top of the head phenomena. Dans L. Berkowitz (dir.). *Advances in experimental social psychology*, vol. 11. New York, Academic Press.

TAYLOR, S. E., FISKE, S. T., ETCOFF, N. L., et RUDER-MAN, A. J. (1978). Categorical and contextual bases of person memory and stereotyping. *Journal of Personality and Social Psychology, 36*, 778–793.

TAYLOR, S. E., KEMENY, M. E., ASPINWALL, L. G., SCHNEIDER, S. G., RODRIQUEZ, R., et HERBERT, M. (1992). Optimism, coping, psychological distress, and high-risk sexual behavior among men at risk for acquired immunodeficiency syndrome (AIDS). *Journal of Personality and Social Psychology, 63*, 460–473.

TAYLOR, S. P., et LEONARD, K. E. (1983). Alcohol and human physical aggression. *Aggression, 2*, 77–101.

TAYLOR, S. P., et PISANO, R. (1971). Physical aggression as a function of frustration and physical attack. *Journal of Social Psychology, 84*, 261–267.

TEGER, A. I. (1980). *Too much invested to quit.* New York, Pergamon.

TEIGEN, K. H. (1986). Old truths or fresh insights? A study of students' evaluations of proverbs. *British Journal of Social Psychology, 25*, 43–50.

TELCH, M. J., KILLEN, J. D., McALISTER, A. L., PERRY, C. L., et MACCOBY, N. (1981). Long-term follow-up of a pilot project on smoking prevention with adolescents. Communication présentée à la convention de l'American Psychological Association.

TENNEN, H., et AFFLECK, G. (1987). The costs and benefits of optimistic explanations and dispositional optimism. *Journal of Personality, 55*, 377–393.

TESSER, A. (1988). Toward a self-evaluation maintenance model of social behavior. Dans L. Berkowitz (dir.). *Advances in experimental social psychology*, vol. 21. San Diego, CA, Academic Press.

TESSER, A., et PAULHUS, D. (1983). The definition of self, Private and public self-evaluation management strategies. *Journal of Personality and Social Psychology, 44*, 672–682.

TETLOCK, P. E. (1985). Integrative complexity of American and Soviet foreign policy rhetoric, A time-series analysis. *Journal of Personality and Social Psychology, 49*, 1565–1585.

THOMAS, K. W., et PONDY, L. R. (1977). Toward an «intent» model of conflict management among principal parties. *Human Relations, 30*, 1089–1102.

THOMAS, L. (1978). Hubris in science? *Science, 200*, 1459–1462.

THOMPSON, L. (1990a). An examination of naive and experienced negotiators. *Journal of Personality and Social Psychology, 59*, 82–90.

THOMPSON, L. (1990b). The influence of experience on negotiation performance. *Journal of Experimental Social Psychology, 26*, 528–544.

THOMPSON, L. L., et CROCKER, J. (1985). Prejudice following threat to the self-concept. Effects of performance expectations and attributions. Manuscrit inédit, Northwestern University.

TICE, D. M. (1991). Esteem protection or enhancement? Self-handicapping motives and attributions differ by trait self-esteem. *Journal of Personality and Social Psychology, 60*, 711–725.

TIME (1990). Asia, Discarding daughters, numéro d'automne sur les femmes, p. 40.

TIMKO, C., et MOOS, R. H. (1989). Choice, control, and adaptation among elderly residents of sheltered care settings. *Journal of Applied Social Psychology, 19*, 636–655.

TORONTO NEWS (26 juillet 1977).

TRAVIS, L. E. (1925). The effect of a small audience upon eye-hand coordination. *Journal of Abnormal and Social Psychology, 20*, 142–146.

TRIANDIS, H. C., BONTEMPO, R., VILLAREAL, M. J., ASAI, M., et LUCCA, N. (1988). Individualism and collectivism, Cross-cultural perspectives on self-ingroup relationships. *Journal of Personality and Social Psychology, 54*, 323–338.

TRIANDIS, H. C., BRISLIN, R., et HUI, C. H. (1988). Cross-cultural training across the individualism-collectivism divide. *International Journal of Intercultural Relations, 12*, 269–289.

TRIMBLE, J. E. (1988). Stereotypical images, American Indians, and prejudice. Dans P. A. Katz et D. A. Taylor (dir.). *Eliminating racism, Profiles in controversy.* New York, Plenum.

TRIPLETT, N. (1898). The dynamogenic factors in pace-making and competition. *American Journal of Psychology, 9*, 507–533.

TROPE, Y., BASSOK, M., et ALON, E. (1984). The questions lay interviewers ask. *Journal of Personality, 52*, 90–106.

TROST, M. R., MAASS, A., et KENRICK, D. T. (1992). Minority influence, Personal relevance biases cognitive processes and reverses private acceptance. *Journal of Experimental Social Psychology.*

TUMIN, M. M. (1958). Readiness and resistance to desegregation, A social portrait of the hard core. *Social Forces, 36*, 256–273.

TURNER, C. W., HESSE, B. W., et PETERSON-LEWIS, S. (1986). Naturalistic studies of the long-term effects of television violence. *Journal of Social Issues, 42*(3), 51–74.

TURNER, M. E., PRATKANIS, A. R., PROBASCO, P., et LEVE, C. (1992). Threat, cohesion, and group effectiveness, Testing a collective dissonance reduction perspective on groupthink. *Journal of Personality and Social Psychology.*

TV GUIDE (26 janvier 1977), 5–10.

TVERKSY, A., et KAHNEMAN, D. (1974). Judgment under uncertainty, Heuristics and biases. *Science, 185*, 1123–1131.

ULEMAN, J. S. (1989). A framework for thinking intentionally about unintended thoughts. Dans J. S. Uleman et J. A. Bargh (dir.). *Unintended thought, The limits of awareness, intention, and control.* New York, Guilford.

ULEMAN, J. S., et BARGH, J. A. (dir.) (1989). *Unintended thought, The limits of awareness, intention, and control.* New York, Guilford.

UMBERSON, D., et HUGHES, M. (1987). The impact of physical attractiveness on achievement and psychological well-being. *Social Psychology Quarterly, 50*, 227–236.

UPI. (23 septembre 1967). Cité par P. G. Zimbardo, The human choice, Individuation, reason, and order versus deindividuation, impulse, and chaos. Dans W. J. Arnold et D. Levine (dir.). *Nebraska symposium on motivation*, 1969. Lincoln, University of Nebraska Press, 1970.

VAILLANT, G. E. (1977). *Adaptation to life.* Boston, Little, Brown.

VALLONE, R. P., GRIFFIN, D. W., LIN, S., et ROSS, L. (1990). Overconfident prediction of future actions and outcomes by self and others. *Journal of Personality and Social Psychology, 58*, 582–592.

VALLONE, R. P., ROSS, L., et LEPPER, M. R. (1985). The hostile media phenomenon, Biased perception and perceptions of media bias in coverage of the «Beirut Massacre.» *Journal of Personality and Social Psychology, 49*, 577–585.

VANCOUVER, J. B., RUBIN, B., et KERR, N. L. (1991). Sex composition of groups and member motivation III, Motivational losses at a feminine task. *Basic and Applied Social Psychology, 12*, 133–144.

VANDERSLICE, V. J., RICE, R. W., et JULIAN, J. W. (1987). The effects of participation in decision-making on worker satisfaction and productivity, An organizational simulation. *Journal of Applied Social Psychology, 17*, 158–170.

VAN LANGE, P. A. M. (1991). Being better but not smarter than others, The Muhammad Ali effect at work in interpersonal situations. *Personality and Social Psychology Bulletin, 17*, 689–693.

VAN STADEN, F. J. (1987). White South Africans' attitudes toward the desegregation of public amenities. *Journal of Social Psychology, 127*, 163–173.

VAN YPEREN, N. W., et BUUNK, B. P. (1990). A longitudinal study of equity and satisfaction in intimate relationships. *European Journal of Social Psychology, 20*, 287–309.

VAUX, A. (1988). Social and personal factors in loneliness. *Journal of Social and Clinical Psychology, 6*, 462–471.

VERPLANKEN, B. (1991). Persuasive communication of risk information, A test of cue versus message processsing effects in a field experiment. *Personality and Social Psychology Bulletin, 17*, 188–193.

VITELLI, R. (1988). The crisis issue assessed, An empirical analysis. *Basic and Applied Social Psychology, 9*, 301–309.

WACHTEL, P. L. (1989). *The poverty of affluence, A psychological portrait of the American way of life.* Philadelphia, New Society.

WAGSTAFF, G. F. (1983). Attitudes to poverty, the Protestant ethic, and political affiliation, A preliminary investigation. *Social Behavior and Personality, 11*, 45–47.

WALLACE, M. (1969). *New York Times*, 25 novembre.

WALSTER (Hatfield), E. (1965). The effect of self-esteem on romantic liking. *Journal of Experimental Social Psychology, 1*, 184–197.

WALSTER (Hatfield), E., ARONSON, V., ABRAHAMS, D., et ROTTMAN, L. (1966). Importance of physical attractiveness in dating behavior. *Journal of Personality and Social Psychology, 4*, 508–516.

WALSTER (Hatfield), E., et WALSTER, G. W. (1978). *A new look at love.* Reading, MA, Addison-Wesley.

WALSTER (Hatfield), E., WALSTER, G. W., et BERSCHEID, E. (1978). *Equity, Theory and research.* Boston, Allyn and Bacon.

WARD, W. C., et JENKINS, H. M. (1965). The display of information and the judgment of contingency. *Canadian Journal of Psychology, 19*, 231–241.

WASON, P. C. (1960). On the failure to eliminate hypotheses in a conceptual task. *Quarterly Journal of Experimental Psychology, 12*, 129–140.

WATSON, D. (1982). The actor and the observer, How are their perceptions of causality divergent? *Psychological Bulletin, 92*, 682–700.

WATSON, R. I., J[r] (1973). Investigation into deindividuation using a cross-cultural survey technique. *Journal of Personality and Social Psychology, 25*, 342–345.

WEARY, G., HARVEY, J. H., SCHWIEGER, P., OLSON, C. T., PERLOFF, R., et PRITCHARD, S. (1982). Self-presentation and the moderation of self-serving biases. *Social Cognition, 1*, 140–159.

WEHR, P. (1979). *Conflict regulation.* Boulder, CO, Westview.

WEINER, B. (1981). The emotional consequences of causal ascriptions. Manuscrit inédit, UCLA.

WEINSTEIN, N. D. (1980). Unrealistic optimism about future life events. *Journal of Personality and Social Psychology, 39*, 806–820.

WEINSTEIN, N. D. (1982). Unrealistic optimism about susceptibility to health problems. *Journal of Behavioral Medicine, 5*, 441–460.

WEISS, J., et BROWN, P. (1976). Self-insight error in the explanation of mood. Manuscrit inédit, Harvard University.

WENER, R., FRAZIER, W., et FARBSTEIN, J. (juin 1987). Building better jails. *Psychology Today*, 40–49.

WHEELER, L., REIS, H. T., et BOND, M. H. (1989). Collectivism-individualism in everyday social life, The middle kingdom and the melting pot. *Journal of Personality and Social Psychology, 57*, 79–86.

WHITE, G. L. (1980). Physical attractiveness and courtship progress. *Journal of Personality and Social Psychology, 39*, 660–668.

WHITE, P. A., et YOUNGER, D. P. (1988). Differences in the ascription of transient internal states to self and other. *Journal of Experimental Social Psychology, 24*, 292–309.

WHITE, R. K. (1977). Misperception in the Arab-Israeli conflict. *Journal of Social Issues, 33*(1), 190–221.

WHITLEY, B. E., Jr, et FRIEZE, I. H. (1985). Children's causal attributions for success and failure in achievement settings, A meta-analysis. *Journal of Educational Psychology, 77*, 608–616.

WHITMAN, R. M., KRAMER, M., et BALDRIDGE, B. (1963). Which dream does the patient tell? *Archives of General Psychology, 8*, 277–282.

WHYTE, G. (1992). Escalating commitment in individual and group decision making, A prospect theory approach. *Organizational Behavior and Human Decision Processes.*

WICKER, A. W. (1971). An examination of the «other variables» explanation of attitude-behavior inconsistency. *Journal of Personality and Social Psychology, 19*, 18–30.

WIDOM, C. S. (1989). Does violence beget violence? A critical examination of the literature. *Psychological Bulletin, 106*, 3–28. (p. 80)

WIEGMAN, O. (1985). Two politicians in a realistic experiment, Attraction, discrepancy, intensity of delivery, and attitude change. *Journal of Applied Social Psychology, 15*, 673–686.

WIESEL, E. (1985). The brave Christians who saved Jews from the Nazis. *TV Guide*, 6 avril, 4–6.

WILDER, D. A. (1978). Perceiving persons as a group, Effect on attributions of causality and beliefs. *Social Psychology, 41*, 13–23.

WILDER, D. A. (1981). Perceiving persons as a group, Categorization and intergroup relations. Dans D. L. Hamilton (dir.). *Cognitive processes in stereotyping and intergroup behavior.* Hillsdale, NJ, Erlbaum.

WILDER, D. A. (1990). Some determinants of the persuasive power of in-groups and out-groups, Organization of information and attribution of independence. *Journal of Personality and Social Psychology, 59*, 1202–1213.

WILDER, D. A., et SHAPIRO, P. N. (1984). Role of outgroup cues in determining social identity. *Journal of Personality and Social Psychology, 47*, 342–348.

WILEY, M. G., CRITTENDEN, K. S., et BIRG, L. D. (1979). Why a rejection? Causal attribution of a career achievement event. *Social Psychology Quarterly, 42*, 214–222.

WILLIAMS, C. L. (1989). *Gender differences at work, Women and men in nontraditional occupations.* Berkeley, University of California Press.

WILLIAMS, J. E., et BEST, D. L. (1990a). *Measuring sex stereotypes, A multination study.* Newbury Park, CA, Sage.

WILLIAMS, J. E., et BEST, D. L. (1990b). *Sex and psyche, Gender and self viewed cross-culturally.* Newbury Park, CA, Sage.

WILLIAMS, K. D. (1981). The effects of group cohesion on social loafing. Communication présentée à la convention de la Midwestern Psychological Association.

WILLIAMS, K. D., HARKINS, S., et LATANÉ, B. (1981). Identifiability as a deterrent to social loafing, Two cheering experiments. *Journal of Personality and Social Psychology, 40*, 303–311.

WILLIAMS, K. D., et KARAU, S. J. (1991). Social loafing and social compensation, The effects of expectations of coworker performance. *Journal of Personality and Social Psychology, 61*, 570–581.

WILLIAMS, K. D., NIDA, S. A., BACA, L. D., et LATANÉ, B. (1989). Social loafing and swimming, Effects of identifiability on individual and relay performance of intercollegiate swimmers. *Basic and Applied Social Psychology, 10*, 73–81.

WILLIAMS, T. M. (dir.) (1986). *The impact of television, A natural experiment in three communities.* Orlando, FL, Academic Press.

WILLIS, F. N., et HAMM, H. K. (1980). The use of interpersonal touch in securing compliance. *Journal of Nonverbal Behavior, 5*, 49–55.

WILLS, T. A. (1981). Downward comparison principles in social psychology. *Psychological Bulletin, 90*, 245–271.

WILSON, D. K., KAPLAN, R. M., et SCHNEIDERMAN, L. J. (1987). Framing of decisions and selections of alternatives in health care. *Social Behaviour, 2*, 51–59.

WILSON, D. K., PURDON, S. E., et WALLSTON, K. A. (1988). Compliance to health recommendations, A theoretical overview of message framing. *Health Education Research, 3*, 161–171.

WILSON, R. C., GAFT, J. G., DIENST, E. R., WOOD, L., et BAVRY, J. L. (1975). *College professors and their impact on students.* New York, Wiley.

WILSON, R. S., et MATHENY, A. P. Jr (1986). Behavior-genetics research in infant temperament, The Louisville twin study. Dans R. Plomin et J. Dunn (dir.). *The study of temperament, Changes, continuities, and challenges.* Hillsdale, NJ, Erlbaum.

WILSON, T. D., LASER, P. S., et STONE, J. I. (1982). Judging the predictors of one's mood, Accuracy and the use of shared theories. *Journal of Experimental Social Psychology, 18*, 537–556.

WINCH, R. F. (1958). *Mate selection, A study of complementary needs.* New York, Harper et Row.

WINTER, F. W. (1973). A laboratory experiment of individual attitude response to advertising exposure. *Journal of Marketing Research, 10*, 130–140.

WITTENBERG, M. T., et REIS, H. T. (1986). Loneliness, social skills, and social perception. *Personality and Social Psychology Bulletin, 12*, 121–130.

WIXON, D. R., et LAIRD, J. D. (1976). Awareness and attitude change in the forced-compliance paradigm, The importance of when. *Journal of Personality and Social Psychology, 34,* 376–384.

WOLF, S. (1987). Majority and minority influence, A social impact analysis. Dans M. P. Zanna, J. M. Olson, et C. P. Herman (dir.). *Social influence, The Ontario symposium on personality and social psychology,* vol. 5. Hillsdale, NJ, Erlbaum.

WOLF, S., et LATANÉ, B. (1985). Conformity, innovation and the psycho-social law. Dans S. Moscovici, G. Mugny, et E. Van Avermaet (dir.). *Perspectives on minority influence.* Cambridge, Cambridge University Press.

WOOD, J. V., SALTZBERG, J. A., et GOLDSAMT, L. A. (1990). Does affect induce self-focused attention? *Journal of Personality and Social Psychology, 58,* 899–908.

WOOD, J. V., SALTZBERG, J. A., NEALE, J. M., STONE, A. A., et RACHMIEL, T. B. (1990). Self-focused attention, coping responses, and distressed mood in everyday life. *Journal of Personality and Social Psychology, 58,* 1027–1036.

WOOD, W., et RHODES, N. (1991). Sex differences in interaction style in task groups. Dans C. Ridgeway (dir.). *Gender and interaction, The role of microstructures in inequality.* New York, Springer-Verlag.

WORCHEL, S., et BROWN, E. H. (1984). The role of plausibility in influencing environmental attributions. *Journal of Experimental Social Psychology, 20,* 86–96.

WORD, C. O., ZANNA, M. P., et COOPER, J. (1974). The nonverbal mediation of self-fulfilling prophecies in interracial interaction. *Journal of Experimental Social Psychology, 10,* 109–120.

WORRINGHAM, C. J., et MESSICK, D. M. (1983). Social facilitation of running, An unobtrusive study. *Journal of Social Psychology, 121,* 23–29.

WU, D. Y. H., et TSENG, W. S. (1985). Introduction, The characteristics of Chinese culture. Dans D. Y. H. Wu and W. S. Tseng (dir.). *Chinese culture and mental health.* San Diego, CA, Academic Press.

WYLIE, R. C. (1979). *The self-concept (vol. 2), Theory and research on selected topics.* Lincoln, University of Nebraska Press.

YOUNG, W. R. (février 1977). There's a girl on the tracks! *Reader's Digest,* 91–95.

YUKL, G. (1974). Effects of the opponent's initial offer, concession magnitude, and concession frequency on bargaining behavior. *Journal of Personality and Social Psychology, 30,* 323–335.

YZERBYT, V. Y., et LEYENS, J. P. (1991). Requesting information to form an impression, The influence of valence and confirmatory status. *Journal of Experimental Social Psychology, 27,* 337–356.

ZAJONC, R. B. (1965). Social facilitation. *Science, 149,* 269–274.

ZAJONC, R. B. (1968). Attitudinal effects of mere exposure. *Journal of Personality and Social Psychology, 9,* Monograph Suppl. n° 2, partie 2.

ZAJONC, R. B. (février 1970). Brainwash, Familiarity breeds comfort. *Psychology Today,* 32–35, 60–62.

ZAJONC, R. B., et SALES, S. M. (1966). Social facilitation of dominant and subordinate responses. *Journal of Experimental Social Psychology, 2,* 160–168.

ZANDER, A. (1969). Students' criteria of satisfaction in a classroom committee project. *Human Relations, 22,* 195–207.

ZANNA, M. P., HADDOCK, G., et ESSES, V. M. (1990). The nature of prejudice. Communication présentée à la Nags Head Conference on Stereotypes and Intergroup Relations, Kill Devil Hills, NC.

ZANNA, M. P., et PACK, S. J. (1975). On the self-fulfilling nature of apparent sex differences in behavior. *Journal of Experimental Social Psychology, 11,* 583–591.

ZEBROWITZ-McARTHUR, L. (1988). Person perception in cross-cultural perspective. Dans M. H. Bond (dir.). *The cross-cultural challenge to social psychology.* Newbury Park, CA, Sage.

ZIGLER, E. F., et GILMAN, E. P. (1990). An agenda for the 1990s, Supporting families. Dans D. Blankenhorn, S. Bayme, et J. B. Elshtain (dir.). *Rebuilding the nest, A new commitment to the American family.* Milwaukee, WI, Family Service America.

ZILLMANN, D. (1989). Aggression and sex, Independent and joint operations. Dans H. L. Wagner et A. S. R. Manstead (dir.). *Handbook of psychophysiology, Emotion and social behavior.* Chichester, Wiley.

ZILLMANN, D. (1989). Effects of prolonged consumption of pornography. Dans D. Zillmann et J. Bryant (dir.). *Pornography, Research advances and policy considerations.* Hillsdale, NJ, Erlbaum.

ZIMBARDO, P. G. (1970). The human choice, Individuation, reason, and order versus deindividuation, impulse, and chaos. Dans W. J. Arnold et D. Levine (dir.). *Nebraska symposium on motivation, 1969.* Lincoln, University of Nebraska Press.

ZIMBARDO, P. G. (1972). The Stanford prison experiment. A slide/tape presentation produced by Philip G. Zimbardo, Inc., P. O. Box 4395, Stanford, Calif. 94305.

ZIMBARDO, P. G., EBBESEN, E. B., et MASLACH, C. (1977). *Influencing attitudes and changing behavior.* Reading, MA, Addison-Wesley.

ZIMBARDO, P. G., WEISENBERG, M., FIRESTONE, I., et LEVY, B. (1965). Communicator effectiveness in producing public conformity and private attitude change. *Journal of Personality, 33,* 233–256.

Références à l'édition française

ABGRALL, J.-M. (1996). *La mécanique des sectes*. Paris, Éditions Payot, 339 p.

ASHFORTH, B. (1994). Petty tyranny in organizations. *Human Relations*, 47, 755-778.

BAGBY, R.-M. et RECTOR, N.-A. (1992). Prejudice in a simulated legal context: A further application of the social identity theory. *European Journal of Social Psychology*, 22, 397-406.

BAILLARGEON, J.-P. (sous la direction de), BÉLANGER, P.C., CARRON, A.H., DAGE-NAIS, B. GIROUX, L. I. Ross, L. (1994). *Le téléspectateur: glouton ou gourmet?* Institut québécois de recherche sur la culture, Québec.

BERGER, F. (1996). Les minorités ne sont pas la cause des tensions ni de la violence à l'école. *La Presse*, 20 septembre 1996, page A8.

BISSON, C. et WHISSELL, C. (1989). Will premenstrual syndrome produce a Ms Hyde? Evidence from daily administrations of the Emotions Profile Index. *Psychological Reports*, 65, 179-184.

BOIVIN, M., POULIN, F. et VITARO, F. (1994). Depressed mood and peer rejection in childhood. *Development and Psychopathology*, 6, 483-498.

BOLLAND, P. (1995). *Le référendum sur la souveraineté du Québec: une recherche sur les intentions de vote des jeunes Québécois.* Collège Montmorency, département de psychologie.

BOUCHARD, L. (1993). Patients' satisfaction with the physical environment of an onco-logy clinic. *Journal of Psychosocial Oncology,* 11, 55-67.

BOURHIS, R.Y., COLE, R. et GAGNON, A. (1992). Sexe, pouvoir et discrimination: ana-lyses intergroupes des rapports hommes-femmes. *Revue québécoise de psychologie,* 13, 103-127.

BRUNEL, M.-L., DUPUY-WALKER, L. et SCHLEIFER, M. (1989). Teachers' predictive capacity and empathy in relation to children's self-concept. *Revue canadienne de l'éducation,* 14, 226-241.

CHEBAT, J.-C., FILIATRAULT, P. et PERRIEN, J. (1990). Limits of credibility: The case of political persuasion. *Journal of Social Psychology*, 130, 157-167.

CLÉMENT, É. (1996). Méfiez-vous des gourous. *La Presse*, 7 juillet 1996, page B4.

CLENDENEN, V.I., HERMAN, C.P. et POLIVY, J. (1994). Social facilitation of eating among friends and strangers. *Appetite*, 23, 1-13.

COLLIN, C.-A., DISANO, F. et MALIK, R. (1994). Effects of confederate and subject gender on conformity in a color classification task. *Social Behavior and Personality*, 22, 355-364.

DOMPIERRE, S. et LAVALLÉE, M. (1990). Degré de contact et stress acculturatif dans le processus d'adaptation des réfugiés africains. *International Journal of Psychology*, 25, 417-437.

DOYLE, A.-B. et ABOUD, F.-E. (1995). A longitudinal study of White children's racial prejudice as a social-cognitive development. *Merill-Palmer Quarterly*, 41, 209-228.

DRAPEAU, S. et BOUCHARD, C. (1993). Soutien familial et ajustement des enfants de parents séparés. *Revue canadienne des sciences du comportement*, 25, 205-229.

EVANS, M.-A. (1992). Control and paradox in teacher conversations with shy children. *Revue canadienne des sciences du comportement*, 24, 502-516.

FLEMING, A.-S., CORTER, C., FRANKS, P., SURBEY, M. et coll. (1993). Postpartum factors related to mother's attraction to newborn infant odors. *Developmental Psychobiology*, 26, 115-132.

GAGNÉ, M.-H. et LAVOIE, F. (1993). Young people's views on the causes of violence in adolescents' romantic relationships. *Santé mentale au Canada*, 41, 11-15.

GÉLINAS, C., LUSSIER, Y. et SABOURIN, S. (1995). Adaptation conjugale: le rôle des attributions et de la détresse psychologique. *Revue canadienne des sciences du comportement*, 27, 21-35.

GOUVERNEMENT DU QUÉBEC (1995). Publications du Québec, *Annuaire du Québec: 1995*, 6ᵉ édition, Sainte-Foy, Québec.

GRAHAM, D.-F., GRAHAM, I., MACLEAN, M.-J. (1991). Going to the mall: A leisure activity of urban elderly people. *Revue canadienne du vieillissement*, 10, 345-358.

HADJISTAVROPOULOS, T. et GENEST, M. (1994). The underestimation of the role of physical attractiveness in dating preferences: Ignorance or taboo? *Revue canadienne des sciences du comportement*, 26, 298-318.

HURTEAU, M., BERGERON, Y. (1991). Portrait psychologique d'étudiants présentant des tendances suicidaires. *Revue canadienne de santé mentale communautaire*, 10, 117-130.

IWATA, O. (1989). Some correlates of differences caused by intimacy level in person perception and affiliative/altruistic behavior intention. *Psychologia: An International Journal of Psychology in the Orient*, 32, 185-193.

JOSHI, P. et DE GRACE, G.-R. (1985). Estime de soi, dépression, solitude et communication émotive selon la durée du chômage. *Revue québécoise de psychologie*, 6, 3-21.

KARNOFSKY, E.-B. et PRICE, H.-J. (1989). Dominance, territoriality and mating in the lobster, *Homarus americanus:* A mesocosm study. *Marine Behavior and Physiology*, 15, 101-121.

KLEINPLATZ, P., McCARREY, M. et KATEB, C. (1992). The impact of gender-role identity on women's self-esteem, lifestyle satisfaction and conflict. *Revue canadienne des sciences du comportement*, 24, 333-347.

KOESTNER, R. et ZUCKERMAN, M. (1994). Causality orientations, failure, and achievement. *Journal of Personality*, 62, 321-346.

LADOUCEUR, R., DUBÉ, D. et BUJOLD, A. (1994). Prevalence of pathological gambling and related problems among college students in the Quebec metropolitan area. *Revue canadienne de psychiatrie*, 39, 289-293.

LALANCETTE, M.-F. et STANDING, L.-G. (1990). Asch fails again. *Social Behavior and Personality*, 18, 7-12.

LAMBERT, W.E., GENESEE, F., HOLOBOW, N. et CHARTRAND, L. (1991). *Bilingual education for majority English-speaking children.* Montréal, Québec, McGill University, Department of Psychology.

LANGIS, J., MATHIEU, M. et SABOURIN. S. (1991). Rôles sexuels et adaptation conjugale. *Revue canadienne des sciences du comportement*, 23, 66-75.

LAROQUE, S. et MORVAL, J. (1987). La régulation de l'intimité: une enquête dans un contexte urbain. *Revue de psychologie appliquée*, 37, 27-47.

LAVOIE, M. et GODIN, G. (1991). Correlates of intention to use condom among auto mechanic students. *Health Education Research*, 6, 313-316.

LUI, L. et STANDING, L.-G. (1989). Communicator credibility: Trustworthiness defeats expertness. *Social Behavior and Personality*, 17, 219-221.

LUSSIER-LORTIE, M. et FELLERS, G.-L. (1991). Self-ingroup relationships: their variations among Canadian pre-adolescents of English, French and Italian origin. *Journal of Cross-Cultural Psychology*, 22, 458-471.

MASSON, C. (1996). La méfiance des ethnies. *La Presse*, 25 mai 1996, page B2.

MAUSER, G.A. (1990). A comparison of Canadian and American attitudes towards firearms. *Revue canadienne de criminologie*, 32, 573-589.

MORENCY, L. (1990). Pygmalion dans des classes d'éducation physique au primaire. *Revue canadienne de l'éducation*, 15, 103-114.

MOSKOWITZ, D.S. (1993). Dominance and friendliness: on the interaction of gender and situation. *Journal of Personality*, 61, 387-409.

NG, W.-J. et LINDSAY, R.C.L. (1994). Cross-race facial recognition: failure of the contact hypothesis. *Journal of Cross-Cultural Psychology*, 25, 217-232.

ORLICK, T., ZHOU, Q.-Y., PARTINGTON, J. (1990). Cooperation and conflict within Chinese and Canadian kindergarten settings. *Revue canadienne des sciences du comportement*, 22, 20-25.

PAK, A.W., DION, K.-L. et DION, K.-K. (1991). Social-psychologial correlates of experienced discrimination: Test of the double jeopardy hypothesis. *International Journal of Intercultural Relations*, 15, 243-254.

PALMER, C.-T. (1991). Kin-selection, reciprocal altruism, and information sharing among Maine lobstermen. *Ethology et Sociobiology*, 12, 221-235.

PALMER, S.-J. (1993). Women's «cocoon Work» in new religious movements: Sexual experimentation and feminine rites of passage. *Journal for the Scientific Study of Religion*, 32, 343-355.

PFEIFER, J.-E. (1992). The psychological framing of cults: Schematic representations and cult evaluations. *Journal of Applied Social Psychology*, 22, 531-544.

PILKINGTON, N.-W. et D'AUGELLI, A.-R. (1995). Victimization of lesbian, gay, and bisexual youth in community settings. *Journal of Community Psychology*, 23, 34-56.

POULIN-DUBOIS, D., SERBIN, L.-A., KENYON, B. et DERBYSHIRE, A. (1994). Infants' intermodal knowledge about gender. *Developmental Psychology*, 30, 436-442.

PRATT, A. (1996a). Sport et violence: il y aurait un lien. *La Presse*, 21 mai 1996, page A1.

PRATT, A. (1996). «Y'a jamais personne qui est mort». *La Presse*, 24 mai 1996, page A9.

PRESSE CANADIENNE (1996). Les crimes avec violence en baisse de 4% en 1995. *Le Soleil*, 31 juillet 1996, page A8.

RUBIN, K.H., LYNCH, D., COPLAN, R., ROSE-KRASNOR, L. et coll. (1994). Birds of a feather…: Behavioral concordances and preferential personal attraction in children. *Child Development*, 65, 1778-1785.

RUSSEL, G.-W. (1992). Response of the macho male to viewing a combatant sport. *Journal of Social Behavior and Personality*, 7, 631-638.

RUSSELL, G.W. (1993). Violent sports entertainment and the promise of catharsis. *Medienpsychologie Zeitschrift für Individuel und Massenkommunikation*, 5, 101-105.

SANDE, G.-N., GOETHALS, G.R., FERRARI, L. et WORTH, L.-T. (1989). Value-guided attributions: Maintaining the moral self-image and the diabolical enemy-image. *Journal of Social Issues*, 45, 91-118.

SNIDERMAN, P.-M., NORTHRUP, D.-A., FLETCHER, J.-F., RUSSELL, P.-H. et coll. (1993). Psychological and cultural foundations of prejudice: The case of anti-Semitism in Quebec. *Revue canadienne de sociologie et d'anthropologie*, 30, 242-270.

SOUSSIGNAN, R., TREMBLAY, R.-E., CHARLEBOIS, P. et GAGNON, C. (1987). Quatre catégories de garçons agressifs à la maternelle: différences comportementales et familiales. *Enfance*, 40, 359-372.

VALLIANT, P.-M. et FURAC, C.-J. (1993). Type of housing and emotional health of senior citizens. *Psychological Reports*, 73, 1347-1353.

WEISZ, M.-G. et EARLS, C.-M. (1995). The effects of exposure to filmed sexual violence on attitudes toward rape. *Journal of Interpersonal Violence*, 10, 71-84.

WIDMEYER, W.-N. et LOY, J.-W. (1988). When you're hot, you're hot - Warm-cold effects in first impressions of persons and teaching effectiveness. *Journal of Educational Psychology*, 80, 118-121.

WILSON, C. et STEWIN, L.-L. (1992). Semantic differential responses to educational posters on Acquired Immune Deficiency Syndrome (AIDS). *Alberta Journal of Educational Research*, 38, 79-89.

WOOD, J.-V., GIORDANO-BEECH, M., TAYLOR, K.-L., MICHELA, J.-L. et coll. (1994). Strategies of social comparison among people with low self-esteem: Self-protection and self-enhancement. *Journal of Personality and Social Psychology*, 67, 713-731.

WYLIE, L. et FOREST, J. (1992). Religious fundamentalism, right-wing authoritarianism and prejudice. *Psychological Reports*, 71, 1291-1298.

Index des auteurs

385

Index des sujets

393

395

Sources

Figures

Fig. 4.1 D'après R.P. Vallone, L.D. Ross et M.R. Lepper, «The Hostile Media Phenomenon: Biased Perception and Perceptions of Media Bias in Coverage of the «Beruit Massacre», *Journal of Personality and Social Psychology*, vol. 49 (1985), p. 577-585. © 1985. Prof. Lee D. Ross.

Fig. 5.1 D'après E.E. Jones et V.A. Harris, «The Attribution of Attitudes», *Journal of Experimental Social Psychology*, vol. 3 (1967), p. 2-24. © 1967. Avec l'autorisation de Academic Press et Prof. Edward E. Jones.

Fig. 5.2 D'après L.D. Ross, T.M. Amabile et J.L. Steinmetz, «Social Roles, Social Control, and Biases in Social-perception Process», *Journal of Personality and Social Psychology*, vol. 35 (1977), p. 485-494. © 1977 American Psychological Association. Avec l'autorisation de Prof. Lee D. Roth.

Fig. 9.2 Tiré de J.P. Forgas, G.H. Blower et S.E. Krantz, «The Influence of Mood on Perceptions of Social Interactions,» *Journal of Experimental Social Psychology*, vol. 20 (1984), p. 497-513. Avec l'autorisation de Academic Press.

Fig. 12.1 D'après A.H. Eagley et W. Wood, «Explaining Sex Differences in Social Behavior: A Meta-analytic Perspective,» *Personality and Social Psychology Bulletin*, vol. 17, no. 3 (1991), p. 306-315. © 1991 Society for Personality and Social Psychology, Inc. Avec l'autorisation de Sage Publications, Inc.

Fig. 13.1 D'après S.E. Asch, «Opinions and Social Pressure». © 1955 Scientific American, Inc. Tous droits réservés.

Fig. 13.2 D'après S. Milgram, «Some Conditions of Obedience and Disobedience to Authority», *Human Relations*, vol. 18 (1965), p. 57-76. © 1965. Avec l'autorisation de Mme Alexandra Milgram.

Fig. 15.1 D'après A. McAlister, *et al.*, «Pilot Study of Smoking, Alcohol, and Drug-Abuse Prevention», *American Journal of Public Health*, vol. 70 (1980), p. 719-721. © 1980. Avec l'autorisation de American Public Health Association.

Fig. 16.1 D'après R.B. Zajonc et S.M. Sales, «Social Facilitation of Dominant and Subordinate Responses», *Journal of Experimental and Social Psychology*, vol. 2 (1966), p. 160-166. © 1966. Avec l'autorisation de Academic Press et Prof. R.B. Zajonc.

Fig. 17.2 Tiré de J.M. Jackson et K.D. Williams, «Social Loafing: A Review and Theoretical Analysis», Fordham University, inédit.

Fig. 18.2 D'après E. Diener, *et al.*, «Effects of Deindividuation Variables on Stealing among Halloween Trick-or-Treaters», *Journal of Personality and Social Psychology*, vol. 33 (1976), p. 178-183. © 1976 American Psychology Association. Avec l'autorisation de Prof. Edward F. Diener.

Fig. 19.2 D'après D.A. Myers et G.D. Bishop, «Discussion Effects on Racial Attitudes,» *Science*, vol. 221 (21 août 1970), p. 770. © 1970 AAAS. Avec l'autorisation de AAAS.

Fig. 19.3 Adapté avec l'autorisation de The Free Press, une division de Macmillan, Inc., tiré de *Decision Making: A Psychological Analysis of Conflict, Choice, and Commitment* de Irving L. Janis et Leon Mann. © 1977 The Free Press.

Fig. 21.1 D'après G. Gallup, Jr. et L. Hugick, «Racial Tolerance Grows, Progress on Racial Equality Less Evident», *Gallup Poll Monthly,* June 23, 1990. Avec l'autorisation de Gallup Organization.

D'après R.G. Niemi, J. Mueller et T.W. Smith, *Trends in Public Opinion:*

A Compendium of Survey Data. © 1989 Greenwood Press, Greenwood Publishing Group, Inc., Westport, CT.

D'après une communication entre l'auteur et Tom W. Smith, Directeur, General Social Survey, National Opinion Research Center. Avec son autorisation.

Fig. 21.2   D'après R.W. Rogers et S. Prenctice-Dunn, «Deindividuation and Anger-mediated Racial Aggression: Unmasking Regressive Racism», *Journal of Personality and Social Psychology*, vol. 14 (1981), p. 554-563. © 1981. Avec l'autorisation de Prof. Ronald W. Rogers.

Fig. 21.4   D'après R.G. Niemi, J. Mueller et T. W. Smith, *Trends in Public Opinion: A Compendium of Survey Data.* © 1989 Greenwood Press, Greenwood Publishing Group, Inc., Westport, CT. Avec autorisation.

D'après une communication entre l'auteur et Tom W. Smith, Directeur, General Social Survey, National Opinion Research Center. Avec son autorisation.

D'après P.G. Devine et R.S. Malpass, «Orienting Strategies in Differential Face Recognition», *Personality and Social Psychology Bulletin*, vol. 11, n° 1 (1985), p. 33-40. © 1985 Society for Personality and Social Psychology, Inc. Reproduit avec l'autorisation de Sage Publications, Inc.

Fig. 23.2   D'après A. Bandura, «The Social Learning Perspective: Mechanisms of Aggression», H. Toch, édit., *Psychology of Crime and Criminal Justice.* © 1979. Avec l'autorisation de Prof. Albert Bandura.

Fig. 24.1   D'après L.D. Eron et L.R. Huesmann, «The Control of Aggressive Behavior by Changes in Attitude», R.J. Blanchard et C. Blanchard, édit., *Advances in the Study of Aggression*, vol. 1. © 1984. Avec autorisation de Academic Press et Dr. Leonard D. Eron.

Fig. 24.2   D'après E. Donnerstein, «Aggressive Erotica and Violence against Women», *Journal of Personality and Social Psychology.* © 1980. Avec l'autorisation de Prof. Edward I. Donnerstein.

Fig. 27.1   D'après R.B. Zajonc, «Attitudinal Effects of Mere Exposure», *Journal of Personality and Social Psycholoy*, vol. 9, (1968), Monograph Supplement n° 2 © 1968 American Psychological Association. Avec l'autorisation de R.B. Zajonc.

Fig. 28.1   Tiré de R.J. Sternberg et M.L. Barnes, édit., *The Psychology of Love*, © 1988. Avec l'autorisation de Yale University Press.

Fig. 28.2   D'après U. Gupta et P. Singh, «Exploratory Study of Love and Liking and Type of Marriage», *Indian Journal of Applied Psychology*, vol. 19 (1982), p. 92-97.

D'après J.A. Simpson, B. Campbell et E. Bersheid, «The Association Between Love and Marriage,» *Personality and Social Psychology Bulletin*, vol. 12, n° 3 (1986), p. 367-372. © 1986 Society for Personality and Social Psychology, Inc. Reproduit avec l'autorisation de Sage Publications, Inc.

Fig. 29.2   D'après B. Latane et M.N. Darley, «Group Inhibition of Bystander Intervention in Emergencies», *Journal of Personality and Social Psychology*, vol. 10 (1968), p. 215-221. © 1968 American Psychological Association. Avec l'autorisation de Prof. Bibb Latane.

Tableau

Tableau 25.1   De L. DeStefano et D. Colasanto, «Unlike 1975, Today Most Americans Think They Have It Better», *Gallup Poll Monthly*, n° 293 (1990), p. EH-26. Avec l'autorisation de The Gallup Organization.